イメージ&クレバー方式でよくわかる

かやのき先生の基本情報技術者教室

令和07年

Webサイト連動

栢木 厚 著

JN028150

ラバス
9.0
[科目A・B]
対応

技術評論社

はじめに ●━━━━━━━━━━━━━━━━━━━━━━━━━━━━━

　情報処理技術者試験センター (JITEC) によれば，基本情報技術者 (以下，基本情報) 試験の試験対象者は，「高度IT人材となるために必要な基本的知識・技能をもち，実践的な活用能力を身に付けた者」となっています。具体的には，上位者の指導の下に，企業などが直面する課題に対して，情報戦略に関する予測・分析・評価を行ったり，システムの設計・開発・運用を担当します。

　基本情報の合格者は，一時金や資格手当などの報奨金が支給されたり，就職の際の前提条件にされたりするなど，企業から非常に高い評価を受けています。また，企業にとって，合格者数の多いことが企業の技術的能力の高さの証明にもなります。

　このような理由から，プログラマやSE (システムエンジニア) に従事している方や，将来目指している方にとっては入門となる資格ですが，是非とも取っておきたい資格といえます。

　しかし，基本情報の合格率は40 ～ 50％程度で，実務経験者さえ容易に合格できる試験ではありません。資格試験である以上，合格するには試験対策が必要であるということです。

　そこで，本書は時間の制約のある中で効率的に学習し，「途中で挫折することなく合格を目指す方」，「以前途中で挫折し，今回再チャレンジして合格を目指す方」をはじめ受験される方の手助けとなるように，受験者 (エンドユーザ) の立場に立って，「出題頻度の高い分野」・「理解しがたいと思われる分野」を中心に，わかりやすく，イメージしやすいように工夫をしています。

　基本情報を合格した人の多くが，応用情報技術者試験等のより高度な情報処理技術者試験に挑戦されています。今回基本情報を合格され，さらに将来高度な技術者を目指す第一歩となることを期待しております。

栢木　厚

本書のコンセプト ●━━━━━━━━━━━━━━━━━━━━━━━━━━

**「難しい知識を難しく教えても意味がない。
　難しい知識をわかりやすく教えることが重要である。」**

目次
[学習予定表]

第3章　基礎理論 [科目A]

第4章　アルゴリズムとプログラミング [科目A・B]

第5章　システム構成要素 [科目A]

		ページ	出題頻度	学習予定日	学習日	メモ
5-01	システム構成	228	必須			
5-02	クライアントサーバ システム	234	必須			
5-03	RAIDと信頼性設計	240	必須			
5-04	システムの性能評価	244	必須			
5-05	システムの 信頼性評価	248	超重要			
	5章の復習					

第6章　データベース技術 [科目A]

		ページ	出題頻度	学習予定日	学習日	メモ
6-01	データベース	256	必須			
6-02	データベース設計	260	必須			
6-03	データの正規化	264	必須			
6-04	トランザクション 処理	270	超重要			
6-05	データベースの 障害回復	278	必須			
6-06	データ操作とSQL	282	超重要			
6-07	SQL(並べ替え・ グループ化)	290	必須			
6-08	SQL (副問合せ)	294	時々出			
6-09	データベースの応用	300	必須			
	6章の復習					

第7章 ネットワーク技術 [科目A]

第8章 情報セキュリティ [科目A・B]

第9章 システム開発技術 [科目A]

		ページ	出題頻度	学習予定日	学習日	メモ
9-01	情報システム戦略と企画・要件定義プロセス	386	必須			
9-02	ソフトウェア開発	394	超重要			
9-03	オブジェクト指向	400	超重要			
9-04	業務モデリング	406	必須			
9-05	ユーザインタフェース	414	必須			
9-06	モジュール分割	420	時々出			
9-07	テスト手法	424	必須			
9章の復習						

第10章 マネジメント系 [科目A]

		ページ	出題頻度	学習予定日	学習日	メモ
10-01	プロジェクトマネジメント	434	必須			
10-02	スコープ・コストマネジメント	438	必須			
10-03	タイムマネジメント	442	必須			
10-04	ITサービスマネジメント	450	必須			
10-05	システム監査と内部統制	456	超重要			
10章の復習						

第11章 ストラテジ系 [科目A]

第12章 科目B対策

●スマホで読める「厳選英略語100暗記カード」「頻出単語100暗記カード」の入手
① 右のQRコードを読み込んで下さい。
② [本書のサポートページ] → [ダウンロード] で, 次のパスワード
　を入力し, PDFファイルをダウンロードして下さい。
　　　パスワード　w3Kh74Sz
③ PDFリーダーソフトなどで読むことができます。

本書の使い方

本書は，基本情報技術者試験によく出題されるテーマだけを集め，構成しました。紙面は，次の要素からなっています。

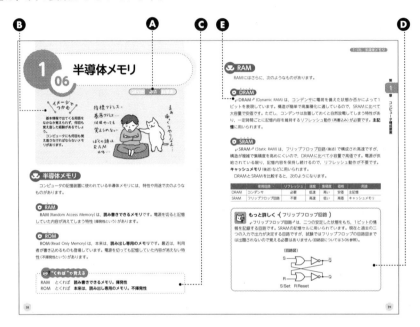

A出題頻度	**時々出**	よく出題される，要注意テーマ
	必須	ほぼ毎回出題される，必須のテーマ
	超重要	絶対に取りこぼせない，最重要のテーマ
Bイメージ **でつかむ**	導入部では，そのテーマを理解するための手がかりを，イラストを使ってイメージしやすく解説	
C"くれば" **で覚える**	例えば「DNS　とくれば　ドメイン名」のように，そのテーマの重要なポイントや，用語の要点を「～とくれば～」方式で再確認	

> ➤ イメージ&クレバー方式

D囲み記事	**知っ得情報**	関連した知識を，まとめて効率よく覚える
	攻略法	わかりにくい概念を，図解や例えでやさしく説明する
	もっと詳しく	ちょっと掘り下げて，より深い理解を得る
	アドバイス	試験合格のためのポイントを提示する
	参考	理解を手助けするために背景を説明する
E頻出用語	赤シートで隠せる。✦✦　✦マーク付きは超頻出の用語	

テーマごとに，関連する過去問題を載せてあります。良問を選りすぐっていますので，本試験でまったく同じ問題が出題されるかも！

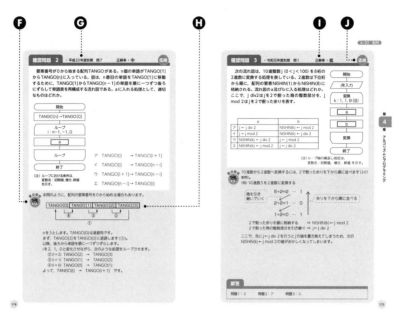

F 要点解説　その問題を解く上で，最重要のポイントを解説

G 年度表示　その問題が，いつ出題されたかひと目でわかる

H 図解　問題の解説にも，図解を多用して理解を助ける

I 正解率　独自調査により，全問題に表示

J アイコン

基本 基礎的な用語の知識を問う

応用 具体的事例などで問う

計算 数値を求める計算問題

頻出 特によく出る要注意の問題

試験の概要

🧢 IT系人材として必須の国家試験

　基本情報技術者試験は，ITを活用したサービスや製品，情報システムを開発する人材として必要な基礎・機能を問う国家試験です。試験に合格すると，「この人はシステムの開発者としての基礎知識を持っている」と国が証明してくれます。合格者には，経済産業大臣名で合格証書が届きます。

　令和5年度の受験者数は14万人，受験者の平均年齢は27歳前後です。

🧢 合格率は40～50%くらい

　合格率は以下の通りです。令和5年4月の試験制度変更（後述）の直後は合格率が高かったのですが，徐々に合格率が下がっています。月により変動があるものの，令和6年度の9月までの平均は42.6%となっていました。今後の推移が注目されます。

受験年月	応募者数	受験者数	合格者数	受験率	合格率
令和5年度4月	11,294	10,513	5,928	93.1%	56.4%
令和5年度9月	11,322	9,523	4,542	84.1%	47.7%
令和6年度4月	12,256	10,394	4,235	84.8%	40.7%
令和6年度9月	13,626	11,570	4,788	84.9%	41.4%

🧢 ぎりぎり合格の人が多い

　令和6年9月の得点別分布は以下のとおりです。600点以上が合格ですが，科目A・Bとも600点台で通過している人が一番多くなっています。科目Bは実力の差が大きく，満点に近い人がいる一方，歯が立たない人もいます。

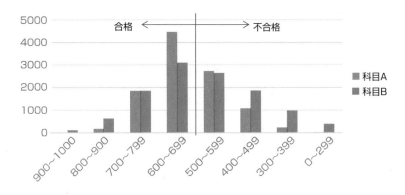

新旧の試験制度の比較

試験の時期が通年に変更

基本情報技術者試験は，令和元年まで年2回のペーパー試験でした。令和2年はコロナ禍で中止され，令和3年1月から，上期・下期の期間を設け，試験会場に設置されたコンピュータ上で問題に解答する**CBT**(Computer Based Testing)方式となりました。

令和5年4月から，**1年間を通して設定される受験日から都合のよい日を選んで受験できる**ようになりました。同時に項目応答理論という仕組みが導入されています。受験者ごとに別の問題が出題されますが，難易度が調整され，受験者の実力が公平に測定できるようになっています。試験会場は全都道府県に設置されます。

試験の形式が科目A・Bに変更

通年実施の開始とともに，試験の形式が大きく変わりました。

令和4年までは4択式の午前試験と，長文事例を読み解く午後試験でした。令和5年からは，午前試験は科目Aになり，形式は4択のままですが出題が減りました。また，午後試験は科目Bとなり，試験範囲が「情報セキュリティ」と「データ構造及びアルゴリズム(擬似言語)」になりました。(**科目Bについての詳細は第12章参照**)。

試験時間は90分＋(休憩10分)＋100分で，同じ日に続けて受験します。

	令和4年度まで	令和5年度から
実施時期	上期／下期	随時
試験構成	午前試験と午後試験(別の日も可)	科目Aと科目B(同日受験)
採点方式	素点	項目応答理論による評価点
4択の短答式	午前試験80問(150分)	科目A 60問(90分)
長文	午後試験11問中5問解答(150分)	科目B 20問(100分)

新制度の試験画面

以下のWebサイトの[CBT方式の操作方法]から，基本的な操作方法の説明を見ることができます。難しい操作は不要です。

https://cbt-s.com/examinee/examination/fe

試験の画面は次のようなイメージです。

受験申込み

申込みは，以下の基本情報受験者専用Webサイトから行います。

https://cbt-s.com/examinee/examination/fe

受験者登録＆試験予約

初めての受験の場合は，まず利用者IDとパスワードを登録します。メールアドレスが必要です。この利用者IDとパスワードは，情報セキュマネや応用情報技術者などの受験の際にも利用できます。ただし**ITパスポートの利用者IDとは別のもの**です。

登録後にアクセス可能になる「受験者マイページ」で［CBT試験申込］をクリックします。日時や会場を選択したあと，住所などを入力し，支払情報を入力します。

受験手数料は7,500円（税込み）です。クレジットカード払い，コンビニ／銀行ATM（Pay-easy）払い，バウチャーチケット払いが可能です。

申込み後のキャンセルはできませんが，受験日時や会場の変更は，受験日の3日前まで，空席がある場合に可能です。

なお**リテイクポリシー**があります。一度受験した試験を再度受験する場合，受験日として指定が可能な日は，前回の受験日の翌日から30日を超えた日以降です。

試験当日＆合格発表

受験受付時に**写真付きの身分証明書が必要**です。試験開始時刻の30〜5分前までに会場に着く必要があります。**時刻に遅れると受験できません**のでご注意下さい。

私物はロッカーに預けます。試験会場に持ち込めるのは，ハンカチ，ポケットティッシュ，目薬のみです。計算用にメモ用紙，ボールペンが貸与されます。

科目AとBの間に10分間の休憩時間があります。

試験直後に，科目ごとの科目評価点が表示されます。試験翌月の中旬に合格発表され，翌々月に合格証書が発送されます。受験者マイページからも合否を確認できます。

受験要綱については試験センターのWebサイトで，最新情報を必ずご確認下さい。

https://www.jitec.ipa.go.jp

新試験の傾向と対策

科目Ａの試験範囲は広い

　基本情報技術者の試験範囲は，試験センターのWebサイトに掲載されているシラバスに明記されています。現在の最新のシラバスは令和6年10月から実施の9.0で，114ページにわたり試験範囲がジャンル分けされて詳細に説明されています。

　CBT化されてからは試験問題が公開されなくなりました。新試験では随時サンプル問題のみ公開されます。ペーパー試験とサンプル問題の分野別出題数は以下の通りです。「テクノロジ系」の出題が60％以上ですが，「マネジメント系」，「ストラテジ系」の分野からも出題されています。科目Ａで出題数が60問に減ったあとも試験範囲の変更はないので，今後も似た傾向が続くものと思われます。

　一番出題の多い「技術要素」には，ネットワーク・データベース・情報セキュリティなどが含まれます。

分野	分類	ペーパー 令和元年度秋期	新試験サンプル 令和4年12月
テクノロジ系	基礎理論	14%	18%
	コンピュータシステム	16%	15%
	技術要素	26%	30%
	開発技術	6%	5%
マネジメント系	プロジェクトマネジメント	6%	7%
	サービスマネジメント	6%	7%
ストラテジ系	システム戦略	6%	2%
	経営戦略	11%	3%
	企業と法務	8%	13%

科目Ｂの試験範囲は深い

　科目Ｂの試験範囲は，科目Ａより狭く，かつ深くなっています。科目Ａの基礎理論に含まれるアルゴリズムとプログラミングと，技術要素に含まれる情報セキュリティの知識を前提とし，具体的課題や事例に応用する技能を問う問題が出題されます。また，午後問題で出題されていた個別の言語 (Python，Java，C言語，表計算，CASL) の問題はなくなり，すべて擬似言語 (プログラミング言語を模した言語) での出題に統一されました。未経験の場合，アルゴリズム対策の学習が必要です。

　本書の12章では，試験センターから発表された科目Ｂのサンプル問題について，詳細な解説を掲載しています。

　出題数などは以下のとおりです。

ジャンル	出題数	カテゴリ
アルゴリズムとプログラミング（擬似言語）	16問	プログラムの基本要素
		データ構造及びアルゴリズム
		プログラミングの諸分野への適用
情報セキュリティ	4問	情報セキュリティの確保に関すること

科目Ａ・科目Ｂの両方とも1000点満点中600点以上取れば合格となります。

出題頻度には濃淡がある

　シラバスには大量の用語が載っていますが，すべての用語が同じように出題されるわけではなく，**出題頻度にはかなりの差**があります。また，年ごとに出題傾向も変化しています。

　そこで本書では，最新の傾向に基づき，各節の出題頻度を「時々出」「必須」「超重要」の三つに分け，さらに超頻出の用語には✦**頻出マーク**✦を付け，効率良く学習できるように工夫しています。

過去問を制する者は合格を制する

　過去問題は，令和元年秋期を最後にサンプルのみ公開となっていますが，科目Ａの試験対策をする上では，そこまでの過去問題を学習することが非常に効果的です。

　また，一つ上の試験である応用情報技術者で出題された問題が，基本情報技術者でも出題されるということがよくあります。応用情報技術者は令和６年度も問題が公開されているので，本書ではその中からも過去問題を掲載しています。

　CBT方式試験の場合，過去問題にも出てこない新傾向問題や，過去問題とは切り口が異なる問題が出題されることもあるようです。しかし，求められている知識レベルは同じですので，**本書の太字や下線で強調してある重要ポイントをしっかり押さえつつ，公開された過去問題を解いて対策**しておけば，合格ラインは確実にクリアできます。

　なお，本試験では，**採点されない新作問題が科目Ａでは4問，科目Ｂでは1問出題**されます。これは，新作問題自体の難易度をはかることが目的ですが，どれが採点されない問題なのかは明示されず，区別できません。**見たことのない問題は必ず出る**ものと考え，解けるようならがんばって解いてみましょう。難しい言い回しでも，よく読んでみると簡単な問題であることも多いのです。消去法も有効です。

インターレス GIF って知っていますか？

　GIF は画像圧縮規格の一つです（知らない人は 2-05 節で学習してください）。インターレス GIF という拡張仕様があり，画像を表示する時，最初に全体がぼやっと表示されて，時間が経つにつれて次第に鮮明な画像が表示されていきます。インターネットの回線速度が遅い時代によく使われていました。

　基本情報の試験範囲は広範囲にわたり，すべての分野からまんべんなく出題されるので，試験対策はこのインターレス GIF のような方法で進めていきましょう。

　実務経験にもよりますが，最初のうちは知らない用語や，理解できない知識が次から次へと出てくるはずです。

　最初は，参考書でぼやっとでも基本情報の出題範囲全体を実際に感じ取ることが重要です。その後，早い段階で問題集に取り組み，過去問を解くことによって不明な点を鮮明にしていきます。

　本書は，出題頻度の高い分野を中心に，わかりやすく・イメージしやすいように工夫しています。

合格への秘訣は時間と勉強仲間とうまくつきあうこと！

　基本情報では，仕事や学校が忙しくて時間がとれず，試験対策を十分しないまま試験を迎える方が多く見受けられます。時間を効率よく使って，学習していくことが合格へのポイントになってきます。

　実際に合格された方の体験談に基づいた五つのポイントを挙げておきますので，参考にしてください。

ポイント 1　勉強時間は作るもの

　勉強時間を作ること自体が大変な人もいます。机の前に座ることだけが勉強ではありません。通勤・通学電車の中，昼休憩の合間，トイレの中などちょっとした時間を有効に使いましょう。毎日行っていると日課となって苦にならずに勉強できるものです。

ポイント 2　最初から完璧を目指さない

　参考書を完璧に覚えてから過去問に取り組もうと考えている方は，挫折するか，時間切れのまま試験を迎えることになるかもしれません。少しぐらい理解できない分野があっても，気にせず次に進みましょう。あとで振り返ると「これはこういうことだったのか」ということがたくさんあります。これを繰り返すことによって，知らず知らずのうちに点の知識が線の知識へと膨らんでいきます。

ポイント 3　理解できない知識や問題が出てくるたびに喜ぼう

　試験勉強を進めていくと，次から次へ理解できない知識や問題が出て，モチベーションが下がってきます。しかし，本試験まで理解すればいいのです。「理解できない知識や問題が出てくるたびに，新しい知識が身に付く」と，プラス思考で勉強しましょう。試験を受ける頃には，たくさんの知識が身に付いていることに驚くはずです。

ポイント 4　勉強仲間を作ろう

　試験勉強を進めていくと，モチベーションが下がったり，こんな勉強方法でいいのだろうかと思ったりすることがあります。そんなときにネットの掲示板などを利用しましょう。同じ目標を持つものどうしが刺激し合うことでモチベーションを保つことができます。

ポイント 5　理解できない知識や問題は共有しよう

　試験勉強を進めていくと，理解できない知識や問題が出てきて行き詰まってしまうことがあります。質問に答えてくれる先生や友人が身近にいればなあと思ったことはありませんか。そんなときにネットの掲示板などを利用しましょう。理解できない知識や問題を共有することで，解決することができます。

第 1 章

コンピュータ構成要素

〔 科目 A 〕

1 01 情報の表現

時々出　必須　超重要

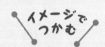
イメージで
つかむ

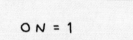

ON = 1　　　OFF = 0

　一つの豆電球では，"光っ
ている状態"と"光っていな
い状態"があります。
　コンピュータ内部では，こ
れが基本となっています。

情報量の単位

　コンピュータ内部では，全ての情報は電気信号の「ON」，「OFF」や，電圧の「高」，
「低」のように2値で扱われているので，これを2進数の「1」と「0」に対応させ表現
しています。
　「1」や「0」のように，**コンピュータで扱う最小の情報量の単位**を ✦ビット✦ (bit)
といい，2進数1桁に相当します。さらに，8個のビットをひとまとめにしたものを
✦バイト✦ (Byte) といい，2進数8桁に相当します。1バイトは8ビット，2バイトは
16ビット…です。バイトは，情報量の基本単位となっています。
　例えば，「10001111」は1バイト(8ビット)の情報量であり，このような「1」と
「0」の羅列は，**ビットパターン**と呼ばれることもあります。

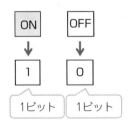

ON	OFF
↓	↓
1	0

1ビット　1ビット

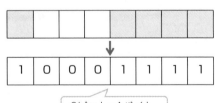

1	0	0	0	1	1	1	1

8ビット=1バイト

> **😼! "くれば"で覚える**
>
> 1バイト　とくれば　**8ビット**

表現できる情報量

2進数1ビットで表現できる情報量は「0」と「1」の2（＝2^1）通り，2ビットでは「00」「01」「10」「11」の4（＝2^2）通り，3ビットでは「000」「001」「010」「011」「100」「101」「110」「111」の8（＝2^3）通りです。

一般的に，nビットでは2^n通りの情報を表現できます。

> **😼! "くれば"で覚える**
>
> nビットで表現できる情報量　とくれば　**2^n通り**

大きな数値を表す接頭語

コンピュータが扱う情報量が非常に大きくなっているので，データ量を表す「B（バイト）」の前に10の整数乗倍を表す接頭語，k，M，G，T（キロ メガ ギガ テラ）が使われます。例えば，「今月のスマートフォンの通信量は○GB（ギガバイト）」，「ハードディスクの容量は○TB（テラバイト）」などのように使われます。

接頭語	意味
k（キロ）	10^3
M（メガ）	10^6
G（ギガ）	10^9
T（テラ）	10^{12}

> 1K＝1,024（2^{10}）と表すこともある

> **😼! "くれば"で覚える**
>
> 大きな数値を表す接頭語　とくれば　**k（10^3）キロ，M（10^6）メガ，G（10^9）ギガ，T（10^{12}）テラ**

小さな数値を表す接頭語

コンピュータの処理速度が非常に速くなっているので，処理時間を表す「秒」の前に10の整数乗倍を表す接頭語，m，μ，n，p（ミリ マイクロ ナノ ピコ）が使われます。

接頭語	意味
m（ミリ）	10^{-3}
μ（マイクロ）	10^{-6}
n（ナノ）	10^{-9}
p（ピコ）	10^{-12}

小さな数値を表す接頭語　とくれば　m (ミリ) (10^{-3}), μ (マイクロ) (10^{-6}), n (ナノ) (10^{-9}), p (ピコ) (10^{-12})

📖 参考 [指数の公式]

データ量や処理時間を計算するときに役立つのが，指数の公式です。主な公式をおさらいしておきましょう。なお，m，nは，正の整数とします。

指数計算	例
$a^m \times a^n = a^{m+n}$	$2^4 \times 2^3 = 2^{4+3} = 2^7$
$a^m \div a^n = a^{m-n}$ ($a \neq 0$, $m > n$のとき)	$2^4 \div 2^3 = 2^{4-3} = 2^1$
$(a^m)^n = a^{m \times n}$	$(2^4)^3 = 2^{4 \times 3} = 2^{12}$
$a^0 = 1$ ($a \neq 0$のとき)	$2^0 = 1$
$a^{-m} = 1/a^m$ ($a \neq 0$, $m > 0$のとき)	$2^{-4} = 1/2^4$

😺 文字の表現

コンピュータ内部では0と1の2進数で表現しているにもかかわらず，文字を扱えるのは，文字の一つひとつに2進数で表現された識別番号を割り振られているからです。この識別番号を**文字コード**といいます。

代表的な文字コードには，次のようなものがあります。

ASCII (アスキー) コード	英数字・記号・制御文字のみ。米国標準符号で最も基本となる文字コード
シフトJIS (ジス) コード	ASCIIコードに，漢字・仮名の日本語を加えたもの
EUC	UNIX (ユニックス) やLinux (リナックス) (2-01 参照) などで使用される。漢字・仮名も使用できる
Unicode (ユニコード)	世界の文字の多くを一つの体系にしたもの。それを符号化する方式の一つにUTF-8がある

例えば，文字「あ」は，シフトJISコードでは「1000 0010 1010 0000」，Unicode (UTF-8) では「1110 0011 1000 0001 1000 0010」の識別番号が割り振られています。

メールなどで「文字化け」という現象が起こることがありますが，これは作成者が使った文字コードとは異なる文字コードを当てはめたことが原因です。

Unicode　とくれば　**世界の文字を一つに体系化したもの**

第 1 章　コンピュータ構成要素

確認問題　1 ▸ 平成28年度秋期　問4　　正解率 ▸ 高　　　計算

　32ビットで表現できるビットパターンの個数は，24ビットで表現できる個数の何倍か。

ア　8　　　　　イ　16　　　　　ウ　128　　　　　エ　256

 要点解説　nビットで表現できる情報量は2^n通り。
　32ビットでは2^{32}，24ビットでは2^{24}通りのビットパターンが表現できます。
　$2^{32} \div 2^{24} = 2^{32-24} = 2^8 = 256$倍です。

確認問題　2 ▸ 平成30年度春期　問53　　正解率 ▸ 中　　　計算

　システム開発において，工数（人月）と期間（月）の関係が次の近似式で示されるとき，工数が4,096人月のときの期間は何か月か。

$$期間 = 2.5 \times 工数^{1/3}$$

ア　16　　　　　イ　40　　　　　ウ　64　　　　　エ　160

要点解説　指数計算の問題です（人月については10-02参照）。
　$4,096 = 2^{12}$
　$(2^{12})^{1/3} = 2^4 = 16$
　期間 $= 2.5 \times 16 = 40$ です。

【別解】
$4,096 = 2^{12}$とは気が付かなくても，選択式なので，概算で答えは求まります。$x^{1/3}$はxの三乗根です。3乗したら4,096になる数になる数を求めるために，何か計算しやすい数の3乗を考えてみます。$10^3 = 1,000$，$20^3 = 8,000$なので，10と20の間の数だなと見当がつきます。期間を求めるのに，さらに2.5を掛けているので，10×2.5と20×2.5の間の数，つまり25と50の間の数です。選択肢で該当するのはイの40しかありません。

解答

問題1：エ　　　問題2：イ

時々出　必須　超重要

イメージでつかむ

試験勉強するときは，机の上に参考書を置いてから始めます。
コンピュータも，まずは実行に必要なプログラムを主記憶装置の上に置いてから始めます。

コンピュータの構成

コンピュータは，制御装置・演算装置・記憶装置・入力装置・出力装置の五つの装置から構成されています。このうち，制御装置と演算装置を合わせて**中央処理装置**（CPU: Central Processing Unit）といい，コンピュータの頭脳に当たります。

それぞれ，以下のような役割を果たしています。

装 置		役 割
CPU	制御装置	記憶装置からプログラムの命令を取り出して解読し，各装置に指示を与える
	演算装置	四則演算（加減乗除）や比較演算，論理演算（3-06参照）などを行う
記憶装置		プログラムやデータを記憶する
入力装置		コンピュータの外部からプログラムやデータを読み込む
出力装置		コンピュータの内部で処理されたデータを外部へ書き出す

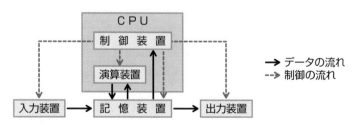

→ データの流れ
--→ 制御の流れ

(=!) "くれば"で覚える

コンピュータの五つの装置 とくれば **制御・演算・記憶・入力・出力装置**

スマートフォンやタブレットもコンピュータのうちの一つです。入力装置と出力装置がタッチパネルで兼用になっていて，PC (Personal Computer) などと見た目は違いますが，CPUや記憶装置も内蔵されています。

ハードウェアとソフトウェア

ここであげた五つの装置は，**ハードウェア**です。機械として物理的に存在します (制御装置や演算装置は，CPUの中に格納されています)。

一方，プログラムやアプリケーションは**ソフトウェア**です。記憶装置に記憶された「1」と「0」の信号という形で存在しています。

プログラム記憶方式

現在のコンピュータでは，まずは実行に必要なプログラムを主記憶上に配置してから始めます。**主記憶に配置されたプログラムの命令を，CPUが順番に取り出して，解読・実行する方式**を**プログラム記憶方式** (プログラム格納方式) といいます。

なお，**主記憶**は，CPUが直接アクセスできる記憶装置です。メモリやメインメモリとも呼ばれています。

確認問題 1 ▶ 平成26年度春期 問9 正解率 ▶ 中 **基本**

主記憶に記憶されたプログラムを，CPUが順に読み出しながら実行する方式はどれか。

ア DMA制御方式 イ アドレス指定方式
ウ 仮想記憶方式 エ プログラム格納方式

要点解説 現在のコンピュータは，主記憶にあらかじめ配置されたプログラムを，CPUが順に呼び出すプログラム格納方式を採用しています。

解答

問題1：エ

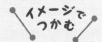

**イメージで
つかむ**

PCを購入するときは，CPUの性能を比較したりします。CPUは人の頭脳に当たり，パソコンの中枢的な役割を担っています。

CPU

　前節で見たように，CPUはコンピュータの頭脳に当たり，**プロセッサ**とも呼ばれます。CPUの性能は，主にクロック周波数とバス幅で表現されます。

クロック周波数

　CPU内はたくさんの回路で構成され，各回路間の処理にずれが生じないように，同期をとるための周期的信号 (**クロック信号**という) に合わせて各回路が動作しています。こ

1クロック

の**クロック信号が1秒間に繰り返される回数**を**クロック周波数**といい，単位は**Hz**です。

　例えば，PCのカタログに「CPUのクロック周波数3GHz」とあった場合は，1秒間に30億 (3×10^9) 周期のクロック信号に合わせて，各回路が同期をとりながら動作しているという意味です。クロック信号を人に例えると脈拍のようなイメージです。

もっと詳しく ❮ クロック周波数 ❯

　全ての装置を速いクロック周波数に合わせることは難しく，CPU内部のクロック周波数だけを上げるという技術が開発されました。**内部クロック**は，CPU内部のクロック周波数です。一方，**外部クロック** (システムクロック) は，CPUと各装置を結ぶ経路の周波数です。内部クロックと外部クロックは同一である必要はなく，現在は内部クロックは外部クロックの数倍の速度で動作させています。

　一般的に，同一種類のCPUであれば，クロック周波数が高いほど処理能力は高くなりますが，主記憶やハードディスクなどの性能も関係してくるので，CPUのクロック数を2倍にすれば，システム全体も2倍になるわけではありません。また，CPUクロック周波数を高くするほど発熱量も増加し，放熱処理が問題となり限界があるので，様々なCPUの高速化の方法が考えられています（1-05参照）。

● バス

　バスは，**コンピュータ内の装置間を結び，データや信号のやり取りのために共有される伝送路**です。これを人に例えると，血管や神経に当たります。また，一度に伝送できるデータ量をバス幅といい，単位はビットです。一般的に，バス幅のビット数が大きく，クロック周波数が大きいほど高速にデータを送受信できます。

確認問題　1　　▶ 平成28年度春期　問9　　　正解率▶ 低　　　　応用

　PCのクロック周波数に関する記述のうち，適切なものはどれか。

ア　CPUのクロック周波数と，主記憶を接続するシステムバスのクロック周波数は同一でなくてもよい。

イ　CPUのクロック周波数の逆数が，1秒間に実行できる命令数を表す。

ウ　CPUのクロック周波数を2倍にすると，システム全体としての実効性能も2倍になる。

エ　使用しているCPUの種類とクロック周波数が等しければ，2種類のPCのプログラム実行性能は同等になる。

要点解説
ア　CPU内部のクロック周波数（内部クロック）と，メモリなどを接続するシステムバスのクロック周波数（外部クロック）とは同一でなくても問題ありません。
イ　1秒間に何回「高」「低」のサイクルが繰り返されるかを示します。一つの命令が何クロックで実行できるかは，CPUや命令の種類により異なります。
ウ　システム全体の性能は，主記憶や磁気ディスクその他の性能にも影響されるので，単純に2倍とはいきません。
エ　CPUの種類とクロック周波数が等しくても，主記憶や磁気ディスクその他の性能が違えば同等にはなりません。

解答

問題1：ア

CPU の動作原理

時々出　必須　超重要

イメージでつかむ

子供の頃，親や先生に「○○しなさい」と言われ，そのとおりに行動した経験があるでしょう。

プログラムは，コンピュータに対して「○○しなさい」という命令を集めたものです。

早く勉強しなさいっ！

レジスタ

レジスタは，**CPU内部にある記憶装置**です。容量は極小ですが，超高速に読み書きできます。次のようなものがあり，プログラムの命令の実行時に使用されます。

命令レジスタ	取り出した命令を記憶する
プログラムカウンタ （命令アドレスレジスタ）	次に実行すべき命令が格納されている主記憶上の番地（アドレス）を記憶する
指標レジスタ （インデックスレジスタ）	配列（4-02参照）などの連続したデータの取り出しに使う。先頭からの相対位置を記憶する
基底レジスタ （ベースレジスタ）	プログラムを主記憶上に配置したときの先頭の番地（アドレス）を記憶する
アキュムレータ（累算器）	演算対象や演算結果を格納する
汎用レジスタ	様々な用途に使用する

命令語

プログラムは，コンピュータに行わせる命令が集まったものです。プログラム言語（4-10参照）で記述された命令は，最終的にコンピュータが理解できる1と0の機械語（命令語）に変換され，CPUが解読・実行していきます。

命令語は，**命令部**と**アドレス部**（オペランド部）で構成され，命令によってはアドレス部がないものや，アドレス部が複数あるものもあります。

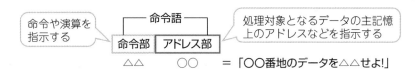

命令語

命令や演算を指示する → 命令部　アドレス部 ← 処理対象となるデータの主記憶上のアドレスなどを指示する

△△　　　○○　＝「○○番地のデータを△△せよ!」

命令実行サイクル

コンピュータが一つの命令を実行するときは，次の①から⑥までのような実行サイクルで進んでいきます。次の図と表を見比べながら流れを追ってみて下さい。

なお，**プログラムカウンタ**(命令アドレスレジスタ)には，これから実行する命令が格納されている主記憶のアドレスが保持されています。

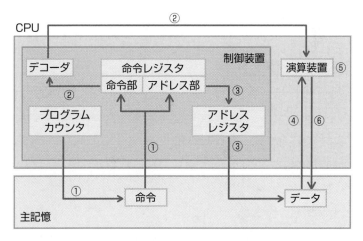

①命令の取り出し	プログラムカウンタ(命令アドレスレジスタ)を参照して，命令が格納されている主記憶上のアドレスを取得する。取得したアドレスから命令を取り出し(**命令フェッチ**という)，命令レジスタに格納する。このとき，プログラムカウンタには，次の命令が格納されているアドレスをセットする
②命令の解読	命令レジスタの命令部は，**デコーダ**(解読器)で解読され，演算装置に指示を出す
③実効アドレスの計算	命令レジスタのアドレス部の値は，アドレスレジスタに送られ，処理対象のデータが格納されているアドレス(**実効アドレス**という)を計算する
④オペランドの取り出し	処理対象のデータを取り出し，演算装置に送る
⑤命令の実行	演算装置で演算を実行する
⑥演算結果の格納	演算結果を格納する

命令実行サイクル とくれば **命令の取り出し→命令の解読→実効アドレスの計算**
→オペランドの取り出し→命令の実行
→演算結果の格納

🐾 アドレス指定方式

コンピュータは，主記憶上にあるプログラムの命令を一つずつ取り出して，CPUが
解読・実行しています。

アドレス指定方式は，命令のアドレス部の値から処理対象のデータが格納されてい
る実効アドレス（有効アドレス）を求める方式です。**アドレス修飾**とも呼ばれます。

アドレス指定方式には，次のようなものがあります。

● 即値アドレス指定方式

即値アドレス指定方式は，命令のアドレス部にデータそのものを格納している方式で
す。

● 直接アドレス指定方式

直接アドレス指定方式は，命令のアドレス部の値を，実効アドレスとする方式です。

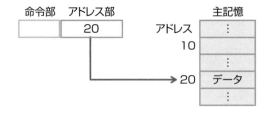

● 間接アドレス指定方式

間接アドレス指定方式は，命令のアドレス部の値が示すアドレスに格納されている値
を，実効アドレスとする方式です。

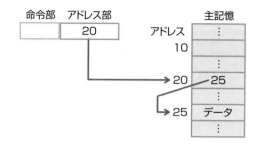

相対アドレス指定方式

相対アドレス指定方式は，命令のアドレス部の値とプログラムカウンタ（命令アドレスレジスタ）の値の和を，実効アドレスとする方式です。

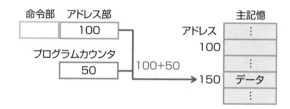

指標アドレス指定方式

指標アドレス指定方式は，命令のアドレス部の値と指標レジスタの値の和を，実効アドレスとする方式です。**インデックスアドレス指定方式**とも呼ばれます。

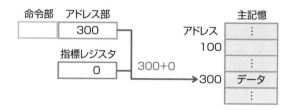

基底アドレス指定方式

基底アドレス指定方式は，命令のアドレス部の値と基底レジスタの値の和を，実効アドレスとする方式です。**ベースアドレス指定方式**とも呼ばれます。

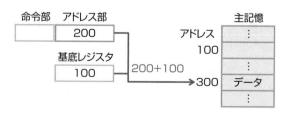

まとめると次のようになります。

アドレス指定方式	実効アドレスの求め方
即値	命令のアドレス部の値はデータそのもの
直接	アドレス部の値 ⇒ 実効アドレス
間接	アドレス部の値が示すアドレスに格納されている値 ⇒ 実効アドレス
相対	アドレス部の値＋プログラムカウンタの値 ⇒ 実効アドレス
指標	アドレス部の値＋指標レジスタの値 ⇒ 実効アドレス
基底	アドレス部の値＋基底レジスタの値 ⇒ 実効アドレス

🐱 知っ得情報 ◀ 指標レジスタと基底レジスタ ▶

＊指標レジスタの値を変えるだけで，命令を変更することなく，主記憶上に配置された配列 (4-02参照) の連続したデータにアクセスできます。

＊基底レジスタには主記憶に配置されたプログラムの先頭アドレスを格納し，命令のアドレス部には配置されたプログラムの先頭を0としたときのデータの相対位置を入れておくことで，実行時にプログラムが主記憶上のどの位置に配置されても同じようにデータにアクセスできます (4-09参照)。

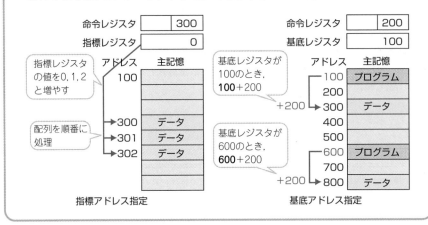

指標アドレス指定　　　　　基底アドレス指定

📢 アドバイス ［第1章の難関］

機械語やCPUの世界の話なので，急に難しくなったように感じるかもしれません。アセンブラ言語を習得しようと考えている方や，組込み系エンジニアの方にとっては避けて通れません。ただ，第1章の中でも難しい部分なので，ここで悩むよりはとりあえず先に進む，ということでも大丈夫です。

第 1 章 コンピュータ構成要素

確認問題 1　▶ 平成28年度秋期　問9　　正解率 ▶ 高　　基本

主記憶のデータを図のように参照するアドレス指定方式はどれか。

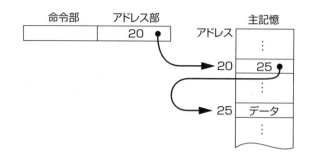

ア　間接アドレス指定　　　　　　イ　指標アドレス指定
ウ　相対アドレス指定　　　　　　エ　直接アドレス指定

問題のアドレス部にあるのは，実効アドレスが格納されているアドレスに格納されている値であるため，間接アドレス指定です。

確認問題 2　▶ 平成30年度春期　問9　　正解率 ▶ 中　　応用

図はプロセッサによってフェッチされた命令の格納順序を表している。a に当てはまるものはどれか。

ア　アキュムレータ　　　　　　　　イ　データキャッシュ
ウ　プログラムレジスタ (プログラムカウンタ)　　エ　命令レジスタ

主記憶から取り出された命令は，命令レジスタに格納されます。命令は命令部とアドレス部に分けられ，命令部が命令デコーダ (解読器) によって解読されます。

解答

問題1：ア　　　問題2：エ

1 05 CPUの高速化技術

時々出　必須　超重要

**イメージで
つかむ**

小学校の頃,「カエルの唄」を輪唱した経験があるでしょう。

コンピュータ内でも, きれいにオーバーラップさせながら高速化を図る工夫がされています。

💿 CPUの高速化

　前節で見たように, 命令は, 一般的に「①命令の取り出し, ②命令の解読, ③実効アドレスの計算, ④オペランドの取り出し, ⑤命令の実行, ⑥演算結果の格納」の六つのステージで行われます。このステージの実行方式には, 次のようなものがあります。

◯ 逐次制御方式

　逐次制御方式は, 1命令ずつ順番に実行する方式です。制御装置や演算装置が動作しない時間が生じてしまい, 処理効率が悪くなります。

```
命令1 ① ② ③ ④ ⑤ ⑥
           命令2 ① ② ③ ④ ⑤ ⑥
```

　そこで, 処理を高速化するために, 次のような方式が採用されています。

◯ パイプライン方式

　パイプライン方式は, **複数の命令を1ステージずつずらしながら並行処理することで, 高速化を図る方式**です。

```
命令1 ① ② ③ ④ ⑤ ⑥
命令2   ① ② ③ ④ ⑤ ⑥
```

この方式で効率は上がるのですが，分岐 (4-01 参照) 命令が現れるとそれまで先読みしていた命令を破棄し，新たに分岐先の命令を実行しなくてはなりません。処理の順序が乱れることをパイプラインハザードといいます。分岐命令に対処するために，実行される確率の高い方を予測する**分岐予測**や，予測した分岐先の命令を開始して結果を保持し，分岐先が正しければその結果を利用する**投機実行**などの技術が使われています。

🐱! "くれば"で覚える

パイプライン方式　とくれば　1ステージずつずらしながら並行処理する方式

🐟 攻略法 …… これがパイプライン方式の欠点だ！

授業中に，先生が席の順番に問題を質問してきた。自分の質問される問題を先読みして準備していたが，全く予想とは違う問題を質問された。素早く対応できなかった。

⚙ スーパーパイプライン方式

スーパーパイプライン方式は，パイプライン方式を更に細分化することで，高速化を図る方式です。

```
命令1 ① ② ③ ④ ⑤ ⑥
命令2   ① ② ③ ④ ⑤ ⑥
```

⚙ スーパースカラ方式

スーパースカラ方式は，複数のパイプラインを使用して，同時に複数の命令を実行することで，高速化を図る方式です。

```
命令1 ① ② ③ ④ ⑤ ⑥
命令2 ① ② ③ ④ ⑤ ⑥
命令3   ① ② ③ ④ ⑤ ⑥
命令4   ① ② ③ ④ ⑤ ⑥
```

第1章　コンピュータ構成要素

知っ得情報 ❮ CPU の命令体系 ❯

CPUの命令体系のアーキテクチャ(設計思想)には，次のようなものがあります。

* **CISC** (Complex Instruction Set Computer) は，複雑な命令を多く持つアーキテクチャです。1命令で複雑な処理ができます。
* **RISC** (Reduced Instruction Set Computer) は，単純な命令に絞り込んだアーキテクチャです。命令の実行時間が均等になり，パイプライン方式で効率よく処理ができます。

主に，PCやサーバのCPUはCISCが，スマートフォンやタブレットのCPUはRISCが用いられています。

マルチコアプロセッサ

マルチコアプロセッサは，一つのCPU内に複数のコア(演算回路の中核部分)を備えたものです。従来のシングルコアに比べ，消費電力を抑えながら，処理速度の高速化を図れます。コアが2個ならデュアルコア，4個ならクアッドコア，8個ならオクタコアなどと呼ばれます。それぞれのコアが同時に別の処理を実行できます。これは，調理場に複数のコンロがあり，同時にたくさんの料理が作れるイメージです。

知っ得情報 ❮ プロセッサの省電力技術 ❯

プロセッサは演算処理などを行うのに多くの電力が必要ですが，消費電力が大きいと熱が発生し，プロセッサの性能や機能が低下してしまいます。そこで，プロセッサの省電力技術の一つとして，演算処理を行っていない回路への電源を遮断することで，電流を削減するパワーゲーティングがあります。リーク電流(漏れ電流)に起因する電力消費を防げるので，最も効果があります。

GPU

GPU (Graphics Processing Unit) は，**行列演算**(3-11参照)**を用いて3Dの画像処理を高速に実行できるプロセッサ**です。数千個ものコアでデータを並列処理します。CPUでも画像処理はできますが，最近の高精度なグラフィック描写に見られるように，画像をより鮮明にスムーズに表示させたければ，GPUを用います。GPUは，ディープラーニングの学習(3-10参照)などの分野で広く普及しています。

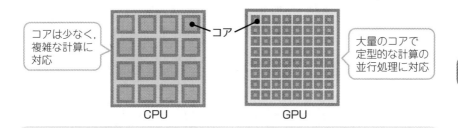

コアは少なく，複雑な計算に対応

コア

大量のコアで定型的な計算の並行処理に対応

CPU　　　　GPU

確認問題 1 ▶ 平成28年度秋期　問10　　正解率 ▶ 中　　**基本**

CPUにおける投機実行の説明はどれか。

ア　依存関係にない複数の命令を，プログラム中での出現順序に関係なく実行する。

イ　パイプラインの空き時間を利用して二つのスレッドを実行し，あたかも二つのプロセッサであるかのように見せる。

ウ　二つ以上のCPUコアによって複数のスレッドを同時実行する。

エ　分岐命令の分岐先が決まる前に，予測した分岐先の命令の実行を開始する。

要点解説　投機実行は，パイプライン処理で分岐命令に対処するため，予測した分岐先の命令を実行しておき，分岐先が確定したらその結果を利用するものです。

確認問題 2 ▶ 応用情報　令和4年度秋期　問8　正解率 ▶ 高　　**基本**

ディープラーニングの学習にGPUを用いる利点として，適切なものはどれか。

ア　各プロセッサコアが独立して異なるプログラムを実行し，異なるデータを処理できる。

イ　汎用の行列演算ユニットを用いて，行列演算を高速に実行できる。

ウ　浮動小数点演算ユニットをコプロセッサとして用い，浮動小数点演算ができる。

エ　分岐予測を行い，パイプラインの利用効率を高めた処理を実行できる。

要点解説　GPUは，画像処理の演算のために大量の行列演算を行えます。ディープラーニングでも大量の行列演算が必要であり，GPUの能力を活用できます。

解答

問題1：エ　　　問題2：イ

半導体メモリ

イメージでつかむ

基本情報で出てくる用語をなかなか覚えられず，何回も覚え直した経験があるでしょう。

コンピュータにも何回も覚え直さなければならないメモリがあります。

指標アドレス・基底アドレス…
何回やっても覚えられない

ぼくの頭はRAMかも…

まあゆっくりやりなよ…

🐱 半導体メモリ

コンピュータの記憶装置に使われている半導体メモリには，特性や用途で次のようなものがあります。

🔘 RAM（ラ　ム）

RAM（Random Access Memory）は，**読み書きできるメモリ**です。電源を切ると記憶していた内容が消えてしまう特性（**揮発性**という）があります。

🔘 ROM（ロ　ム）

ROM（Read Only Memory）は，本来は，**読み出し専用のメモリ**です。最近は，利用者が書き込めるものも登場しています。電源を切っても記憶していた内容が消えない特性（**不揮発性**という）があります。

🐱! "くれば"で覚える

RAM　とくれば　**読み書きできるメモリ。揮発性**

ROM　とくれば　**本来は，読み出し専用のメモリ。不揮発性**

 RAM

RAMにはさらに，次のようなものがあります。

⭕ DRAM（ディーラム）

✦**DRAM**✦ (Dynamic RAM) は，コンデンサに電荷を備えた状態か否かによって1ビットを表現しています。構造が簡単で高集積化に適しているので，SRAMに比べて大容量で安価です。ただし，コンデンサは放置しておくと自然放電してしまう特性があり，一定時間ごとに記憶内容を維持するリフレッシュ動作 (再書込み) が必要です。**主記憶**に用いられます。

⭕ SRAM（エスラム）

✦**SRAM**✦ (Static RAM) は，フリップフロップ回路 (後述) で構成され高速ですが，構造が複雑で集積度を高めにくいので，DRAMに比べて小容量で高価です。電源が供給されている限り，記憶内容を保持し続けるので，リフレッシュ動作が不要です。**キャッシュメモリ** (後述) などに用いられます。

DRAMとSRAMを比較すると，次のようになります。

	使用回路	リフレッシュ	速度	集積度	価格	用途
DRAM	コンデンサ	必要	低速	高い	安価	主記憶
SRAM	フリップフロップ回路	不要	高速	低い	高価	キャッシュメモリ

> ### もっと詳しく ❮ フリップフロップ回路 ❯
>
> ✦**フリップフロップ回路**✦ は，二つの安定した状態をもち，1ビットの情報を記録する回路です。SRAMの記憶セルに用いられています。現在と過去の二つの入力で出力が決定する回路ですが，試験ではフリップフロップの回路図までは出題されないので覚える必要はありません (回路図については3-06参照)。
>
> （回路図）
>
>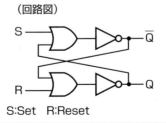
>
> S:Set R:Reset

| DRAM | とくれば | コンデンサ，リフレッシュ必要
SRAMに比べて低速，主記憶に用いる |
| SRAM | とくれば | フリップフロップ回路，リフレッシュ不要
DRAMに比べて高速，キャッシュメモリに用いる |

🐻 ROM

　ROMは本来，読出し専用のメモリですが，利用者が書き込めるPROM (Programmable ROM) も登場しています。

	書込み	消去	特　徴
マスクROM	×	×	製造時に書き込まれた後は，利用者は書き込めない
UV-EPROM (UV-Erasable PROM)	○	○	紫外線照射で全消去できる
EEPROM (Electrically EPROM)	○	○	電圧をかけて部分消去できる。消去・書込みは1バイト単位で可能
フラッシュメモリ (1-07参照)	○	○	電圧をかけて全消去・部分消去できる。書替えは，ブロック単位で消去後に書き込む

🐻 キャッシュメモリ

　✦キャッシュメモリ✦は，**高速なCPUと低速な主記憶の速度差を吸収して，高速化を図るためのメモリ**です。主記憶のアクセス速度は，CPUの処理速度に比べて低速なので，CPUに待ち時間が発生してしまいます。そこで，高速なキャッシュメモリをこれらの間に配置して，主記憶から読み出したデータをキャッシュメモリに保持し，CPUが後で同じデータを読み出すときは，高速なキャッシュメモリから読み出すことで，実効アクセス時間の短縮を図っています。

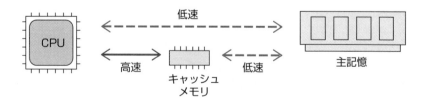

🐱!"くれば"で覚える

**キャッシュメモリ　とくれば　高速なCPUと低速な主記憶の速度差を吸収して
アクセスの高速化を図る**

⚪ 1次キャッシュと2次キャッシュ

主記憶のアクセス時間とCPUの処理時間の差が大きい場合は，1次キャッシュ，2次キャッシュと多レベルのキャッシュ構成にするとより効果が上がります。

CPUがアクセスする順番によって名称が付けられ，CPUは1次キャッシュ，2次キャッシュ，主記憶の順にアクセスします。L1キャッシュ，L2キャッシュとも呼ばれます。

⚪ 実効アクセス時間

アクセスするデータは，キャッシュメモリか主記憶のどちらかに存在します。アクセスするデータが，キャッシュメモリに存在する確率を**ヒット率**といい，主記憶に存在する確率を**NFP** (Not Found Probability) といいます。ヒット率とキャッシュメモリのアクセス時間，主記憶のアクセス時間がわかれば，主記憶の実効アクセス時間を求められます。試験では，計算問題として出題されます。

例えば，次の実効アクセス時間を求めてみましょう。

* ヒット率　　　　　　　　　　：80%
* キャッシュメモリのアクセス時間：10ナノ秒
* 主記憶装置のアクセス時間　　　：60ナノ秒

キャッシュメモリにデータが存在する確率は80%，主記憶に存在する確率は100−80＝20%なので，次の式で求められます。

$$10 \times 0.8 + 60 \times 0.2 = 20 ナノ秒$$

この場合は，キャッシュメモリを使うことで，主記憶の実効アクセス時間は60−20＝40ナノ秒短縮できます。

🐱!"くれば"で覚える

キャッシュメモリを使った実効アクセス時間　とくれば
キャッシュメモリのアクセス時間×ヒット率＋
主記憶のアクセス時間×（1−ヒット率）

✿ ライトスルー方式とライトバック方式

キャッシュメモリへの書込みには，次のような方式があります。

方　式	概　要
✦ライトスルー方式✦	キャッシュメモリと主記憶の両方を書き込む方式。常にキャッシュメモリと主記憶の内容が一致するので，一貫性が保たれる。主記憶へのアクセスが頻繁に発生するため低速である
✦ライトバック方式✦	キャッシュメモリだけ書き込み，主記憶にはデータがキャッシュメモリから追い出されるときにまとめて書き込む方式。キャッシュメモリと主記憶の内容が一致しないので，一貫性を保つための制御が複雑になる。主記憶へのアクセスが減るため高速である

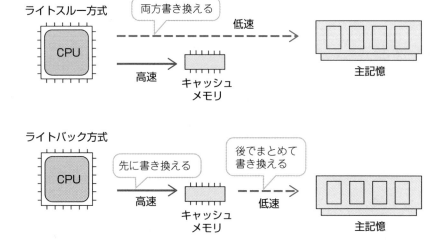

😈 メモリインタリーブ

メモリインタリーブは，主記憶を複数の区画(バンク)に分け，連続するアドレスの内容を並列アクセスすることで，アクセスの高速化を図る方式です。

> 🎣 **攻略法** ……　**これがメモリインタリーブのイメージだ！**
> PCのメモリを増設するときには，大容量のメモリを1枚増設するより，同容量2枚1組で装着すると，メモリインタリーブ機能に対応していれば，アクセスの高速化を図れます。

第1章 コンピュータ構成要素

ECCメモリ

ECC メモリ (Error Check and Correct memory) は，エラー訂正機能をもったメモリです。このエラー訂正機能は，情報ビットに冗長（じょうちょう）ビットを付加することで，2ビットの誤りを検出し，1ビットの誤りを訂正できる誤り訂正符号で，**ハミング符号**と呼ばれています。

知っ得情報 〈アクセス速度と容量〉

「アクセス速度の速い順番に並べなさい」という問題がよく出題されます。次の図のイメージを頭に入れておけば大丈夫です。

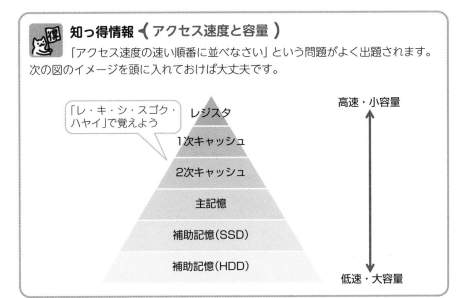

「レ・キ・シ・スゴク・ハヤイ」で覚えよう

- レジスタ
- 1次キャッシュ
- 2次キャッシュ
- 主記憶
- 補助記憶(SSD)
- 補助記憶(HDD)

高速・小容量 ↑

低速・大容量 ↓

アドバイス [始めは全体の半分]

新しく物事を始めるのには勇気がいるもので，つい後回しにしがちです。ことわざに「始めてしまえば，もう半分終わったのと同じ」というものがあります。このページまで読んだ皆さんは，すでにスタートを切っているので，半分終わったも同じかもしれません！　毎日少しずつ読むことを習慣にして，がんばってみましょう。

　フラッシュメモリに関する記述として，適切なものはどれか。

ア　高速に書換えができ，CPUのキャッシュメモリなどに用いられる。
イ　紫外線でデータの一括消去ができる。
ウ　周期的にデータの再書込みが必要である。
エ　ブロック単位で電気的にデータの消去ができる。

要点解説　ア　CPUのキャッシュメモリに使われるのはSRAMです。
　　　　　イ　紫外線で消去できるのはUV-EPROMです。
　　　　　ウ　データの再書込みが必要なのはDRAMです。
　　　　　エ　フラッシュメモリは電気的に内容の消去ができます。

　コンピュータの高速化技術の一つであるメモリインターリーブに関する記述として，適切なものはどれか。

ア　主記憶と入出力装置，又は主記憶同士のデータの受渡しをCPU経由でなく直接やり取りする方式
イ　主記憶にデータを送り出す際に，データをキャッシュに書き込み，キャッシュがあふれたときに主記憶へ書き込む方式
ウ　主記憶のデータの一部をキャッシュにコピーすることによって，レジスタと主記憶とのアクセス速度の差を縮める方式
エ　主記憶を複数の独立して動作するグループに分けて，各グループに並列にアクセスする方式

要点解説　ア　DMA方式（Direct Memory Access）。CPUを介さずに直接メモリと周辺機器の間でデータを受け渡しする方式です。これにより，CPUは他の処理を行うことができます。
　　　　　イ　キャッシュメモリのライトバック方式
　　　　　ウ　キャッシュメモリ
　　　　　エ　メモリインターリーブ

確認問題 3 ▶ 令和6年度 問3 正解率▶ 中 **計算**

図に示す構成で，表に示すようにキャッシュメモリと主記憶のアクセス時間だけが異なり，他の条件は同じ2種類のCPU XとYがある。あるプログラムをCPU XとYとでそれぞれ実行したところ，両者の処理時間が等しかった。このとき，キャッシュメモリのヒット率は幾らか。ここで，CPU以外の処理による影響はないものとする。

図 構成

表 アクセス時間

単位：ナノ秒

	CPU X	CPU Y
キャッシュメモリ	40	20
主記憶	400	580

ア　0.75　　　　イ　0.90　　　　ウ　0.95　　　　エ　0.96

 この問題を解くのにキャッシュメモリや主記憶の容量は無関係です。
キャッシュメモリのヒット率をpとします。
CPU Xの処理時間は，$40 \times p + 400 \times (1-p)$
CPU Yの処理時間は，$20 \times p + 580 \times (1-p)$
両者の処理時間は等しいので，
$$40 \times p + 400 \times (1-p) = 20 \times p + 580 \times (1-p)$$
方程式を解くと，p＝0.90です。

確認問題 4 ▶ 令和元年度秋期 問20 正解率▶ 中 **基本**

DRAMの特徴はどれか。

ア　書込み及び消去を一括またはブロック単位で行う。
イ　データを保持するためのリフレッシュ操作又はアクセス操作が不要である。
ウ　電源が遮断された状態でも，記憶した情報を保持することができる。
エ　メモリセル構造が単純なので高集積化することができ，ビット単価を安くできる。

 DRAMの書込みは行と列のアドレス単位で行い，リフレッシュが必要です。電源が遮断されると記憶は消えます。ビット単価は安くなっています。

解答

問題1：エ　　　問題2：エ　　　問題3：イ　　　問題4：エ

補助記憶装置

時々出 必須 超重要

イメージで
つかむ

授業中に習った知識を全て頭の中に記憶することは難しいです。頭の中に入りきらない知識は，ノートなどに書き写して後から覚えることもできます。
　補助記憶装置は，ノートのような役割をします。

はーい，一度しか言わないからよく聞いて〜
今度のテストのヤマは〜

補助記憶装置

　CPUが直接的にアクセスできるのは，主記憶上にあるプログラムやデータだけです。主記憶は，小容量で，電源が切れると記憶内容が消えてしまう揮発性の特徴があります。

　一方，**補助記憶装置**（補助記憶）は，主記憶に比べてアクセス速度は遅いですが，大容量，安価で，電源が切れても記憶内容が消えない不揮発性の特徴があります。補助記憶は，「主記憶を補う」という意味です。

磁気ディスク装置

　磁気ディスク装置（磁気ディスク）は，**磁性体を塗った円盤状のディスクにデータが記録され，磁気ヘッドを移動させながらデータを読み書きする装置**です。アクセス速度とデータ転送が比較的高速で大容量（数百GB〜数TB程度）なので，プログラムやアプリケーション，データなどは磁気ディスク装置に保存されます。試験では，**ハードディスク**や**HDD**（Hard Disk Drive）の用語でも出題されます。

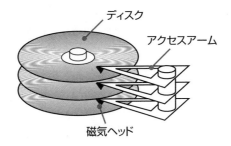

ディスク
アクセスアーム
磁気ヘッド

🔵 磁気ディスク装置の構造

　ディスクは複数枚で構成されます。それぞれのディスクの表面には，データを記録する最小単位である**セクタ**があり，セクタがいくつか集まって同心円状の**トラック**，トラックがいくつか集まって1面を構成しています。さらに，中心から等距離にあるトラックの集まりを**シリンダ**といいます。この記録方式は**セクタ方式**と呼ばれています。

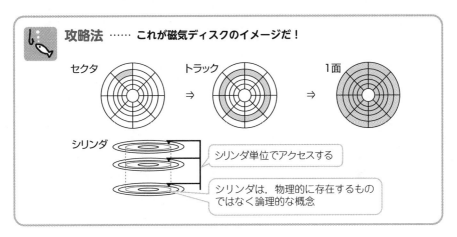

攻略法 …… **これが磁気ディスクのイメージだ！**

セクタ　⇒　トラック　⇒　1面

シリンダ

シリンダ単位でアクセスする

シリンダは，物理的に存在するものではなく論理的な概念

　セクタ方式では，データが一つのセクタに収まらない場合は，複数のセクタをまたいで記録します。また，一つのセクタには複数のデータを記録できません。余った部分は何も記録されない無駄な領域となります。

　例えば，セクタ長が512バイトのディスクに，1,000バイトの二つのデータを書き込む場合は，次のようになります。

データ1,000　　データ1,000

余った領域には何も記録されない

セクタ　セクタ　セクタ　セクタ
512　512　512　512

🔵 アクセス時間

アクセス時間は，**CPUがデータの読み書きの指令を出してから，データの読み書きが終わるまでの時間**です。磁気ディスク装置のアクセス時間は，位置決め時間，回転待ち時間，データ転送時間の和で求まります。

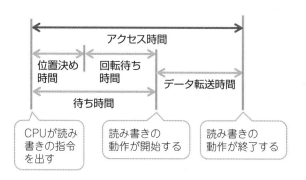

位置決め時間 （シーク時間）	磁気ヘッドを目的のデータが存在するトラックまで移動させるのに要する時間。アクセス開始時の磁気ヘッドの位置と目的のデータのトラック位置によって時間が異なるので，平均位置決め時間が用いられる
回転待ち時間 （サーチ時間）	目的のデータが，磁気ヘッドの位置まで回転してくるのを待つ時間。目的データが存在するトラックに位置決めしたときに，運良く目的のデータが回ってくれば最も時間がかからず，運悪く目的のデータが通り過ぎたところなら最も時間がかかる。平均回転待ち時間が使われ，1回転するのに要する時間の1/2が用いられる
データ転送時間	目的のデータが磁気ヘッドを通り過ぎるのに要する時間

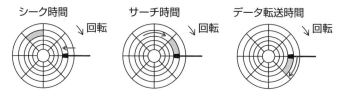

🔵 フラグメンテーション

フラグメンテーションは，**磁気ディスク装置にデータの追加や削除を繰り返すと，データが連続した領域に保存されなくなる（断片化する）現象**です。データが断片化することで，磁気ヘッドの移動が頻繁に発生し，アクセス時間が遅くなります。

一方，**デフラグ**は，断片化したデータを連続した領域に再配置し，フラグメンテーションを解消することです。

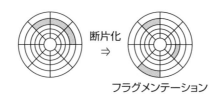

断片化
⇒
フラグメンテーション

😺 フラッシュメモリ

✨フラッシュメモリ✨は，**電気的に全部または一部分を消去して内容を書き直せる半導体メモリ**です。大容量（数GB〜数TB程度）で，アクセス速度が速くコンパクトなので，ノートPCやスマートフォン，デジタルカメラなどの媒体として用いられます。

代表的なものに，**USBメモリ**や**SDカード**などがあります。

SDカードは2GBまでしか記録できませんが，上位規格として32GBまで記録できるSDHCカードや，2TBまで記録できるSDXCカードがあります。また，一回り小さいサイズで，スマートフォンのメモリなどで使われるmicroSDカードにもSDHC，SDXCカードがあります。

USBメモリ　　　　　SDカード

😺 SSD

SSD (Solid State Drive) は，**フラッシュメモリを用いた，磁気ディスク装置の代わりとなる記憶媒体**です。磁気ディスク装置のような位置決めや回転待ちといった機械的な動作がないので，静音で振動や衝撃に強く，消費電力が小さい，アクセス速度が速いなどの特徴があります。

光ディスク

　光ディスクは，**レーザ光を使ってデータを読み書きする記憶媒体**です。大容量，安価で耐久性に優れています。次のようなものがあります。

CD	Compact Discの略。音楽用のCDをPCのデータ記録用に応用したもの。ソフトウェアなどの配布に用いられる。	最大700MB
DVD	Digital Versatile Discの略。PCのデータ記録用だけでなく，映画などの映像を記録できる	最大17.08GB
BD	Blu-ray Discの略。青紫色のレーザ光線を使って，ハイビジョン映像を2時間以上記録できる	最大100GB

光ディスクの記憶方式と記憶容量

　光ディスクの記憶方式には，次のようなものがあります。

再生専用型 (利用者は書込み不可)	CD-ROM，DVD-ROM，BD-ROM
追記型 (書込み可能。書換え不可)	CD-R，DVD-R，BD-Rなど
書換え型 (書込み可能。書換え可能)	CD-RW，DVD-RW，BD-REなど

アドバイス ［ 2の累乗の数は覚えておこう ］

　データ容量やダウンロード速度などの計算問題に，一見半端に見える数字が表れることがあります。例えば「文字データが8,192種類あるとき」「1,024kバイト」のような感じです。実は，8,192は2の13乗，1,024は2の10乗です。このことを知っている人は早く計算できます。覚えておくと，何かと便利です。

2^0	2^1	2^2	2^3	2^4	2^5	2^6
1	2	4	8	16	32	64
2^7	2^8	2^9	2^{10}	2^{11}	2^{12}	2^{13}
128	256	512	1024	2048	4096	8192

確認問題 1 ▶ 平成27年度春期　問12　　正解率 ▶ **中**　　**計算**

　回転数が4,200回／分で，平均位置決め時間が5ミリ秒の磁気ディスク装置がある。この磁気ディスク装置の平均待ち時間は約何ミリ秒か。ここで，平均待ち時間は，平均位置決め時間と平均回転待ち時間の合計である。

ア　7　　　　　イ　10　　　　　ウ　12　　　　　エ　14

 要点解説

1ミリ秒とは，1/1000秒のことです。
平均回転待ち時間は，1回転に要する時間の1/2です。
1回転に要する時間は，

60,000ミリ秒　→　4,200回転
　　？ミリ秒　←　　　　1回転

> 1分間は6万ミリ秒

> たすき掛けに掛け算したものどうしが等しくなる

$$60,000 \diagtimes 4,200$$
$$\quad ? \qquad\qquad 1$$

> たすき掛け解法

$$4,200 \times ? = 60,000 \times 1$$

1回転に要する時間は60000÷4200＝100／7ミリ秒。平均回転待ち時間はその1／2，つまり50／7≒7.14ミリ秒です。
平均待ち時間＝平均位置決め時間＋平均回転待ち時間
　　　　　≒5＋7.14≒12.14　約12ミリ秒です。

確認問題 2 ▶ 平成30年度春期　問12　　正解率 ▶ **低**　　**応用**

　SDメモリカードの上位規格の一つであるSDXCの特徴として，適切なものはどれか。

ア　GPS，カメラ，無線LANアダプタなどの周辺機能をハードウェアとしてカードに搭載している。
イ　SDメモリカードの4分の1以下の小型サイズで，最大32Gバイトの容量をもつ。
ウ　著作権保護技術としてAACSを採用し，従来のSDメモリカードよりもセキュリティが強化された。
エ　ファイルシステムにexFATを採用し，最大2Tバイトの容量に対応できる。

 要点解説

SDXCの特徴は，最大2Tバイトの容量に対応できることです。exFATは従来のファイルシステムであるFATを拡張したもので，最大容量や1ファイルの最大サイズが大きくなっています。

解答

問題1：ウ　　　問題2：エ

1 08 入出力装置

時々出　必須　超重要

イメージで つかむ

ディスプレイは多数の点の集合で文字や画像を描いています。点の数が多いほど，きめ細かく，自然ななめらかさを表現できます。

入力装置

入力装置は，**コンピュータにプログラムやデータのほか，音声や画像などを入力したり，コンピュータに指示を与えたりする装置**です。人に例えると五感に当たる部分です。

入力装置は，キーボードなどの文字や数字を入力する装置，マウスやタブレットなどの位置情報を入力する装置（**ポインティングデバイス**という），イメージスキャナなどのイメージを入力する装置などに分類できます。

キーボード　　　　マウス　　　タブレット　　　イメージスキャナ

知っ得情報（タッチパネル）

静電容量方式タッチパネルは，タッチパネルの表面に電界が形成され，タッチした部分の表面電荷の変化を捉えて位置を検出する方式です。銀行のキャッシュディスペンサやスマートフォン，タブレットなどで用いられています。

52

ここで，光学式マウスは，マウスの底にあるLEDからの光を使用して，センサ (CCD
または CMOS センサ) が表面に反射された光を連続的に読み取ることで，マウスが動いた
方向や距離を計算しています。

バーコードリーダ

バーコードリーダは，**商品などに印字された帯状のバーコードを読み取る装置**です。
POS システムの入力装置として用いられています。

もっと詳しく (POS システム)

POS システム (POS : Point of Sales) は，バーコードを使って商品の販売情
報をリアルタイムに収集し，売れ筋商品や死に筋商品を把握できるシステムで
す。これにより，レジ入力の自動化を図るだけでなく，迅速な受発注ができます。

次のようなバーコードが使われています。最近はスマートフォンでも読み取れます。

JAN コード	日本で流通している様々な商品を管理するための一次元コード。帯状の縞々の並びがデータを表し，国コード・メーカコード・商品アイテムコード・チェックディジット (9-05 参照) で構成されている
QR コード	小さな領域に多くの情報を格納でき，エラー訂正機能を持つ二次元コード。360 度のどの方向からでも読み取りができ，「〇〇pay」などの QR キャッシュレス決済でも用いられている

知っ得情報 (RFID)

RFID (Radio Frequency IDentification) は，極小の IC チップにアンテナを
組み合わせた電子荷札です。電磁波を用いて情報を非接触で読み取ります。**IC タ
グ**とも呼ばれています。商品タグや電車の定期券 (Suica，ICOCA など)，図書館の
自動貸出機などで利用されています。また **NFC** (Near Field Communication) は，
RFID の国際規格です。

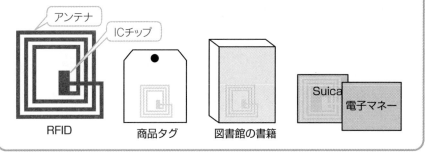

アンテナ
IC チップ
RFID
商品タグ
図書館の書籍
Suica
電子マネー

出力装置

　出力装置は，**コンピュータ内部で処理したデータを外部に出力する装置**です。ディスプレイやプリンタなどがあります。人に例えると，口（話す）や顔（表情）などに当たります。

ディスプレイ

　ディスプレイには，次のような種類があります。

液晶ディスプレイ	電圧を加えると，光の透過性が変わる液晶分子を利用する
有機ELディスプレイ	電圧を加えると，自ら発光する有機化合物を利用する

解像度

　ディスプレイの文字や画像は，**点（ドット）**が集まって表現されています。このドットは**画素**や**ピクセル**（pixel）とも呼ばれています。

　ディスプレイの**解像度**は，例えば「1,280×1,024ドット」のように横方向と縦方向のドット数で表します。同じ大きさのディスプレイなら，ドット数が大きいほど解像度が高く，きめ細かい自然な文字や画像を表現できます。

VRAM

　VRAM（Video RAM）は，**ディスプレイに表示される内容を一時的に記録するために使用される専用のメモリ**です。ディスプレイに表現できる解像度や色数は，VRAMの容量によって決まります。

　1ドット当たり，黒と白の2色を表現するには1ビット（0，1）が必要です。同じように，4色を表現するには2ビット（00，01，10，11），…が必要です。

　一般的に，**nビットでは2^n通りの色**を対応させることができます。

1ドット当たりに必要なビット数	色　数
1ビット	2色（2^1）
8ビット	256色（2^8）
16ビット	65,536色（2^{16}）
24ビット	16,777,216色（2^{24}）

フルカラーともいう。最も自然な色を表現できる

📖 参考 [光の3原色と色の3原色]

　ディスプレイは，R (Red：赤)，G (Green：緑)，B (Blue：青) の光の3原色 (RGB) の組合せで表現しています。

　プリンタは，C (Cyan：シアン)，M (Magenta：マゼンタ)，Y (Yellow：イエロー) の色の3原色に，K (Key plate：ブラック) を加えた4色 (CMYK) の組合せで表現しています。最近は，さらに色を加えたプリンタがあります。

🐱 プリンタ

プリンタには，次のような種類があります。

レーザプリンタ	コピー機と同じ原理で，光導電物質を表面に塗布した感光ドラムにレーザ光を当てて像を作り，ドラムに付着したトナーを紙に転写して印刷する。印字音が静かで，印刷品質も非常に高く，ページ単位で印刷するので高速で，ビジネス用のプリンタとしてよく用いられる。プリンタの性能を表す指標の一つに，1分間に印刷できるページ数を示す **PPM**(Page Per Minute)がある
インクジェットプリンタ 	印字ヘッドのノズルからインクを吹き付けることで印刷する。印字音が静かで，印刷品質も高く，低価格でカラー印刷できるので，個人向けのプリンタとしてよく用いられる
ドットインパクトプリンタ 	印字ヘッドの多数のピンでインクリボンに衝撃(インパクト)を与えることで印刷する。衝撃を与え印字するので，印字音が大きく，印刷品質も高くないが，複写式の伝票印刷に用いられる

🐱 もっと詳しく 〈 dpi 〉

　✦**dpi**✦ (dots per inch) は，プリンタやスキャナの解像度の単位です。1インチ (約2.54㎝) 当たりのドット数で表します。

1インチ
300ドット
:300dpi

3Dプリンタ

　3Dプリンタは，モデリングソフトで作成した3Dのデータに基づいて，熱で溶かした樹脂や金属粉末を層状に積み重ねるなどの方法で立体物を作成できるプリンタです。工業製品の試作品や抜型の制作，医療など，様々な分野で利用されています。

 アドバイス［8割正解を目指そう］

　ここまでにいくつか過去問を解いてきたかと思います。簡単なもの，難しいもの，いろいろあったのではないでしょうか。

　基本情報技術者試験は，600/1000点が合格点です。4割までは間違えてもよいわけです。ただしうっかりミスなどもありますから，念のため保険をかけて，8割正解を目指しましょう。

確認問題　1　　▶ 平成30年度春期　問72　　　正解率 ▶ 高　　　**基本**

　コンビニエンスストアにおいて，ポイントカードなどの個人情報と結び付けられた顧客ID付きPOSデータを収集・分析することによって確認できるものはどれか。

ア　商品の最終的な使用者　　　　　イ　商品の店舗までの流通経路
ウ　商品を購入する動機　　　　　　エ　同一商品の購入頻度

　会計時にポイントカードを提示することで，顧客IDと販売データが紐づけられます。顧客ID付きPOSデータは，どのIDの客が，いつ，どの商品を買ったか把握できます。つまり同一商品をどのくらいの頻度で購入したかがわかります。

確認問題　2　　▶ 応用情報　令和3年度春期　問21　　正解率 ▶ 高　　　**基本**

　RFIDの活用事例として，適切なものはどれか。

ア　紙に印刷されたデジタルコードをリーダで読み取ることによる情報の入力
イ　携帯電話とヘッドフォンとの間の音声データ通信
ウ　赤外線を利用した近距離データ通信
エ　微小な無線チップによる人又は物の識別及び管理

　ア QRコード　　イ Bluetooth　　ウ IrDA　　エ RFID
　RFIDは，微小な電磁波を用いて情報を非接触で読み込み，人や物の管理に利用します。最近は商品の値札に埋め込む事例もあります。
　なお，IrDAは赤外線を利用した無線通信です。

第1章 コンピュータ構成要素

確認問題 3 ▶ 平成31年度春期 問12 正解率▶中 基本

3Dプリンタの機能の説明として，適切なものはどれか。

ア 高温の印字ヘッドのピンを感熱紙に押し付けることによって印刷を行う。
イ コンピュータグラフィックスを建物，家具など凹凸のある立体物に投影する。
ウ 熱溶解積層方式などによって，立体物を造形する。
エ 立体物の形状を感知して，3Dデータとして出力する。

要点解説 ア 感熱式プリンタ (レシートなどの印刷に使われる)
イ プロジェクションマッピング
ウ 3Dプリンタ
エ 3Dスキャナ

確認問題 4 ▶ 平成28年度春期 問12 正解率▶低 計算

表示解像度が1000×800ドットで，色数が65,536色 (2^{16}色) の画像を表示するのに最低限必要なビデオメモリ容量は何Mバイトか。ここで，1Mバイト＝1,000kバイト，1kバイト＝1,000バイトとする。

ア 1.6　　　イ 3.2　　　ウ 6.4　　　エ 12.8

要点解説 ビデオメモリはVRAMのことです。
画面の総画素数は，1000×800＝800,000ドットです。
ここで，65,536色 (2^{16}色) を表現するためには，1ドット当たり16ビット (2バイト) が必要です。
したがって，800,000×2＝1,600,000バイト＝1.6Mバイトです。

解答

問題1：エ　　　問題2：エ　　　問題3：ウ　　　問題4：ア

1 09 入出力インタフェース

イメージで
つかむ

各電気製品は，コンセント
に接続すると使えます。これ
はコンセントの接続口や電圧
などの規格が決まっているか
らです。
　コンピュータの本体に周辺
装置を接続する規格も決まっ
ています。

入出力インタフェース

　PC本体には，入出力装置や補助記憶装置などの様々な周辺装置を接続します。**入出力インタフェースは，PC本体と周辺機器を接続するための規格の総称**です。コネクタやケーブルの形状，データ転送の規格などを指します。

USB

　✦USB✦ (Universal Serial Bus) は，**PCと周辺装置を接続する標準的なインタフェース**です。データを高速に1ビットずつ転送するシリアルインタフェースで，マウスやキーボード，HDD，プリンタ，スキャナなどの各種の周辺装置を接続できます。PCには，数個程度のポート (差込み口) がありますが，**USBハブという集線装置を使えば，最大127台までの周辺機器を接続できます。**

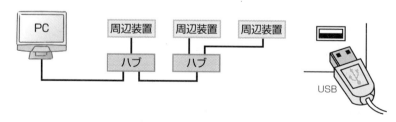

USBには，次のような規格があります。さらには，USB3.2 (20Gbps) なども登場しています。

規　格	最大転送速度 (bps：ビット/秒)	モード
USB1.1	12Mbps	フルスピード
USB2.0	480Mbps	ハイスピード
USB3.0	5Gbps	スーパースピード
USB3.1	10Gbps	スーパースピード＋

USBはケーブルの両端のコネクタ形状が異なっており，次のようなものがあります。USB3.1では，両端の形状が同じで，コネクタの上下の区別が不要なType-Cを採用しています。さらには，Type-AとType-Bには小さいサイズの mini や micro もあります。

もっと詳しく ＜ ホットプラグ・バスパワー ＞

ホットプラグは，接続されている周辺機器の電源を入れたままでケーブルの抜き差しができる機能です。USBはホットプラグに対応しています。一昔前までは，周辺機器を新たに接続する，または取り外す場合には，電源を切った状態で行う必要がありました。

バスパワーは，USBのケーブルを介して，PCの本体から電源を供給する方式です。ACアダプタが不要になり，配線の取り回しが容易です。接続できるのは消費電力の小さい機器に限られていましたが，USB PDという規格なら240Wまでの電力も供給できます。

🔘 HDMI

HDMIは，映像や音声，制御信号を，1本のケーブルで入出力できる標準的なインタフェースです。PCやスマートフォン，デジタルカメラなどの映像・音声をTVに出力できます。端子は通常のサイズのものと，スマートフォンなどに使われるmicro HDMIがあります。

HDMI端子

⚙ Bluetooth

Bluetoothは，**2.4GHz帯の電波を利用した無線通信のインタフェース**です。半径数m〜数十mの範囲で通信できます。電波は四方に広がって反射するので，遮蔽物があっても通信できます。無線のマウスやキーボード，スマートフォン用のワイヤレスイヤホン，ゲーム機器の無線コントローラなど，最近は多種多様な周辺装置に利用されています。さらに，Bluetooth4.0で追加された仕様で，**BLE** (Bluetooth Low Energy) があります。低消費電力であるので，IoT機器 (11-06参照) にも採用されています。

⚙ Zigbee

Zigbeeは，**2.4GHz帯の電波を利用した短距離無線通信のインタフェース**です。Bluetoothよりも電波の届く範囲は狭く，通信速度も遅いですが，低コストで低消費電力が特徴で，センサネットワークへの応用が進められています。

また，BLEやZigbeeなどを利用して，LAN (7-01参照) よりも狭い，主に個人が使用する機器同士を接続するネットワークを**PAN** (Personal Area Network) といいます。

確認問題 1　　▶ 平成30年度秋期　問12　　正解率 ▶ 中　　応用

USB3.0の説明として，適切なものはどれか。

ア　1クロックで2ビットの情報を伝送する4対の信号線を使用し，最大
　　1Gビット／秒のスループットをもつインタフェースである。
イ　PCと周辺機器とを接続するATA仕様をシリアル化したものである。
ウ　音声，映像などに適したアイソクロナス転送を採用しており，ブロード
　　キャスト転送モードをもつシリアルインタフェースである。
エ　スーパースピードと呼ばれる5Gビット／秒のデータ転送モードをもつ
　　シリアルインタフェースである。

🎓要点解説　ア　LANの規格であるEthernetのうちの1000BASE-Tです。
　　　　　　イ　内蔵HDDなどを接続するシリアルATAです。
　　　　　　ウ　IEEE1394のことです。なおアイソクロナス転送とは一定時間あたりのデータ量を保証する方式で，ブロードキャスト転送とは1対多の送信が可能な方式です。

解答

問題1：エ

第 2 章

ソフトウェアと
マルチメディア

〔 科目 A 〕

2 01 ソフトウェア

イメージで
つかむ

基本情報の勉強は，基礎を
マスターしてから応用に進み
ましょう。何事も基礎の上に
応用が成り立っています。
ソフトウェアも，基本ソフ
トウェア上で応用ソフトウェ
アが動作しています。

ソフトウェア

ソフトウェアは，基本ソフトウェアと応用ソフトウェア，その間に位置するミドル
ウェアに分類されます。一般的に，基本ソフトウェアはOS，応用ソフトウェアはアプ
リケーションソフト，単にアプリケーションやアプリとも呼ばれています。

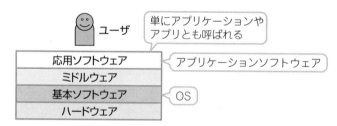

OS

OS (Operating System)，は，**コンピュータを管理・制御する基本機能を提供する
ソフトウェア**です。PCにはWindows・mac OS・Chrome OS，サーバにはUNIX・
Linux，スマートフォンにはAndroid・iOSなどが搭載されています。

試験では，次のような機能がよく出題されます。

ジョブ管理	コンピュータに依頼する仕事のスケジュールを管理する (2-02参照)
タスク管理	CPUを効率よく使用できるように管理する (2-02参照)
記憶管理	主記憶を効率よく使用できるように管理する (2-03参照)
ファイル管理	ファイルやディレクトリを管理する (2-04参照)

もっと詳しく ミドルウェア

ミドルウェアは，多くのアプリケーションが必要とする共通の基本機能や，統一的なインタフェースを提供するソフトウェアです。Middle (中間の) と Software を合わせた造語です。代表的なものに，DBMS (6-01参照) があります。

API

API (Application Program Interface) は，**「ある機能を公開しているソフトウェア」** と **「その機能を利用するソフトウェア」** とのインターフェース**のことです。各機能を利用するための規約が定められており，その規約に従えば機能を呼び出すだけで利用できます。ソフトウェアの開発者は，一から処理内容を記述する必要はなく，そのAPIを使用することで効率よくソフトウェア開発ができます。

知っ得情報 デバイスドライバ

デバイスドライバ は，PCに接続した周辺機器を制御するソフトウェアです。アプリケーションからの要求に従って，ハードウェアを直接制御します。例えば，プリンタを新たに追加する場合には，プリンタドライバをインストールする必要があります。最近は，OSに周辺機器のデバイスドライバが多数内蔵されているので，**プラグアンドプレイ** (プラグを挿すだけで必要な設定をしてくれる機能) で使用できることも多くなっています。

オープンソースソフトウェア

オープンソースソフトウェア (OSS：Open Source Software) は，市販のソフトウェアと違い，**ソースコードが公開されているソフトウェア**です。無保証を原則に，自由にソースコードの改変や再配布ができます。また，再配布する際は，必ずしも無料にする必要はなく，機能やサービスを追加して有料にすることもできます。誰でも自由に改変や再配布ができることで，ソフトウェアを発展させていこうという考えが背景にあります。

また，OSSを認定する非営利団体であるOSI (Open Source Initiative) では，OSSの10個の条件が挙げられており，そのうち「再配布先となる個人やグループを限定しな

い」,「利用する分野を限定しない」,「再配布で追加ライセンスを要求しない」,「特定の製品に限定したライセンスにしない」などが試験に出題されています。

代表的なOSSに次のようなものがあります。

分　類	OSS
OS	リナックス Linux
WWWブラウザ	ファイアーフォックス Firefox
電子メール	サンダーバード Thunderbird
統合開発環境	エクリプス Eclipse

分　類	OSS
Webサーバ	アパッチ Apache
DNSサーバ	バインド Bind
メールサーバ	ポストフィックス Postfix
データベース	マイエスキューエル ポストグレスキューエル MySQL, PostgreSQL

💿 OSSのライセンス

コピーレフトは，ソースコードを改変して再配布するときは，元のソフトウェアと同じ配布条件で再配布しなければならないライセンスです。これは，「ソフトウェアを独占せず，みんなで改変して共有の財産にしよう」という考えです。

OSSには，このコピーレフトの考えを取り入れたものがあり，ソースコードを再配布する際には，次のような条件が加わります。

	保証	元ソースの著作権・ ライセンス表示	ソースコードの公開	別のライセンスにする
コピーレフト型	無保証	必要	必要	禁止
非コピーレフト型			必要なし	可能

> ### 🐱 もっと詳しく ❰ GPL と BSD ❱
> OSSを利用する際のライセンス条件の代表的なものに，次のようなものがあります。
> * **GPL** (グヌー
GNU General Public License) はコピーレフト型なので，改良して配布する場合は，ソースコードを公開する必要があります。
> * **BSD** (Berkeley Software Distribution) ライセンスは非コピーレフト型なので，改良して配布する場合は，ソースコードを公開する必要がありません。

確認問題 1 ▶ 平成31年度春期 問17 正解率 ▶ 高 **基本**

デバイスドライバの説明として，適切なものはどれか。

ア　PCに接続された周辺機器を制御するソフトウェア
イ　アプリケーションプログラムをPCに導入するソフトウェア
ウ　キーボードなどの操作手順を登録して，その操作を自動化するソフトウェア
エ　他のPCに入り込んで不利益をもたらすソフトウェア

 デバイスドライバは，PCに接続した周辺機器をアプリケーションから利用できるようにするためのソフトウェアです。
　イ　インストーラ
　ウ　RPA (11-01参照)
　エ　マルウェア (8-02参照)

確認問題 2 ▶ 平成31年度春期 問20 正解率 ▶ 低 **応用**

OSIによるオープンソースソフトウェアの定義に従うときのオープンソースソフトウェアに対する取扱いとして，適切なものはどれか。

ア　ある特定の業界向けに作成されたオープンソースソフトウェアは，ソースコードを公開する範囲をその業界に限定することができる。
イ　オープンソースソフトウェアを改変して再配布する場合，元のソフトウェアと同じ配布条件となるように，同じライセンスを適用して配布する必要がある。
ウ　オープンソースソフトウェアを第三者が製品として再配布する場合，オープンソースソフトウェアの開発者は第三者に対してライセンス費を請求することができる。
エ　社内での利用などのようにオープンソースソフトウェアを改変しても再配布しない場合，改変部分のソースコードを公開しなくてもよい。

ア　利用分野は限定できません。
イ　自由に再配布可能です。
ウ　追加のライセンス費は請求できません。
エ　再配布しない場合は，改変部分の公開義務はありません。

解答

問題1：ア　　　問題2：エ

ジョブ管理とタスク管理

時々出　必須　超重要

イメージで
つかむ

病院へ行くと，診察前と診察後に病院の受付で待たされ，行列ができます。
　コンピュータに仕事を与えると，同じように内部では待ち行列ができています。

精算待ち　　診察中　　診察待ち

ジョブとタスク

　ジョブは，**利用者から見た仕事の単位**で，利用者がコンピュータに実行を依頼する単一のプログラムや，バッチ処理 (5-01 参照) などの一連のプログラム群のことです。

　一方，**タスク（プロセス）**は，**OSから見た仕事または実行の単位**で，コンピュータに投入されたジョブはいくつかのタスクに分解されます。

　OSには，このジョブやタスクを効率よく管理する機能があります。

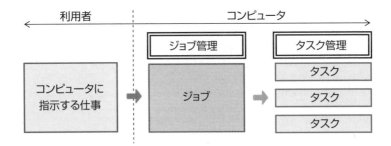

!"くれば"で覚える

ジョブ　とくれば　**利用者から見た仕事の単位**
タスク　とくれば　**OSから見た仕事の単位**

ジョブ管理

ジョブ管理の機能の一つに，ジョブのスケジューリングがあり，ジョブの入力と出力を管理します。コンピュータに投入されたジョブは，**入力待ち行列**に登録され，順番に処理されるのを待ちます。また，処理された後は**出力待ち行列**に登録され，順番にプリンタなどに処理結果が出力されるのを待ちます。入力待ち行列や出力待ち行列は，先に入力されたものから先に出力されるキュー構造 (4-04参照) です。これは，病院で診察前と診察後に受付で順番待ちしているようなイメージです。

スプーリング

スプーリングは，**主記憶装置と低速の入出力装置との間のデータ転送を，補助記憶装置を介して行うこと**です。例えば，プリンタへの出力データを一時的に磁気ディスクに書き込み，プリンタの処理速度に合わせて少しずつ出力させます。スプーリングは，スループット (5-04参照) の向上に役立ちます。

> **"くれば"で覚える**
>
> スプーリング　とくれば　**出力データを磁気ディスクに書き込んでから出力する。スループットの向上**

タスク管理

タスク管理では，タスクの生成から消滅までを，**実行可能状態・実行状態・待ち状態**の三つの状態で管理しながら，CPUを有効活用しています。

実行可能状態 (Ready)	CPUの使用権が割り当てられるのを待っている状態。実行可能状態のタスクが複数存在する場合は，待ち行列を形成している
実行状態 (Run)	CPUの使用権が割り当てられ，実行している状態。CPUが一つしかない場合は，実行状態のタスクは一つだけ存在する
待ち状態 (Wait)	他のタスクが入出力装置を使用しているので，入出力処理が完了するのを待っている状態

タスクの状態遷移

タスクは次の図のように遷移していきます。

①生成された直後のタスクは**実行可能状態**となる

②実行可能状態のタスクから実行するタスクを選択して，そのタスクにCPUの使用権を割り当てると**実行状態**へ遷移する。このCPUの割当てを**ディスパッチ**という

③実行状態中に，他の優先順位が高いタスクが実行可能状態になると，割込み（後述）
が発生し，優先順位の高いタスクにCPUの使用権が割り当てられる。現在の実行
状態のタスクは**実行可能状態**へ遷移する

④実行状態中に，入出力待ちが生じた場合は，入出力処理が完了するまで**待ち状態**
へ遷移する

⑤入出力処理が完了すれば**実行可能状態**に遷移する

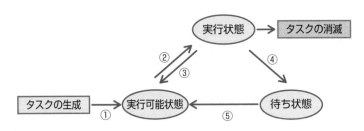

🐾 タスクのスケジューリング

　複数のタスクの中から，どのタスクにCPUの使用権を割り当てるかを決める方式と
して，次のようなものがあります。

到着順方式	実行可能待ち行列の先頭にあるタスクから順に，CPUの使用権を割り当てる
処理時間順方式	処理予定時間が最も短いタスクから順に，CPUの使用権を割り当てる
優先度順方式	優先度の高いタスクから順に，CPUの使用権を割り当てる
ラウンドロビン方式	実行可能待ち行列の先頭にあるタスクから順に，CPUの使用権を割り当て，一定時間（**タイムスライス**）が経過した場合は，実行を中断して，実行可能待ち行列の最後尾に加える

🐾 マルチタスク

　✨マルチタスク✨は，**複数のタスクにCPUの処理時間を順番に割り当てることで，
タスクが同時に実行されているように見せる方式**です。これにより，CPUを有効活用
できます。**マルチプログラミング**とも呼ばれています。

🐱！ "くれば"で覚える

マルチタスク　とくれば　**複数のタスクを並行処理する。**
　　　　　　　　　　　　　　　CPUの有効活用

例えば，タスクAとBがあり，それぞれを単体で実行したときのCPUと入出力装置 (I/O) の占有時間は，次のとおりとします。

タスクA	CPU	→	I/O	→	CPU	→	I/O	→	CPU	
	20		30		20		40		10	ミリ秒

タスクB	CPU	→	I/O	→	CPU	→	I/O	→	CPU	
	10		30		20		20		20	ミリ秒

ここで，タスクAとBを1台のCPUのもとで同時に起動したとき，タスクBが終了するのは起動の何ミリ秒後かを考えてみましょう。タスクなどの実行条件は次のとおりです。

①タスクの実行優先度はAの方がBより高い
②タスクA，Bは同一の入出力装置を使用する
③CPU処理を実行中のタスクは，入出力処理を開始するまでは実行を中断されない
④入出力装置も入出力処理が完了するまで実行を中断されない
⑤CPU処理の切替え (タスクスイッチ) に必要な時間は無視できる

まずは，理解しやすくするために優先度が高いタスクAから考えましょう。タスクAは，単体では120ミリ秒かかります。

CPU	→			→			→			
I/O		→				→				

I/O処理を行っている間は，CPUは利用されず遊んでしまっています。この時間は，**遊休時間 (アイドルタイム)** と呼ばれています。ここで，CPUを遊ばせておいては効率が悪いので，その間にタスクBを実行させます。
したがって，タスクBが終了するのは起動の160ミリ秒後です。

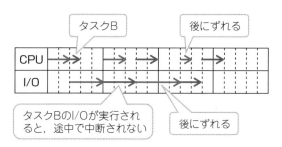

第 2 章 ソフトウェアとマルチメディア

ここでは，理解しやすくするために個別に考えましたが，実際は並行しながら，あたかも同時に実行しているかのように見えます。これがマルチタスクです。

> ### 🐱 もっと詳しく ❰ タスクの切り替え方式 ❱
>
> タスクの切り替え方式には，OSの判断でタスクが切り替わる**プリエンプティブ方式**と，プログラムの判断でタスクが切り替わる**ノンプリエンプティブ方式**があります。
> 　現在はプリエンプティブ方式が主流で，先ほど見たように，OSが実行中のタスクを中断させながら，他のタスクにCPUの使用権を割り当て処理します。

> ### 🐱得 知っ得情報 ❰ 並行処理 ❱
>
> **マルチスレッド**は，タスク内で並行処理が可能な部分を，複数の処理単位（スレッド）に分解して，それらを並行して処理するOSの機能です。マルチコアCPUを使用したコンピュータの処理能力を有効活用でき，複数のコアでスレッドを並行処理します。

● 割込み処理

割込みは，実行中の処理を一時中断し，別の処理に切り替えることです。割込みが発生すると，割込みが発生したときに実行していた命令の，現在のプログラムカウンタの値が退避され，割込み処理が実行されます。割込み処理が完了すると，退避されていたアドレスが復帰され，割り込まれた場所から実行が再開されます。

> ### 🐟 攻略法 …… これが割込みのイメージだ！
>
> 読書をしていると電話がかかってきた（割込み）ので，読んでいたページにしおりを挟み（アドレス退避），電話に出た。用件を話し終えたので電話を切り，しおりを挟んでいたページを開いて読書を続けた（処理の再開）。

また，割込みには，実行中のプログラムが原因で起こる**内部割込み**と，実行中のプログラム以外が原因で起こる**外部割込み**があります。

内部割込み

プログラム割込み	ゼロによる除算，桁あふれ，ページフォルト（2-03参照），記憶保護例外など，不正な命令が原因で起こる
SVC割込み (SuperVisor Call)	プログラムがOSに入出力を要求したときなどに起こる

外部割込み

機械チェック割込み	電源異常，主記憶の故障など，ハードウェアの故障が原因で起こる
入出力割込み	入出力装置の入出力動作が完了したときに起こる
タイマ割込み	プログラムの実行時間が設定時間を超過したときに起こる
コンソール割込み	オペレータが介入したときに起こる

第 2 章 ソフトウェアとマルチメディア

知っ得情報 〈 M/M/1 の待ち行列モデル 〉

　　コンビニのレジでは，客が増えるとレジの処理が追い付かず，行列が発生します。このようなときの平均待ち時間を求めるのに使われるのが**待ち行列モデル**です。**M/M/1 の待ち行列モデル**では，客の到着はランダムで，レジの処理時間も客ごとにランダム，処理する窓口は一つ，先着順に処理し，列への割込みや途中抜けはないという条件で考えます。

　　コンピュータの世界に応用され，ジョブを「客」に，CPUを「レジ」に当てはめて考えます。

確認問題 1 ▶ 平成30年度秋期 問16　　　正解率 ▶ 中　　頻出　計算

　　三つのタスクの優先度と，各タスクを単独で実行した場合のCPUと入出力装置 (I/O) の動作順序と処理時間は，表のとおりである。優先度方式のタスクスケジューリングを行うOSの下で，三つのタスクが同時に実行可能状態になってから，全てのタスクの実行が終了するまでの，CPUの遊休時間は何ミリ秒か。ここで，CPUは1個であり，1CPUは1コアで構成され，I/Oは競合せず，OSのオーバヘッドは考慮しないものとする。また，表中の ( ) 内の数字は処理時間を示すものとする。

優先度	単独実行時の動作順序と処理時間 (ミリ秒)
高	CPU(3) → I/O(5) → CPU(2)
中	CPU(2) → I/O(6) → CPU(2)
低	CPU(1) → I/O(5) → CPU(1)

ア　2　　　　　イ　3　　　　　ウ　4　　　　　エ　5

要点解説 I/Oは競合せずということは，複数のタスクで同時使用できるということです。優先度の高いタスクから見ていきます。図の→は「高」のタスク，→は「中」のタスク，→は「低」のタスクです。CPUの遊休時間は3ミリ秒です。

内部割込みに分類されるものはどれか。

ア　商用電源の瞬時停電などの電源異常による割込み
イ　ゼロで除算を実行したことによる割込み
ウ　入出力が完了したことによる割込み
エ　メモリパリティエラーが発生したことによる割込み

内部割込みは，実行中のプログラムが原因で起こる割込みです。プログラム上でゼロで除算を実行すると，エラーとなりますが，これが内部割込みです。

スプーリング機能の説明として，適切なものはどれか。

ア　あるタスクを実行しているときに，入出力命令の実行によってCPUが遊休（アイドル）状態になると，他のタスクにCPUを割り当てる。
イ　実行中のプログラムを一時中断して，制御プログラムに制御を移す。
ウ　主記憶装置と低速の入出力装置との間のデータ転送を，補助記憶装置を介して行うことによって，システム全体の処理能力を高める。
エ　多数のバッファから成るバッファプールを用意し，主記憶装置にあるバッファにアクセスする確率を上げることによって，補助記憶装置のアクセス時間を短縮する。

スプーリングは，システム全体のスループットを高めるため，主記憶装置と低速の入出力装置とのデータ転送を，高速の補助記憶装置を介して行う方式です。

優先度に基づくプリエンプティブなスケジューリングを行うリアルタイムOSで，二つのタスクA，Bをスケジューリングする。Aの方がBよりも優先度が高い場合にリアルタイムOSが行う動作のうち，適切なものはどれか。

ア　Aの実行中にBに起動がかかると，Aを実行可能状態にしてBを実行する。
イ　Aの実行中にBに起動がかかると，Aを待ち状態にしてBを実行する。
ウ　Bの実行中にAに起動がかかると，Bを実行可能状態にしてAを実行する。
エ　Bの実行中にAに起動がかかると，Bを待ち状態にしてAを実行する。

Aの方がBよりも優先度が高いため，Bの実行中にAに起動がかかると，Bを実行可能状態にしてAを実行します。

確認問題 5 ▶ 令和元年度秋期 問17　　正解率 ▶ **低**　　　計算

　図の送信タスクから受信タスクにT秒間連続してデータを送信する。1秒当たりの送信量をS，1秒当たりの受信量をRとしたとき，バッファがオーバフローしないバッファサイズLを表す関係式として適切なものはどれか。ここで，受信タスクよりも送信タスクの方が転送速度は速く，次の転送開始までの時間間隔は十分にあるものとする。

ア　$L < (R - S) \times T$　　　　イ　$L < (S - R) \times T$
ウ　$L \geqq (R - S) \times T$　　　　エ　$L \geqq (S - R) \times T$

速度差のある装置間のギャップを補うものをバッファといいます。Bufferは，「緩衝（かんしょう）」という意味です。
　まず，栓のないバスタブ（バッファ）に水を入れるとイメージしましょう。入る量より出る量が少ないと水が貯まり，いつかあふれます（オーバフロー）。
　1秒当たりの送信量がS，受信量がRで，受信タスクよりも送信タスクのほうが転送速度が速いため，受信側の処理が間に合わず，どんどんバッファに貯まっていくことになります。
　バッファに貯まる量は，送信量と受信側の差です。つまり1秒あたり$S - R$。
T秒間では$(S - R) \times T$です。
　バッファに貯まる量（$(S - R) \times T$）よりも，バッファサイズ（L）が同じか，大きければあふれません。これを式にすると
$L \geqq (S - R) \times T$です。
　選択肢が式なので身構えてしまいますが，よく読んでみると難しい問題ではありません。

解答

問題1：イ　　　問題2：イ　　　問題3：ウ　　　問題4：ウ　　　問題5：エ

記憶管理

2 03

時々出　必須　超重要

イメージでつかむ

　調べものをしているときは，机が本でいっぱいになります。さらに本を広げたいときは，当面不要の本を本棚に戻します。
　コンピュータも，同様のことをしています。

う〜ん スペースが ない…. 本棚に 戻そうかなぁ〜

記憶管理

　1-02節でも触れましたが，現在のコンピュータでは，主記憶に配置されたプログラムの命令を，CPUが順番に取り出して解読・実行する**プログラム記憶方式**を採用しています。プログラムをHDDなどの補助記憶に保存しておき，実行時には主記憶上にプログラムを配置して，実行が終われば主記憶上から消去します（主記憶の解放という）。
　記憶管理では，主記憶の容量には限りがあるので，主記憶を効率よく管理します。

実記憶管理

　主記憶そのもの（実記憶）を効率よく管理するために，次のような方式があります。

区画方式

　区画方式は，主記憶をいくつかの区画に分割して，プログラムに割り当てる方式です。

固定区画方式	主記憶をあらかじめ決まった大きさの区画に分割する方式。各プログラムは格納できる大きさの区画に配置される。主記憶の使用率は悪いが，処理時間は一定で速い
可変区画方式	主記憶をプログラムが必要とする大きさの区画に割り当てる方式。主記憶の使用効率は良いが，処理時間は不定で固定区画方式と比べて遅い

　ここで，**OSが主記憶の領域の獲得と解放を繰り返していくと，細切れの未使用領域が発生する現象**を**フラグメンテーション**といいます。この発生によって，合計すると十分な未使用領域があるにもかかわらず，必要とする主記憶の領域を獲得できないことがあります。

　フラグメンテーションを解決するために，細切れの未使用領域を連続した一つの領域にまとめ，再び利用可能にします。これが，**メモリコンパクション**です。

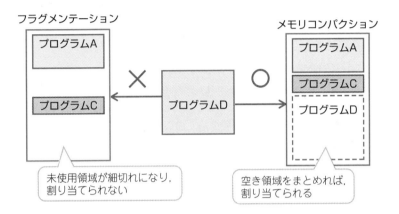

フラグメンテーション
- プログラムA
- プログラムC
- プログラムD

（×）未使用領域が細切れになり，割り当てられない

メモリコンパクション
- プログラムA
- プログラムC
- プログラムD

（○）空き領域をまとめれば，割り当てられる

スワッピング方式

　スワッピング方式は，主記憶の容量が不足し，複数のプログラムを主記憶上に配置できない場合には，実行中のプログラムのうち優先度の低いプログラムを一時中断して磁気ディスクに退避（**スワップアウト**という）して，優先度の高いプログラムを主記憶に配置する（**スワップイン**という）方式です。

オーバレイ方式

　オーバレイ方式は，あらかじめプログラムを同時に実行しない，排他的な幾つかの単位（**セグメント**という）に分割しておき，実行時に必要なセグメントだけを主記憶に配置して実行する方式です。Overlay（オーバレイ）は，「上塗りする」という意味です。

　例えば，次頁のセグメントAは共通セグメントで，セグメントBとCはセグメントAから呼び出される排他的セグメントです。プログラム全体を主記憶上に配置すると120kバイト必要ですが，セグメントBとCを必要に応じて配置すると80kバイトで済みます。

　この方式は，大きなプログラムを小容量の主記憶上で実行させる技術として，家電製品等に組み込まれて動作するプログラムで利用されています。

第2章　ソフトウェアとマルチメディア

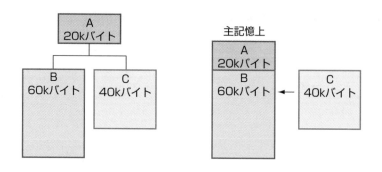

⚙ 仮想記憶方式

　✦**仮想記憶方式**✦ は，**補助記憶の一部をあたかも主記憶のように使用する方式**です。プログラムを補助記憶（仮想記憶空間）に格納しておき，実行時に必要になれば動的に主記憶（実記憶空間）に配置して実行します。これにより，見かけ上の主記憶の容量が増え，主記憶の容量よりも大きなメモリを必要とするプログラムも実行できるようになります。今ではほとんどのOSが採用しています。

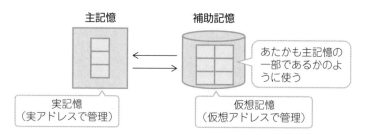

　プログラムは仮想記憶空間に格納されているので，プログラムを実行するには仮想記憶上の番地（**仮想アドレス**）を，主記憶上の番地（**実アドレス**）に変換する必要があります。この変換を，**動的アドレス変換機構**（**DAT**：Dynamic Address Translator）と呼ばれるハードウェアで行います。

! "くれば"で覚える

仮想記憶方式　とくれば　**補助記憶の一部を主記憶に見せかけて，大きな記憶空間を作る方式**

ページング方式

仮想記憶の実現方式の一つに，**主記憶とプログラムを固定長（ページ）に分割し，このページ単位で管理する**ページング方式があります。これは，「大きなプログラムを実行するときも，ごく短い時間を見れば，必要なのは一部のみであること」を利用したものです。

この方式では，実行するページが主記憶に存在しないときは，**ページフォルト**と呼ばれる割込みが発生し，不要なページを実記憶から補助記憶に追い出し（**ページアウト**という），必要なページを補助記憶から主記憶に配置します（**ページイン**という）。

ただし，ページフォルトが多発すると，処理効率が急激に低下する**スラッシング**が発生します。この現象を抑えるためには，主記憶の増設や，ジョブの多重度（同時に実行できる最大ジョブ数）を下げて主記憶の使用を抑制するなどの対策をとる必要があります。

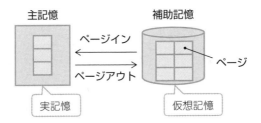

ページ置換えアルゴリズム

ページング方式で，不要なページを決定する主な方式には，次のようなものがあります。

FIFO方式 (First-In First-Out)	最も古くから主記憶に存在するページを置き換える
LRU方式 (Least Recently Used)	最後に参照されてから最も経過時間が長いページを置き換える
LFU方式 (Least Frequently Used)	参照回数が最も少ないページを置き換える

例えば，ページ枠（実記憶のページ数）が3で，初期状態は何も読み込まれていない場合を考えてみましょう。

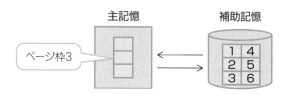

　あるプログラムのページ参照順序が，1，2，2，1，3，1，4…であり，4のページを参照されるとします。

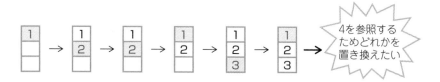

　FIFO方式では，最も古くから主記憶に存在するページを置き換えるので，追い出されるページは1です。

　LRU方式では，最後に参照されてから最も経過時間が長いページを置き換えるので，追い出されるページは2です。

　LFU方式では，参照回数の最も少ないページを入れ替えるので，追い出されるページは3です。

確認問題 1 ▶ 応用情報 令和3年度秋期 問19 正解率▶ **中** **応用**

仮想記憶方式における補助記憶の機能はどれか。

ア 主記憶からページアウトされたページを格納する。
イ 主記憶が更新された際に，更新前の内容を保存する。
ウ 主記憶と連続した仮想アドレスを割り当てて，主記憶を拡張する。
エ 主記憶のバックアップとして，主記憶の内容を格納する。

 仮想記憶方式は，仮想記憶空間と実記憶空間を，固定長であるページに分割して管理します。実行に必要なページを補助記憶から主記憶上にロードし，不要になったページは補助記憶に退避します。これにより，主記憶を効率的に使うことができます。
　イ 更新前の内容を保存する必要はありません。
　ウ 連続した仮想アドレスを割り当てるものではありません。
　エ バックアップではなく，待避です。

確認問題 2 ▶ 応用情報 令和3年度秋期 問16 正解率▶ **高** **基本**

ページング方式の仮想記憶において，ページ置換えの発生頻度が高くなり，システムの処理能力が急激に低下することがある。このような現象を何と呼ぶか。

ア スラッシング　　　　　　　　イ スワップアウト
ウ フラグメンテーション　　　　エ ページフォールト

 スラッシングは，アプリケーションの同時実行数を増やした場合に，主記憶の容量が不足し，処理時間のほとんどがページングに費やされることで，極端なスループット（5-04参照）の低下を招く現象です。

　図のメモリマップで，セグメント2が解放されたとき，セグメントを移動（動的再配置）し，分散する空き領域を集めて一つの連続領域にしたい。1回のメモリアクセスは4バイト単位で行い，読取り，書込みがそれぞれ30ナノ秒とすると，動的再配置をするのに必要なメモリアクセス時間は合計何ミリ秒か。ここで，1kバイトは1,000バイトとし，動的再配置に要する時間以外のオーバヘッドは考慮しないものとする。

セグメント1	セグメント2	セグメント3	空き
500kバイト	100kバイト	800kバイト	800kバイト

ア　1.5　　　　イ　6.0　　　　ウ　7.5　　　　エ　12.0

要点解説　セグメント3にあるデータ800kバイトを，セグメント2の空きの分だけ4バイト単位で詰めて配置していけば，セグメント3の後ろに100kバイト空きができ，空き領域が一つにまとまります。再配置のためにメモリにアクセスする回数は，$800k \div 4 = 200k = 2 \times 10^5$回です。アクセスするたびに30ナノ秒＝$3 \times 10^{-8}$秒かかり，読取りと書込みの2回の処理が必要です。アクセス時間の合計は，$2 \times 10^5 \times 3 \times 10^{-8} \times 2 = 12 \times 10^{-3}$秒＝12ミリ秒です。

　仮想記憶方式のコンピュータにおいて，実記憶に割り当てられるページ数は3とし，追い出すページを選ぶアルゴリズムは，FIFOとLRUの二つを考える。
　あるタスクのページのアクセス順序が

　　　　　　1，3，2，1，4，5，2，3，4，5

のとき，ページを置き換える回数の組合せとして，適切なものはどれか。

	FIFO	LRU
ア	3	2
イ	3	6
ウ	4	3
エ	5	4

以下の図の，色付き数字はアクセスされたページで，太枠は置き換えが発生したページです。

まずFIFOの場合を考えます。下図の網掛けは，その時点での一番古くから存在するページです。置き換えは3回発生しています。

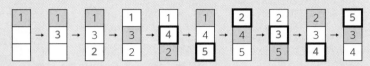

次にLRUの場合を考えます。下図の網掛けは，その時点で最後にアクセスされてからの経過時間が最も長いページです。置き換えは6回発生しています。

確認問題　5　　▶ 平成29年度秋期　問16　　　正解率 ▶ 中　　　　基本

　　メモリリークの説明として，適切なものはどれか。

ア　OSやアプリケーションのバグなどが原因で，動作中に確保した主記憶が解放されないことであり，これが発生すると主記憶中の利用可能な部分が減少する。

イ　アプリケーションの同時実行数を増やした場合に，主記憶容量が不足し，処理時間のほとんどがページングに費やされ，スループットの極端な低下を招くことである。

ウ　実行時のプログラム領域の大きさに制限があるときに，必要になったモジュールを主記憶に取り込む手法である。

エ　主記憶で利用可能な空き領域の総量は足りているのに，主記憶中に不連続で散在しているので，大きなプログラムをロードする領域が確保できないことである。

アプリケーションの動作には主記憶の領域が必要です。動作のために確保した領域は，使用後には開放されて，他のアプリケーションから使えるようになりますが，バグなどで開放されないことがあります。これがメモリリークです。

　　イ　スラッシング
　　ウ　オーバレイ方式
　　エ　フラグメンテーション

解答

問題1：ア	問題2：ア	問題3：エ	問題4：イ	問題5：ア

2 04 ファイル管理

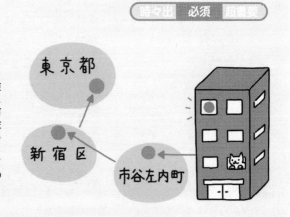

イメージで
つかむ

技術評論社の住所は、「東京都新宿区市谷左内町」。これは、オフィスが市谷左内町という町の中にあり、市谷左内町は新宿区にあり…という階層を表しています。
コンピュータの中でファイルの場所を示すときも、このようなイメージです。

ファイル管理

ファイル管理も、OSの重要な機能の一つです。磁気ディスクなどの補助記憶では、プログラムやデータはファイル単位で格納され、ファイルは**ディレクトリ**を用いて管理されています。WindowsやmacOSでは、ディレクトリはフォルダと呼ばれています。ディレクトリはファイルを効率よく管理するために、階層構造になっています。階層構造の最上位にあるディレクトリを**ルートディレクトリ**といい、現在の操作対象であるディレクトリを**カレントディレクトリ**といいます。Rootは「根」、Currentは「現在の」という意味です。

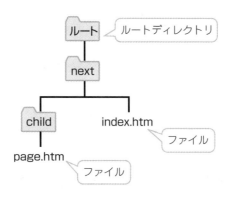

パス指定

ファイル管理の階層構造では，目的のディレクトリやファイルまでの経路を指定する方法に，次のようなものがあります。

↯絶対パス指定↯	ルートディレクトリを基点に，目的となるディレクトリやファイルまでの経路を指定する
↯相対パス指定↯	カレントディレクトリを基点に，目的となるディレクトリやファイルまでの経路を指定する

例えば，以下の図で，ルートディレクトリから目的ファイルのpage.htmまでの道筋を絶対パス指定で表すと，次のようになります。

/next/child/page.htm

始まりが"/"の場合は，左端にルートディレクトリが省略されているものとする

区切り記号

ルートディレクトリ　ルート

next

child　index.htm

page.htm　ファイル

"/"は，パス名の先頭にある場合は左端にルートディレクトリが省略されているものとし，中間にある場合はディレクトリ名またはファイル名の区切りを表します。OSによっては，"¥"を用いる場合があります。

次に，カレントディレクトリを next としたとき，目的ファイルのpage.htmまでの経路を相対パス指定で表すと，次のようになります。

ここで，カレントディレクトリは，"."で表します。

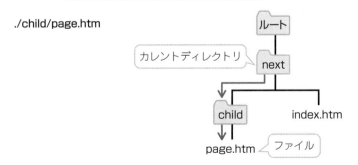

./child/page.htm

ルート

カレントディレクトリ　next

child　index.htm

page.htm　ファイル

さらに，カレントディレクトリを child としたとき，目的ファイルのindex.htmまでの経路を相対パス指定で表すと，次のようになります。

ここで，1階層上のディレクトリに移動する場合は，"‥"で表します。

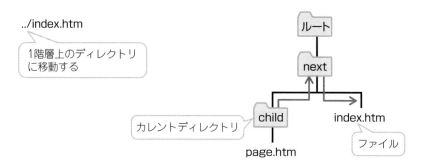

1階層上のディレクトリに移動する　とくれば　‥

😺 データのバックアップ

磁気ディスクの障害などに備えて，定期的にデータをバックアップしておきます。
バックアップの方法には，次のようなものがあります。

フルバックアップ	磁気ディスクに保存されている全てのデータをバックアップする
差分バックアップ	前回のフルバックアップ以降に変更されたデータをバックアップする
増分バックアップ	前回のバックアップ以降に変更されたデータをバックアップする

例えば，8/1時点ではデータが50GBあり，それ以降，毎日2GBずつデータが追加
された場合を考えてみましょう。

8/1	50GB			
8/2	50GB	2GB		
8/3	50GB	2GB	2GB	
8/4	50GB	2GB	2GB	2GB

ここで，左側は毎日バックアップするデータを示します。右側は，8/5に磁気ディス
クに障害が発生したときに，8/4時点に復元するために必要なデータを表しています。

フルバックアップ					8/4時点に復元するために必要なデータ				
8/1	50GB								
8/2	50GB	2GB							
8/3	50GB	2GB	2GB						
8/4	50GB	2GB	2GB	2GB	8/4	50GB	2GB	2GB	2GB

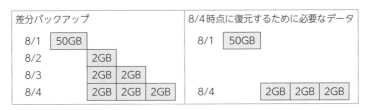

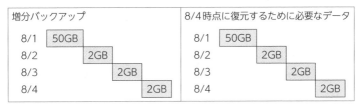

　一般的に，フルバックアップは，バックアップの時間が長くなりますが，復元する時間は短くて済みます。一方，差分バックアップと増分バックアップは，バックアップの時間が短くて済みますが，復元するにはフルバックアップファイルに，それぞれ差分バックアップと増分バックアップを反映させる必要があるので，復元時間が長くなります。

確認問題 1 ▸ 令和元年度秋期　問19　　　正解率 ▸ **中**　　　**応用**

　バックアップ方式の説明のうち，増分バックアップはどれか。ここで，最初のバックアップでは，全てのファイルのバックアップを取得し，OSが管理しているファイル更新を示す情報はリセットされるものとする。

ア　最初のバックアップの後，ファイル更新を示す情報があるファイルだけをバックアップし，ファイル更新を示す情報は変更しないでそのまま残しておく。

イ　最初のバックアップの後，ファイル更新を示す情報にかかわらず，全てのファイルをバックアップし，ファイル更新を示す情報はリセットする。

ウ　直前に行ったバックアップの後，ファイル更新を示す情報があるファイルだけをバックアップし，ファイル更新を示す情報はリセットする。

エ　直前に行ったバックアップの後，ファイル更新を示す情報にかかわらず，全てのファイルをバックアップし，ファイル更新を示す情報は変更しないでそのまま残しておく。

「更新情報をそのまま残す」とは，次回もそのファイルをバックアップするということで，「更新情報をリセットする」というのは，次回はバックアップしないということです。

まず，増分バックアップは，「全てのファイルをバックアップ」ではないので，イ・エは誤りです。

ア　ファイル更新を示す情報をそのまま残すため，前回バックアップしたものも次回バックアップされます。これは差分バックアップです。

ウ　ファイル更新を示す情報をリセットするため，前回バックアップしたファイルは次回バックアップされません。これは増分バックアップです。

確認問題　2　▶ 平成29年度春期　問18　　正解率 ▶ 低　　**基本**

　A，Bという名の複数のディレクトリが，図に示す構造で管理されている。"¥B¥A¥B"がカレントディレクトリになるのは，カレントディレクトリをどのように移動した場合か。ここで，ディレクトリの指定は次の方法によるものとし，→は移動の順序を示す。

〔ディレクトリ指定方法〕
(1) ディレクトリは，"ディレクトリ名¥…¥ディレクトリ名"のように，経路上のディレクトリを順に"¥"で，区切って並べた後に，"¥"とディレクトリ名を指定する。
(2) カレントディレクトリは，"."で表す。
(3) 1階層上のディレクトリは，".."で表す。
(4) 始まりが"¥"のときは，左端にルートディレクトリが省略されているものとする。
(5) 始まりが"¥"，"."，".."のいずれでもないときは，左端に".¥"が省略されているものとする。

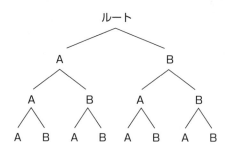

ア　¥A → ..¥B → .¥A¥B　　　　イ　¥B → .¥B¥A → ..¥B
ウ　¥B → ¥A → ¥B　　　　　　エ　¥B¥A → ..¥B

"¥B¥A¥B" は以下の図の○で示した場所です。

一瞬ウかなと思ってしまいますが，¥の記号が，ルートディレクトリの省略なのか，経路上の区切りなのかがポイントです。ウでは，「ルートからBに進み，ルートからAに進み，ルートからBに進む」ということになり，図のウの位置にたどり着きます。

ア　の　¥A　→　..¥B　→　.¥A¥Bは，
「ルートからAに進み，1階層上からBに進み，カレントディレクトリ下のA→B」で，以下のように移動します。これが正解です。

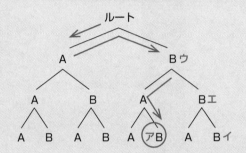

イ　ルートからBに進み，カレントディレクトリ下のB→Aに進み，1階層上からB

ウ　ルートからBに進み，ルートからAに進み，ルートからB

エ　ルートからB→Aに進み，1階層上からB

解答

問1：ウ　　　問2：ア

2 05 マルチメディア

時々出　必須　超重要

イメージでつかむ

インターネットを使ってスポーツができる時代がやってきました。あなたもオリンピックに出場できる日がくるかもしれません。

画像・動画

　画像や動画は容量が大きくなるので，データのサイズを小さくする必要があります。ある決まり事に従って，データのサイズを小さくすることを**圧縮**といい，逆に元に戻すことを**伸長**（解凍）といいます。

　圧縮の方式には，圧縮した画像を完全に復元できる**可逆圧縮方式**と，完全に復元できない**非可逆圧縮方式**があります。非可逆圧縮方式では，たとえ完全に復元できなくても，利用者にとって許容できる程度や違いがわからない程度であれば使えます。

　よく使う画像や動画のファイル形式には，次のようなものがあります。

画像	ビットマップ **BMP**	非圧縮。Windows標準。24ビットフルカラー（約1,677万色）対応。壁紙などで使われる
	ジフ **GIF**	可逆圧縮。最大256色。イラストやアイコンなどで使われる
	ピング **PNG**	可逆圧縮。24ビットフルカラー対応。Web用の画像などで使われる
	ジェイペグ **JPEG**	非可逆圧縮。国際標準規格。24ビットフルカラー対応。写真やWeb用の画像などで使われる
動画	エムペグ **MPEG**	非可逆圧縮。国際標準規格。MPEG-1はVideo CD，MPEG-2はDVD-Videoやデジタル放送などで使われる。MPEG-4はビデオカメラやワンセグ放送で用いられ，✦**H.264/MPEG-4AVC**✦として規格化されている。また，**MP3**はMPEG-1の音声部分の圧縮アルゴリズムを使用した音声データの圧縮形式である

😺! "くれば"で覚える

JPEG　とくれば　**画像の国際標準規格**

MPEG　とくれば　**動画の国際標準規格**

● 画像データの種類

画像を扱うデータは，次の二つに分類できます。

1. 主に写真を扱う**ラスタデータ**は，ピクセルと呼ばれる点の集まりとして扱うので，色の種類や明るさがピクセルごとに調節できますが，拡大すると図形の縁にギザギザ（ジャギー）が生じます。Microsoft社のペイントやAdobe社のPhotoshopなどのペイント系ソフトウェアを使って編集します。BMPやGIF，PNG，JPEGなどはラスタデータです。

2. 主に線画を扱う**ベクタデータ**は，線をどう引くか，どう塗りつぶすかなどの情報を保存するので，拡大してもジャギーが生じません。Adobe社のIllustratorなどのドロー系ソフトウェアを使って編集します。

また，**フォント**は文字の書体を表すデータですが，ビットマップフォントはラスタデータで，アウトラインフォントはベクタデータです。

📖 知っ得情報〈 SVG 〉

SVG (Scalable Vector Graphics) は，XML (4-10参照) をベースにした画像フォーマットです。ベクタデータなので，拡大してもジャギーは生じません。HTMLと合わせて使えば，画質を損なうことなく，サイズの拡大・縮小が可能で，画面の小さなスマートフォンや大きなPCまで，様々な解像度に対応できます。

📖 知っ得情報〈 Exif 〉

Exifは，スマートフォンやデジタルカメラで撮影した写真に埋め込まれるデータに関する情報（メタデータという）です。撮影日時や画像サイズ，撮影した機種，GPS機能のあるカメラではGPSデータなどの情報が埋め込まれます。

🐱 マルチメディアの応用

マルチメディアを応用したものに，次のような技術があります。

● CG

✦コンピュータグラフィックス✦ (**CG**：Computer Graphics) は，**コンピュータを使って画像を処理・生成する技術，またその画像のこと**です。次のような用語がよく出題されています。

アンチエイリアシング (anti aliasing：ギザギザに見えない)	斜め線や曲線などに発生するギザギザ（ジャギー）を目立たなくする
テクスチャマッピング (texture mapping：質感を与える)	物体の表面に柄や模様などを貼り付け，質感を与える
バンプマッピング (bump mapping：凹凸)	物体の表面に影をつけて，凹凸感を強調する
シェーディング (shading：影付け)	物体の表面に影付けをして，立体感を出す
レイトレーシング (ray tracing：光源追跡)	光源からの光線の反射や透過をシミュレートして，物体の形状を描写する
クリッピング (clipping：切り取る)	画像表示領域にウィンドウを定義し，ウィンドウ内の見える部分だけを取り出す
モーフィング (morphing：動き＋形態)	ある画像から別の画像へ，滑らかに変形させるために，その中間に補う画像を作成する
レンダリング (rendering：描写)	物体のデータとして与えられた情報を計算によって映像化する
ポリゴン (polygon：多角形)	立体の形状を表現するときに使用する基本的な要素。三角形や四角形などが用いられる
モーションキャプチャ (motion capture：動きをとらえる)	センサやビデオカメラなどを用いて人間や動物の自然な動きを取り込む
ソリッドモデル (solid model：固体＋型)	物体を，中身の詰まった固形物として表現する
ワイヤーフレーム (wire frame：枠組み)	物体を，頂点と頂点をつなぐ線で結び，針金で構成されているように表現する
サーフェスモデル (surface model：面＋型)	物体を，面や曲面の集まりとして表現する
隠線消去（隠面消去）	物体の裏側で見えていない線を描画しないようにする
メタボール	物体を球やだ円体の集合として擬似的にモデル化する
ラジオシティ (radiosity：放射＋状態)	物体同士の相互反射も考慮して物体の明るさを決定する

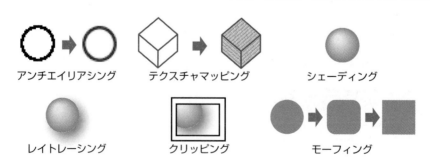

アンチエイリアシング　テクスチャマッピング　シェーディング

レイトレーシング　クリッピング　モーフィング

ソリッドモデル　　　ワイヤーフレーム　　　サーフェスモデル

VR

VR（Virtual Reality：仮想現実）は，**仮想の空間に入り込んだような効果を生み出す技術**です。ヘッドマウントディスプレイなどを使い，人の動作に応じて映像が変化したり，音や振動などと映像が連動したりすることで，効果を高めます。

AR

AR（Augmented Reality：拡張現実）は，**目の前にある現実の情景や風景の映像に，仮想の情報を合成して映し出す技術**です。例えば，実際には存在しない衣料品を仮想的に試着したり，過去の建築物を実際の画像上に再現したりできます。

MR

MR（Mixed Reality：複合現実）は，**現実世界と仮想世界を融合させ，インタラクティブ（双方向）に体験できる技術**です。ARは現実に仮想の要素を重ね合わせる技術であるのに対して，MRでは例えば自分の動きに合わせて，仮想のキャラクタが動いたりすることができるなど，インタラクティブな体験ができる技術です。

メタバース

メタバースは，仮想空間で，アバター（自分を表現するキャラクタ）を通して人々が交流や活動ができる技術です。

> ### 📢 アドバイス［朝活］
> このあとの3・4章は，知識を覚えるというよりは頭を使うことが増える章になります。1日のうち，頭が一番はっきりしているのは朝目覚めた後なので，30分早起きしてみたり，朝の通勤通学時間を活用してみたりすると頭もよく動き，勉強もはかどります。

第2章　ソフトウェアとマルチメディア

3次元グラフィックス処理におけるクリッピングの説明はどれか。

ア　CG映像作成における最終段階として，物体のデータをディスプレイに描画できるように映像化する処理である。

イ　画像表示領域にウィンドウを定義し，ウィンドウの外側を除去し，内側の見える部分だけを取り出す処理である。

ウ　スクリーンの画素数が有限であるために図形の境界近くに生じる，階段状のギザギザを目立たなくする処理である。

エ　立体感を生じさせるために，物体の表面に陰影を付ける処理である。

ア　レンダリング　　　　　　　　　　イ　クリッピング
ウ　アンチエイリアシング　　　　　　エ　シェーディング

AR（Augmented Reality）の説明として，最も適切なものはどれか。

ア　過去に録画された映像を視聴することによって，その時代のその場所にいたかのような感覚が得られる。

イ　実際に目の前にある現実の映像の一部にコンピュータを使って仮想の情報を付加することによって，拡張された現実の環境が体感できる。

ウ　人にとって自然な3次元の仮想空間を構成し，自分の動作に合わせて仮想空間も変化することによって，その場所にいるかのような感覚が得られる。

エ　ヘッドマウントディスプレイなどの機器を利用し人の五感に働きかけることによって，実際には存在しない場所や世界を，あたかも現実のように体感できる。

ARは，Augmented Realityの略で，「拡張現実」と訳されます。Augmentには，「拡大」という意味があります。現実の映像に仮想の情報を重ねて映し出すことで，仮想の情報がより実感をもって体感できます。
　ア　SR（Substitutional Reality：代替現実）
　ウ　VR（Virtual Reality：仮想現実）
　エ　VR（Virtual Reality：仮想現実）

解答

問1：イ　　　　　問2：イ

第 3 章

基礎理論

〔科目 A〕

3 01 基数変換

イメージでつかむ

私たちは，普段は10進数を使っていますが，時間を数えるときは60進数も使います。一方で，コンピュータ内部では，2進数が使われています。コンピュータを理解するには2進数の理解が必要です。

どの進数も，桁上がりのタイミングを意識しましょう。

今は 2:59！ あと1分で 3:00 のおやつ！

進数

私たちが日常使っている**10進数**は，0から9までの10種類の数字を使って，9の次が一つ桁上がりします。他の進数も考え方は同じです。

$$\begin{array}{r} 9 \\ +\ 1 \\ \hline 10 \end{array}$$

9の次が，一つ桁上がりする

2進数は，0と1の2種類の数字を使って，1の次が一つ桁上がりします。コンピュータ内部では2進数で表現していますが，2進数は桁数が非常に長くなるので，人が考えるときには，2進数と簡単に変換できる，8進数や16進数がよく使われます。

8進数は，0から7までの8種類の数字を使って，7の次が一つ桁上がりします。

16進数は，0から9までの数字とA，B，C，D，E，Fを使って，Fの次が一つ桁上がりします。ここで，16進数のA〜Fは文字ではなく，0〜9と同じ数字扱いです。10進数の10〜15を16進数では1桁で表したいので，数字としてA〜Fを使います。

（2進数）
$$\begin{array}{r} 1 \\ +\ 1 \\ \hline 10 \end{array}$$
1の次が一つ桁上がりする

（8進数）
$$\begin{array}{r} 7 \\ +\ 1 \\ \hline 10 \end{array}$$
7の次が一つ桁上がりする

（16進数）
$$\begin{array}{r} F \\ +\ 1 \\ \hline 10 \end{array}$$
Fの次が一つ桁上がりする

10進数と2進数・8進数・16進数の関係は，次の表のようになります。

10進数	2進数	8進数	16進数
0	0	0	0
1	1	1	1
2	10	2	2
3	11	3	3
4	100	4	4
5	101	5	5
6	110	6	6
7	111	7	7
8	1000	10	8
9	1001	11	9
10	1010	12	A
11	1011	13	B
12	1100	14	C
13	1101	15	D
14	1110	16	E
15	1111	17	F
16	10000	20	10

1桁の数字は，0から9までしかないため，英字を代用する

色が付いているところで桁上がりしている

第3章 基礎理論

基数と重み対応表

基数は，**各桁の重み付けの基本となる数**です。10進数では一の位（10^0），十の位（10^1），百の位（10^2），…とあるように，10が基本となっています。

例えば，10進数123.45は，次のように表せます。

10進数の各桁の値	1	2	3	·	4	5
10進数の各桁の重み	10^2	10^1	10^0	·	10^{-1}	10^{-2}

$$1 \times 10^2 + 2 \times 10^1 + 3 \times 10^0 + 4 \times 10^{-1} + 5 \times 10^{-2} = 123.45$$

同様に，2進数の基数は2，8進数の基数は8，16進数の基数は16で，各進数の各桁の重みは，次のようになります。

2進数の各桁の重み	…	2^2	2^1	2^0	·	2^{-1}	2^{-2}	…
8進数の各桁の重み	…	8^2	8^1	8^0	·	8^{-1}	8^{-2}	…
16進数の各桁の重み	…	16^2	16^1	16^0	·	16^{-1}	16^{-2}	…

"くれば"で覚える

N進数の重み　とくれば　小数点を基準に左へ，N^0, N^1, N^2, …
**　　　　　　　　　　　小数点を基準に右へ，N^{-1}, N^{-2}, …**

😸 2進数から10進数への基数変換

ある進数で表現された数値を別の進数で表現することを**基数変換**といいます。

では，2進数から10進数へ基数変換する方法を考えてみましょう。2進数101.101を10進数で表すと，5.625になります。2進数から10進数への基数変換は，各桁に2進数の重みを掛けて合計することで求めます。

2進数の各桁の値	1	0	1	・	1	0	1
2進数の各桁の重み	2^2	2^1	2^0	・	2^{-1}	2^{-2}	2^{-3}

$$1\times2^2+0\times2^1+1\times2^0+1\times2^{-1}+0\times2^{-2}+1\times2^{-3}=4+0+1+0.5+0+0.125=\textbf{5.625}$$

同様に，8進数から10進数への基数変換では，各桁に8進数の重みを掛けて合計して求めます。16進数から10進数への基数変換では，各桁に16進数の重みを掛けて合計して求めます。

> 🐱! **"くれば"で覚える**
>
> **N進数→10進数　とくれば　各桁にN進数の重みを掛けて合計する**

😸 10進数から2進数への基数変換

次は，10進数から2進数に基数変換する方法を考えてみましょう。二通りの方法がありますが，初心者には方法1がわかりやすく，慣れてくれば方法2の方が早く求められます。

⚙ 方法1：割り算と掛け算を使う方法

10進数6.375を2進数で表すと，110.011になります。この場合は，整数部の6と小数部の0.375に分けて考えます。

10進数の数値の整数部を2進数で表すには，2で割って余りを下から（上位桁から）並べます。

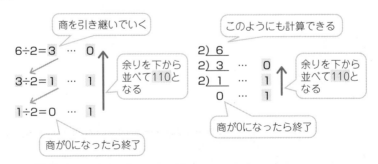

次に，小数部を2進数で表現するには，2を掛けて整数部を順に並べます。

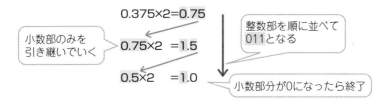

0.375×2＝**0.75**

小数部のみを引き継いでいく

0.75×2 ＝**1.**5

0.5×2 ＝**1.**0

整数部を順に並べて011となる

小数部分が0になったら終了

最後に，整数部と小数部を合わせて，110.011です。

ここで，整数部6は，2進数では$1 \times 2^2 + 1 \times 2^1 + 0 \times 2^0$と表され，10進数の整数部を「1回目の2で割る」ことで**0**，「2回目の2で割る」ことで**1**，「3回目の2で割る」ことで**1**，と下位桁から求めているので，余りを下から（上位桁から）並べ直します。小数部0.375は，2進数で$0 \times 2^{-1} + 1 \times 2^{-2} + 1 \times 2^{-3}$と表され，10進数の小数部を「1回目の2を掛ける」ことで**0**，「2回目の2を掛ける」ことで**1**，「3回目の2を掛ける」ことで**1**，と上位桁から求めているので順に並べます。

> 🐱! **"くれば"で覚える**
>
> 10進数→N進数　とくれば　**整数部は，Nで割って下から余りを並べる**
> **小数部は，Nを掛けて順に整数部を並べる**

● 方法2：各桁の重みを使う方法

10進数5.625を2進数で表すと，101.101になります。今度は「2進数の各桁の重み」を活用して，大きい重みから1を入れるべきかを考え，合計が5.625になるまで繰り返します。

2進数の各桁の重み	2^2	2^1	2^0	$\cdot$	2^{-1}	2^{-2}	2^{-3}
2進数の各桁の値	?	?	?	·	?	?	?

$? \times 2^2 + ? \times 2^1 + ? \times 2^0 + ? \times 2^{-1} + ? \times 2^{-2} + ? \times 2^{-3} = \textbf{5.625}$

まず4＜5.625なので重み2^2には**1**，4＋2＝6＞5.625なので重み2^1には**0**，…という要領です。求めると，101.101です。

2進数の各桁の重み	2^2	2^1	2^0	$\cdot$	2^{-1}	2^{-2}	2^{-3}
2進数の各桁の値	1	0	1	·	1	0	1

$1 \times 2^2 + 0 \times 2^1 + 1 \times 2^0 + 1 \times 2^{-1} + 0 \times 2^{-2} + 1 \times 2^{-3} = 4 + 0 + 1 + 0.5 + 0 + 0.125 = \textbf{5.625}$

これは，例えば，6万6千6百6十6円のお金を，金額が大きい金種から考え，小銭を少なく両替することを考えるイメージです。1万円札6枚，5千円札1枚，千円札1枚，…というような要領で求めましょう。

😺 無限小数

10進数を2進数に基数変換する場合は，有限桁数で表すことができるとは限りません。10進数0.2を2進数に基数変換してみましょう。

$$
\begin{array}{cccccc}
0.2 & 0.4 & 0.8 & 0.6 & 0.2 & 0.4 \\
\underline{\times\ 2} & \underline{\times\ 2} & \underline{\times\ 2} & \underline{\times\ 2} & \underline{\times\ 2} & \underline{\times\ 2} \\
0.4 & 0.8 & 1.6 & 1.2 & 0.4 & 0.8
\end{array}\cdots
$$

あれ，ループしてる？

2進数で表現すると，0.001100…と**無限小数**になります。

😺 2進数と8進数・16進数の関係

2進数から8進数，2進数から16進数への基数変換は，もっと簡単にできます。

2進数から8進数への基数変換は，小数点を基準に3桁ずつ区切って（3桁にならない場合は0を補う），3桁ずつを8進数で表します。

例えば，2進数1100.01を8進数で表すと，14.2になります。

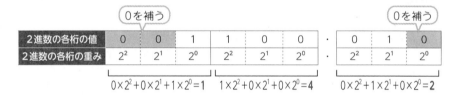

	0を補う							0を補う
2進数の各桁の値	0	0	1	1	0	0	·	0	1	0
2進数の各桁の重み	2^2	2^1	2^0	2^2	2^1	2^0	·	2^2	2^1	2^0

$0\times2^2+0\times2^1+1\times2^0=1$ $1\times2^2+0\times2^1+0\times2^0=4$ $0\times2^2+1\times2^1+0\times2^0=$**2**

😺! "くれば"で覚える

2進数→8進数　とくれば　小数点を基準に，3桁ずつ区切って，8進数に変換する

2進数から16進数への基数変換は，小数点を基準に4桁ずつ区切って（4桁にならない場合は0を補う），4桁ずつを16進数で表します。

例えば，2進数1100.01を16進数で表すと，C.4になります。

						0を補う		
2進数の各桁の値	1	1	0	0	·	0	1	0	0
2進数の各桁の重み	2^3	2^2	2^1	2^0	·	2^3	2^2	2^1	2^0

$1\times2^3+1\times2^2+0\times2^1+0\times2^0=12$→**C** $0\times2^3+1\times2^2+0\times2^1+0\times2^0=$**4**

※16進数なので12ではなくCになることに注意する

😺! "くれば"で覚える

2進数→16進数　とくれば　**小数点を基準に，4桁ずつ区切って，16進数に変換する**

逆に，8進数から2進数に変換するときは8進数1桁を2進数3桁に，16進数から2進数に変換するときは16進数1桁を2進数4桁に，「各桁の重み」を活用しながら逆向きの変換を行います。

例えば，8進数14.2を2進数で表すと，1100.01になります。

2進数の各桁の重み	2^2	2^1	2^0	2^2	2^1	2^0	·	2^2	2^1	2^0
2進数の各桁の値	?	?	?	?	?	?	·	?	?	?

$0 \times 2^2 + 0 \times 2^1 + 1 \times 2^0 = 1$　　$1 \times 2^2 + 0 \times 2^1 + 0 \times 2^0 = 4$　　$0 \times 2^2 + 1 \times 2^1 + 0 \times 2^0 = 2$

例えば，16進数C.4を2進数で表すと，1100.01になります。

2進数の各桁の重み	2^3	2^2	2^1	2^0	·	2^3	2^2	2^1	2^0
2進数の各桁の値	?	?	?	?	·	?	?	?	?

$1 \times 2^3 + 1 \times 2^2 + 0 \times 2^1 + 0 \times 2^0 = C(12)$　　$0 \times 2^3 + 1 \times 2^2 + 0 \times 2^1 + 0 \times 2^0 = 4$

📢 アドバイス［2進数も10進数も仕組みは同じ］

2進数は慣れないと難しく感じるかもしれません。でも，2進数も10進数も同じ仕組みになっていて，基礎になる数字がちょっと違うだけなので，10進数がわかれば2進数もわかるはずです。問題を解きながら，ゆっくり慣れていきましょう。

📢 アドバイス［基礎理論は最初に出題される］

ここに掲載した問題の出典はすべて「問1」です。基数変換など，第3章で扱う基礎理論の問題は，開始直後に出題されることが多く，時間を取られると焦ってしまいます。試験の本番では，開始直後の問題は，手間がかかりそうなら［後で解答］にチェックして，後回しにするとよいでしょう。

16進小数2A. 4Cと等しいものはどれか。

ア　$2^5 + 2^3 + 2^1 + 2^{-2} + 2^{-5} + 2^{-6}$　　イ　$2^5 + 2^3 + 2^1 + 2^{-1} + 2^{-4} + 2^{-5}$
ウ　$2^6 + 2^4 + 2^2 + 2^{-2} + 2^{-5} + 2^{-6}$　　エ　$2^6 + 2^4 + 2^2 + 2^{-1} + 2^{-4} + 2^{-5}$

要点解説　選択肢からみると，基数が2であるので2進数で表します。16進数1桁は，2
進数4桁に対応しています。

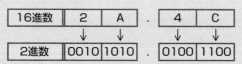

2進数の重みを考えると，$2^5 + 2^3 + 2^1 + 2^{-2} + 2^{-5} + 2^{-6}$です。

16進小数0.Cを10進小数に変換したものはどれか。

ア　0.12　　　　イ　0.55　　　　ウ　0.75　　　　エ　0.84

要点解説　16進数から10進数への基数変換は，各桁に16進数の重みを掛けて足します。
16進数Cは10進数では12なので，$12 \times \dfrac{1}{16^1} = \dfrac{12}{16} = 0.75$

10進数の分数 $\dfrac{1}{32}$ を16進数の小数で表したものはどれか。

ア　0.01　　　　イ　0.02　　　　ウ　0.05　　　　エ　0.08

要点解説　10進数の分数 $\dfrac{1}{32} = \dfrac{1}{2^5} = 2^{-5}$
2進数にすると0.00001
16進数にするときは，4桁ごとに区切って0を補う　0.0000 1000
4桁ごとに16進数に変換すると，0.08です。

確認問題 4 ▶平成26年度春期 問1　　正解率▶ 中 [計算]

次の10進小数のうち，2進数で表すと無限小数になるものはどれか。

ア　0.05　　　　イ　0.125　　　　ウ　0.375　　　　エ　0.5

 10進小数を，2進数に変換するには，2を掛けて小数部を引き継いでいきます。
小数部が0になれば有限小数，ならなければ無限小数です。
ア　0.05×2＝0.1，0.1×2＝0.2，0.2×2＝0.4，0.4×2＝0.8，0.8×2
＝1.6，0.6×2＝1.2…と無限小数です。
イ・ウ・エは，有限小数です。

確認問題 5 ▶応用情報　令和元年度秋期　問1　　正解率▶ 中 [計算]

あるホテルは客室を1,000部屋もち，部屋番号は，数字4と9を使用しないで0001から順に数字4桁の番号としている。部屋番号が0330の部屋は，何番目の部屋か。

ア　204　　　　イ　210　　　　ウ　216　　　　エ　218

 「0，1，2，3，5，6，7，8」の8つの数字だけを使って部屋番号を表します。
8進数と同じことになります。ただし，4と9が抜けているので，「5」の数字は
4の意味に，「6」は5の意味に，「7」は6の意味に，「8」は7の意味になります。
す。
部屋番号「0330」を8進数として考えると，10進数では
$0 \times 8^3 + 3 \times 8^2 + 3 \times 8^1 + 0 \times 8^0 = 3 \times 64 + 3 \times 8 = 216$番目の部屋です。

第 **3** 章　基礎理論

解答

問題1：ア　　　問題2：ウ　　　問題3：エ　　　問題4：ア　　　問題5：ウ

3 02 補数と固定小数点

イメージで
つかむ

「10−6」も「10＋(−6)」
も計算結果は4です。
　コンピュータ内部では，
減算を加算で行う工夫がされ
ています。

🐾 補数

　コンピュータ内部では0と1しか扱えないので，負数を表現する一つの方法として補
数を使います。
　補数は，**「ある数」**を**「決められた数」**にするために，**「補う数」**です。
　一般的に，N進数では，「N−1の補数」と「Nの補数」の二通りがあります。
　1.「ある数」に「N−1の補数」を補うと，<u>与えられた桁数の最大値</u>になります。
　2.「ある数」に「Nの補数」を補うと，<u>与えられた桁数の，次の桁に桁上がり</u>します。
　10進数には，「9の補数」と「10の補数」の二つの補数があります。例えば，10進
数3桁で表現する場合は，123の「9の補数」は876，「10の補数」は877です。

（9の補数）
```
  123
+ 876
─────
  999
```
9の補数を
補うと

10進数3桁の
最大値になる

（10の補数）
```
   123
+  877
─────
  1000
```
10の補数を
補うと

次の桁に
桁上がりする

　ここで，10進数3桁であるので，桁上がりをした1は捨てられま
す。ということは，123＋877＝000です。つまり，10の補数
877は123の対の負数(−123)の意味になっています。このよう
に，補数を使えば負数を表現できます。

```
   123
+  877
─────
  1000
```
捨てられる

同じく，2進数には，「**1の補数**」と「**2の補数**」の二つの補数があります。例えば，2進数4ビットで表現する場合は，0101の「1の補数」は1010，「2の補数」は1011です。

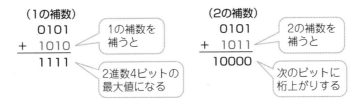

ここで，2進数4ビットであるので，桁上がりをした1は捨てられます。ということは，0101 + 1011 = 0000，2の補数1011は0101の対の負数の意味になっています。

コンピュータ内部では，2の補数を使って負数を表現しています。2の補数を使うことで，2つの数値の減算を加算回路 (3-07参照) で処理できます。

● 2の補数の作り方

2の補数は，次のように簡単に作れます。

> **"くれば"で覚える**
>
> **1の補数** とくれば **ビットを反転する**
> **2の補数** とくれば **1の補数に1を加える**

また，負数 (2の補数) から対の正数を求めるには，同じようにすればよいので覚えておきましょう。

負数		対の正数
1011	→ビットを反転→ 0100 →+1→	0101

固定小数点

コンピュータ内部における数値の表現方法として，固定小数点と浮動小数点 (3-03参照) があります。

固定小数点は，**小数点の位置を決められた場所に固定して表現する形式**です。整数型として扱う場合は，最左端の右側に小数点があります。

また，負数を扱う場合は，最左端ビットを符号ビットとした2の補数表現を用います。

例えば，2進数8ビットの固定小数点 (負数は2の補数) を用いる場合は，最小値が10000000 (10進数で− 128)，最大値が01111111 (10進数で127) です。

10進数	2進数
127	01111111
⋮	⋮
1	00000001
0	00000000
− 1	11111111
⋮	⋮
− 127	10000001
− 128	10000000

確認問題 1 ▶ 平成30年度春期　問1　　　正解率 ▶ 中　　　【計算】

　ある整数値を，負数を2の補数で表現する2進表記法で表すと最下位2ビットは"11"であった。10進表記法の下で，その整数値を4で割ったときの余りに関する記述として，適切なものはどれか。ここで，除算の商は，絶対値の小数点以下を切り捨てるものとする。

ア　その整数値が正ならば3　　　　イ　その整数値が負ならば− 3

ウ　その整数値が負ならば3　　　　エ　その整数値の正負にかかわらず0

要点解説　4ビットで，最下位2ビットが"11"となる2進数 (2の補数表現) の具体例で考えます。
まずは，整数値が正のとき，0011を見てみましょう。
10進数に変換すると3です。
3÷4は，商が0，余りが3
次に，整数値が負のとき，1011を見てみましょう。
対となる正数を求めるには，ビットを反転させ，これに1を加えます。
1011　→　(ビット反転)　→　0100　→　(+1)　→　0101
10進数に変換すると5となり，1011は− 5です。
− 5÷4＝商が− 1，余りが− 1
したがって，その整数値が正ならば3，その整数値が負ならば− 1となり，アです。

【別解】
3-05で登場するシフトで考えることもできます。

整数値を4で割るというのは，$\frac{1}{2^2}$倍するということで，2ビット算術右シフトします。正の数の0011でも，負の数の1011でも，算術右シフトすると，11があふれて捨てられますが，このあふれたものが余りです。正の数ならば「11」は10進数では3になりますし，負の数ならば10進数では−1になります。

確認問題 2 ▶ 平成23年度秋期 問2　　正解率 ▶ **低**　　計算

10進数 −5.625 を，8ビット固定小数点形式による2進数で表したものはどれか。ここで，小数点位置は，3ビット目と4ビット目の間とし，負数は2の補数表現を用いる。

ア　01001100　イ　10100101　ウ　10100110　エ　11010011

 固定小数点形式は，小数も表現することができます。

まずは，10進数5.625を2進数で表すと101.101になります。

小数点を基準にセットし，空いているビットには0を補います。

−5.625を，2の補数で表します。
01011010
　↓（ビットを反転）
10100101 … 1の補数
　↓（1を加える）
10100110 … 2の補数

解答

問題1：ア　　問題2：ウ

3
03 浮動小数点

イメージで つかむ

非常に大きな数や小さな数を表現するのに多くの桁数が必要です。指数を使えば，桁数を少なくできます。

$1,000,000,000 = 10^9$

$0.0000000001 = 10^{-9}$

地球の大きさは このビー玉の 10^9 乗倍くらい!

浮動小数点

　浮動小数点は，**小数部分を含む実数を扱う場合に使用する形式**です。指数を使うことで，大きな数や小さな数を固定小数点よりも少ないビット数で表現できます。

　ただし，例えば10進数123は，指数を使うと何通りも表現できてしまう（浮動は，小数点がふわふわ浮いて移動するイメージからきている）ので，あらかじめどのような形式で表現するかを決めておきます。

$$123. \times 10^0$$
$$12.3 \times 10^1$$
$$1.23 \times 10^2$$
$$0.123 \times 10^3$$

指数部の値によって，小数点の位置が移動する

浮動小数点の形式

　浮動小数点の形式にはいくつもの種類があり，試験では簡略化されたオリジナル的なものも出題されるので，問題の指示のとおり表現します。

　ここでは代表的な形式であるIEEE754，32ビットの形式（単精度と呼ばれる）を考えてみましょう。

数値は，$(-1)^S \times B \times 2^E$ と表現するとあらかじめ決められています。

符号部 (S) 1ビット	指数部 (E) 8ビット	仮数部 (B) 23ビット

S：仮数部の符号 (0：正，1：負)

E：2を基数として，実際の値に127を加えたバイアス値 (後述)

B：絶対値を2進数で表す。1.M (1.xxx…) となるように，桁移動する (**正規化**という)。

例えば，10進数7.25をIEEE754で表現してみましょう。

① 10進数7.25は正数なので，符号 (S) に0を入れます。

0	E	B

② 10進数7.25を2進数で表現すると，111.01となり，仮数部が1.M (1.xxx…) になるように正規化します。

$$111.01 = 111.01 \times 2^0 \ \rightarrow (正規化) \rightarrow \ 1.\mathbf{1101} \times 2^2$$

仮数部 (B) の最上位から順に1101，残りのビットに0を入れます。ここで，仮数部の「1.」はこの形式では自明なので省略されています。1桁節約していることになります。

0	E	110100 … 00

③ 指数部 (E) は，2 + 127 = 129，2進数に基数変換して10000001を入れます。

0	10000001	110100 … 00

知っ得情報 〈 浮動小数点表示の体験 〉

Excelがあれば，セルに「123456789012」を入力してみて下さい。セルの幅により「1.23E+11」とか「1.23457E+11」などと表示されます。「E+11」の部分は，10^{11}を表します。セルの幅によって仮数部の桁数が変化し，1.23×10^{11} や，1.23457×10^{11} などと表現しています。

もっと詳しく〈バイアス〉

バイアスは，実際の数値に一定の数値を加えることです。「下駄を履かせる」という意味です。2進数8ビットの場合は，10進数の範囲は0～255なので中間辺りの127が，都合が良いとされました。実際の数に127を加えることで補数を使わず，指数部がマイナスにならないように工夫したものです。

実際の数	バイアス	指数部の値（2進数）	
＋128		255（11111111）	特別な意味を持つため使用しない
＋127		254（11111110）	
∫		∫	
1		128（10000000）	
0	＋127	127（01111111）	
－1		126（01111110）	
∫		∫	
－126		1（00000001）	
－127		0（00000000）	特別な意味を持つため使用しない

確認問題 1 ▶ 平成29年度春期　問2　　　正解率 ▶ **中**　　　**基本**

0以外の数値を浮動小数点表示で表現する場合，仮数部の最上位桁が0以外になるように，桁合わせする操作はどれか。ここで，仮数部の表現方法は，絶対値表現とする。

ア　切上げ　　　イ　切捨て　　　ウ　桁上げ　　　エ　正規化

要点解説 浮動小数点表示の仮数部を桁合わせする操作を正規化といいます。

確認問題 2 ▶ 平成18年度秋期 問4 　　正解率 ▶ **低** 　　　計算

次の24ビットの浮動小数点形式で表現できる最大値を表すビット列を，16進数として表したものはどれか。ここで，この形式で表現される値は$(-1)^S \times 16^{E-64} \times 0.M$である。

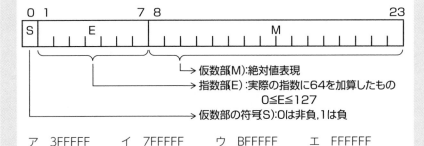

ア　3FFFFF　　イ　7FFFFF　　ウ　BFFFFF　　エ　FFFFFF

要点解説　問題が古いと思ったかもしれません。浮動小数点の計算問題は，旧制度の午後問題ではときどき出題されていました。練習問題として解いてみましょう。

表現できる最大値は，
① 仮数部の符号 (S) が非負
② 仮数部 (M) は最大値
③ 指数部 (E) は最大値
であるビット列です。

	S	E		M				
2進数	0	111	1111	1111	1111	1111	1111	1111
16進数	7	F	F	F	F	F

【イメージ】
10進数でイメージしてみましょう。仮数部3桁，指数部2桁とした場合の最大値は，$+999 \times 10^{99}$と表現できます。
最大値をとるパターンは，仮数部の符号が＋，仮数部は3桁で表現できる最大値，指数部は2桁で表現できる最大値です。

解答

問題1：エ　　　問題2：イ

第 3 章 基礎理論

3 04 誤差

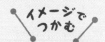

イメージで
つかむ

円周率は，3.14159…と
限りなく続いて到底覚えられ
るものではありません。学校
では，3.14まででいいよと
教えられたものです。

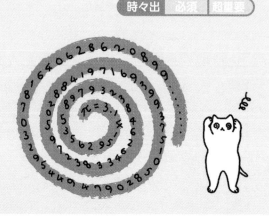

誤差

　電卓なら8桁や12桁などのように，表現できる桁の上限が決まっています。コン
ピュータの世界では数値を指定されたビット数で表現しているので，真の値と表現する
値との間に差が発生します。これを**誤差**といい，次のようなものがあります。

桁あふれ誤差

　桁あふれ誤差は，**演算結果がコンピュータの表現できる範囲を超えることで発生
する誤差**です。表現できる範囲を超えることを**オーバフロー**といいます。浮動小数点で
は限りなく0に近づいて表現しきれなくなり発生する**アンダフロー**があります。

（固定小数点・負数ありの場合）

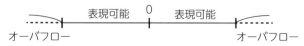

（浮動小数点の場合）

110

😺! "くれば"で覚える

桁あふれ誤差　とくれば　**表現できる範囲を超えることで発生する誤差**

🔘 丸め誤差

　丸め誤差は，指定された桁数で演算結果を表すために，切捨て・切上げ・四捨五入などを行うことで発生する誤差です。

😺! "くれば"で覚える

丸め誤差　とくれば　**切捨て・切上げ・四捨五入することで発生する誤差**

🔘 桁落ち誤差

　✦桁落ち誤差✦は，絶対値がほぼ等しい数値の間で，同符号の減算や異符号の加算をしたときに，有効桁数が減ることで発生する誤差です。

　例えば，10進数の浮動小数点数の計算で　$0.556 \times 10^7 - 0.552 \times 10^7$ を考えてみましょう。ここで，有効桁数は仮数部3桁とします。

有効桁数3桁

$$
\begin{array}{r}
0.556 \times 10^7 \\
-)\ 0.552 \times 10^7 \\
\hline
0.004 \times 10^7
\end{array}
\ \Rightarrow\ 正規化\ \Rightarrow\ 0.400 \times 10^5
$$

有効桁数1桁

　正規化すると末尾に「00」が付きますが，この00は正確性とは関係のない数字で，有効桁ではなく，有効桁は1桁に減っています。このように，桁落ち誤差は，有効桁数が減ってしまう現象です。

😺! "くれば"で覚える

桁落ち誤差　とくれば　**有効桁数が減少することで発生する誤差**

● 情報落ち誤差

　✦情報落ち誤差✦は，**絶対値の差が非常に大きい数値の間で加減算を行ったときに，絶対値の小さい数値が計算結果に反映されないことで発生する誤差**です。

　例えば，10進数の浮動小数点数の計算で　$0.123 \times 10^2 + 0.124 \times 10^{-2}$ を考えて
みましょう。ここで，有効桁数は仮数部3桁とします。

　浮動小数点数どうしを加減算するときは，指数を揃える必要があります。指数は大き
い方に揃えます。

$$
\begin{array}{r}
0.123 \qquad \times 10^2 \\
+)\ \underline{0.0000124 \times 10^2} \\
0.1230124 \times 10^2 \Rightarrow \text{正規化} \Rightarrow \boxed{0.123 \times 10^2}
\end{array}
$$

　　　　　　　　指数を揃える　　　仮数部3桁で表す

　　　　小さな数0.124×10^{-2}が反映されていない

　このように，情報落ち誤差は，絶対値の小さな数値の有効桁数の一部または全部が結
果に反映されない現象です。

　この対策として，数多くの数値の加減算を行うときは，絶対値の昇順 (小→大の順) に
数値を並び替えてから計算すると，情報落ちの誤差を小さくできます。

🐱! "くれば"で覚える

情報落ち誤差　とくれば　**小さな数値が計算結果に反映されないことで発生する
　　　　　　　　　　　　　誤差**

● 打切り誤差

　打切り誤差は，**浮動小数点数の計算処理の打ち切りを，指定した規則で行うことで発
生する誤差**です。

　例えば，円周率は3.14159…と続きますが，計算処理を打ち切って3.14とすること
によって発生します。

"くれば"で覚える

打切り誤差　とくれば　**計算処理を打ち切ることで発生する誤差**

確認問題 1 ▶ 平成20年度春期　問5　　正解率 ▶ **中**　　**応用**

浮動小数点表示の仮数部が23ビットであるコンピュータで計算した場合，情報落ちが発生する計算式はどれか。ここで，（　　）$_2$内の数は2進数とする。

ア　$(10.101)_2 \times 2^{-16} - (1.001)_2 \times 2^{-15}$
イ　$(10.101)_2 \times 2^{16} - (1.001)_2 \times 2^{16}$
ウ　$(1.01)_2 \times 2^{18} + (1.01)_2 \times 2^{-5}$
エ　$(1.001)_2 \times 2^{20} + (1.1111)_2 \times 2^{21}$

要点解説　情報落ちは，絶対値の差が非常に大きい数値間で加減算を行ったとき，絶対値の小さい数が計算結果に反映されないために発生する誤差です。

確認問題 2 ▶ 平成27年度春期　問2　　正解率 ▶ **中**　　**基本**

桁落ちの説明として，適切なものはどれか。

ア　値がほぼ等しい浮動小数点数同士の減算において，有効桁数が大幅に減ってしまうことである。
イ　演算結果が，扱える数値の最大値を超えることによって生じるエラーのことである。
ウ　浮動小数点数の演算結果について，最小の桁よりも小さい部分の四捨五入，切上げ又は切捨てを行うことによって生じる誤差のことである。
エ　浮動小数点数の加算において，一方の数値の下位の桁が結果に反映されないことである。

要点解説　桁落ちは，ほぼ等しい数値の加減算で有効桁数が減ってしまうことです。
ア　桁落ち　イ　オーバフロー　ウ　丸め誤差　エ　情報落ち

解答

問題1：ウ　　問題2：ア

3 05 シフト演算

イメージで
つかむ

小学生の頃，一生懸命に九九表を覚えました。今も掛け算や割り算の基本になっています。
コンピュータは，桁をずらすだけで簡単にできてしまいます。

シフト演算

まずは，10進数123で考えてみましょう。

一つ左に桁をずらす（空いた桁には0が入る）と，元の数値に10を掛けた1230になります。二つ桁をずらすと，100を掛けた12300になります。逆に，一つ右に桁をずらすと元の数値を10で割った12.3に，二つ右に桁をずらすと100で割った1.23になります。10進数では左右に桁をずらすだけで，元の数値に10を掛けたり10で割ったりできます。

同じように，2進数も左右にビットをずらすだけで，元の数値に2を掛けたり2で割ったりできます。**左右にビットをずらして（シフトして），乗算や除算の演算をすることをシフト演算**といいます。

なお，シフト演算には，次のようなものがあります。

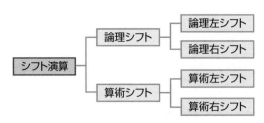

😺! "くれば"で覚える

シフト演算　とくれば　**nビット左にシフト → 2^n倍**

nビット右にシフト → $1/2^n$倍

論理シフト

論理シフトは，**符号を考慮しないシフト演算**です。論理シフトでは，左シフト・右シフトともあふれたビットは捨てられ，空いたビットには0が入ります。

🔘 論理左シフト

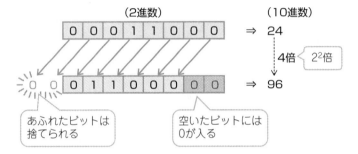

🔘 論理右シフト

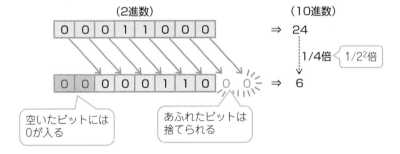

😺! "くれば"で覚える

論理シフト　とくれば　＊**あふれたビットは捨てられる**

＊**空いたビットには0を入れる**

😺 算術シフト

算術シフトは，**符号を考慮する**シフト演算です。左シフトと右シフトとでは，空いたビットの取り扱い方が異なるので注意しましょう。

なお，算術シフトの符号ビットの取り扱いは，旧試験制度の午後問題で出題されていたアセンブラ言語 CASL II の仕様に基づいています。

⬤ 算術左シフト

算術左シフトでは，符号ビットはそのままの位置に，あふれたビットは捨てられ，空いたビットには0が入ります。

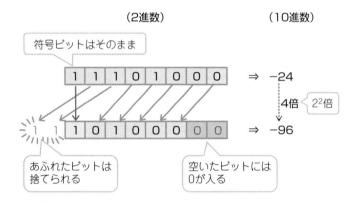

（2進数）　　　　　　　（10進数）

符号ビットはそのまま

| 1 | 1 | 1 | 0 | 1 | 0 | 0 | 0 | ⇒ −24

⇓ 4倍 ← 2^2倍

| 1 | 1 | 1 | 0 | 1 | 0 | 0 | 0 | 0 | 0 | ⇒ −96

あふれたビットは捨てられる

空いたビットには0が入る

😺! "くれば"で覚える

算術左シフト　とくれば　　*符号ビットはそのまま
　　　　　　　　　　　　 *あふれたビットは捨てられる
　　　　　　　　　　　　 *空いたビットには0が入る

算術右シフト

算術右シフトでは，符号ビットはそのままの位置に，あふれたビットは捨てられ，空いたビットには符号ビットと同じビットが入ります。

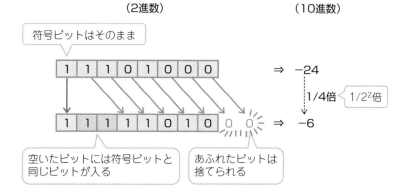

₍！ "くれば"で覚える

算術右シフト とくれば
* 符号ビットはそのまま
* あふれたビットは捨てられる
* 空いたビットには符号ビットと同じビットが入る

シフト演算と加算の組合せ

シフト演算を使うと，2^n倍や$1/2^n$倍は簡単にできることがわかりました。それでは，例えば，2進数mの9倍の値を求めるにはどうすればよいでしょうか。

こういう場合は，9を2のべき乗に分解します。

$$m \times 9 = m \times (2^3 + 1)$$
$$= m \times 2^3 + m$$

このように変形して，mを3ビット左にシフト移動したものにmを加えると，9倍の数値を求められます。

　　正の2進整数を左に4ビットだけ，桁移動（シフト）した結果は元の数の何倍か。ここで，あふれはないものとする。

ア　0.0625　　　イ　0.25　　　　ウ　4　　　　　エ　16

 最近はこのような素直でやさしいボーナス問題は出なくなりましたが，基礎力固めで解いておきましょう。
$2^4 = 16$倍です。

　　32ビットのレジスタに16進数ABCDが入っているとき，2ビットだけ右に論理シフトした値はどれか。

ア　2AF3　　　イ　6AF3　　　ウ　AF34　　　エ　EAF3

16進数を2進数で表します。

16進数	A	B	C	D
2進数	1010	1011	1100	1101

2ビット右に論理シフトします。

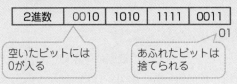

2進数	0010	1010	1111	0011

01

空いたビットには0が入る　　あふれたビットは捨てられる

16進数に戻します。

16進数	2	A	F	3

なお本問の場合，16進数の一番左の数値だけで答えを絞り込めます。

確認問題 3 ▶ 平成31年度春期 問1　　　正解率 ▶ 高　　

10進数の演算式 $7 \div 32$ の結果を2進数で表したものはどれか。

ア　0.001011　　イ　0.001101　　ウ　0.00111　　エ　0.0111

要点解説　$7 \div 32$ ということで，32が2の倍数であることがポイントです。
つまり，$7 \div 32 = 7 \div 2^5$ と変形できます。
7を2進数で表すと111です。これを 2^5 で割ればいいので，右に5ビットシフトすると，0.00111です。

確認問題 4 ▶ 平成29年度秋期 問1　　　正解率 ▶ 中　　

数値を2進数で表すレジスタがある。このレジスタに格納されている正の整数 x を10倍にする操作はどれか。ここで，桁あふれは起こらないものとする。

ア　xを2ビット左にシフトした値に x を加算し，更に1ビット左にシフトする。
イ　xを2ビット左にシフトした値に x を加算し，更に2ビット左にシフトする。
ウ　xを3ビット左にシフトした値と，x を2ビット左にシフトした値を加算する。
エ　xを3ビット左にシフトした値に x を加算し，更に1ビット左にシフトする。

要点解説　xを左に2ビットシフトすると $x \times 2^2$ です。
選択肢をそれぞれ式で表してみます。
ア　$(x \times 2^2 + x) \times 2^1 = 5x \times 2 = 10x$
イ　$(x \times 2^2 + x) \times 2^2 = 5x \times 4 = 20x$
ウ　$(x \times 2^3) + (x \times 2^2) = 8x + 4x = 12x$
エ　$(x \times 2^3 + x) \times 2^1 = 9x \times 2 = 18x$

解答

問題1：エ　　　問題2：ア　　　問題3：ウ　　　問題4：ア

3 06 論理演算

イメージでつかむ

中学生の頃，集合を考えるのにベン図を使いました。論理演算を理解するときも，ベン図が役に立ちます。

論理演算

　論理演算は，**真と偽の2種類で行う演算**です。コンピュータ内部では，真を1に，偽を0に対応させたビット演算として行われることが多いです。

　主な論理演算には，論理和（OR）や論理積（AND），否定（NOT）があります。論理演算を実際に行う電子回路が論理回路で，CPUに組み込まれています。

　論理回路は，MIL記号で図式化したり，入力の状態とそのときの出力の状態を表にまとめた**真理値表**で表現したりします。ベン図で考えると一層理解しやすくなります。

論理和（OR）

　論理和は，**入力（A，B）の少なくとも一方が1であれば，出力（A＋B）は1となる演算**です。「＋」は論理和を表します。

MIL記号	真理値表			ベン図
A—、B—、—A+B	A	B	A＋B	A　B
	0	0	0	
	0	1	1	
	1	0	1	
	1	1	1	

● 論理積 (AND)

論理積は，**入力 (A，B) の両方が1であれば，出力 (A・B) は1となる演算**です。「・」は論理積を表します。

MIL記号	真理値表	ベン図
A, B → A・B	下表参照	A, B

A	B	A・B
0	0	0
0	1	0
1	0	0
1	1	1

● 否定 (NOT)

否定は，**入力が一つ**です。**入力 (A) が0であれば出力 ($\overline{A}$) は1，入力 (A) が1であれば出力 ($\overline{A}$) は0になる演算**です。「$\overline{A}$」はAの否定を表します。

MIL記号	真理値表	ベン図
A → $\overline{A}$	下表参照	A

A	$\overline{A}$
0	1
1	0

😺！"くれば"で覚える

論理和	とくれば	**入力が少なくとも一方が1ならば，出力が1**
論理積	とくれば	**入力の両方が1ならば，出力が1**
否定	とくれば	**入力が1ならば，出力が0。入力が0ならば，出力が1**

😺 論理演算の組合せ

論理和や論理積，否定を組み合わせた，次のような演算があります。

● 排他的論理和 (EOR，またはXOR)

排他的論理和は，**入力 (A，B) が異なれば，出力 (A⊕B) は1となる演算**です。「⊕」は排他的論理和を表します。

MIL記号	真理値表	ベン図
 A→⊕→A⊕B B→	<table></table>	

A	B	A⊕B
0	0	0
0	1	1
1	0	1
1	1	0

また，排他的論理和は，「A・$\overline{B}$＋$\overline{A}$・B」の式で表すことができ，論理和と論理積，否定の組合せで実現できます。

攻略法 …… **これが論理和や論理積，排他的論理和のイメージだ！**

①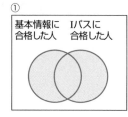

②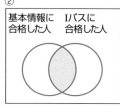

③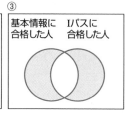

①論理和 (OR)　　　　：基本情報かIパスのいずれか一方を合格した人の集合です。両方合格した人も含みます。

②論理積 (AND)　　　：基本情報とIパスの両方を合格した人の集合です。

③排他的論理和 (EOR)：基本情報のみかIパスのみを合格した人の集合です。両方合格した人は含みません。

否定論理和（NOR）

否定論理和は，**論理和と否定を組み合わせた演算**です。「$\overline{A＋B}$」は，「A＋B」の否定を表します。

MIL記号	真理値表	ベン図
A→ B→ ⊳o→$\overline{A＋B}$		

A	B	$\overline{A＋B}$
0	0	1
0	1	0
1	0	0
1	1	0

否定論理積 (NAND)

否定論理積は, **論理積と否定を組み合わせた演算**です。「$\overline{A \cdot B}$」は, 「A・B」の否定を表します。

MIL記号	真理値表			ベン図
A—⧹B—◯—$\overline{A \cdot B}$	A	B	$\overline{A \cdot B}$	
	0	0	1	
	0	1	1	
	1	0	1	
	1	1	0	

 "くれば"で覚える

否定論理和　とくれば　**論理和の否定**
否定論理積　とくれば　**論理積の否定**

知っ得情報 ◀ 命題 ▶

論理学による**命題**は, **正しい (真) か, 正しくない (偽) か**のどちらかに決まる文です。

例えば, 「白いねこはかわいい」を前提条件とした場合は, 客観的に正しいかどうかはわかりませんが, 「かわいいなら真」, 「かわいくなければ偽」になる命題として扱えます。ここで, 「かわいいねこはよく寝る」, 「白いねこはかわいい」の二つを前提条件とすると, 「白いねこはよく寝る」は真になります。命題も, 集合で考えるとわかりやすくなります。

なお, 数学による命題では, 客観的に正しいかどうかが判断できる必要があります。

ビット演算

「元のビット列」と「特定のビット列」との間でビット演算を行い, ある特定のビットを取り出したり, 反転させたりできます。このときの「特定のビット列」はマスクパターン (マスク) と呼ばれています。

例えば, 2進数8ビット「00110001」の下位4ビットを操作していきましょう。下位4ビットを操作するには, 下位4ビットに1, それ以外のビットに0を入れたビット列「00001111」をマスクパターンとして使います。

◉ ビット列の取出し

下位4ビットを取り出してみましょう。**特定のビットを取り出すには，取り出したいビットと1で論理積 (AND) をとります。**

```
元のビット列    00110001
      AND)  00001111       ← マスクパターン
            00000001
            ↑ 下位4ビットを取り出す
```

なお，このビット演算は，IPアドレスとサブネットマスクの処理などに用いられています (7-05参照)。

😺! "くれば"で覚える

ある特定のビットを取り出す　とくれば　**取り出したいビットと1で論理積 (AND) をとる**

◉ ビットの反転

下位4ビットを反転してみましょう。**特定のビットを反転させるには，反転させたいビットと1で排他的論理和 (EOR) をとります。**

```
元のビット列    00110001
      EOR)  00001111       ← マスクパターン
            00111110
            ↑ 下位4ビットを反転させる
```

なお，このビット演算は，パリティ符号 (データチェック用に追加するビット) や暗号化の処理などに用いられています。

😺! "くれば"で覚える

ある特定のビットを反転させる　とくれば　**反転させたいビットと1で排他的論理和 (EOR) をとる**

知っ得情報 〈 論理演算の法則 〉

論理式の演算の際，よく使う法則として，ド・モルガンの法則があります。

$\overline{A \cdot B} = \overline{A} + \overline{B}$ 論理積の否定は，それぞれの否定の論理和と同じです。

$\overline{A + B} = \overline{A} \cdot \overline{B}$ 論理和の否定は，それぞれの否定の論理積と同じです。

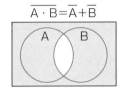
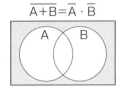

このほか，論理演算には以下の法則が成り立ちます。

$A \cdot A = A \qquad A + A = A \qquad \overline{\overline{A}} = A$

$\left. \begin{array}{l} A \cdot (B + C) = (A \cdot B) + (A \cdot C) \\ A + (B \cdot C) = (A + B) \cdot (A + C) \end{array} \right\}$ 分配法則

第 **3** 章 基礎理論

確認問題 1 ▶ 平成31年度春期 問3　　　正解率 ▶ **中**　　　**応用**

　P，Q，Rはいずれも命題である。命題Pの真理値は真であり，命題（not P）or Q及び命題（not Q）or Rのいずれの真理値も真であることが分かっている。Q，Rの真理値はどれか。ここで，X or YはXとYの論理和，not XはXの否定を表す。

	Q	R
ア	偽	偽
イ	偽	真
ウ	真	偽
エ	真	真

 命題は真と偽のどちらかに定まる文で，論理演算が利用できます。ここでは真は1，偽は0と考えます。問題文からPは1であり，not Pは0です。（not P）or Qが1，つまり「0とQの論理和が1」が成立するためには，Qは1ということになります。また，Qが1ならば，not Qは0です。（not Q）or Rが1，つまり「0とRの論理和が1」ということは，Rは1です。Q，Rともに真となります。

8ビットの値の全ビットを反転する操作はどれか。

ア　16進表記00のビット列と排他的論理和をとる。
イ　16進表記00のビット列と論理和をとる。
ウ　16進表記FFのビット列と排他的論理和をとる。
エ　16進表記FFのビット列と論理和をとる。

 要点解説　選択肢を見ると00かFFなので，全ビット0か全ビット1のビット列と何かの操作をすることになります。2ビットに簡略化し，仮に「01」というビットを反転させたいとして考えてみましょう。

01（仮のビット）	演算結果
00と排他的論理和	01
00と論理和	01

01（仮のビット）	演算結果
11と排他的論理和	10
11と論理和	11

　　　特定のビット列を反転させるときは，1で排他的論理和をとります。

　　任意のオペランドに対するブール演算Aの結果とブール演算Bの結果が互いに否定の関係にあるとき，AはBの（又は，BはAの）相補演算であるという。排他的論理和の相補演算はどれか。

ア　等価演算（　◯◯　）　　　　　イ　否定論理和（　◯◯　）

ウ　論理積　（　◯◯　）　　　　　エ　論理和　　（　◯◯　）

要点解説　ブール演算は，真（true）と偽（false）の二通りの状態を取る真理値の間で行われる論理演算のことです。排他的論理和の相補演算（否定の関係にある）のは，アです。
試験本番でも，難解そうな用語の混ざった問題が出題されることがありますが，よく読めば用語を知らなくても解けます。
本問も，排他的論理和のベン図が思い出せれば解けます。

確認問題 4 ▸ 平成28年度春期 問23　　正解率 ▸ **中**　　**応用**

図の論理回路と等価な回路はどれか。

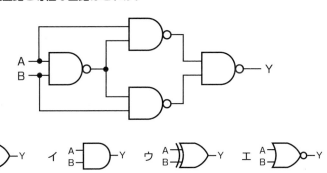

ア A／B →⊃ Y　イ A／B →⊐ Y　ウ A／B →⊃ Y　エ A／B →⊃∘ Y

要点解説 AとBの入力を「00」「01」「10」「11」と仮定して検証します。どこに同じ信号が行くかを見極めると省力化できます。各NAND端子の出力をC, D, E, Yとして考えてみます。

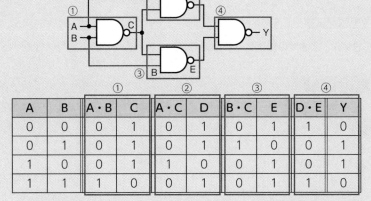

A	B	① A・B	C	② A・C	D	③ B・C	E	④ D・E	Y
0	0	0	1	0	1	0	1	1	0
0	1	0	1	0	1	1	0	0	1
1	0	0	1	1	0	0	1	0	1
1	1	1	0	0	1	0	1	1	0

YはAとBのどちらか一つが1のとき1なので、AとBの排他的論理和です。なお、論理回路から等価な回路や論理式を求める問題は頻出ですが、①真理値表で求める②ベン図で求める③論理式をド・モルガンの法則などで変形するという3種類の解法があります。問題により解きやすい解法は異なります。

解答

問題1：エ　　　問題2：ウ　　　問題3：ア　　　問題4：ウ

3 07 半加算器と全加算器

時々出　必須　超重要

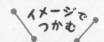
イメージで
つかむ

56＋45を計算する場合，
上位桁への桁上がり，下位桁
からの桁上がりを考慮しなけ
ればいけません。

加算器

加算器は，**2進数の加算を行う回路**です。加算器には，次のようなものがあります。

半加算器

半加算器は，**二つの2進数の値を加算して，同桁の和 (S) と桁上がり (C) を出力する加算器**です。ただし，下位桁からの桁上がりを考慮しないので，最下位桁で用いられます。

2進数1桁の加算をするには4パターンがあります。

$$
\begin{array}{r} 0 \\ +\ 0 \\ \hline 00 \end{array}
\qquad
\begin{array}{r} 0 \\ +\ 1 \\ \hline 01 \end{array}
\qquad
\begin{array}{r} 1 \\ +\ 0 \\ \hline 01 \end{array}
\qquad
\begin{array}{r} 1 \\ +\ 1 \\ \hline 10 \end{array}
$$

攻略法 …… これが半加算器のイメージだ！

$$
\begin{array}{r} 1 \\ +\ 1 \\ \hline 10 \end{array}
\qquad\Rightarrow\qquad
\begin{array}{r} X \\ +\ Y \\ \hline CS \end{array}
$$

上位桁への桁上がり　　　　　最下位桁で用いる

半加算器は，入力（X，Y）と出力（C，S）からなり，次のような真理値表になります。

入力		出力	
X	Y	C	S
0	0	0	0
0	1	0	1
1	0	0	1
1	1	1	0

ここで，加算結果の同桁の和（S）は，入力（X，Y）が異なるときのみ出力は1になっているので排他的論理和，桁上がり（C）は，入力（X，Y）が両方1のときのみ出力は1になっているので論理積で表現できます。

このように，半加算器は，排他的論理和と論理積の組合せで実現しています。

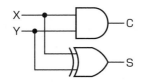

😺! "くれば"で覚える

半加算器　とくれば　**上位桁への桁上がりのみ考慮した加算器**

⚙ 全加算器

　全加算器は，**上位桁への桁上がり（C）だけでなく，下位桁からの桁上がり（C'）も考慮した加算器**です。最下位桁以外の桁で用いられます。

🎣 攻略法 …… これが全加算器のイメージだ！

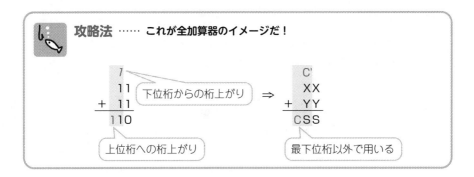

第 **3** 章 基礎理論

129

全加算器は，入力 (X, Y, C') と出力 (C, S) からなり，次のような真理値表になります。

入力			出力	
X	Y	C'	C	S
0	0	0	0	0
0	1	0	0	1
1	0	0	0	1
1	1	0	1	0
0	0	1	0	1
0	1	1	1	0
1	0	1	1	0
1	1	1	1	1

下位からの桁上がりなし（上位4行）
下位からの桁上がりあり（下位4行）

全加算器は，半加算器と論理和の組合せで実現しています。

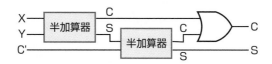

!“くれば”で覚える

全加算器　とくれば　下位桁からの桁上がりと上位桁への桁上がりを考慮した加算器

確認問題 1 　▶ 平成16年度春期　問7　　　正解率 ▶ 高　　　応用

　1ビットの数A，Bの和を2ビットで表現したとき，上位ビットCと下位ビットSを表す論理式の組合せはどれか。ここで，“・”は論理積，“＋”は論理和，$\overline{X}$はXの否定を表す。

A	B	AとBの和	
		C	S
0	0	0	0
0	1	0	1
1	0	0	1
1	1	1	0

	C	S
ア	A・B	$(A・\overline{B}) + (\overline{A}・B)$
イ	A・B	$(A+\overline{B}) ・ (\overline{A}+B)$
ウ	A＋B	$(A・\overline{B}) + (\overline{A}・B)$
エ	A＋B	$(A+\overline{B}) ・ (\overline{A}+B)$

上位ビットC（桁上げ）は，AとBの両方が1のときのみ1，つまり「AとBの論理積」です。下位ビットS（和の1桁目）は，AとBが異なるときのみ1，つまり「AとBの排他的論理和」です。

確認問題　2　▶ 平成29年度春期　問22　　正解率 ▶ 中　　頻出　応用

図に示す1桁の2進数xとyを加算し，z（和の1桁目）及びc（桁上げ）を出力する半加算器において，AとBの素子の組合せとして，適切なものはどれか。

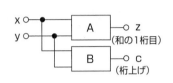

	A	B
ア	排他的論理和	論理積
イ	否定論理積	否定論理和
ウ	否定論理和	排他的論理和
エ	論理積	論理和

 半加算器は，排他的論理和と論理積の組合せで実現しています。
図中のz（和の1桁目）を求めるには排他的論理和を，c（桁上げ）を求めるには論理積を用います。

確認問題　3　▶ 平成21年度秋期　問25　　正解率 ▶ 中　　応用

図は全加算器を表す論理回路である。図中のxに1，yに0，zに1を入力したとき，出力となるc（桁上げ数），s（和）の値はどれか。

	c	s
ア	0	0
イ	0	1
ウ	1	0
エ	1	1

 全加算器は上位桁への桁上がりと下位桁からの位上がりを考慮する加算器です。x, y, zへの入力を全て加算したものを出力します。つまり，

```
   1
   0
+  1
────
  10
```

したがってC＝1，S＝0となります。

解答

問題1：ア	問題2：ア	問題3：ウ

第3章　基礎理論

3 08 計測と制御

イメージでつかむ

アナログ時計は連続的に針が動きますが，デジタル時計は一定間隔で数値が変化して表示されます。

アナログとデジタル

アナログデータは，**連続的に変化する情報**です。一方，**デジタルデータ**は，**不連続な情報**です。連続するアナログデータを細く区切って0と1に置き換えたものです。

これは，アナログ時計とデジタル時計のイメージと同じです。アナログ時計では，「1秒」と「2秒」の間でも秒針が連続的に動いていますが，デジタル時計では，「1秒」の次は「2秒」が表示されます。

A/D変換

A/D変換は，**アナログデータをデジタルデータに変換すること**です。デジタルデータなら，「0」と「1」を判別するだけでよく，アナログデータと比較して，データの加工や編集，再利用，検索がしやすくなり，ノイズに強く，データの劣化が起こりにくいといった特徴があります。ただし，真の値との間に誤差 (3-04参照) が発生する場合があります。

なお，人の耳は，デジタルの音楽を直接聞くことはできません。iPhoneに入っているデジタルの音楽データをイヤホンで聞くようなときには，デジタルデータをアナログデータに変換する**D/A変換**が必要になります。

🐝 PCM伝送方式

✦**PCM伝送方式**✦ (Pulse Code Modulation：パルス符号変調方式) は，音声などの**アナログ信号をデジタル信号に変換する方式**です。「標本化→量子化→符号化」の順に変換します。

🔵 標本化

標本化は，**アナログ信号の波形を一定時間間隔で区切り，値 (標本) を取り出すこと**です。**サンプリング**とも呼ばれます。1秒あたりのサンプリング回数を**サンプリング周波数**といい，単位は**Hz**です。例えば，音楽CDのサンプリング周波数は44.1kHzであり，1秒間に44,100回のサンプルを測定します。

🔵 量子化

量子化は，**標本化で取り出した値を，決められた範囲のうちで最も近い値に割り当てること**です。その範囲を何ビットで表現するかは量子化ビット数で決まります。例えば，音楽CDの量子化ビット数は16ビットであり，範囲を $2^{16} = 65,536$ 段階に区切って表現します。

🔵 符号化

符号化は，**量子化で割り当てた値を，2進数のデジタル符号に変換すること**です。

ここで，サンプリング周期が短く，量子化の段階数が多いほど，元のアナログ信号の波形により近い波形を復元でき，高品質ですが，データの容量が大きくなります。

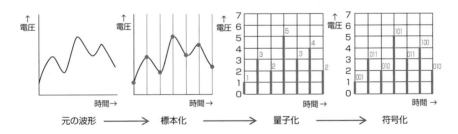

元の波形 ──→ 標本化 ──→ 量子化 ──→ 符号化

🎛 制御技術

　よくコンピュータ制御という言葉を聞きます。例えば，エアコンを18度に設定すると，室温をセンサで計測し，運転量を上げたり下げたりしながら温度を一定に保とうとします。センサは計測した室温をアナログ電圧として出力し，コンピュータがデジタルデータに変換して，設定した値と比較しています。

　代表的な制御方式には，次のような方式があります。

- **フィードバック制御**は，出力結果を測定して事後に調整する方式です。
- **フィードフォワード制御**は，入力を予測して事前に調整する方式です。
- **シーケンス制御**は，特定の動作を一定の順序で進めていく方式です。

コンピュータ制御には，次のような要素を用います。

A/Dコンバータ	アナログ電気信号を，コンピュータが処理できるデジタル信号に変える
センサ	物理量を検出して，電気信号に変える。出力はデジタルかアナログ。温湿度センサや赤外線センサ，加速度センサなどのほかに以下のようなものもある **＊ひずみゲージ**　：絶縁体の表面に貼り付けた金属箔の電気抵抗の変化により，物体の変形を検出する **＊ジャイロセンサ**：角速度(回転の速度)や傾き，振動を検出する **＊人感センサ**　　：人体が発する赤外線や超音波を用いて存在を感知する
アクチュエータ	コンピュータが出力した電気信号を回転運動・直線運動などの力学的な運動に変える。シリンダやモータなど
アンプ	マイクロフォンやセンサなどが出力した微小な電気信号を増幅する

💿 PWM

　PWM制御 (Pulse Width Modulation：パルス幅変調制御) は，電源のONとOFFを高速に切り替えることで，出力される電力を制御する方式です。例えば，LED照明では，人の目では分からないほどの速度で点滅させれば，人にはその平均的な明るさに見えることを利用して，周期中のONの時間を長くしたり短くしたりして明るさを制御しています。

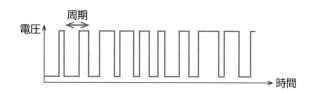

クロック信号

　コンピュータは，内部で生成されるクロック信号で各装置の動作のタイミングをとっています(1-03参照)。もう少し詳しく見てみると，クロック信号の立上りや立下りのどちらかのタイミングに同期しています。電圧が高くなる点を立上り，低くなるところを立下りと呼びます。

　デジタル信号なので，電圧を1と0の2値に変換します。ある電圧より高い電圧(High)を1に，低い電圧(Low)を0とするのが正論理です。逆に，高い電圧(High)を0に，低い電圧(Low)を1とするのが負論理です。

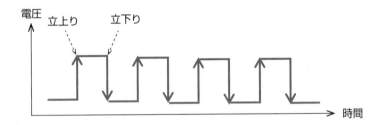

電力量

　電気は様々な家電製品で，熱エネルギーや光エネルギー，運動エネルギーなどに変換され，利用されています。このときの1秒あたりに消費する電気エネルギーを**電力**といい，**電力(W)＝電流(A)×電圧(V)** で求められます。**電流**は電気の流れる量で，**電圧**は電気を押し出す力を表します。

　また，**電力量**は任意の時間内に消費された電気エネルギーの総量で，単位はWhです。例えば「消費電力100W」という表示のある家電製品を2時間使った場合の電力量は，100W×2h＝200Wh＝0.2kWhです。

確認問題　1　▶応用情報　平成27年度春期　問4改　正解率▶**低**　　応用

ドローンに用いられるジャイロセンサが検出できるものはどれか。

　ア　ドローンに加わる加速度　　　イ　ドローンの角速度
　ウ　地球上における高度　　　　　エ　地球の磁北

要点解説
　ア　加速度センサ　　　　イ　ジャイロセンサ
　ウ　圧力センサ　　　　　エ　地磁気センサ

アクチュエータの説明として，適切なものはどれか。

ア　与えられた目標量と，センサから得られた制御量を比較し，制御量を目標量に一致させるように操作量を出力する。

イ　位置，角度，速度，加速度，力，温度などを検出し，電気的な情報に変換する。

ウ　エネルギー源からのパワーを，回転，直進などの動きに変換する。

エ　マイクロフォン，センサなどが出力する微小な電気信号を増幅する。

要点解説　アクチュエータは，シリンダやモータのように，コンピュータが出力した電気信号を回転，並進のような力学的な運動に変換する素子です。
　　　　ア　フィードバック制御　　　イ　センサ　　　　エ　アンプ

　サンプリング周波数40kHz，量子化ビット数16ビットでA/D変換したモノラル音声の1秒間のデータ量は，何kバイトとなるか。ここで，1kバイトは1,000バイトとする。

ア　20　　　　　イ　40　　　　　ウ　80　　　　　エ　640

要点解説　データ量の計算は，ビットとバイトの違いに注意しましょう。
　　　　サンプリング周波数40kHzとは，1秒間に40k回の標本化を行うことです。
　　　　量子化ビット数16ビットなので，1回あたり2バイト（16ビット）でデータ化を行います。
　　　　したがって，1秒間のデータ量は，40k×2＝80kバイトです。

　8ビットD/A変換器を使って負でない電圧を発生させる。使用するD/A変換器は，最下位の1ビットの変化で出力が10ミリV変化する。データに0を与えたときの出力は0ミリVである。データに16進数で82を与えたときの出力は何ミリVか。

ア　820　　　　イ　1,024　　　　ウ　1,300　　　　エ　1,312

要点解説　D/A変換器は，入力されたデジタルの数値をアナログの電圧に変換して出力します。16進数の82は，10進数では$16^1×8＋16^0×2＝130$です。
　　　　最下位の1ビットが変化し，0が1になったとき，10ミリV変化します。130なら最下位の1ビットの変化が130回発生するため，$10×130＝1,300$ミリVです。

確認問題 5 ▶ 令和元年度秋期 問21   正解率▶ 低   計算

　クロックの立上りエッジで，8ビットのシリアル入力パラレル出力シフト
レジスタの内容を上位方向へシフトすると同時に正論理のデータをレジスタ
の最下位ビットに取り込む。また，ストローブの立上りエッジで値を確定す
る。各信号の波形を観測した結果が図のとおりであるとき，確定後のシフト
レジスタの値はどれか。ここで，数値は16進数で表記している。

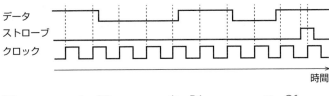

ア 63   イ 8D   ウ B1   エ C6

8ビット分のデータを記録するシフトレジスタに，クロックに同期して1ビット
ずつ最下位ビットにデータが取り込まれ，すでに取り込み済のデータは上位へ
シフトします。
　ストローブはストロボと同じ言葉です。ストロボが光った瞬間の画像がカメラ
に記録されるように，順次取り込まれているデータ信号は，ストローブ信号が
立ち上がった瞬間に，取り込み済みの8ビット分が確定します。
　以下の網掛け部分が8ビットです。正論理なので，電圧が高いものが1，低い
ものが0です。

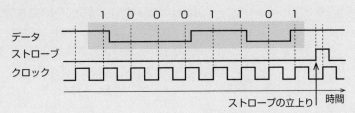

10001101という値となり，16進数に変換すると8Dです。

解答

問題1：イ   問題2：ウ   問題3：ウ   問題4：ウ   問題5：イ

3 09 オートマトン

イメージで つかむ

1日の天気が移り変わって いくように，ある状態から次 の状態へ移り変わっていく様 子を図や表にしたりすること があります。

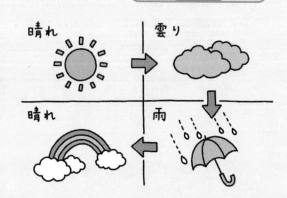

晴れ ／ 雲り ／ 晴れ ／ 雨

オートマトン

オートマトンは，現在の状態と入力によって，出力が決定される機械をモデル化した ものです。例えば，ジュースの自販機は，「お金が投入されるのを待つ → 投入された ら商品が選択されるのを待つ → 選ばれた商品を出し，最初の投入待ちの状態に戻る」 というように，いくつかの状態を遷移します。これがオートマトンの代表例です。

さらに，オートマトンのうち，初期状態からいくつかの状態を遷移し，最終的に受理 状態(終了状態)になるものを**有限オートマトン**といいます。

オートマトンの状態の遷移を図にしたものが✦**状態遷移図**✦，表にしたものが**状態遷 移表**です。

状態遷移図

➡◯ は初期状態，◎ は受理状態を表します。

現在Aの状態で，1を入力すると Bの状態に遷移する

現在Aの状態で，0を入力すると Aの状態のままで遷移しない

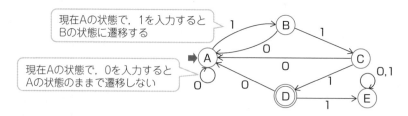

この状態遷移図では，例えば，文字列「10111」は受理されます。受理という言葉がわかりにくければ，「成功」「終了」と読み替えてみて下さい。

	1		0		1		1		1	
A	→	B	→	A	→	B	→	C	→	D

他にも文字列「111」や「00110111」なども受理されますが，文字列「01011」や「01111」などは受理されません。

● 状態遷移表

この状態遷移図を状態遷移表で表すと，次のようになります。

		遷移後の状態				
		A	B	C	D	E
遷移前の状態	A	0	1			
	B	0		1		
	C	0			1	
	D	0				1
	E					0,1

確認問題 1 ▶ 平成25年度春期　問46　　正解率 ▶ 高　　**基本**

**　設計するときに，状態遷移図を用いることが最も適切なシステムはどれか。**

ア　月末及び決算時の棚卸資産を集計処理する在庫棚卸システム
イ　システム資源の日次の稼働状況を，レポートとして出力するシステム資源稼働状況報告システム
ウ　水道の検針データを入力として，料金を計算する水道料金計算システム
エ　設置したセンサの情報から，温室内の環境を最適に保つ温室制御システム

要点解説　現在の状態と入力によって，出力が決定されるシステムに適しているのが状態遷移図です。エでは，現在の動作状況とセンサの情報の入力を比較し，温室の環境を最適に保つよう動作するので，状態遷移図での表示が適しています。ア・イ・ウでは，必要なデータを入力し，集計・計算するだけで出力が得られる（現在の状態との比較はない）ので，状態遷移図での表現が適しているとはいえません。

300円の商品を販売する自動販売機の状態遷移図はどれか。ここで，入力と出力の関係を"入力／出力"で表し，入力の"a"は"100円硬貨"を，"b"は"100円硬貨以外"を示し，S_0〜S_2は状態を表す。入力が"b"の場合はすぐにその硬貨を返却する。また，終了状態に遷移する際，出力の"1"は商品の販売を，"0"は何もしないことを示す。

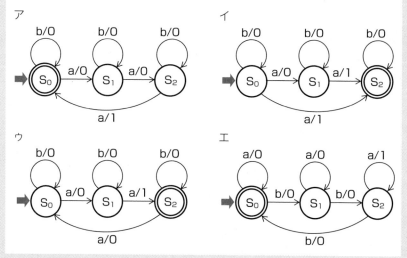

要点解説　初期状態は太い矢印で，終了状態は二重丸で表されます。

aは100円硬貨を入れることを，bは100円硬貨以外を入れることを示し，bの場合はすぐその硬貨を返却するとあります。つまり，100円硬貨しか使うことができない自動販売機なのです。100円の枚数をカウントし，3枚入れられたら商品を出して初期状態に戻るという動作だと考えられます。

100円入れるごとに，つまり入力がaなら何もせず次の状態に遷移し（a/0），bなら状態はそのままでお金を返却します（b/0）。3回目のaのときに商品を販売し（a/1），初期状態に戻ります。これを表しているのはアです。

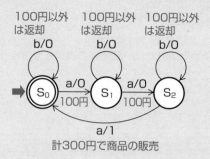

計300円で商品の販売

イは，100円入れたときに何もしないのか，商品を販売するのか不明です。
ウは，200円で商品が販売されます。
エは，何度100円を入れても戻ってきてしまいます。100円以外→100円以外
→100円の組合せでないと商品が販売されません。

確認問題 3 ▶ 平成26年度春期 問5　　正解率 ▶ 中　　応用

表は，文字列を検査するための状態遷移表である。検査では，初期状態を
aとし，文字列の検査中に状態がeになれば不合格とする。
解答群で示される文字列のうち，不合格となるものはどれか。ここで，文
字列は左端から検査し，解答群中の△は空白を表す。

		文字				
		空白	数字	符号	小数点	その他
現在の状態	a	a	b	c	d	e
	b	a	b	e	d	e
	c	e	b	e	d	e
	d	a	e	e	e	e

ア　＋0010　　　イ　－1　　　　ウ　12.2　　　　エ　9.△

　(a) は初期状態を表します。
ア　(a)→＋→(c)→0→(b)→0→(b)→1→(b)→0→(b)　合格
イ　(a)→－→(c)→1→(b)　合格
ウ　(a)→1→(b)→2→(b)→.→(d)→2→(e)　不合格
エ　(a)→9→(b)→.→(d)→△→(a)　合格

解答

問題1：エ	問題2：ア	問題3：ウ

イメージで
つかむ

あなたは，猫の写真を見て猫と判断できます。いまはコンピュータも同じことができるようになっています。

☺ AI

✨AI✨（Artificial Intelligence：人工知能）は，**人が行うような学習や認識，予測，判断などの知的な活動を，コンピュータにさせる取組みやその技術のこと**です。

現在のAIを支える基礎技術が，次の機械学習やディープラーニングで，これらを土台として，画像認識や音声認識，動画認識，自然言語処理などの応用技術が発展しています。さらには，自動翻訳や金融工学，自動運転など，より高度な判断を要する処理を担うことも期待されています。

身近な例として，iPhoneなどに搭載されているAIアシスタントSiriや，Googleの画像検索などがあります。

☺ 機械学習

✨機械学習✨は，身の回りのあらゆるモノがインターネットにつながるIoT（11-06参照）の普及などにより生まれた，**大量のデータをコンピュータに解析させ，コンピュータ自らが予測や判断などができるように学習させること**です。

機械学習には，次のような学習方法があります。

教師あり学習

✦教師あり学習✦は，**学習データとその正解 (ラベル) を与えることで学習させる方法**です。AIが学習データとその正解の関係性を学習することで，あらかじめ定めた分類に振り分ける**分類**と，連続するデータの将来の値を予測する**回帰**と呼ばれる手法があります。なお，学習データは，教師データや訓練データともいいます。売上予測などの推測に役立ちます。

自ら特徴を見つける

教師なし学習

✦教師なし学習✦は，**学習データのみを与えることで学習させる方法**です。学習データに対する正解は与えないので，AI自らが統計的性質や類似性などに基づき**クラスタリング**と呼ばれる手法などで次第にグループ分けができるようになります。コンピュータ自らが正解を導き出すイメージです。

自らグループ分け

強化学習

強化学習は，**学習データに対する正解を与えずに試行錯誤を繰り返すことで学習させる方法**です。学習目標として成功と判断するための報酬 (評価) を与えることで，AIに何が成功かを学習させます。例えば，将棋や囲碁のようなゲーム用の人工知能や自動運転の制御に応用されています。

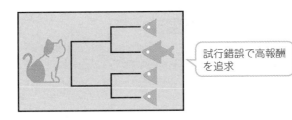

試行錯誤で高報酬を追求

✿ ディープラーニング

✦ディープラーニング✦ (Deep Learning：深層学習) は，**人の脳神経回路を模倣したモデル**（✦ニューラルネットワーク✦という）**で解析し，AI自らがデータを判別するための特徴を探し出すこと**です。ニューラルネットワークには入力層・中間層・出力層という仕組みがあり，各層で情報を処理することで複雑な判断を可能にした技術です。

例えば，Google が大量の YouTube データをコンピュータに読み込ませたところ，猫の識別を学習した例が有名です。

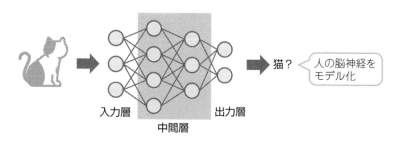

入力層　　　　　出力層

中間層

猫？　　人の脳神経を
　　　　モデル化

🐱 もっと詳しく ⟨ 活性化関数 ⟩

AIのニューロン (情報の伝達や処理を行う神経細胞) は，入力された値を基に**活性化関数**と呼ばれる関数を通し処理して，次のニューロンへ値を渡していくことで，より深く学習できるようになります。

⚙ リカレントニューラルネットワーク

リカレントニューラルネットワークは，主に**時系列データや順序データを処理するために設計されたモデル**です。再帰的ニューラルネットワークとも呼ばれます。過去の入力情報を記憶して現在の入力情報と組み合わせて処理できるため，文書の生成や音声認識などが可能になります。

⚙ 畳み込みニューラルネットワーク

畳み込みニューラルネットワークは，主に**画像や動画などの視覚データを処理するために設計されたモデル**です。画像の中の特徴を捉え，物体を識別したり分類したりすることなどが可能になります。

● バックプロパゲーション

バックプロパゲーションは，AIが出力した結果が期待している結果とかけ離れている場合に，その**間違いを逆方向に遡りながら再学習させることで修正していくこと**です。ニューラルネットワークを学習させる手法の一つで，「誤差逆伝播法」ともいいます。これは，先生が生徒に対して間違った箇所を指摘しながら再学習させていくイメージです。

● 過学習

過学習は，**AIが学習データに過剰に適合しすぎて，未知のデータに適合できない現象**です。これは，過去問の「問題」と「正解」の組合せのみを学習しすぎて，試験本番の新規の問題に対応できないようなイメージです。原因は，「学習データの不足」や「偏ったデータの学習」などが挙げられます。

● ハルシネーション

ハルシネーションは，**AIが事実に基づかない情報を生成してしまう現象**です。Hallucinationは「幻覚」という意味です。原因は，「学習データの不足」や「誤ったデータの学習」，「文脈の誤解」などが挙げられます。

生成AI

生成AIは，**文章や画像，動画，音声，デザイン，プログラムコードなどを生成するAI**です。生成AIでは，AIが自ら情報やデータを入力し学習を続けることで，今まで人にしかできなかったクリエイティブなコンテンツまでも創り出してしまいます。OpenAIが開発した，AIを使ったチャットサービスであるChatGPTが有名で，文章の要約や小説，プログラムコード，イラストなどが生成できます。

● 敵対的生成ネットワーク

敵対的生成ネットワークは，**テキストや画像，音声などを生成するためのモデル**です。「生成器」で新しいデータを生成し，「識別器」が生成されたデータが本物かどうかを判断します。お互いが競い合いながら学習し，最終的にリアルなデータを生成することが可能になります。これはクリエータが作り出したものを，審査員が評価するようなイメージです。

第3章 基礎理論

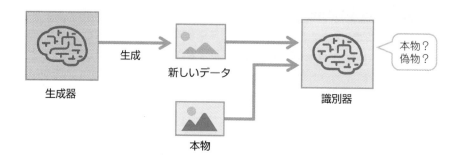

生成器 → 生成 → 新しいデータ → 識別器 本物？偽物？

本物

🐱📄 **知っ得情報 ◀ モーダル AI ▶**

　マルチモーダルAIは，テキストだけでなく音声や画像などの様々な情報を同時に理解できるAIです。例えば，写真を見ながらその説明をしたり，周囲のカメラ映像やセンサの情報を同時に使って自動運転したりすることができるようになります。

🐱📄 **知っ得情報 ◀ 豊かな未来を目指す ▶**

　AIやIoT，ビッグデータ (6-09参照) などのICT技術が活用され，サイバー空間と現実空間が高度に融合した「**超スマート社会**」の進展で，年齢や性別，言語などの違いに関わらず，誰もが快適に生活することができる人間中心の社会**Society5.0**が実現できるとされています。Society5.0は，狩猟社会・農耕社会・工業社会・情報社会に続く5番目の社会です。

　また，地球環境を保護しながら全ての人が貧困を脱し，平和的で豊かに暮らせるような世界を目指そうという国際的な目標を**SDGs**といいます。

🐱 **もっと詳しく ◀ デジタルツイン ▶**

　デジタルツインは，様々なセンサから収集したデータを用いて，デジタル空間に現実世界のような世界を作り上げ，現実世界では実施できないようなシミュレーションを行うことです。例えば，プラントの運転状況を監視したり，プラントの最適な運転方法をAIが学習して実際の運転支援につなげたりできるとされています。

説明可能なAI

　AIが導き出した結果の過程がブラックボックスとならないように，AIがどのような過程で意思決定をしたのかを人が理解できるようにすることが重要であり，研究が進められています。これを**説明可能なAI**といいます。人が理解し説明できることで，AIの信頼性や透明性が高まり，AIの活用促進につながります。

ヒューマンインザループ

　ヒューマンインザループは，AIが考える過程で人が関わり，判断やフィードバックをしていくことです。これによりAIがより良い判断ができるようになり，正確で役立つ結果が出力できます。これは，生徒が考える過程で先生が適切なアドバイスをしていくイメージです。

AIの問題点

　AIの利活用で様々な社会的課題が解決できると期待が高まっていますが，AIは大量の学習データから学習するので，学習データに誤った情報や偏った情報があるとそれらを反映したものとなる可能性があり，必ずしも正しい情報が得られるとは限りません。場合によっては，人の尊厳や生命，財産，公平性が脅かされる場合もあります。

　例えば，採用支援AIで学習データとして過去の履歴書を使ったところ，男性ばかりが採用されてしまったことがありました。また，自動運転で「対向車と正面衝突しそうだが，歩道側によけると歩行者にぶつかってしまう」というような場合の判断をどうするのかという倫理的な問題も重要な課題となっています。

　そのほかにも，機密情報の漏えい，個人情報の漏えい，人権の侵害，プライバシーの侵害，知的財産権の侵害，…，と様々な課題や問題を含んでおり，各分野において法整備やルール作りなどを早急に進める必要があります。

ディープフェイク

　ディープフェイクは，**AIを使って画像や動画などを部分的に交換させることで，元とは異なるものを生成する技術**です。Deep Learning（深層学習）とFake（偽物）を合わせた造語です。虚偽の情報を流すフェイクニュースなども生成できるので悪用されるという懸念があります。

生成AIの特徴を踏まえて，システム開発に生成AIを活用する事例はどれか。

ア　開発環境から別の環境へのプログラムのリリースや定義済みのテストプログラムの実行，テスト結果の出力などの一連の処理を生成AIに自動実行させる。

イ　システム要件を与えずに，GUI上の設定や簡易な数式を示すことによって，システム全体を生成AIに開発させる。

ウ　対象業務や出力形式などを自然言語で指示し，その指示に基づいてE-R図やシステムの処理フローなどの図を描画するコードを生成AIに出力させる。

エ　プログラムが動作するのに必要な性能条件をクラウドサービス上で選択して，プログラムが動作する複数台のサーバを生成AIに構築させる。

要点解説　自然言語（人が日常で使っている言語）を用いて指示することで，生成AIがその指示に基づいたコードを自動で生成してくれます。E-R図は6-02参照。

生産現場における機械学習の活用事例として，適切なものはどれか。

ア　工場における不良品の発生原因をツリー状に分解して整理し，アナリストが統計的にその原因や解決策を探る。

イ　工場の生産設備を高速通信で接続し，ホストコンピュータがリアルタイムで制御できるようにする。

ウ　工場の生産ロボットに対して作業方法をプログラミングするのではなく，ロボット自らが学んで作業の効率を高める。

エ　累積生産量が倍増するたびに工場従業員の生産性が向上し，一定の比率で単位コストが減少する。

要点解説　機械学習では，大量のデータをAIに読み込ませ，コンピュータ自らが予測や判断をします。生産現場の場合は，効率的な作業方法をロボット自らが見つけ出します。

確認問題 3 ▶ 平成31年度春期　問4　正解率▶高　基本

機械学習における教師あり学習の説明として，最も適切なものはどれか。

ア　個々の行動に対しての善しあしを得点として与えることによって，得点が最も多く得られるような方策を学習する。

イ　コンピュータ利用者の挙動データを蓄積し，挙動データの出現頻度に従って次の挙動を推論する。

ウ　正解のデータを提示したり，データが誤りであることを指摘したりすることによって，未知のデータに対して正誤を得ることを助ける。

エ　正解のデータを提示せずに，統計的性質や，ある種の条件によって入力パターンを判定したり，クラスタリングしたりする。

要点解説　ア　強化学習　　イ　教師なし学習
ウ　教師あり学習　　エ　教師なし学習

確認問題 4 ▶ 応用情報　令和4年度秋期　問4　正解率▶高　基本

AIにおける過学習の説明として，最も適切なものはどれか。

ア　ある領域で学習した学習済みモデルを，別の領域に再利用することによって，効率的に学習させる。

イ　学習に使った訓練データに対しては精度の高い結果となる一方で，未知のデータに対しては精度が下がる。

ウ　期待している結果とはかけ離れている場合に，結果側から逆に学習させて，その差を少なくする。

エ　膨大な訓練データを学習させても効果が得られない場合に，学習目標として成功と判断するための報酬を与えることによって，何が成功か分かるようにする。

要点解説　ア　転移学習。既存のモデルの知識を，別の関連するモデルに応用することです。
イ　過学習　　ウ　バックプロパゲーション　　エ　強化学習

解答

問題1：ウ　　問題2：ウ　　問題3：ウ　　問題4：イ

3 ⑪ 線形代数

時々出　必須　超重要

イメージで つかむ

遠足でクラス全員が同じ場所に行くなら，バスでまとまって移動するほうが便利です。まとめて扱うと便利なのは行列の演算も同じです。

スカラーとベクトル

線形代数は数学の一ジャンルで，ざっくりいうと行列を扱う学問です。用語が少しややこしいですが，本書で扱う範囲は四則演算がわかれば理解できます。

スカラーは，**大きさを表す数値**です。例えば，「身長は178.5cm」や「温度は18.5℃」というような場合，178.5や18.5の数値そのものをスカラーといいます。

一方，**ベクトル**は，スカラー，つまり**数値を縦または横に一列に並べたもの**です。横方向に並べたものを行ベクトル，縦方向に並べたものを列ベクトルといいます。また，ベクトルを構成する要素の一つひとつを**成分**と呼びます。

$$y = (3 \ 4 \ 2) \qquad x = \begin{pmatrix} 2 \\ 5 \\ 2 \end{pmatrix}$$

成分　行ベクトル　列ベクトル

行列

次のように，**数を正方形または長方形に並べたもの**を行列といいます。行ベクトルと列ベクトルで構成されたものです。

$$行列 \begin{pmatrix} 5 & 6 \\ 8 & 2 \end{pmatrix} \qquad 行 \begin{pmatrix} 5 & 6 \\ 8 & 2 \end{pmatrix} \qquad \begin{pmatrix} 5 & 6 \\ 8 & 2 \end{pmatrix} 列$$

上からi行目，左からj列目の成分を，a_{ij}のように表します。

例えば，$\begin{pmatrix} a_{11} & a_{12} \\ a_{21} & a_{22} \end{pmatrix} = \begin{pmatrix} 5 & 6 \\ 8 & 2 \end{pmatrix}$ とすると，$a_{12}=6$です。

CGの画像処理やディープラーニングなどでは，大量のデータを変換する必要がありますが，行列を使うとデータをまとめて計算しやすくなります。行列は，データの変換手段として，ITの様々な分野で活躍しています。

🐱❗ "くれば"で覚える

行列 とくれば **横方向のまとまりが行，縦方向のまとまりが列**

⚙ 行列の加算

行列の加算は，同じ行・同じ列の成分同士を加算します。行数と列数がそれぞれ一致する行列同士でないと計算はできません。減算も同じです。

$$\begin{pmatrix} 5 & 4 \\ 1 & 2 \end{pmatrix} + \begin{pmatrix} 2 & -3 \\ 2 & 1 \end{pmatrix} = \begin{pmatrix} 5+2 & 4-3 \\ 1+2 & 2+1 \end{pmatrix} = \begin{pmatrix} 7 & 1 \\ 3 & 3 \end{pmatrix}$$

⚙ 行列のスカラー倍

行列を2倍・3倍にしたり，1/2倍・1/3倍にしたりするときは，各成分それぞれに掛けます。

$$\begin{pmatrix} 5 & 4 \\ 1 & 2 \end{pmatrix} \times 2 = \begin{pmatrix} 5\times2 & 4\times2 \\ 1\times2 & 2\times2 \end{pmatrix} = \begin{pmatrix} 10 & 8 \\ 2 & 4 \end{pmatrix}$$

⚙ 行列同士の乗算

行列同士の乗算は，ちょっとややこしいです。

$$\begin{pmatrix} 3 & 4 & 2 \\ 6 & 5 & 1 \end{pmatrix} \times \begin{pmatrix} 1 & 2 \\ 1 & 4 \\ 1 & 6 \end{pmatrix} = \begin{pmatrix} 9 & 34 \\ 12 & 38 \end{pmatrix}$$

9 は，$3\times1+4\times1+2\times1$
34 は，$3\times2+4\times4+2\times6$
12 は，$6\times1+5\times1+1\times1$
38 は，$6\times2+5\times4+1\times6$

「2行3列」の行列と，「3行2列」の行列の計算結果が，「2行2列」の行列になっています。このように，「m行n列」の行列と，「n行p列」の行列しか計算できず，計算結果は「m行p列」の行列になります。

例えば，次の表から，製品AにはLEDが何個必要になるかを考えてみましょう。前頁と同じ計算方法になるはずです。行列の乗算をこのように行うことで求められます。

	部品X	部品Y	部品Z
製品A	3	4	2
製品B	6	5	1

	IC	LED
部品X	1	2
部品Y	1	4
部品Z	1	6

	IC	LED
製品A	9	34
製品B	12	38

なお，通常の乗算は掛ける順序を入れ替えても結果は同じ(例えば，a×bとb×a)になりますが，行列同士の乗算の場合は結果が変わってきます。つまり交換法則は成立しないので注意しましょう。

🔵 単位行列

行と列が同じ数になっている行列を**正方行列**といいます。また，**左上からの対角線上の成分が1，それ以外の成分が0である正方行列**を**単位行列**といい，Eで表します。

$$\begin{pmatrix} 1 & 0 \\ 0 & 1 \end{pmatrix}, \begin{pmatrix} 1 & 0 & 0 \\ 0 & 1 & 0 \\ 0 & 0 & 1 \end{pmatrix}$$

ある正方行列に単位行列を掛け合わせると，元の行列と同じになります。これは，ある数に1を掛けると元の数になるのと同じようなイメージです。

$$\begin{pmatrix} 5 & 4 \\ 1 & 2 \end{pmatrix}\begin{pmatrix} 1 & 0 \\ 0 & 1 \end{pmatrix} = \begin{pmatrix} 5 & 4 \\ 1 & 2 \end{pmatrix}$$

🔵 逆行列

5の逆数は1/5 (5^{-1})ですが，行列Aの**逆行列**は，1/Aのようなイメージで，A^{-1}で表します。逆数は元の数と掛け合わせると1になりますが，逆行列は元の行列と掛け合わせると単位行列Eになります。つまり，$A \times A^{-1} = E$です。

2次の正方行列の逆行列は，次の公式で求まります。

$$A = \begin{pmatrix} a & b \\ c & d \end{pmatrix} \text{の逆行列は，} A^{-1} = \frac{1}{ad-bc}\begin{pmatrix} d & -b \\ -c & a \end{pmatrix} \qquad \text{ただし，} ad-bc \neq 0$$

🔵 連立方程式を行列で解く方法

行列は連立方程式と密接な関係があります。次の連立方程式を，行列を使って解いてみましょう。掃き出し法という手順です。

$$\begin{cases} x + y = 9 \\ 2x + 4y = 22 \end{cases}$$

行列を使うと，次のように表現できます。

$$\begin{pmatrix} 1 & 1 \\ 2 & 4 \end{pmatrix}\begin{pmatrix} x \\ y \end{pmatrix} = \begin{pmatrix} 9 \\ 22 \end{pmatrix}$$

さらに，次のように簡素化して記述します。ここで，連立方程式の係数だけをまとめた行列を**係数行列**といい，さらに係数行列に右辺の定数を合わせた行列を**拡大係数行列**といいます。

$$\left(\begin{array}{cc|c} 1 & 1 & 9 \\ 2 & 4 & 22 \end{array}\right)$$

係数行列　拡大係数行列

次に，「基本操作」を使って，係数行列が単位行列に近づいていくように操作を行います。

$$\left(\begin{array}{cc|c} 1 & 0 & ? \\ 0 & 1 & ? \end{array}\right)$$

単位行列

(基本操作)
・ある行に0でない数を掛ける
・ある行にほかの行の定数倍を加える

$$\left(\begin{array}{cc|c} 1 & 1 & 9 \\ 2 & 4 & 22 \end{array}\right) \xrightarrow{①} \left(\begin{array}{cc|c} 1 & 1 & 9 \\ 0 & 2 & 4 \end{array}\right) \xrightarrow{②} \left(\begin{array}{cc|c} 1 & 1 & 9 \\ 0 & 1 & 2 \end{array}\right) \xrightarrow{③} \left(\begin{array}{cc|c} 1 & 0 & 7 \\ 0 & 1 & 2 \end{array}\right)$$

①1行目はそのまま，2行目は2行目＋1行目×（−2）
②1行目はそのまま，2行目は2行目×1/2
③1行目は1行目＋2行目×（−1），2行目はそのまま

最後の行列を連立方程式に戻すと，次のようになります。

$$\begin{pmatrix} 1 & 0 \\ 0 & 1 \end{pmatrix}\begin{pmatrix} x \\ y \end{pmatrix} = \begin{pmatrix} 7 \\ 2 \end{pmatrix}$$

よって，x = 7，y = 2です。

　隣接行列 A で表されるグラフはどれか。ここで，隣接行列とは，n個の節点から成るグラフの節点 V_i と V_j を結ぶ枝が存在するときは第 i 行第 j 列と第 j 行第 i 列の要素が1となり，存在しないときは0となるn行n列の行列である。

〔隣接行列 A〕

$$\begin{bmatrix} 0 & 1 & 1 & 0 \\ 1 & 0 & 0 & 1 \\ 1 & 0 & 0 & 1 \\ 0 & 1 & 1 & 0 \end{bmatrix}$$

ア
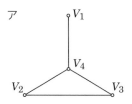

イ
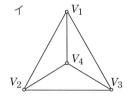

ウ
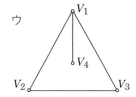

エ
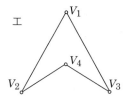

要点解説　隣接行列は，有限グラフ（11-11参照）を表すときに使用される正方行列です。隣接行列 A の中で1の要素は，(1, 2)，(1, 3)，(2, 1)，(2, 4)，(3, 1)，(3, 4)，(4, 2)，(4, 3) です。このうち，(1, 2) と (2, 1) は V_1 と V_2 を結ぶ枝，(1, 3) と (3, 1) は V_1 と V_3 を結ぶ枝，(2, 4) と (4, 2) は V_2 と V_4 を結ぶ枝，(3, 4) と (4, 3) は V_3 と V_4 を結ぶ枝が存在するので，答えはエです。

確認問題 2 ▶ 応用情報 平成22年度春期 問4 正解率 ▶ **低** | **計算**

連立一次方程式 $\begin{cases} 2x + 3y = 4 \\ 5x + 6y = 7 \end{cases}$ から, xの項の係数, yの項の係数, 及び定数だけを取り出した表(行列)を作り, 基本操作(1)〜(3)のいずれかを順次施すことによって, 解 $\begin{cases} x = -1 \\ y = 2 \end{cases}$ が得られた。表(行列)が次のように左から右に推移する場合, 同じ種類の基本操作が施された箇所の組合せはどれか。

〔基本操作〕

(1) ある行に0でない数を掛ける。

(2) ある行とほかの行を入れ替える。

(3) ある行にほかの行の定数倍を加える。

〔表(行列)の推移〕

2	3	4	a	2	3	4	b	1	0	−1	c	1	0	−1	d	1	0	−1
5	6	7	→	1	0	−1	→	2	3	4	→	0	3	6	→	0	1	2

ア　aとb　　　イ　aとc　　　ウ　bとc　　　エ　bとd

要点解説 基本操作(1)(2)(3)を使って, 最終的には次の形まで変化させながら求めます。

$$\begin{pmatrix} 2 & 3 \\ 5 & 6 \end{pmatrix} \begin{pmatrix} x \\ y \end{pmatrix} = \begin{pmatrix} 4 \\ 7 \end{pmatrix} \quad \Rightarrow \quad \begin{pmatrix} 1 & 0 \\ 0 & 1 \end{pmatrix} \begin{pmatrix} x \\ y \end{pmatrix} = \begin{pmatrix} ? \\ ? \end{pmatrix}$$

ここで1行目の各値を①, 2行目の各値を②とします。

aは, 1行目はそのまま, 2行目は①×(−2)+②を求める … 基本操作(3)

bは, 1行目と2行目を入れ替える　　　　　　　　… 基本操作(2)

cは, 1行目はそのまま, 2行目は①×(−2)+②を求める … 基本操作(3)

dは, 1行目はそのまま, 2行目は②×1/3を求める　… 基本操作(1)

したがって, 同じ種類の基本操作が施されたのは, aとcなので, 答えはイです。

解答

問題1：エ　　　　問題2：イ

第3章 基礎理論

イメージで
つかむ

3割のヒットを打つ好打者であっても，裏返して言えば，7割もアウトになっています。

確率

確率は，**ある事象の起こる可能性の度合い**です。次の式で求めることができます。

$$確率 = \frac{ある事象が起こる場合の数}{起こりうる事象のすべての場合の数}$$

例えば，ボール5個（①，②，③，④，⑤）の中からボール①を取り出すときの確率は，$\frac{1}{5}$です。

なお，全ての場合の確率を足すと1になります。このため，ボール①以外を取り出すときの確率は，$1 - \frac{1}{5} = \frac{4}{5}$です。

場合の数

確率を考えるときに重要なのが「場合の数」です。全部で何通りかということです。

複数の事象が同時に起こる場合の数を考えるときは，乗算をします。例えば，大小二つのサイコロを投げたとき，両方とも奇数になるパターンは，大「1・3・5」の3通りに対して，小「1・3・5」の3通りあるので，3×3＝9通りです。

複数の事象が別々に起こる場合の数を考えるときは加算をします。例えば，大小二つのサイコロを投げたときに，目の数を足して11以上になるパターンは，「5・6」，「6・5」，「6・6」のパターンなので，合計3通りです。

順列

順列は，**n個の中からr個取り出して並べたもの**です。何通りの並び順があるかは，次の式で求めることができます。

n個の中からr個を取り出す順列の数は，$_nP_r = \dfrac{n!}{(n-r)!}$ （n ≧ r）

ここで，n！は「nの階乗」と呼ばれます。例えば，$5! = 5 \times 4 \times 3 \times 2 \times 1 = 120$の意味です。

例えば，ボール5個（①，②，③，④，⑤）の中から2個取り出すときの並び順を考えてみましょう。先ほどの式で求めることができます。

$$_5P_2 = \frac{5!}{(5-2)!} = \frac{5!}{3!} = \frac{5 \times 4 \times \cancel{3 \times 2 \times 1}}{\cancel{3 \times 2 \times 1}} = 20通り$$

全て数え上げてみると，以下のようになります。

①②, ①③, ①④, ①⑤
②①, ②③, ②④, ②⑤
③①, ③②, ③④, ③⑤
④①, ④②, ④③, ④⑤
⑤①, ⑤②, ⑤③, ⑤④

組合せ

組合せは，**n個の中から並び順を考慮せずにr個取り出したもの**です。例えば，①②と②①は同じ意味になります。何通りの組合せがあるかは，次の式で求めることができます。

n個の中からr個を取り出す組合せの数は，$_nC_r = \dfrac{n!}{r!(n-r)!}$ （n ≧ r）

例えば，ボール5個（①，②，③，④，⑤）の中から2個取り出すときの組合せを考えてみましょう。先ほどの式で求めることができます。

$$_5C_2 = \frac{5!}{2!(5-2)!} = \frac{5!}{2!\,3!} = \frac{\overset{2}{\cancel{5}} \times \cancel{4} \times 3 \times 2 \times 1}{\cancel{2} \times 1 \times \cancel{3 \times 2 \times 1}} = 10通り$$

全て数え上げてみると，以下のようになります。

①②, ①③, ①④, ①⑤
②③, ②④, ②⑤
③④, ③⑤
④⑤

統計

データを集めて全体の傾向を割り出すものが統計です。次のような指標が使われます。次の8個のデータで考えてみましょう。

データ

45	55	55	55	65	65	70	70

平均値は，**各データの合計をデータの個数で割って求めた値**です。

(45 + 55 + 55 + 55 + 65 + 65 + 70 + 70) ÷ 8 = 60 です。

メジアン(中央値) は，**データを小さい順に並べて中央に位置する値**です。データの個数が偶数の場合は，中央の二つの値の平均値です。(55 + 65) ÷ 2 = 60 です。

45	55	55	55	65	65	70	70

モード(最頻値) は，**出現頻度の最も高い値**です。55 です。

45	55	55	55	65	65	70	70

レンジ(範囲) は，**データの最大値と最小値の差**です。70 − 45 = 25 です。

45	55	55	55	65	65	70	70

> **！ "くれば"で覚える**
>
> | **メジアン** | とくれば | **中央値** (真ん中の値) |
> |---|---|---|
> | **モード** | とくれば | **最頻値** (最も頻繁に現れる値) |
> | **レンジ** | とくれば | **範囲** (最大値−最小値) |

分散は，**データの平均値からのばらつきを表し，偏差**(平均値との差)**の2乗の平均値**で求めます。

$$\{(45 - 60)^2 + (55 - 60)^2 + (55 - 60)^2 \cdots (70 - 60)^2\} \div 8 = 68.75 \text{ です。}$$

標準偏差は，**分散の平方根(√)で求めます。**

$$\sqrt{68.75} ≒ 8.29$$

標準偏差が小さければ，平均値のまわりのデータが多くばらつきが小さい，標準偏差が大きければ，ばらつきが大きいということになります。

😺 正規分布

正規分布は，**平均値を中心とした左右対称の釣り鐘型の分布**です。テストの点数や身長などの分布は，通常では正規分布に近くなります。

右のグラフは，平均が60，標準偏差が10の正規分布です。

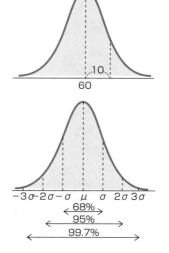

なお，正規分布では，平均値を μ，標準偏差を σ とすると，$\mu \pm \sigma$ の範囲に約68%，$\mu \pm 2\sigma$ の範囲に約95%，$\mu \pm 3\sigma$ の範囲に約99.7%のデータが含まれます。

> 😺! **"くれば"で覚える**
>
> 正規分布　とくれば　**平均値を中心に左右対称の釣り鐘型に分布する**

😺 尺度

データとして入力される数値は，情報の種類により次のように分類できます。

変　数		尺　度
質的変数	名義尺度	単なるカテゴリ 性別　1：男，2：女 血液型　1：A型，2：B型，3：AB型，4：O型
	順序尺度	順序があるが，間隔が等しいとは限らない 順位　1：1位，2：2位，3：3位 評価　1：非常に満足，2：やや満足，3：普通，4：やや不満，5：非常に不満
量的変数	間隔尺度	間隔が等しいが，0は「何もないこと」を表さない 時間　0時，9時，18時 気温　0度，20度，30度
	比較尺度	間隔が等しく，0は「何もないこと」を表す 体重　30kg，60kg，90kg 収入　300万円，500万円，1000万円

間隔尺度と比較尺度の違いがわかりづらいので，具体例で説明します。例えば，時間（間隔尺度）では，18時と9時の差は9時間ですが，18時は9時の2倍とはいいません。一方，体重（比較尺度）では，60kgと30kgの差は30kgといえ，60kgは30kgの2倍ともいえます。このように間隔尺度は加減ができ，比較尺度は加減だけでなく乗除もできるという違いがあります。

名義尺度

順序尺度

間隔尺度

比較尺度

仮説検定

仮説検定は，**ある仮説が正しいかを統計学を用いて検証する方法**です。この方法では最初に「特に変化や影響がない」という**帰無仮説**を立て，次にその**対立仮説**を立てます。例えば「勉強時間を増やしても，成績は変わらない（帰無仮説）」と「勉強時間を増やせば，成績は上がる（対立仮説）」の仮説を立て，勉強時間を「増やす」と「増やさない」のグループに分けて成績を比較します。もし「増やす」ことに効果があれば帰無仮説を棄却して対立仮説を採択し，効果がなければ帰無仮説を採択します。このときの帰無仮説を棄却する基準となる確率を**有意水準**といいます。

仮説検定は確率を用いて判断するので絶対ではなく誤ることもあります。**第1種の誤り**は，本当は帰無仮説が正しいのに棄却して，対立仮説を採択してしまうことで，**第2種の誤り**は，本当は帰無仮説が誤りなのに棄却されず，帰無仮説を採択してしまうことです。第1種の誤りと第2種の誤りはトレードオフの関係にあるので，仮説検定を用いる際は，どちらの誤りがより重大な結果をもたらすかを考慮します。

確認問題 1 ▶ 応用情報 令和3年度春期 問55 正解率 ▶ **中** **計算**

プロジェクトメンバが16人のとき，1対1の総当たりでプロジェクトメンバ相互の顔合わせ会を行うためには，延べ何時間の顔合わせ会が必要か。ここで，顔合わせ会1回の所要時間は0.5時間とする。

ア 8 　　　 イ 16 　　　 ウ 30 　　　 エ 60

要点解説 16人の中から順番は考慮せず2人選ぶ組合せは，

$$_{16}C_2 = \frac{16!}{2!(16-2)!} = \frac{16!}{2!14!} = \frac{16 \times 15 \times \cancel{14 \times \cdots \times 1}}{2 \times 1 \times \cancel{14 \times \cdots \times 1}} = 120 通り$$

ここで，延べ時間を求めるため，$120 \times 0.5 = 60$時間です。

確認問題 2 ▶ 平成28年度秋期 問2　　　正解率 ▶ 中　　　基本

　ある工場では，同じ製品を独立した二つのラインA，Bで製造している。ラインAでは製品全体の60%を製造し，ラインBでは40%を製造している。ラインAで製造された製品の2%が不良品であり，ラインBで製造された製品の1%が不良品であることが分かっている。いま，この工場で製造された製品の一つを無作為に抽出して調べたところ，それは不良品であった。その製品がラインAで製造された確率は何%か。

ア　40　　　　イ　50　　　　ウ　60　　　　エ　75

全体を1000個として考えるとわかりやすくなります。
ラインAでは，60%＝600個のうち2%，つまり12個が不良。
ラインBでは，40%＝400個のうち1%，つまり4個が不良。
不良品合計16個のうち，ラインAで作られたのは12個であるため，
12/16＝75%です。

確認問題 3 ▶ 令和元年度秋期 問6　　　正解率 ▶ 中　　　基本

　Random (n) は，0以上n未満の整数を一様な確率で返す関数である。整数型の変数A，B及びCに対して次の一連の手続を実行したとき，Cの値が0になる確率はどれか。

A=Random (10)　　　B=Random (10)　　　C=A－B

ア　1/100　　　イ　1/20　　　ウ　1/10　　　エ　1/5

Random (10) は，0～9の10通りの整数を返します。
Aで10通り，Bで10通りのため，全部で100通りのパターンがあります。
C＝A－Bで，C＝0になる確率なので，A＝Bとなる確率を考えます。
A＝Bとなるのは，A＝B＝0，A＝B＝1，…，A＝B＝9の10通りのため，
10/100＝1/10です。

確認問題 4 ▶ 平成30年度春期 問2　　　正解率 ▶ 高　　　応用

　図の線上を，点Pから点Rを通って，点Qに至る最短経路は何通りあるか。

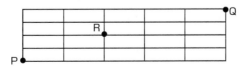

ア　16　　　　イ　24　　　　ウ　32　　　　エ　60

要点解説 点Pから点Rの経路は、「右右上上」「右上右上」などのように表せます。最短経路であれば必ず右に2回、上に2回移動します。4回の移動のうち、2回が上（残りは右）であるものの組合せは、

$$_4C_2 = \frac{4!}{2!(4-2)!} = \frac{4!}{2!2!} = \frac{4 \times 3 \times 2 \times 1}{2 \times 1 \times 2 \times 1} = 6\text{通り}$$

点Rから点Qまでの組合せも同様に、5回の移動のうち2回が上であるものの組合せは、

$$_5C_2 = \frac{5!}{2!(5-2)!} = \frac{5!}{2!3!} = \frac{5 \times 4 \times 3 \times 2 \times 1}{2 \times 1 \times 3 \times 2 \times 1} = 10\text{通り}$$

これらを掛け合わせた、6 × 10 = 60通りです。

確認問題 5 ▸ 応用情報　平成30年度秋期　問3　正解率 ▸ **中** 　　　**応用**

受験者1,000人の4教科のテスト結果は表のとおりであり、いずれの教科の得点分布も正規分布に従っていたとする。90点以上の得点者が最も多かったと推定できる教科はどれか。

教科	平均点	標準偏差
A	45	18
B	60	15
C	70	8
D	75	5

ア A　　　　イ B　　　　　ウ C　　　　　エ D

要点解説 正規分布は、平均点を中心とした左右対称の釣り鐘型の分布です。標準偏差は、データのばらつき具合を表します。ここで、得点から平均点の差を求め、標準偏差で割ることで、得点が平均からどれだけ離れているかを「標準偏差の個数」で表します。

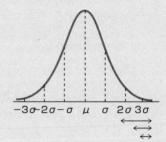

教科A：(90 − 45) ÷ 18 = 2.5
教科B：(90 − 60) ÷ 15 = 2
教科C：(90 − 70) ÷ 8 = 2.5
教科D：(90 − 75) ÷ 5 = 3

よって、教科Bが90点以上の得点者が最も多かったと推測できます。

解答

問題1：エ　　　問題2：エ　　　問題3：ウ　　　問題4：エ　　　問題5：イ

第4章

アルゴリズムと
プログラミング

〔 科目 A・B 〕

4 01 アルゴリズム

イメージで
つかむ

私たちは，レシピに記述されたとおりに料理を作っていきます。
コンピュータは，アルゴリズムに記述されたとおりの動作をしていきます。

🐾 アルゴリズム

アルゴリズムは，**何らかの問題を有限の時間で解くための手順**です。何らかの問題を，コンピュータに処理させるには，「ああして，こうして」といった手順を与えてやる必要があります。これは，料理でいうならレシピのようなイメージです。

🐾 変数

アルゴリズムでは，**変数**と呼ばれる**データを格納する領域**を用いて，変数に値を格納しながら手順を記述していきます。変数に値を格納することを「代入する」といいます。

実際にプログラムを実行するときには，変数は格納するデータの種類によって，整数値型や実数値型，文字列型などのデータ型を宣言することで，主記憶上に領域が確保されます。

フローチャート（後述）では，変数に値を代入するには，次のような記述をします。

●例1　数値「5」を，変数intAに代入する

5　→　intA

● 例2　文字列「基本情報」を，変数 txtA に代入する

"基本情報" → txtA

● 例3　変数 intA に 1 を加える

（変数 intA に格納されている数値に 1 を加えて，その結果を再び変数 intA に代入する）

intA + 1 → intA

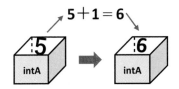

フローチャートと擬似言語

　アルゴリズムを記述する方法には，フローチャートや科目B（12章参照）に出題される擬似言語などがあります。

フローチャート

　フローチャートは，次のような記号を用いて，アルゴリズムを記述する方法です。流れ図とも呼ばれています。

記　号	名　称	説　明
⬭	端子	プログラムの開始と終了，またはサブプログラムの入口と出口を表す
▭	処理	任意の種類の処理を表す
◇	判断	二つ以上に分岐する判定を表す
⬡	ループ端	ループ（繰返し）の開始と終了を表す
—	線	データ，または制御の流れを表す

🔩 アルゴリズムの制御構造

アルゴリズムは，次の三つの制御構造，①**順次構造**（Aの次にBをする），②**選択構造**（もしCだったらDをする），③**繰返し構造**（Eの間繰り返す）を用いて作成します。どんなに複雑なアルゴリズムでも，この三つの制御構造の組合せでできています。

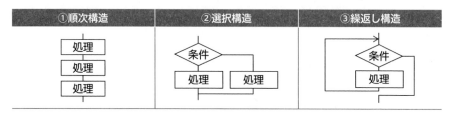

● 選択（分岐）構造

選択構造には，双岐選択と多岐選択があります。

双岐選択	二つの処理のうち，いずれかを選択する
多岐選択	三つ以上の処理のうち，いずれかを選択する

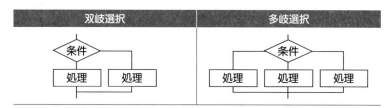

● 繰返し（反復）構造

繰返し構造には，前判定繰返しと後判定繰返しがあります。

前判定繰返し	繰返し処理の前で繰り返すかどうかの判定を行う。条件次第で処理を1回も実行しないことがある
後判定繰返し	繰返し処理の後で繰り返すかどうかの判定を行う。条件に関わらず処理を少なくとも1回は実行する

もっと詳しく 構造化プログラミング

構造化プログラミングは，プログラム全体を機能ごとに分割し，処理の制御構造としては，順次・選択・繰返し構造だけを用いることを原則とするプログラミングの手法です。これにより，誰が作成しても同じようなアルゴリズムとなり，第三者にも理解しやすい，保守性の優れたプログラムが作成できます。

● アルゴリズムの例

簡単なアルゴリズムを考えてみましょう。

●例1：1から3までの累計

右のフローチャートは，1から3までの累計を求めるアルゴリズムです。NとSUMという二つの変数を用います。

下の■の部分を3回繰り返すので，Nは繰り返す回数を数えるカウント変数です。繰返しの回数を数えるためには，必ず「初期値」，「繰返しの条件」，「増分値」が必要です。

今回は，「Nの初期値が1」，「N≦3の間」，「増分値が1（Nを＋1ずつ増やしていく）」です。

3回繰り返す中で，「SUM＋N→SUM」を求めています。最後はNが4になり，繰返しの条件「N≦3の間」に合致しないので，4回目は繰り返さず終了します。

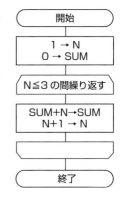

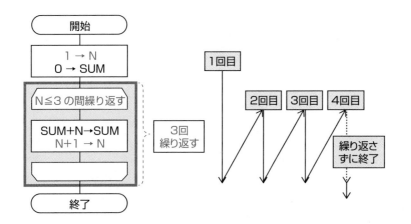

なお，「繰返しの条件」については，「その条件を満たしている間処理を繰り返す」ことに注意しましょう（「条件を満たしたら終了」ではない）。

変数NとSUMの値の変化は，次のようになります。

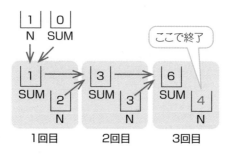

また，アルゴリズムをたどって変数の変化を確認することをトレースといいます。先ほどの例をトレースすると，次のようになります。

	N	SUM
初期値	1	0
1回目終了後	2	1
2回目終了後	3	3
3回目終了後	4	6

● 例2：偶数の数値の累計

次は1～100までの数値のうち，偶数の数値の累計を求めるアルゴリズムです。大きな流れは例1と同じで，変数Nを使って，100回繰り返しています。違うのは，選択の記号での分岐です。N%2＝0は，「N÷2の余りが0である」という意味で，Yesであれば，2で割り切れる偶数だと判断できるので，SUMにNを加算しています。

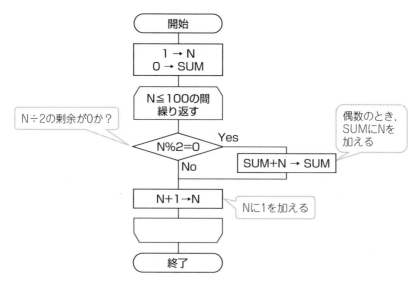

🔵 擬似言語

科目Bで必須のアルゴリズムは，フローチャートではなく擬似言語で出題されます。実際に，プログラミング言語で記述する場合と近いイメージです。次のような形式で記述します。これも順次・選択・繰返し構造だけを使っています。

記述形式	説　明
○**手続名または関数名**	手続又は関数を宣言する。
型名: 変数名	変数を宣言する。
/* 注釈 */ または // 注釈	注釈を記述する。
変数名 ← 式	変数に式の値を代入する。
手続名または関数名 (引数, …)	手続又は関数を呼び出し，引数を受け渡す。

if (条件式1)
　処理1
elseif (条件式2)
　処理2
elseif (条件式n)
　処理n
else
　処理n + 1
endif
	選択処理を示す。
	
	　条件式を上から評価し，最初に真になった条件式に対応する処理を実行する。以降の条件式は評価せず，対応する処理も実行しない。どの条件式も真にならないときは，処理n + 1を実行する。各処理は，0以上の文の集まりである。
	　elseifと処理の組みは，複数記述することがあり，省略することもある。
	　elseと処理n + 1の組みは一つだけ記述し，省略することもある。

while (条件式)
　処理
endwhile
	前判定繰返し処理を示す。
	　条件式が真の間，処理を繰返し実行する。

do 　処理 while (条件式)	後判定繰返し処理を示す。 　処理を実行し，条件式が真の間，処理を繰返し実行する。

for (制御記述)
　処理
endfor
	繰返し処理を示す。
	　制御記述の内容に基づいて，処理を繰返し実行する。

〔演算子と優先順位〕

演算子の種類		演算子	優先度
式		( ) .	高
単項演算子		not ＋ －	
二項演算子	乗除	mod × ÷	
	加減	＋ －	
	関係	≠ ≦ ≧ ＜ ＝ ＞	
	論理積	and	
	論理和	or	低

注記:演算子 **.** は，メンバ変数又はメソッドのアクセスを表す。
　　　演算子 mod は，剰余算を表す。

第4章 アルゴリズムとプログラミング

〔論理型の定数〕

true, false

〔配列〕

配列（4-02参照）の要素は，"["と"]"の間にアクセス対象要素の要素番号を指定することでアクセスする。なお，二次元配列の要素番号は，行番号，列番号の順に","で区切って指定する。

"{"は配列の内容の始まりを，"}"は配列の内容の終わりを表す。ただし，二次元配列において，内側の"{"と"}"に囲まれた部分は，1行分の内容を表す。

〔未定義，未定義の値〕

変数に値が格納されていない状態を，"未定義"という。変数に"未定義の値"を代入すると，その変数は未定義になる。

●例：偶数の数値の合計

次の例は，例2のフローチャートと同じアルゴリズムを擬似言語で書いたものです。手続の名前や型の宣言がある点も，実際のプログラミング言語に似ています。この例ではプログラム名を定義し，SUMとNは整数を扱う変数だと，宣言しています。

また，while文は「条件を満たしている間，繰り返す」ので注意しましょう。

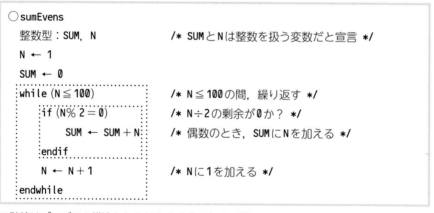

```
○sumEvens
  整数型：SUM, N          /* SUMとNは整数を扱う変数だと宣言 */
  N ← 1
  SUM ← 0
  while (N ≦ 100)          /* N ≦ 100の間，繰り返す */
    if (N % 2 = 0)         /* N÷2の剰余が0か？ */
        SUM ← SUM + N      /* 偶数のとき，SUMにNを加える */
    endif
    N ← N + 1              /* Nに1を加える */
  endwhile
```

※破線はプログラム構造をわかりやすくするために付加しています。

確認問題 1 ▸ 平成28年度春期 問8　　正解率▸**中**　　応用

　xとyを自然数とするとき，流れ図で表される手続を実行した結果として，適切なものはどれか。

	qの値	rの値
ア	x÷yの余り	x÷yの商
イ	x÷yの商	x÷yの余り
ウ	y÷xの余り	y÷xの商
エ	y÷xの商	y÷xの余り

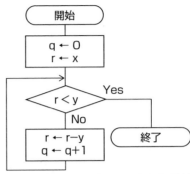

要点解説 自然数は正の整数です。この流れ図では，変数rにxを代入し，yとの大小を比較し，yのほうが大きければ終了です。rのほうが大きければ，rからyを引いてもう一度比較します。つまりxからyを何度も引いています。

変数qは0から順に1ずつ増えていきます。これは，r－yを計算した回数をカウントしています。

この手続は，x÷yをxからyを何度も引くことにより計算する方法です。実行結果のqは引いた回数，つまり商で，rは引ききれなかった余りです。仮にxを5，yを3として考えてみます。

	q	r
初期値	0	5
r<yの比較　5<3はNo		
Noの場合は代入	0＋1＝1	5－3＝2
r<yの比較　2<3はYes		
Yesの場合は終了		

qは1，rは2となりました。5÷3の商は1，余りは2なので，x÷yの商はq，余りはrです。

解答

問題1：イ

第4章　アルゴリズムとプログラミング

4 02 配列

イメージで つかむ

電車は同じ型の車両が連なっています。区別するためには，1号車，2号車…と番号が付けられています。
データ構造の中にも，同じ型が連なって番号で区別するものがあります。

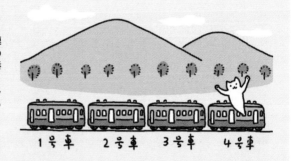

1号車　2号車　3号車　4号車

データ構造

コンピュータがデータの計算や処理を効率よく行うために，あらかじめデータを扱いやすいように格納しておきます。**データをどのような形式で格納するかを決めたものがデータ構造**です。次の配列のほかに，連結リスト(4-03参照)，キューとスタック(4-04参照)，木構造(4-05参照) などがあります。

配列

配列は，**同じデータ型のデータを表形式で扱うデータ構造**です。配列の各要素には，先頭から1，2，3，…，と**要素番号**(添字ともいう) が付けられています (要素番号が0から始まる場合もあります)。次のような配列を**1次元配列**といい，書き方もT(1)とT[1]の2種類があります。**1次元配列の各要素を識別するには，一つの要素番号が必要です。例えば，次の配列でT(3)を指定することで，83を参照できます。

これは，同じ型の列車が連なり，識別するために1号車，2号車，…と番号が付けられているイメージです。

78	60	83	58	71
T(1)	T(2)	T(3)	T(4)	T(5)

要素番号

さらに，**2次元配列**もあり，行と列で構成された2次元の表のイメージです。2次元配列の各要素を識別するためには，次のように二つの要素番号が必要です。

T(1,1) T(1,2) T(1,3) T(1,4) T(1,5)

65	44	63	75	90
78	60	83	58	71

T(2,1) T(2,2) T(2,3) T(2,4) T(2,5)

配列の特徴は，要素番号そのものも変数にすれば，「配列の各要素の処理を，要素番号を変化させながら繰り返す」ことができることです。通常はアルゴリズムの繰返し構造と組み合わせ，データの探索（4-06参照）やデータの整列（4-07参照）などにも用いられています。

😺! **"くれば"で覚える**

配列 とくれば **要素番号を用いてデータを参照するデータ構造**

確認問題 1 ▶ 平成28年度春期 問6　　正解率 ▶ **中**　　　応用

　2次元の整数型配列aの各要素a(i, j)の値は，2i + jである。このとき，a (a(1, 1)×2, a(2, 2)+1)の値は幾つか。

　ア　12　　　　　イ　13　　　　　ウ　18　　　　　エ　19

【ヒント】「各要素a (i, j)の値は2i + jである」の意味は，図のように，要素番号の値から要素の値が求められるということです。i，jの値が定まれば，a (i, j)の値が定まります。

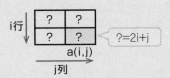

要点解説　まず，(i, j)の値が定まっている部分から計算します。
a (a(1, 1)×2, a(2, 2)+1) … ①
a(1, 1)＝2×1＋1＝3 … ②
a(2, 2)＝2×2＋2＝6 … ③
②，③を①に代入すると
a (3×2, 6+1)＝a (6, 7)＝2×6＋7＝19です。

要素番号が0から始まる配列TANGOがある。n個の単語がTANGO[1]
からTANGO[n]に入っている。図は，n番目の単語をTANGO[1]に移動
するために，TANGO[1]からTANGO[n−1]の単語を順に一つずつ後ろ
にずらして単語表を再構成する流れ図である。aに入れる処理として，適切
なものはどれか。

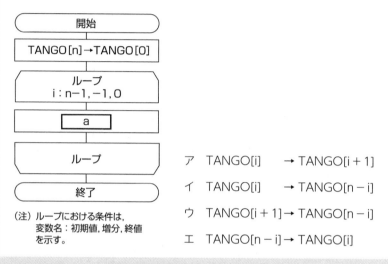

開始

TANGO[n]→TANGO[0]

ループ
i：n−1，−1，0

a

ループ

終了

（注）ループにおける条件は，
　　　変数名：初期値，増分，終値
　　　を示す。

ア　TANGO[i]　　　→ TANGO[i + 1]

イ　TANGO[i]　　　→ TANGO[n − i]

ウ　TANGO[i + 1]→ TANGO[n − i]

エ　TANGO[n − i]→ TANGO[i]

要点解説　本問のように，配列の要素番号を0から始める場合もあります。

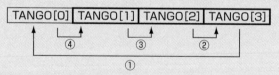

| TANGO[0] | TANGO[1] | TANGO[2] | TANGO[3] |

④　　　　　③　　　　　②

①

nを3とします。TANGO[0]は退避用です。
まず，TANGO[3]をTANGO[0]に退避します（①）。
以降，後ろから単語を順に一つずつずらします。
iを2，1，0と変化させながら，次のような処理をループさせます。
　　②（i＝2）TANGO[2]　→　TANGO[3]
　　③（i＝1）TANGO[1]　→　TANGO[2]
　　④（i＝0）TANGO[0]　→　TANGO[1]
よって，TANGO[i]　→　TANGO[i + 1]　です。

確認問題 3 　▶令和元年度秋期　問1　　　正解率▶低　　応用

　次の流れ図は，10進整数 j (0 < j < 100) を8桁の
2進数に変換する処理を表している。2進数は下位桁
から順に，配列の要素NISHIN(1)からNISHIN(8)に
格納される。流れ図のa及びbに入る処理はどれか。
ここで，j div2は j を2で割った商の整数部分を，j
mod 2は j を2で割った余りを表す。

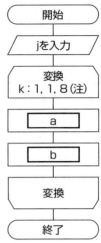

	a	b
ア	j ← j div 2	NISHIN(k) ← j mod 2
イ	j ← j mod 2	NISHIN(k) ← j div 2
ウ	NISHIN(k) ← j div 2	j ← j mod 2
エ	NISHIN(k) ← j mod 2	j ← j div 2

(注) ループ端の繰返し指定は，
　　　変数名：初期値，増分，終値 を示す。

要点解説 10進数から2進数へ変換するには，2で割った余りを下から順に並べます (3-01
参照)。

(例) 10進数5を2進数に変換する

2で割った余りを順に格納する　　⇒ NISHIN(k) ← j mod 2
2で割った商の整数部分を引き継ぐ ⇒ j ← j div 2

ここで，先に j ← j div 2を行うと j の値を書き換えてしまうため，次の
NISHIN(k) ← j mod 2の値がおかしくなってしまいます。

解答

問題1：エ　　　問題2：ア　　　問題3：エ

第4章　アルゴリズムとプログラミング

連結リスト

イメージで つかむ

駅のプラットフォームには，次の駅名と前の駅名を書いた案内板があります。
データ構造の中にも，前の情報と次の情報をもったものがあります。

しんおおさか
新大阪

| しんこうべ | きょうと |

連結リスト

✦連結リスト✦は，**データを記録するデータ部とデータの格納位置を示すポインタ部で構成されるデータ構造**です。ポインタをたどることで，データを参照できます。ポインタ部には，次のデータのアドレス（格納場所）や前のデータのアドレス（格納場所）が入っています。

連結リストの種類

連結リストにはポインタの指す方向によって，次のようなものがあります。

単方向リスト	次のデータへのポインタをもっている
双方向リスト	次のデータへのポインタと，前のデータへのポインタをもっている
環状リスト	ポインタをたどり，データが環状に連結されている

図は単方向リストのイメージです。

データ部　　ポインタ部

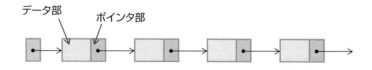

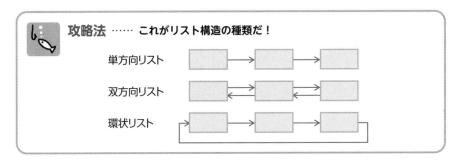

攻略法 …… これがリスト構造の種類だ！

単方向リスト

双方向リスト

環状リスト

例えば，次の単方向リストを考えてみましょう。

「東京」がリストの先頭であり，そのポインタには，次のデータのアドレス「50」が格納されています。また，「名古屋」はリストの最後であるので，そのポインタには「0」が格納されています。

先頭へのポインタ
| 10 |

アドレス	データ	ポインタ
10	東京	50
30	名古屋	0
50	新横浜	90
70	浜松	30
90	熱海	70
150	静岡	

次のようにポインタによって連結しているイメージです。

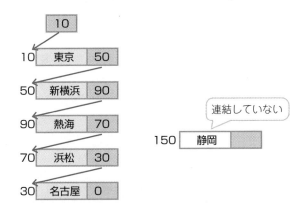

連結していない

ここで，アドレス「150」に置かれた「静岡」を，「熱海」と「浜松」の間に追加する場合は，「熱海」のポインタを「150」，「静岡」のポインタを「70」に変更します。

第4章 アルゴリズムとプログラミング

先頭へのポインタ	アドレス	データ	ポインタ
10	10	東京	50
	30	名古屋	0
	50	新横浜	90
	70	浜松	30
	90	熱海	150
	150	静岡	70

追加後の単方向リストは，次のようにポインタで連結しているイメージです。

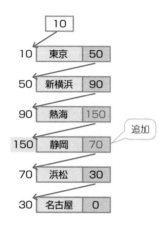

　このように連結していることをイメージしやすいように配置しましたが，実際は，データのアドレス（格納場所）を変更しなくても，リストのポインタの値を変更するだけで，データを追加したり削除したりできる特徴があります。

● 配列と連結リストの比較

　配列と連結リストは，ともにデータの順番と値を格納しますが，以下の違いがあります。

	配　列	連結リスト
格納領域	連続領域に順番通りに格納	非連続領域・非順番通りでも可能
総データ数	先に決定（無駄な領域も発生）	柔軟に変更可能
データ挿入・削除	後ろのデータもずらす必要があり処理時間大	前後のポインタのみ修正するので処理時間小
データへのアクセス	要素番号ですぐアクセスできる	ポインタをたどるので遅い

確認問題 1 ▶ 令和5年度 問2　　　　正解率 ▶ **中**　　**応用**

　双方向のポインタをもつリスト構造のデータを表に示す。この表において新たな社員Gを社員Aと社員Kの間に追加する。追加後の表のポインタa〜fの中で追加前と比べて値が変わるポインタだけを全て列記したものはどれか。

表

アドレス	社員名	次ポインタ	前ポインタ
100	社員A	300	0
200	社員T	0	300
300	社員K	200	100

追加後の表

アドレス	社員名	次ポインタ	前ポインタ
100	社員A	a	b
200	社員T	c	d
300	社員K	e	f
400	社員G	x	y

ア　a, b, e, f　　　イ　a, e, f　　　ウ　a, f　　　エ　b, e

 要点解説

【イメージ図】

追加前
100 ← アドレス

| 0 | 社員A | 300 | ← 次ポインタ
前ポインタ

　　　　　　300　　　　　　　　200
⇄ | 100 | 社員K | 200 | ⇄ | 300 | 社員T | 0 |

追加後
100　　　　　　　400　　　　　　　300　　　　　　　200
| 0 | 社員A | 400 | ⇄ | 100 | 社員G | 300 | ⇄ | 400 | 社員K | 200 | ⇄ | 300 | 社員T | 0 |

データの追加

よって，変更するのは社員Aの次のポインタ(a)と社員Kの前ポインタ(f)です。

第4章 アルゴリズムとプログラミング

　リストを二つの１次元配列で実現する。配列要素box[i]とnext[i]の対が
リストの一つの要素に対応し，box[i]に要素の値が入り，next[i]に次の要
素の番号が入る。配列が図の状態の場合，リストの3番目と4番目との間に
値がHである要素を挿入したときのnext[8]の値はどれか。ここで，
next[0]がリストの先頭（1番目）の要素を指し，next[i]の値が0である要
素はリストの最後を示し，next[i]の値が空白である要素はリストに連結さ
れていない。

	0	1	2	3	4	5	6	7	8	9
box		A	B	C	D	E	F	G	H	I

	0	1	2	3	4	5	6	7	8	9
next	1	5	0	7		3		2		

ア　3　　　　　　イ　5　　　　　ウ　7　　　　　エ　8

要点解説　box[i]とnext[i]をペアで使って，単方向リストを実現しています。
box[i]が値そのもので，next[i]は次の要素がどこに格納されているかを示すポ
インタです。
next[0]がリストの先頭を示しています。next[0]＝1なので，box[1]＝Aが
最初の要素です。box[1]とペアになるnext[1]＝5であるため，次の要素は
box[5]＝Eです。
この要領で順に追っていくと，リストの4番目の要素までは以下のようなイメー
ジになります。

【イメージ図】

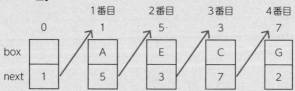

ここで，挿入したい「値がHである要素」は，box[8]にあります。box[8]を
リストの3番目と4番目の間に挿入するには，まずリストの3番目にある
next[3]を8に書き換えます。また，挿入したいbox[8]に対応するnext[8]は，
元のリストの4番目にあった（挿入後は5番目となる）box[7]を指すようにするた
め，next[8]＝7です。

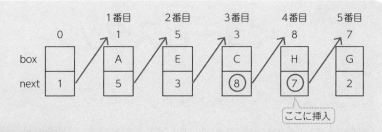

確認問題 3 ▶ 応用情報 令和元年度秋期 問6 正解率 ▶ 中 **応用**

　先頭ポインタと末尾ポインタをもち，多くのデータがポインタでつながった単方向の線形リストの処理のうち，先頭ポインタ，末尾ポインタ又は各データのポインタをたどる回数が最も多いものはどれか。ここで，単方向のリストは先頭ポインタからつながっているものとし，追加するデータはポインタをたどらなくても参照できるものとする。

ア　先頭にデータを追加する処理
イ　先頭のデータを削除する処理
ウ　末尾にデータを追加する処理
エ　末尾のデータを削除する処理

要点解説 単方向の線形リストは，データの挿入削除の際，前後のデータのポインタを変更します。アクセスするためにはポインタをたどらねばならず，末尾のデータにいくほど時間がかかります。単方向のため，末尾からさかのぼることはできませんが，この問題の場合は末尾ポインタがあるので，末尾のデータにはすぐアクセスできます。

ア　① 「追加データ」の次ポインタに，現在の「先頭ポインタ」の値を設定
　　② 「先頭ポインタ」に，「追加データ」を指すポインタを設定
イ　① 「先頭ポインタ」の値から「先頭データ」をたどる（1回）
　　② 「先頭ポインタ」に，現在の「先頭データ」の次ポインタの値を設定
ウ　① 「末尾ポインタ」の値から「末尾データ」をたどる（1回）
　　② 「末尾データ」の次ポインタに，「追加データ」を指すポインタを設定
　　③ 「末尾ポインタ」に，「追加データ」を指すポインタを設定
エ　① 「先頭データ」から「末尾データの一つ前のデータ」まで順番にポインタをたどる（ほぼ全件）
　　② 「末尾データの一つ前のデータ」の次ポインタに空白を設定
　　③ 「末尾ポインタ」に，「末尾データの一つ前のデータ」を指すポインタを設定

解答

問題1：ウ　　　問題2：ウ　　　問題3：エ

4 04 キューとスタック

イメージで つかむ

エスカレータは先に乗った人から順に降りやすく，エレベータは後に乗った人が順に降りやすいです。

データ構造の中にもこのような性質をもったものがあります。

🐱 キュー

✦ **キュー** ✦ は，**先に格納したデータから先に取り出すデータ構造**です。この特徴を **FIFO** (First-In First-Out：先入れ先出し) といいます。

また，キューにデータを格納することを**エンキュー** (enqueue)，キューからデータを取り出すことを**デキュー** (dequeue) といいます。

キューは，ジョブ待ちの待ち行列などにも用いられています。

enqueue → [　　|　　|　　] → dequeue

🐱! "くれば"で覚える

キュー　とくれば　**先に格納したデータから先に取り出すデータ構造 (FIFO)**

スタック

⚡**スタック**⚡は，**後に格納したデータから先に取り出すデータ構造**です。この特徴を **LIFO** (Last-In First-Out：後入れ先出し) といいます。

また，スタックにデータを格納することを**プッシュ** (push)，スタックからデータを取り出すことを**ポップ** (pop) といいます。

スタックは，割込み (2-02参照) や再帰呼出し (4-09参照) 時のデータ退避などにも用いられています。

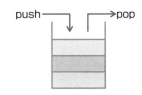

😺!"くれば"で覚える

スタック　とくれば　後に格納したデータから先に取り出すデータ構造 (LIFO)

確認問題 1 ▶ 平成26年度秋期　問5　　正解率 ▶ **中**　　**基本**

　加減乗除を組み合わせた計算式の処理において，スタックを利用するのが適している処理はどれか。

ア　格納された計算の途中結果を，格納された順番に取り出す処理
イ　計算の途中結果を格納し，別の計算を行った後で，その計算結果と途中結果との計算を行う処理
ウ　昇順に並べられた計算の途中結果のうち，中間にある途中結果だけ変更する処理
エ　リストの中間にある計算の途中結果に対して，新たな途中結果の挿入を行う処理

要点解説 スタックは，処理の途中のデータを一時的に保存し，別の処理をした後で再度呼び出すデータ退避に使われます。

　キューに関する記述として，最も適切なものはどれか。

ア　最後に格納されたデータが最初に取り出される。
イ　最初に格納されたデータが最初に取り出される。
ウ　要素番号を用いて特定のデータを参照する。
エ　二つ以上のポインタを用いてデータの階層関係を表現する。

要点解説　キューは，最初に格納したデータを最初に取り出すことができるデータ構造です。
　　ア　スタック　　　　ウ　配列
　　エ　木構造 (4-05参照)。二つ以上の子を持つ二分木または多分木です。

　次の二つのスタック操作を定義する。
　　　PUSH n：スタックにデータ (整数値n) をプッシュする。
　　　POP：スタックからデータをポップする。
　空のスタックに対して，次の順序でスタック操作を行った結果はどれか。
　PUSH1 → PUSH5 → POP → PUSH7 → PUSH6 → PUSH4 → POP → POP
　→ PUSH3

ア		イ		ウ		エ	
	1		3		3		6
	7		4		7		4
	3		6		1		3

要点解説

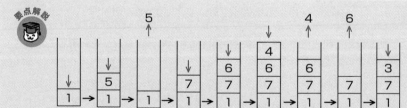

確認問題 4 ▸ 平成26年度春期 問7　　正解率 ▸ 中　　応用

　空の状態のスタックとキューの二つのデータ構造がある。次の手続きを順に実行した場合，変数xに代入されるデータはどれか。ここで，手続で引用している関数は，次のとおりとする。

〔関数の定義〕
push(y)	：データyをスタックに積む。
pop()	：データをスタックから取り出して，その値を返す。
enq(y)	：データyをキューに挿入する。
deq()	：データをキューから取り出して，その値を返す。

〔手続〕
push(a)
push(b)
enq(pop())
enq(c)
push(d)
push(deq())
x←pop()

ア　a　　　　イ　b　　　　ウ　c　　　　エ　d

要点解説

① push(a) ② push(b)　　③ enq(pop( ))

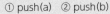
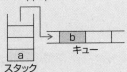

④ enq(c)　　　　　　　⑤ push(d)

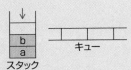
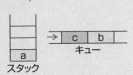

⑥ push(deq( ))　　　　⑦ x ← pop( )

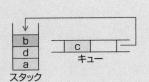
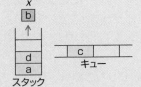

したがって，bがxに代入されます。

解答

問題1：イ　　　問題2：イ　　　問題3：ウ　　　問題4：イ

4 05 木構造

イメージでつかむ

木を細かく観察してみましょう。根や枝，節，葉などからできているのがわかります。

データ構造の中に，木と同じ構造をしたものがあります。

木構造

✦木構造✦（ツリー構造）は，**階層の上位から下位に節点をたどることで，データを取り出すデータ構造**です。○の部分は節（ノード），節と節をつないだ──の部分は枝（ブランチ），最上位の節は根（ルート），最下位の節は葉（リーフ）と呼ばれ，木を逆にしたようなイメージです。

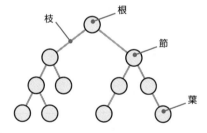

さらに，木構造の各節どうしには親子関係があります。上位の節を**親**，下位の節を**子**といい，節にぶら下がっている部分を**部分木**，そのうち左側にぶら下がっているものを**左部分木**，右側にぶら下がっているものを**右部分木**といいます。部分木も木構造になっています。

木構造は，各節どうしの関係を利用して，データ探索（4-06参照）やデータの整列（4-07参照）などにも用いられています。

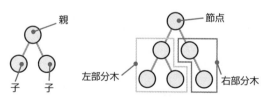

2分木の種類

2分木は，**全ての枝の分岐が二つ以下である木構造**です。2分木には，完全2分木や2分探索木，ヒープ木などがあります。節の値に順序関係がある順序木の一種です。

完全2分木

✦**完全2分木**✦は，**根から葉までの深さが全て等しい2分木**です。ただし，根から全ての葉までの深さの差が1以下で，木全体の左から詰められているものも，おおよそ完全2分木とされます。

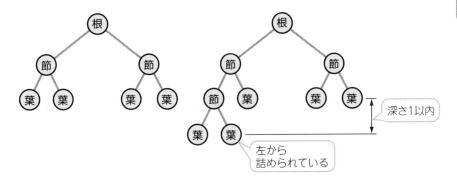

2分探索木

✦**2分探索木**✦は，**全ての節で「左部分木＜親＜右部分木」の関係をもった2分木**です。右の2分探索木の各節の値には，「$A_4 < A_2 < A_5 < A_1 < A_6 < A_3 < A_7$」の大小関係が成り立っています。

2分探索木は，根から葉に向かってデータを探索する場合に用いられ，次の手順でデータを探索します。

① 根から順に，各節の値と比較する

  ＊節の値と同じなら探索を終了する ⇒ <u>該当データあり</u>

  ＊節の値より小さければ，左部分木へ移動する

  ＊節の値より大きければ，右部分木へ移動する

② ①を繰り返す

③ 葉まで達しても一致しないなら探索を終了する ⇒ <u>該当データなし</u>

⚙ ヒープ木

✦ヒープ木✦は，**全ての節で「親＜子」または「親＞子」の関係をもった完全2分木**です。「親＜子」のときは根の値が最小値となり，「親＞子」のときは根の値が最大値となります。

　次のヒープ木の各節には，「親＜子」の関係が成り立ち，根の値が最小値です。ヒープ木は，データの整列 (4-07参照) に用いられます。

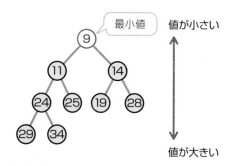

🦋 逆ポーランド表記法

✦逆ポーランド表記法✦ (後置記法) は，**演算子を数値の後ろへ記述する表記法**です。2分木を用いて，節に演算子を，葉に数値を配置します。この記法では，「左部分木」→「右部分木」→「節点」の順に取り出します。

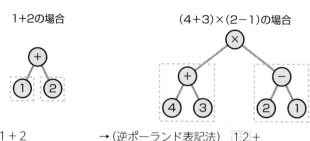

1+2　　　　　　　　→ (逆ポーランド表記法) 1 2 ＋

(4＋3) × (2−1)　→ (逆ポーランド表記法) 4 3 ＋ 2 1 − ×

188

　コンピュータでは，逆ポーランド表記法とスタックを組み合わせて計算しています。

　例えば，（4＋3）×（2－1）を考えてみましょう。逆ポーランド表記法で表すと「43＋21－×」で，式の先頭から（左から）順番に，次のような手順を行います。

① 数値がくると，スタックにPUSHする

② 演算子がくると，スタックから2個の数値をPOPして計算する

③ その計算結果を，スタックにPUSHする

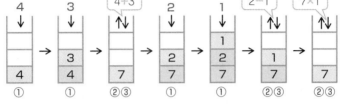

逆ポーランド表記法：43＋21－×　左から順に演算する

　この表記法は，「4と3を足した（＋）値と，2から1を引いた（－）値とを，掛けます（×）」というように，日本語に近いイメージです。

🐱 知っ得情報〈 B木 〉

　データベースのインデックスには，B木やその応用であるB＋木が使われています。**B木**は，枝の分岐が二つ以上あり，データ挿入時は根から葉までの深さが同じになるように各節を分割します。**B＋木**は，葉にのみデータを持たせます。

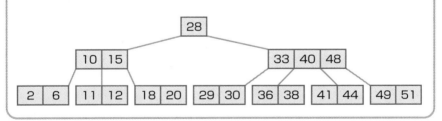

　なお，木構造は，配列や連結リストを使って実装します。配列なら要素番号で，連結リストならポインタで，親子関係を表します。

　10個の節（ノード）から成る次の2分木の各節に，1から10までの値を一意に対応するように割り振ったとき，節a，bの値の組合せはどれになるか。ここで，各節に割り振る値は，左の子及びその子孫に割り振る値よりも大きく，右の子及びその子孫に割り振る値よりも小さくするものとする。

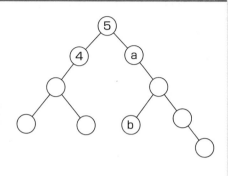

ア　a＝6，b＝7　　　　　イ　a＝6，b＝8
ウ　a＝7，b＝8　　　　　エ　a＝7，b＝9

「左の子及びその子孫に割り振る値よりも大きく，右の子及びその子孫に割り振る値よりも小さくする」より，aには5より大きな数でかつ，一番小さいもの，つまり6が入ります。
　aとbの間の○には枝が二つあり，左の枝の子は一つ，右の枝の子孫は二つです。7，8，9，10のうち，自身より小さい数が一つ，大きい数が二つあるのは8であるため，aとbの間の○には8が入ります。bには8より小さく6より大きい数，つまり7が入ります。

　親の節の値が子の節の値より小さいヒープがある。このヒープへの挿入は，要素を最後部に追加し，その要素が親よりも小さい間，親と子を交換することを繰り返せばよい。次のヒープの＊の位置に要素7を追加したとき，Aの位置に来る要素はどれか。

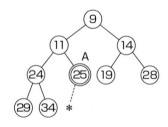

ア　7　　　　　イ　11　　　　　ウ　24　　　　　エ　25

要素が親よりも小さい間，親と子を交換することを繰り返します。

①7を追加

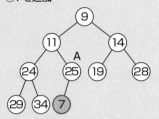

②7と25を入れ替える

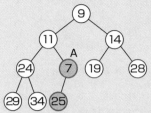

③7と11を入れ替える

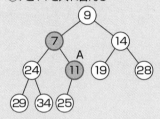

④7と9を入れ替えて確定

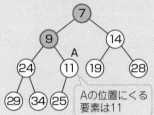

Aの位置にくる
要素は11

第4章 アルゴリズムとプログラミング

確認問題 3 ▶ 応用情報 令和2年度秋期 問3 正解率 ▶ 中　　計算

式A＋B×Cの逆ポーランド表記法による表現として，適切なものはどれか。

ア ＋×CBA　　イ ×＋ABC　　ウ ABC×＋　　エ CBA＋×

 逆ポーランド記法は，演算子を後に置く記法です。
演算子を，演算の優先順位に従って，二つの被演算子の後ろに置いていきます。

A＋B×C
＝(A＋(B×C))
＝(A＋(BC×))
＝(A (BC×) ＋)
したがって，ABC×＋です。

解答

問題1：ア　　　問題2：イ　　　問題3：ウ

4 06 データの探索

時々出　必須　超重要

**イメージで
つかむ**

基本情報を勉強していると
き，知らない用語が出てきま
した。参考書の先頭ページか
ら探したのでは，非常に時間
がかかってしまいます。
　データの探索にも，先頭か
ら探していくものがあります。

データの探索

　探索は，**配列などを使って目的のデータを探し出すこと**です。代表的な探索法には，
次のようなものがあります。

線形探索法

　線形探索法は，**配列の先頭から順番に目的のデータを探索していく方法**です。

　不規則に配列されている多数のデータの中から，目的のデータを探し出すのに適して
いますが，探索に時間がかかります。これはローラー作戦のように，しらみつぶしに探
すようなイメージです。

　例えば，次の配列A(1)からA(5)に格納されたデータの中から，変数xの値**3**を探し
出してみましょう。

x	A(1)	A(2)	A(3)	A(4)	A(5)
3	4	1	3	2	5

4	1	3	2	5	A(1)とxが一致するかを調べます。4≠3
4	1	3	2	5	A(2)とxが一致するかを調べます。1≠3
4	1	3	2	5	A(3)とxが一致するかを調べます。3=3

⇒　目的のデータがA(3)に存在する

> 😺❗ **"くれば"で覚える**
>
> 線形探索法　とくれば　**先頭から順番に探索する方法**

　では，配列 A(1) から A(N) に格納されたデータの中から，変数 x の値を線形探索法で探索するアルゴリズムを考えてみましょう。

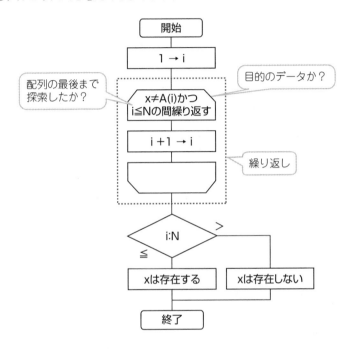

　このアルゴリズムでは，繰返しの中で「目的のデータか？」と「配列の最後まで探索したか？」の判定が必要です。

●番兵法

　線形探索法を一工夫したものが番兵法です。**番兵法**は，**探索したい目的のデータを配列の最後尾に追加する方法**です。番兵には「見張り番」という意味があります。遊園地などの行列の最後に，「最後尾」という看板を持つ係員がいることがありますが，そのようなイメージです。

　例えば，次の配列の最後尾 A (6) に，番兵を追加してみます。

x	A(1)	A(2)	A(3)	A(4)	A(5)	A(6)	
6	4	1	3	2	5	6	← 番兵

番兵法では，A(1)，A(2)…と順番に探索して，最後尾に追加した番兵A(6)で一致した場合は，目的のデータが存在しなかったと判断します。

　番兵法を使って，配列A(1)からA(N)に格納されたデータの中から，変数xの値を線形探索法で探索するアルゴリズムを考えてみましょう。

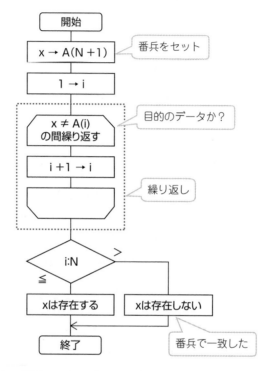

　番兵法を使うと，繰返しの中で「目的のデータか？」の判定を行うだけで済み，効率がよくなります。

●線形探索法の探索回数

　N個のデータにおいて，**線形探索法で探索した場合は，探索回数は最小で1回，最大でN回，平均探索回数は(N＋1)／2です。**

2分探索法

2分探索法は，**探索範囲を半分に絞り込みながら目的のデータを探索する方法**です。その名のとおり，「二つに分けて絞り込んでいく」方法です。この探索法では，データはあらかじめ昇順または降順に並んでいることが前提です。

例えば，次の配列Aの中から変数xの値**7**を探し出してみましょう。

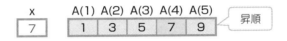

A(1)からA(5)の中央であるA(3)と一致するかを調べます。

5＜7なので，5よりも大きい後半の範囲に存在する可能性があります。次に，A(4)とA(5)の中央であるA(4)と一致するかを調べます。7＝7と一致したので，目的のデータがA(4)に存在しました。

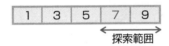

"くれば"で覚える

2分探索法　とくれば　探索範囲を半分に絞り込みながら探索する方法

攻略法 …… これが2分探索法のイメージだ！

辞書で単語の意味を探す場合に，真ん中あたりを開き，探したい単語がそれより前にあるなら前半を探します。前半の真ん中あたりを開き，前半の真ん中より前にあるならさらに前半を探します。

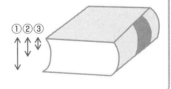

では，配列A(1)からA(N)に格納されたデータの中から，変数xの値を2分探索法で探索する アルゴリズムを考えてみましょう。

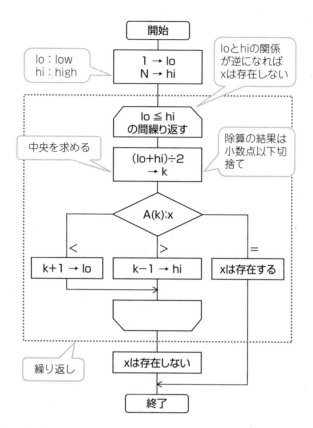

このアルゴリズムでは，次のように探索範囲を半分に限定しながら探索します。hiとloの探索範囲内に，求めるデータが存在する可能性があります。

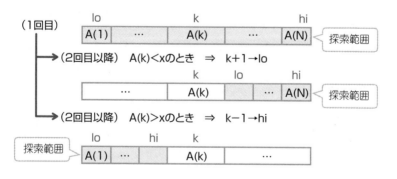

●**2分探索法の探索回数**

2分探索法では，探索範囲を半分に絞り込みながら探索します。逆に言うと，データ量が2倍になるごとに探索回数が1回増えていきます。

ここで，N個のデータにおいて，**2分探索法で探索した場合，平均比較回数は$\log_2 N$回，最大比較回数は$\log_2 N + 1$回**です。$\log_2 N$は，略して$\log N$と書くこともあります。

> 攻略法 …… これが$\log_2$のイメージだ！
>
> 2分探索法では，探索範囲を半分に絞り込んでいきます。「何回探索すれば目的のデータを探し出せるか」を考えることは，「範囲を何回半分にすればよいか」を考えるのと同じです。
>
> もしデータ数が32個ならば，$2^5 = 32$なので，平均的に5回半分にすれば，つまり5回探索すれば目的のデータが見つかるはずです。データ数が64個ならば，$2^6 = 64$なので，平均的に6回探索すれば見つかるはずです。
>
> では，50個ならばどうなるでしょうか。32と64の間なので，平均的には5回と6回の間の数くらいかなと想像がつきます。これは，「50は2の何乗くらいなのか」ということを考えていることになります。
>
> Nは2の何乗くらいなのか，というのが$\log_2 N$の意味です。$\log_2 64 = 6$となります。$\log_2 50$を計算すると，およそ5.64となります。
>
> ここで，$2^x = N$と$\log_2 N = x$は，見方は違いますが同じ意味です。
>
> 2分探索法の平均比較回数と最大比較回数は，次のように覚えておくとよいでしょう。
>
> 平均比較回数　　最大比較回数
>
> $$2^k \leq N < 2^{k+1}$$

ハッシュ探索法

ハッシュ探索法は，**目的のデータの格納先のアドレスを，ハッシュ関数を用いて算出して探索する方法**です。なんだか難しく感じますが，結局はデータの格納先を前もって決めておくということです。格納先のアドレスは，データの値に一定の演算をして求めます。このときに用いる関数がハッシュ関数です。データの探索時も，同じハッシュ関数を用います。

例えば，5桁の数$a_1 a_2 a_3 a_4 a_5$を，ハッシュ法を用いて配列に格納します。ここで，ハッシュ関数を$\mod (a_1 + a_2 + a_3 + a_4 + a_5, 13)$とし，$\mod (a, b)$は，aをbで割った余りを表すとします。

54321の格納先のアドレスを求めると，$(5 + 4 + 3 + 2 + 1) \div 13$の余りから，2です。

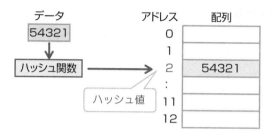

この例で，12345の格納先のアドレスを求めてみましょう。

（1＋2＋3＋4＋5）÷13の余りが2となり，54321の格納先のアドレスと同じ値になってしまいます。

このように，<u>格納先のアドレスが衝突してしまうことを**シノニム**</u>といい，シノニムが発生すると，再度，別の方法で格納先のアドレスを求める必要があります。

●ハッシュ探索法の探索回数

ハッシュ探索法で探索した場合は，ハッシュ値が衝突する確率は無視できるほど小さいとすると，**探索回数は1回**となります。つまり，一発で探索できるということです。

ここで，ハッシュ値が衝突する確率が最も低くなるのは，ハッシュ値が一様分布で近似されるときです。**一様分布**は，例えばサイコロを振ると，どの目の出る確率も等しく，1/6であるような，**全ての事象が起こる確率が一定である確率分布**です。

> ### 📢 アドバイス［5分だけ］
>
> 今日はやる気がでないなあ…　というときもあるでしょう。そんなときは，スマホでタイマーをかけて5分だけ，または10分だけ集中して勉強してみるというのはどうでしょうか。読み始めると乗ってくるということもあります。タイマーが鳴っても続けたい気分ならそのまま続ければいいし，どうしてもダメなら，5分勉強した自分をほめつつ，続きは明日にすることにしましょう。

確認問題 1 ▶ 平成29年度春期 問7　　正解率 ▶ **中**　　応用

顧客番号をキーとして顧客データを検索する場合，2分探索を使用するのが適しているものはどれか。

ア　顧客番号から求めたハッシュ値が指し示す位置に配置されているデータ構造

イ　顧客番号に関係なく，ランダムに配置されているデータ構造

ウ　顧客番号の昇順に配置されているデータ構造

エ　顧客番号をセルに格納し，セルのアドレス順に配置されているデータ構造

2分探索法は，データが昇順か降順に並んでいるときだけ正しく探索できます。データが整列していることで，大小関係から探索範囲を限定していくことができます。

確認問題 2 ▶ 令和6年度 問2　　正解率 ▶ **低**　　応用

キーが小文字のアルファベット1文字（a，b，…，zのいずれか）であるデータを，大きさが10のハッシュ表に格納する。ハッシュ関数として，アルファベットのASCIIコードを10進表記法で表したときの1の位の数を用いることにする。衝突が起こるキーの組合せはどれか。ASCIIコードでは，昇順に連続した2進数が，アルファベット順にコードとして割り当てられている。

ア　aとi　　　イ　bとr　　　ウ　cとl　　　エ　dとx

aのASCIIコードは10進数で97なので格納位置は7，bは98なので格納位置は8，…，zは122なので格納位置は2ということです。

問題文にはASCIIコードは示されていませんが，「ASCIIコードでは，昇順に連続した2進数が，アルファベット順にコードとして割り当てられている」とあるので，10進数に変換しても昇順に並んでいることがわかります。次のように仮定します。

a	b	c	d	e	f	g	h	i	j	k	l	m
1	2	3	4	5	6	7	8	9	10	11	12	13
n	o	p	q	r	s	t	u	v	x	x	y	Z
14	15	16	17	18	19	20	21	22	23	24	25	26

よって，dとxの間で衝突します。つまりシノニムが発生します。

解答

問題1：ウ　　　問題2：エ

4 07 データの整列

時々出　必須　超重要

イメージで つかむ

1から4までの数字を書いたカードを用意し、シャッフルした後、机の上に順に並べてみましょう。これを左から順に1、2、3、4と並べ直すとしたら、あなたはどのような方法で行いますか？

データの整列

整列は、**ある規則に従ってデータを並べ替えること**です。**ソート**とも呼ばれています。整列には、データの値の小さなものから大きなものへと並べ替える**昇順**と、データの値の大きなものから小さなものへと並べ替える**降順**があります。

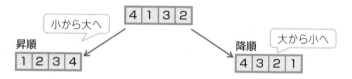

整列のアルゴリズムは一見難しく思いますが、トランプを用意して実際に手を動かしてみるとわかりやすくなります。

代表的な整列法

代表的な整列法には、次のようなものがあります。

基本交換法

✦**基本交換法**✦（バブルソート・隣接交換法）は、**隣り合うデータを比較し、逆順であれば交換していく整列法**です。

配列 | 4 | 1 | 3 | 2 | を昇順に並べ替えてみましょう。

T(1) T(2) T(3) T(4)

・1回目 … T(1)〜T(4)の範囲で比較します。

① | 4 | 1 | 3 | 2 | T(1)とT(2)を比較。4>1なので交換あり。
② | 1 | 4 | 3 | 2 | T(2)とT(3)を比較。4>3なので交換あり。
③ | 1 | 3 | 4 | 2 | T(3)とT(4)を比較。4>2なので交換あり。

T(4)が確定 ⇒ | 1 | 3 | 2 | 4 |

・2回目 … T(1)〜T(3)の範囲で比較します。

④ | 1 | 3 | 2 | 4 | T(1)とT(2)を比較。1<3なので交換なし。
⑤ | 1 | 3 | 2 | 4 | T(2)とT(3)を比較。3>2なので交換あり。

T(3)が確定 ⇒ | 1 | 2 | 3 | 4 |

・3回目 … T(1)〜T(2)の範囲で比較します。

⑥ | 1 | 2 | 3 | 4 | T(1)とT(2)を比較。1<2なので交換なし。

T(2)が確定 ⇒ | 1 | 2 | 3 | 4 |

必然的に

T(1)が確定 ⇒ | 1 | 2 | 3 | 4 |

（基本交換法のアルゴリズム例）

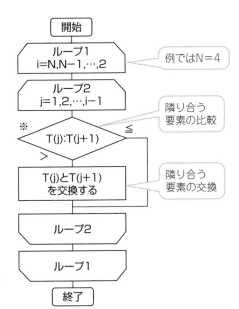

第4章 アルゴリズムとプログラミング

例ではN=4

隣り合う要素の比較

隣り合う要素の交換

トレース表（※時点）

i	j	j+1	T(j):T(j+1)
4	1	2	4>1
	2	3	4>3
	3	4	4>2
3	1	2	1<3
	2	3	3>2
2	1	2	1<2

基本交換法　とくれば　隣り合うデータを比較して交換していく整列法

● 基本交換法の比較回数

コンピュータに仕事を依頼し，答えを得るまでにどれくらい時間がかかるかというのは重要な要素です。整列アルゴリズムでは，整列し終えるまでに比較する回数や，データ量が関係してきます。

では，比較回数を考えてみましょう。先ほどの例では，1回目は①から③の3回，2回目は④から⑤の2回，3回目は⑥の1回のように比較回数が1回ずつ減っています。

基本交換法では，最初に，N個のデータに対して (N−1) 回の比較を行います。次に，(N−1) 個のデータに対して (N−2) 回の比較を行い，これを繰り返します。

基本交換法の比較回数は， $(N−1) + (N−2) + (N−3) \cdots + 1 = $ **N (N−1) ／ 2です。**

🐟 **攻略法** …… **これが比較回数のイメージだ！**

なぜ，$(N−1) + (N−2) + (N−3) \cdots + 1 = N(N−1) ／ 2$ となるのでしょうか。逆から書いた式を加算すると，全てがNになります。

	比較回数の合計＝	(N−1)	+	(N−2)	+	(N−3)	⋯+	1
+	比較回数の合計＝	1	+	2	+	3	⋯+	(N−1)
		N	+	N	+	N	⋯+	N

これは，Nが (N−1) 個あるので，合計がN (N−1) です。同じ式を二つ加算しているので，N (N−1) ／ 2ということです。

なお，データ量と実行時間の関係については，後ほど(4-08参照)説明します。

⚙ 基本選択法

✦基本選択法✦(選択ソート)は，**データ列の最小値(または最大値)を選択し，交換していく整列法**です。

	T(1)	T(2)	T(3)	T(4)
配列	4	1	3	2

を昇順に並べ替えてみましょう。

・1回目 … T(1)～T(4)の中で最小値を選び、T(1)と交換します。

① `4 1 3 2` T(1)とT(2)を比較。4>1なので最小値T(2)

② `4 1 3 2` T(2)とT(3)を比較。1<3なので最小値T(2)

③ `4 1 3 2` T(2)とT(4)を比較。1<2なので最小値T(2)

T(1)と最小値T(2)を交換します。

T(1)が確定 ⇒ `1 4 3 2`

・2回目 … T(2)～T(4)の中で最小値を選び、T(2)と交換します。

④ `1 4 3 2` T(2)とT(3)を比較。4>3なので最小値T(3)

⑤ `1 4 3 2` T(3)とT(4)を比較。3>2なので最小値T(4)

T(2)と最小値T(4)を交換します。

T(2)が確定 ⇒ `1 2 3 4`

・3回目 … T(3)～T(4)の中で最小値を選び、T(3)と交換します。

⑥ `1 2 3 4` T(3)とT(4)を比較。3<4なので最小値T(3)

T(3)と最小値T(3)を交換します。

T(3)が確定 ⇒ `1 2 3 4`

必然的に

T(4)が確定 ⇒ `1 2 3 4`

（基本選択法のアルゴリズム例）

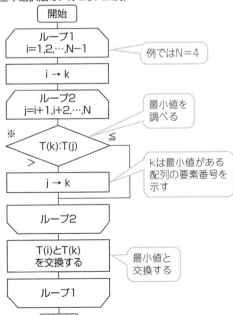

開始

ループ1
i=1,2,…,N−1 ← 例ではN=4

i → k

ループ2
j=i+1,i+2,…,N ← 最小値を調べる

※ T(k):T(j) ≦

kは最小値がある
配列の要素番号を
示す

>

j → k

ループ2

T(i)とT(k)
を交換する ← 最小値と交換する

ループ1

終了

トレース表（※時点）

i	k	j	T(k):T(j)
1	1	2	4>1
	2	3	1<3
	2	4	1<2
2	2	3	4>3
	3	4	3>2
3	3	4	3<4

第4章 アルゴリズムとプログラミング

● **基本選択法の比較回数**

基本選択法では，最初に，N個のデータに対して最小値（または最大値）を選択するために（N－1）回の比較を行います。次に，（N－1）個の要素に対して最小値（または最大値）を選択するために（N－2）回の比較を行い，これを繰り返します。

基本選択法の比較回数は，（N－1）＋（N－2）＋（N－3）…＋1＝**N（N－1）／2**です。

😺! **"くれば"で覚える**

基本選択法　とくれば　**データ列から最小値（または最大値）を選択して交換していく整列法**

🔘 **基本挿入法**

✦**基本挿入法**✦（挿入ソート）は，**すでに整列済みのデータ列の正しい位置に，データを挿入していく整列法**です。

配列 | T(1) | T(2) | T(3) | T(4) |
|---|---|---|---|
| 4 | 1 | 3 | 2 |

を昇順に並べ替えてみましょう。

T(1)を整列済みとみなします。　　　　　　　　　　| 4 | 1 | 3 | 2 |

・1回目　…　T(2)の値1を適切な位置に挿入します。
① | 4 | 1 | 3 | 2 |　T(1)とT(2)を比較。4>1なので交換あり。
　　　　　　　　　　T(2)の値1の挿入位置確定　⇒　| 1 | 4 | 3 | 2 |

・2回目　…　T(3)の値3を適切な位置に挿入します。
② | 1 | 4 | 3 | 2 |　T(2)とT(3)を比較。4>3なので交換あり。
③ | 1 | 3 | 4 | 2 |　T(1)とT(2)を比較。1<3なので交換なし。
　　　　　　　　　　T(3)の値3の挿入位置確定　⇒　| 1 | 3 | 4 | 2 |

・3回目　…　T(4)の値2を適切な位置に挿入します。
④ | 1 | 3 | 4 | 2 |　T(3)とT(4)を比較。4>2なので交換あり。
⑤ | 1 | 3 | 2 | 4 |　T(2)とT(3)を比較。3>2なので交換あり。
⑥ | 1 | 2 | 3 | 4 |　T(1)とT(2)を比較。1<2なので交換なし。
　　　　　　　　　　T(4)の値2の挿入位置確定　⇒　| 1 | 2 | 3 | 4 |

（基本挿入法のアルゴリズム例）

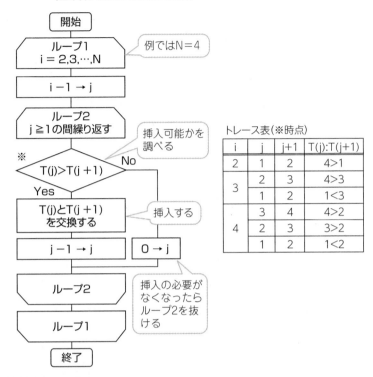

トレース表（※時点）

i	j	j+1	T(j):T(j+1)
2	1	2	4>1
3	2	3	4>3
	1	2	1<3
4	3	4	4>2
	2	3	3>2
	1	2	1<2

第4章 アルゴリズムとプログラミング

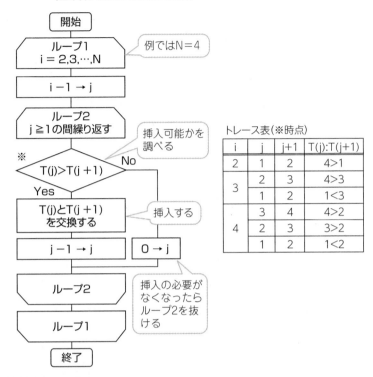 （猫）！ "くれば"で覚える

基本挿入法 とくれば **整列済みの正しい位置にデータを挿入する整列法**

●基本挿入法の比較回数

　基本挿入法では，1個のデータがすでに整列済と仮定すると，2番目の挿入位置を探すには，1回の比較を行います。次に，2個の要素がすでに整列されているとすると，3番目の挿入位置を探すには，2回の比較を行います。同様に，（N－1）個のデータがすでに整列されているとすると，N番目の挿入位置を探すには，（N－1）回の比較を行います。

　基本挿入法の比較回数は，1＋2＋3…＋（N－1）＝**N（N－1）／2**です。

　ただし，既にデータが整列している場合や，ほとんど整列している場合の比較回数は少なくて済みます。既にデータが整列している場合の比較回数は，N－1回です。

😊 その他の整列法

🔘 シェルソート（改良挿入法）

シェルソートは，**ある一定間隔おきに取り出した要素内で基本挿入法を用いて整列させ，間隔を詰めながら，間隔が1になるまで繰り返していく整列法**です。

次のデータを整列してみましょう。

5	4	3	1	6	2

①間隔が二つおきの要素ごとに基本挿入法で整列します。

3	1	5	2	6	4

②間隔が1になるまで繰り返します。

1	2	3	4	5	6

🔘 クイックソート

✨クイックソート✨は，**適当な基準値を決めて「基準値より小さい値」のグループと「基準値より大きい値」のグループに分ける操作を繰り返していく整列法**です。一般的には他のソートよりも効率が良く，速いとされています。

次のデータを整列してみましょう。

5	4	3	1	6	2

> 基準値の決め方はいくつかあります。
> 今回は中央に位置する値とします。

①基準値を決定します。

5	4	3	1	6	2

②基準値よりも「小さな値のグループ」と
　「大きな値のグループ」に振り分けます。

2 1	3	4 6 5

③基準値を決定します。

2 1	3	4 6 5

④基準値よりも「小さな値のグループ」と
　「大きな値のグループ」に振り分けます。

1	2	3	4 5	6

⑤基準値を決定します。

1	2	3	4 5	6

⑥整列完了

1	2	3	4	5	6

◉ ヒープソート

ヒープソートは，**未整列の部分を順序木に構成し，その最大値（または最小値）を取り出す操作を繰り返していく整列法**です。

ヒープ木（4-05参照）は，全ての節で「親＞子」の関係にあるときは，根の値が最大となります。 ここで，配列にするときの要素番号は，根を1，左の節は$2n$，右の節は$2n+1$とします。

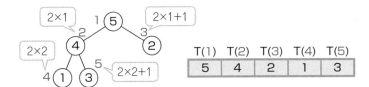

では，データを整列してみましょう。

①木の根T(1)の値**5**と，木の最後の節（整列対象の最後の要素に対応する節）の値**3**を交換します。

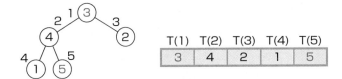

②木の最後の節を二分木から取り除きます（整列対象の要素を一つ減らします）。

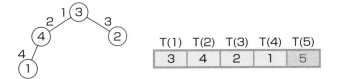

③ヒープ木を再構築します。全ての節で「親＞子」の関係にするには，二つの子の節のうち値が大きい方と親の節の値を比較し，親の節の方が小さいときは，値を交換します。親の節の値が子の節の値以上のときは，交換しません。

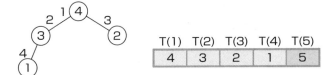

以下，木の根だけになるまで繰り返します。

④木の根T(1)の値**4**と，木の最後の節T(4)の値**1**と交換して，値**4**を取り除きます。

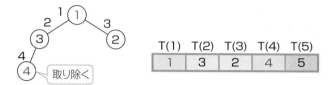

⑤再構築します。

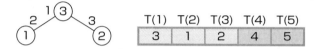

⑥木の根T(1)の値**3**と，木の最後の節T(3)の値**2**と交換して，値**3**を取り除きます。

⑦再構築します。

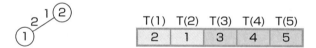

⑧木の根T(1)の値**2**と，木の最後の節T(2)の値**1**と交換して，値**2**を取り除きます。

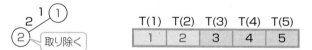

⑨整列完了

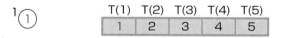

📢 **アドバイス [整列や探索の出題内容]**

　整列法の概要がわかれば科目Aの問題は解けます。ただし，科目Bの問題ではアルゴリズムの穴埋め問題なども出題されるので，アルゴリズムのトレースに慣れておく必要があります。データの探索 (4-06 参照) についても同様です。

確認問題 1 ▶応用情報 令和3年度秋期 問5 正解率▶高 基本

バブルソートの説明として，適切なものはどれか。

ア ある間隔おきに取り出した要素から成る部分列をそれぞれ整列し，更に
間隔を詰めて同様の操作を行い，間隔が1になるまでこれを繰り返す。

イ 中間的な基準値を決めて，それよりも大きな値を集めた区分と，小さな
値を集めた区分に要素を振り分ける。次に，それぞれの区分の中で同様の
操作を繰り返す。

ウ 隣り合う要素を比較して，大小の順が逆であれば，それらの要素を入れ
替えるという操作を繰り返す。

エ 未整列の部分を順序木にし，そこから最小値を取り出して整列済の部分
に移す。この操作を繰り返して，未整列の部分を縮めていく。

 要点解説 バブルソート(基本交換法)は，隣り合う要素を比較して，逆順であれば交換して
それらの要素を入れ替えます。
ア シェルソート イ クイックソート
ウ バブルソート エ ヒープソート

確認問題 2 ▶平成13年度春期 問13 正解率▶中 基本

**n個のデータをバブルソートを用いて整列するとき，データ同士の比較回
数は幾らか。**

ア n log n イ n (n＋1)／4 ウ n (n－1)／2 エ n^2

要点解説 バブルソートは，まずn個の要素に対して (n－1) 回の比較を行います。次に，
(n－1) 個の要素に対して (n－2) 回の比較を行い，これを繰り返していきます。
全体の比較回数は，(n－1) + (n－2) + (n－3) …＋1＝n (n－1)／2です。

解答

問題1：ウ 問題2：ウ

第4章 アルゴリズムとプログラミング

アルゴリズムの計算量

**イメージで
つかむ**

A地点からB地点に向かうのに，くねくねと曲がっている峠道を通るよりは，トンネルを通過するほうが所要時間は短くなります。アルゴリズムでも，実行時間を考える必要があります。

アルゴリズムの計算量

アルゴリズムの計算量を**オーダ**といいます。これは，データ量の増加に対して，アルゴリズムの実行時間がどれくらい増加するかを割合で表した指標です。オーダは，もともとは桁数とか累乗のことで，細かい計算を省き，ざっくりどれくらいなのかを考えるときに使います。

オーダを使えば，実際にプログラムを全て完成させなくても，アルゴリズムだけで実行時間の大まかな見積もりができます。

通常は，実行時間が短いほうがよいですが，例えば暗号化の場合は，実行時間が長いアルゴリズムを使うと解読するのに時間がかかることになり，より強固な暗号になります。

なお，処理するデータ量が少ない場合は，オーダで考える意味はありません。オーダで考えるときは，データ量が相当多くなることが前提です。

オーダの求め方

例えば，n個のデータを処理する最大実行時間がCn^2（Cは定数）で抑えられるときは，実行時間のオーダがn^2であるといいます。計算式の中で指数が最も大きい項（最高次数の項）だけを考え，それ以外の定数や係数は無視して考えます。

例えば，実行時間とオーダの関係は，次のようになります。

実行時間	オーダ
C（定数）	1
100n	n
$3n^2 + 5n + 1000$	n^2

指数が最も大きい
項だけ考える

●ルール1　最高次数の項以外は除く

例えば，データ量n = 10,000で，実行時間が$3n^2 + 5n + 1,000$だとします。この式にnを代入すると，$3n^2$の部分は300,000,000になりますが，残りの部分は51,000にしかならず，データ量 (n) が最高次数の項の部分が効いて無視できるということです。

●ルール2　係数は除く

計算量の定義上，定数倍程度の違いは無視します。例えば，n，5n，100nはいずれもnです。

🔰 オーダ記法

アルゴリズムの計算量はO（オーダ）を使って表記します。例えば，データ量をnとすると，データ量と計算量に関係がない場合はO (1)，nに比例して計算量が増える場合はO (n)，nの2乗に比例して計算量が増える場合はO (n^2) と表記します。

アルゴリズムで考えると，順次処理だけで構成されている場合はO (1)，繰返しが一重ならnに比例しO (n)，繰返しが二重ならオーダを掛け合わせるのでO (n^2) です。

計算量O (1) の場合

計算量O (n) の場合

計算量O (n^2) の場合

第4章　アルゴリズムとプログラミング

ここで，データ量をnとしたときのオーダ記法と計算量は，次のようにまとめられます。計算量の変化の欄は，nが100の場合と10,000の場合の比較です。

オーダ記法	計算量	計算量の変化 (nを100→10,000)	実行時間のイメージ
$O(1)$	nと無関係に一定	変わらず	相当速い
$O(\log_2 n)$	nの対数に比例	2倍	速い
$O(n)$	nに比例	100倍	
$O(n^2)$	nの2乗に比例	10,000倍	遅い

●探索アルゴリズムの計算量

　線形探索法の計算量は，繰り返される部分が1つなので$O(n)$です。

　2分探索法では，最大探索回数が$\log_2 n + 1$回であり，探索時間はデータ量の対数に比例します。このため2分探索法の計算量は，$O(\log_2 n)$です。

　ハッシュ探索法では，処理を繰り返す必要がなく，1回で探索できます。探索時間はデータ量に関係がないので，ハッシュ探索法の計算量は$O(1)$です。

アルゴリズム	オーダ記法
線形探索法	$O(n)$
2分探索法	$O(\log_2 n)$
ハッシュ探索法	$O(1)$

●整列アルゴリズムの計算量

　基本交換法や基本選択法，基本挿入法の計算量は，$O(n^2)$になります。流れ図で見ると，繰り返される部分が二重になっていて，前頁の$O(n^2)$の図と似ています。

アルゴリズム	オーダ記法
基本交換法 基本選択法 基本挿入法※	$O(n^2)$

※基本挿入法は，既にデータが整列して
　いるほど，$O(n)$に近づきます。

確認問題 1 ▶ 平成24年度秋期 問3　　正解率 ▶ **中**　　**応用**

探索方法とその実行時間のオーダの正しい組合せはどれか。ここで，探索するデータ数をnとし，ハッシュ値が衝突する（同じ値になる）確率は無視できるほど小さいものとする。また，実行時間のオーダがn^2であるとは，n個のデータを処理する時間がcn^2（cは定数）で抑えられることをいう。

	2分探索	線形探索	ハッシュ探索
ア	$\log_2 n$	n	1
イ	$n\log_2 n$	n	$\log_2 n$
ウ	$n\log_2 n$	n^2	1
エ	n^2	1	n

 要点解説

2分探索	線形探索	ハッシュ探索
$\log_2 n$	n	1

確認問題 2 ▶ 平成23年度秋期 問3　　正解率 ▶ **中**　　**計算**

コンピュータで連立一次方程式の解を求めるのに，式に含まれる未知数の個数の3乗に比例する計算時間が掛かるとする。あるコンピュータで100元連立一次方程式の解を求めるのに2秒掛かったとすると，その4倍の演算速度をもつコンピュータで1,000元連立一次方程式の解を求めるときの計算時間は何秒か。

ア　5　　　　イ　50　　　　ウ　500　　　　エ　5,000

 要点解説 100元連立一次方程式の解を求めるのに2秒掛かったときの，1,000元連立一次方程式の解を求めるときの計算時間を求めます。100元とは未知数が100個あるということです。「未知数の個数の3乗に比例する」とあるので，2×1000^3÷100^3＝2000秒掛かります。
さらに，4倍の演算速度をもつコンピュータで解を求めたときは，計算時間は1/4になるので500秒です。

解答

問題1：ア　　　　問題2：ウ

第**4**章 アルゴリズムとプログラミング

4
09 プログラムの性質

イメージで
つかむ

どこへ行っても物おじしな
い性格をもつ人がいるよう
に，プログラムにもたくさん
の性質があります。

プログラムの性質

プログラムには，次のような性質をもたせることがあります。用語が紛らわしいの
で，区別して覚えましょう。

再配置可能 （リロケータブル）	主記憶上のどのアドレスに配置しても，実行できる。再配置可能な処理を実現するに は，プログラムの先頭アドレスを基底レジスタ（1-04参照）に設定し，プログラムの先 頭からの相対アドレスを用いることで，プログラムを変更せずに，主記憶上の任意の アドレスに配置できる
再入可能 （リエントラント）	同時に複数のタスク（プロセス）が共有して実行しても，正しい結果が得られる。再入 可能な処理を実現するには，プログラムを手続き部分とデータ部分に分割し，データ 部分をタスク（プロセス）ごとにもつ必要がある
再使用可能 （リユーザブル）	一度実行した後，ロード（4-10参照）し直さずに再び実行を繰り返しても，正しい結果 が得られる。再使用可能な処理を実現するには，プログラム終了後に，プログラム中 で使用している変数の値を初期値に戻す必要がある
再帰的 （リカーシブ）	実行中に自分自身を呼び出せる。再帰的な処理を実現するには，実行途中の状態を， スタックを用いてLIFO方式で記録し，制御する必要がある

◎ 再帰的な関数の例

関数は，**与えられた値をもとに，関数内の定められた処理を実行して，その結果を返す機能を持ったもの**です。再帰的な関数は，ある処理で求めた値に対し，さらに同じ処理を繰り返すようなときに，自分自身を呼び出すことにより，非再帰的な関数よりも簡潔に表現できます。

次の関数は，非負の整数nに対して定義されたものです。F(n)は，Fの関数という意味で，nの値が定まればF(n)が定まります。では，F(5)の値を求めてみましょう。

$F(n) :$ if $n \leq 1$ then return 1 else return $n \times G(n-1)$

$G(n) :$ if $n = 0$ then return 0 else return $n + F(n-1)$

まずは，F (n) のnに5を代入して，F(5)を求めます。

関数F (n) は，「nが1以下なら1を返し，そうでなければn×G (n−1) を返す」関数です。F (5) の場合，nは1以下ではないので，F (5) ＝5×G (4) です。

次に，G (4) を求めます。関数G (n) は，「nが0なら0を返し，そうでなければn＋F (n−1) を返す」関数です。G (4) ＝4＋F (3) です。

これを繰り返していくと，F (1) ＝1と求まり，F (1) ＝1を代入していくと，…，最後にF (5) が求まります。

これを表したのが，次の図です。

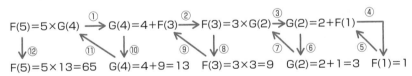

この例のように，再帰的な関数では，「処理を繰り返すときの条件と計算式」と，「処理を終了させるときの条件と値」を必ず明記します。値を求める場合は，まず終了条件に合致するまで処理を繰り返します。終了条件に合致すると具体的な値が定まるので，その値をこれまで求めた式に代入していきます。

複数のプロセスから同時に呼び出されたときに，互いに干渉することなく並行して動作することができるプログラムの性質を表すものはどれか。

ア　リエントラント

イ　リカーシブ

ウ　リユーザブル

エ　リロケータブル

要点解説 複数のプロセスが共有して実行しても，並行して動作し，正しい結果が得られるプログラムの性質はリエントラント（再入可能）といいます。

自然数nに対して，次のとおり再帰的に定義される関数f (n) を考える。f (5) の値はどれか。

f (n)：if n ≦ 1then return 1 else return n + f (n − 1)

ア　6　　　　　　イ　9　　　　　　ウ　15　　　　　　エ　25

要点解説 nが1と同じか小さいなら1を，そうでなければn + f (n − 1)を返す関数です。まずn = 5を代入し，f (1)に合致するまで計算していきます。

f (5) = 5 + f (5 − 1) = 5 + f (4) …①
f (4) = 4 + f (4 − 1) = 4 + f (3) …②
f (3) = 3 + f (3 − 1) = 3 + f (2) …③
f (2) = 2 + f (2 − 1) = 2 + f (1) …④
f (1) = 1…⑤
⑤を④に代入します。
f (2) = 2 + 1 = 3…⑥
⑥を③に代入します。
f (3) = 3 + 3 = 6…⑦
⑦を②に代入します。
f (4) = 4 + 6 = 10…⑧
⑧を①に代入します。
f (5) = 5 + 10 = 15です。

確認問題 3 ▸ 平成28年度秋期 問7　　　正解率 ▸ **中**　　　計算

　整数x, y (x＞y≧0) に対して，次のように定義された関数F(x, y) がある。F(231, 15)の値は幾らか。ここで，x mod yはxをyで，割った余りである。

$$F(x, y) = \begin{cases} x & (y = 0 のとき) \\ F(y, x \bmod y) & (y > 0 のとき) \end{cases}$$

ア　2　　　　　イ　3　　　　　ウ　5　　　　　エ　7

要点解説　y＝0になるまで計算し，そこでF (x, y)＝xと求められます。
　F (231, 15)の場合は，y＝15なので，y＞0のときの式を適用します。F (y, x mod y) にy＝15，x＝231を代入するとF (15, 231 mod 15) です。231 mod 15は，231を15で割った余りであり，231÷15＝15…6であるため，F (15, 6) と求まります。
　F (15, 6) の場合も，同様にF (6, 15 mod 6) です。15を6で割った余りは3であるため，F (6, 3) と求まります。
　F (6, 3) の場合も，同様にF (3, 6 mod 3) となり，6を3で割った余りは0なので，F (3, 0) と求まります。
　ここで，y＝0となったので，F (3, 0)＝3です。

確認問題 4 ▸ 応用情報　令和4年度春期　問6　　　正解率 ▸ 高　　　基本

　再入可能プログラムの特徴はどれか。

ア　主記憶上のどこのアドレスに配置しても，実行することができる。
イ　手続の内部から自分自身を呼び出すことができる。
ウ　必要な部分を補助記憶装置から読み込みながら動作する。主記憶領域の大きさに制限があるときに，有効な手法である。
エ　複数のタスクからの呼出しに対して，並行して実行されても，それぞれのタスクに正しい結果を返す。

要点解説　ア　再配置可能プログラム　　　イ　再帰プログラム
　　　　　ウ　オーバレイ (2-03参照)　　　エ　再入可能プログラム

解答

問題1：ア　　　問題2：ウ　　　問題3：イ　　　問題4：エ

4 10 プログラム言語とマークアップ言語

イメージでつかむ

日本語しか理解できない人と英語しか理解できない人どうしが会話しようと思えば，通訳の人が必要になります。
プログラム言語を機械語に通訳するときも，通訳するプログラムが必要です。

○○に行くにはどうやって行けば？

○△□☆◎○△？

プログラム言語

　プログラム言語は，0と1だけで構成される機械語または機械語に近い**低水準言語**と，英語のような人の言葉に近い**高水準言語**に分類されます。

低水準言語

機械語	コンピュータが理解できる唯一の言語。1と0で構成される
アセンブラ言語	機械語を1対1で記号に置き換えた言語

高水準言語

BASIC（ベーシック）	初心者向きの会話型言語
COBOL（コボル）	事務処理計算に適した言語
R	統計分析やデータの可視化に適した言語
C言語	システム記述に適した言語
C++	C言語にオブジェクト指向（9-03参照）の概念を取り入れた言語
Java（ジャヴァ）	オブジェクト指向型の言語。様々なアプリケーションの開発に用いられる
✦Python✦（パイソン）	オブジェクト指向型のスクリプト言語（プログラムの記述や実行が簡単に行える言語）。AIや機械学習の開発などに用いられる
JavaScript（ジャバスクリプト）	動的なWebページの作成に適したスクリプト言語。HTML（後述）内に組み込み，Webブラウザ上で実行する。Javaとは別物
Go	Googleが開発したオープンソースソフトウェア（2-01参照）。文法が簡潔でわかりやすく，軽量な並列処理ができる

知っ得情報 ⟨ JSON ⟩

JSON (JavaScript Object Notification) は，JavaScriptのオブジェクトの表記を元にした，汎用的なデータ交換に使用できる，テキスト形式の仕様です。

言語プロセッサ

言語プロセッサは，**人が理解できるプログラム言語で記述した原始プログラムを，コンピュータが理解できる機械語に翻訳するプログラム**です。原始プログラムは，ソースプログラムやソースコードとも呼ばれます。

次のような言語プロセッサがあります。

アセンブラ	アセンブラ言語で書かれた原始プログラムを，機械語に翻訳する
インタプリタ	高水準言語で書かれた原始プログラムを，1命令ずつ解釈しながら実行する
コンパイラ	高水準言語で書かれた原始プログラムを，一括して目的プログラムに翻訳する

なお，COBOLやC言語，C++，Javaはコンパイラ方式，BASICやPython，JavaScriptはインタプリタ方式の言語です。

"くれば"で覚える

インタプリタ とくれば　1命令ずつ解釈しながら実行する

もっと詳しく ⟨ Java ⟩

Java VM (Java仮想マシン) は，Javaで開発されたプログラムを実行するインタプリタです。Javaコンパイラが生成したバイトコードと呼ばれる中間コードを実行する機能をもち，Java VMを実装した環境があれば，Javaで開発されたプログラムは，異なるハードウェアやOSでも実行できます。

Javaで作成されたプログラムや技術仕様には，次のようなものがあります。

Javaサーブレット	クライアントの要求に応じてWebサーバ上で動作する
Javaアプリケーション	Java VMを実装していれば，WebサーバやWebブラウザがなくても動作する
JavaBeans	Javaで開発されたプログラムで，よく使われる機能などを部品化し，再利用できるようにするための仕様
JDBC	Java Database Connectivityの略。Javaで開発されたプログラムからデータベースにアクセスするためのAPI

第4章 アルゴリズムとプログラミング

😺 プログラムの実行手順

コンパイラ方式では，高水準言語で原始プログラムを作成した後は，次のような手順でプログラムを実行します。コンパイラやリンカ，ローダはプログラムです。

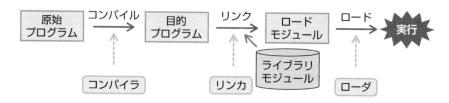

🔵 コンパイル

コンパイルは，**コンパイラ**と呼ばれるプログラムを用いて，**原始プログラムから目的プログラム（オブジェクトモジュール）を生成すること**です。

コンパイラは，原始プログラムのプログラムコードを解釈して，次のような手順で，オブジェクトコードを生成します。

$$\boxed{\text{字句解析}} \rightarrow \boxed{\text{構文解析}} \rightarrow \boxed{\text{意味解析}} \rightarrow \boxed{\text{最適化}} \rightarrow \boxed{\text{コード生成}}$$

また，コンパイラによる最適化の主な目的は，実行時の処理効率を高めたオブジェクトコードを生成し，プログラムの実行時間を短縮することです。

攻略法 …… **これがコンパイラのイメージだ！**

英文を和訳することを考えよう。
① 単語単位で考える。（字句解析）
② 文法的な構文を考える。（構文解析）
③ 意味を考える。（意味解析）
④ いい和訳がないかを考える。（最適化）
⑤ 和訳完成。（コード生成）

I	have	an	apple
主語	動詞	冠詞	名詞
私は	もつ	1つの	リンゴ
私はりんごをもっている			

"くれば"で覚える

コンパイラ とくれば 原始プログラムから目的プログラムを生成するプログラム

🔘 リンク

リンク（連係編集）は，**リンカ（リンケージエディタ）**と呼ばれるプログラムを用いて，**複数の目的プログラムなどから，一つのロードモジュール（実行可能プログラム）を生成すること**です。よく使われる処理をまとめ汎用的に使えるようにしたライブラリモジュールなども，ここでリンクされます。

> 🐱！**"くれば"で覚える**
>
> リンカ　とくれば　**目的プログラムからロードモジュールを生成するプログラム**

> 🐱 **もっと詳しく**〈動的リンキング〉
>
> **動的リンキング**は，アプリケーションの実行中に，必要となったモジュールを，OSによって連携する方式です。一方，**静的リンキング**は，先ほどのように，アプリケーションの実行に先立って，あらかじめ複数の目的プログラムをリンクしておく方式です。

🔘 ロード

ロードは，**ローダ**と呼ばれるプログラムを用いて，**実行に先立ってロードモジュールを主記憶に配置すること**です。

> 🐱！**"くれば"で覚える**
>
> ローダ　とくれば　**ロードモジュールを主記憶に配置するプログラム**

🐱 その他の言語プロセッサ

プリコンパイラ	コンパイラが解釈できない，高水準言語に付加的に定義された機能やプログラムを，コンパイラの前処理で解釈できるように変換する
クロスコンパイラ	実際に実行するコンピュータとは命令形式が異なるコンピュータで，目的プログラムを作成する
ジェネレータ	入力・処理・出力などのパラメータを指定することで，自動的にプログラムを生成する
トランスレータ	原始プログラムを，ある言語から別の言語に変換する
エミュレータ	ほかのコンピュータ用に開発されたプログラムを擬似的に実行する

✿ ノーコード・ローコード

最近は，**ソースコードを全く記述せずにアプリケーションを開発する**ノーコードと，**ソースコードをできる限り少なくしてアプリケーションを開発する**ローコードが，注目されています。プログラミングの知識がなくても，テンプレートや部品，機能などを組み合わせることで，必要なアプリケーションが迅速に作成できると期待されています。

☯ 開発ツール

プログラミングをより効率的に行うために，次のような開発ツールがあります。

✿ 統合開発環境

統合開発環境 (IDE：Integrated Development Environment) は，エディタやコンパイラ，デバッグツール (後述) など，**アプリケーション開発のためのソフトウェアや支援ツール類を統合したもの**です。例えば，OSSとして提供されている Eclipse（エクリプス） などがあります。Eclipse は Java をはじめ複数の言語に対応しています。

🐱 **知っ得情報 ❮ 継続的インテグレーション支援ツール ❯**

コンパイルやリンクをして実行可能プログラムを作成する一連の作業を**ビルド**といいます。分担して作成した原始プログラムを共有の保管場所 (リポジトリ) に統合するたびに自動ビルドやテストを繰り返すことを**継続的インテグレーション**といい，バグの早期発見や効率的な開発が期待できます。ビルドやテストを自動化するツールに Jenkins（ジェンキンス） があり，OSSとして提供されています。

また，実行可能プログラムを実行環境にインストールし，各種設定をして利用可能な状態にすることを**デプロイ**といいます。Deploy は，「展開する」・「配備する」という意味です。Jenkins には自動デプロイ機能も含まれています。

✿ デバッグツール

デバッグは，プログラムに潜んでいる誤り (**バグ**) を発見し，取り除くことです。デバッグを支援するツールには，次のようなものがあります。

トレーサ	プログラムの命令の実行順序や実行結果などを時系列に出力する
スナップショットダンプ	プログラムの特定の命令を実行するごとに，指定されたメモリの内容を出力する
メモリダンプ	プログラムの異常終了時に，メモリの内容を出力する
静的解析ツール	プログラムを実行せずに，文法の誤りやルール違反，モジュール間のインタフェースなどを解析するツール

マークアップ言語

マークアップ言語は，**＜＞で囲まれたタグを用いて，文章の構造を表現する言語**です。Markupは，「タグをつける」という意味です。マークアップ言語には，次のようなものがあります。

SGML

SGML (Standard Generalized Markup Language) は，文書の電子化を目的に開発されたマークアップ言語です。ISOの国際規格に制定されており，次の二つのマークアップ言語の基になっています。

HTML

HTML (Hyper Text Markup Language) は，**Webページを作成するためのマークアップ言語**です。画像や音声，動画などを含むWebページを作成できます。HTMLで文章の構造を記述し，**文字の大きさや文字の色，行間などの視覚表現**は ✦ **CSS** ✦ (Cascading Style Sheets) を使って指定することで，複数のWebページのデザインを統一したり，保守性を高めたりできます。

XML

✦ **XML** ✦ (eXtensible Markup Language) は，**取引データの起票や，アプリケーション間でのデータ交換用など，様々な分野で応用されているマークアップ言語**です。文章の構造を文字型定義 (**DTD**：Document Type Definition) として記述することで，利用者独自のタグを定義できます。Extensibleは，「拡張できる」という意味です。例えば，Microsoft WordのファイルもXMLを圧縮したものです。

😺! "くれば"で覚える

HTML	とくれば	**Webページを作成するためのマークアップ言語**
XML	とくれば	**利用者独自のタグを定義できるマークアップ言語**

😺 知っ得情報 〈 Ajax 〉

Ajax (Asynchronous JavaScript + XML) は，JavaScriptとXMLを使用して，Webアプリケーションが非同期でサーバとやり取りすることで，「Webページ全体」を再読み込みせずに，「一部の情報だけ」を動的に更新する仕組みです。読み込み時にかかる時間を短縮できます。例えば，地図の高速なスクロールや，キーボード入力に合わせた検索候補の逐次表示などに使われています。

223

🐦 形式言語

人が話す言語を自然言語といい，文法はある程度決まっていますが例外も多くなっています。一方，特定の目的のために人為的に作られた言語を**形式言語**といい，文法が明確に定められています。

🔵 BNF記法
バッカス・ナウア

BNF記法は，**プログラム言語の構文を定義する再帰的な記法**です。Backus-Naur Formの略で，その名は考案した人の名前が由来です。XMLの構文の定義にも使用されています。

この記法では，次の記号を使って構文を定義します。

左辺::=右辺	左辺は右辺と定義する
|	または
＜記号＞	置き換えできる

例えば，＜S＞::＝01 ｜ 0＜S＞1は次のような意味になります。

「Sは01と定義する」　または　「Sは0＜S＞1と定義する」

ここから，Sは01と定義したので，0＜S＞1に代入すると，0011も定義したことになります。さらに，Sは0011と定義したので，0＜S＞1に代入すると，000111も定義したことになります。

🔵 正規表現

正規表現は，**文字列の集合の規則を表す記法**で，文字列検索や置換などでよく使われます。

.	任意の1文字	[-]	[ ]内のいずれかの文字
*	直前の文字を0回以上繰り返す	+	直前の文字を1回以上繰り返す
|	または		

例えば，[A - Z]+ [0 - 9]*という記述では，「英大文字が1文字以上，その後に数字が0文字以上の文字列」を表します。「GINGA」や「KYOTO794」は該当しますが，「2525A」は該当しません。

確認問題　1　▶ 平成30年度秋期　問20　　　正解率 ▶ **中**　　**基本**

リンカの機能として，適切なものはどれか。

ア　作成したプログラムをライブラリに登録する。
イ　実行に先立ってロードモジュールを主記憶にロードする。
ウ　相互参照の解決などを行い，複数の目的モジュールなどから一つのロードモジュールを生成する。
エ　プログラムの実行を監視し，ステップごとに実行結果を記録する。

 リンカは，複数のオブジェクトプログラム（目的モジュール）などを組み合わせ，一つの実行可能なプログラム（ロードモジュール）を作成します。

確認問題　2　▶ 令和元年度秋期　問7　　　正解率 ▶ **高**　　**応用**

次のBNFで定義される＜変数名＞に合致するものはどれか。

> ＜数字＞::=0｜1｜2｜3｜4｜5｜6｜7｜8｜9
> ＜英字＞::=A｜B｜C｜D｜E｜F
> ＜英数字＞::=＜英字＞｜＜数字＞｜_
> ＜変数名＞::=＜英字＞｜＜変数名＞＜英数字＞

ア　_B39　　　　イ　246　　　　ウ　3E5　　　　エ　F5_1

 数字は，0，1，2，…，9のいずれかと定義します。英字は，A，B，C，…，Fのいずれかと定義します。英数字は，＜英字＞，＜数字＞，_のいずれかと定義します。変数名は，＜英字＞，または，＜変数名＞＜英数字＞と定義します。ここで，変数名は＜英字＞と定義したため，＜変数名＞＜英数字＞に代入すると，＜英字＞＜英数字＞も定義したことになります。
さらに，変数名は＜英字＞＜英数字＞と定義したため，＜変数名＞＜英数字＞に代入すると，＜英字＞＜英数字＞＜英数字＞も定義したことになります。
以降も同じです。
よって，英字で始まる＜英字＞＜英数字＞＜英数字＞＜英数字＞のF5_1です。

　　HTML文書の文字の大きさ，文字の色，行間などの視覚表現の情報を扱う標準仕様はどれか。

ア　CMS　　　　　　イ　CSS　　　　　　ウ　RSS　　　　　　エ　Wiki

ア　CMS (Content Management System) は，画像やテキストデータなどWeb
サイトのコンテンツを管理するシステムです。
ウ　RSSは，Webサイトの要約や更新情報を送信するための規格です。
エ　Wikiは，多数の人の書き込み，編集によりWebサイトを作成するための
CMSです。Wikipediaはこの仕組みを使った百科事典です。

　　XML文書のDTDに記述するものはどれか。

ア　使用する文字コード　　　　　イ　データ
ウ　バージョン情報　　　　　　　エ　文書型の定義

DTDはDocument Type Definitionの略で，文書構造を定義するためのもの
です。XML文書中に書くか，別途外部ファイルとして用意します。

　　ソフトウェアの統合開発環境として提供されているOSSはどれか。

ア　Apache Tomcat　　　　　　イ　Eclipse
ウ　GCC　　　　　　　　　　　エ　Linux

統合開発環境として提供されているOSSは，Eclipseです。

解答

問題1：ウ　　　　問題2：エ　　　　問題3：イ　　　　問題4：エ　　　　問題5：イ

第 5 章

システム構成要素

〔 科目 A 〕

5 01 システム構成

時々出　必須　超重要

イメージで つかむ

1本だけの丸木橋は折れたら落ちてしまいますが，2,3本あれば落ちにくくなります。
コンピュータも，2系統のシステムを構成して信頼性を高めています。

システム構成

　業務を遂行する上で不可欠なシステムや，**停止すると社会に深刻なダメージを及ぼすシステム**のことを**ミッションクリティカル**なシステムといいます。例えば，発電所の制御システムや銀行の基幹システム，航空会社の予約システムなどのように，世の中にはたくさん存在します。

　そこで，冗長構成にしたり，負荷分散したりするなど，目的に合ったシステム構成を考える必要があります。

デュプレックスシステム

　デュプレックスシステムは，**現用系と待機系の二系統のシステムで構成され，現用系に障害が生じたときには，待機系に切り替えて処理を続行する形態**です。

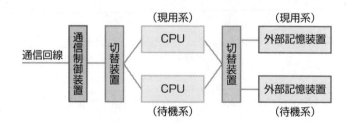

😺！"くれば"で覚える

デュプレックスシステム　とくれば　**現用系と待機系の二系統のシステム。現用
系の障害発生時には，現用系から待機系に
切り替える**

デュプレックスシステムは，待機の状態により二つに分類できます。

⏺ ホットスタンバイ

✦**ホットスタンバイ**✦は，**待機系をいつでも稼働できるような状態で待機させ，障害
発生時には直ちに切り替える形態**です。待機系は，あらかじめ現用系と同一の業務シス
テムを起動しておきます。Hot Standbyは，「温かい状態で待機」という意味です。

⏺ コールドスタンバイ

✦**コールドスタンバイ**✦は，**待機系を準備し，障害発生時には待機系を起動して切り
替える形態**です。待機系は，通常はバッチ処理（後述）など，現用系とは異なる業務を
行っています。Cold Standbyは，「冷たい状態で待機」という意味です。

😺！"くれば"で覚える

ホットスタンバイ　とくれば　**待機系も同一の業務を行う。直ちに切り替える**
コールドスタンバイ　とくれば　**待機系は他の業務を行う。障害が発生してから
起動して切り替える**

😺 もっと詳しく ⟨ システムの処理形態 ⟩

＊**バッチ処理**は，データを一定期間または一定量を貯めてから，まとめて
処理をする形態です。「一括処理」という意味です。例えば，給与計算やマーク
シート方式の採点などが該当します。
＊**リアルタイム処理**は，データの発生と同時に処理をする形態です。「即時処理」
という意味です。例えば，座席予約システムや銀行のATMなどが該当します。

　災害などの発生に備えて，システムを遠隔地に準備しておくことがあります。バックアップサイトは，通信回線などが整備された予備の施設です。待機状態により次の種類に分けられます。

* **ホットサイト**は，バックアップサイトには現用系と同じ構成で稼動させておき，データやプログラムもネットワークを介して常に更新を行う形態です。災害発生時には，業務を中断せずに続行できます。

* **ウォームサイト**は，バックアップサイトにはハードウェアを準備して，データやプログラムは定期的に搬入しておく形態です。災害発生時には，その搬入物でシステムを復元して業務を再開できます。

* **コールドサイト**は，バックアップサイトのみを確保しておく形態です。災害発生時には，ハードウェアやデータ，プログラムを搬入し，システムを復元して業務を再開できます。

　BCP (Business Continuity Plan：事業継続計画) は，災害やシステム障害などの緊急事態に備え，事前に決めておく行動計画のことです。事業が中断する原因やリスクを想定し，未然に回避したり，速やかに復旧したりできるように方針や行動手順を決めておきます。事業が中断してから復旧するまでの目標復旧時間は **RTO** (Recovery Time Objective) と呼ばれています。

　また，BCPは一過性のものではなく，PDCAサイクル (Plan-Do-Check-Act) で継続的に維持・改善していくマネジメント活動を **BCM** (Business Continuity Management：事業継続管理) といいます。

デュアルシステム

　デュアルシステムは，**二系統のシステムで構成され，同じ処理を独立して行い，結果を照合（クロスチェックという）する形態**です。どちらかのシステムに障害が発生したときは，片方で処理を続行できます。

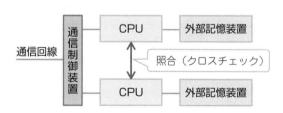

デュアルシステム　とくれば　二系統で同じ処理を行い照合。障害発生時は片方

クラスタシステムは，**複数のコンピュータを連結して，あたかも一台のコンピュータ
のように見せるシステム**です。Cluster は，「ぶどうの房」という意味で，コンピュー
ターつひとつがぶどうの房のようにぶら下がっているようなイメージです。クラスタシ
ステムは，目的によって，次のようなシステム構成があります。

◯ HA クラスタ (High Availability Cluster)

HA クラスタは，**可用性**(5-05参照)**の向上を目的としたシステム構成**です。次の二つ

| 負荷分散型
クラスタ | 複数のコンピュータに処理を振り分けて，負荷を分散する |
| フェールオーバ型
クラスタ | 現用系のコンピュータに障害が発生したときは，予備系のコン
ピュータが自動的に引き継いで処理を続行する |

◯ HPC クラスタ (High Performance Computing Cluster)

HPC クラスタは，**性能の向上を目的としたシステム構成**です。複数のコンピュータ

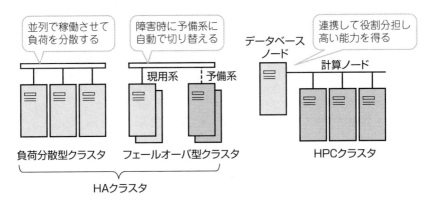

負荷分散型クラスタ　　フェールオーバ型クラスタ　　　　HPCクラスタ

⚙ データベースのディスクの共有

データベースを分散させる場合は，データの整合性を図る必要があります。

負荷分散型クラスタでは，コンピュータそれぞれにデータをもち，常に同期をとる**レプリケーション**でデータの整合性を図っています。

フェールオーバ型クラスタでは，現用系のコンピュータと予備系のコンピュータが一つのディスクを共有する**共有ディスク方式**と，現用系のコンピュータのディスクに書き込まれたデータを予備系のコンピュータに同時にミラーリングして同期する**ミラーディスク方式**があります。

🙌 グリッドコンピューティング

グリッドコンピューティングは，**インターネット上に存在する多数のコンピュータを連携させ，仮想的な1台の巨大で高性能なコンピュータシステムを作り出す技術**です。処理能力に余裕のある複数台ものコンピュータを連携して並列処理させることで，スーパコンピュータ並みのシステムを作り出せます。

確認問題　1　▸ 平成29年度秋期　問13　　　正解率 ▸ **中**　　　**基本**

デュアルシステムの説明として，最も適切なものはどれか。

ア　同じ処理を行うシステムを二重に用意し，処理結果を照合することで処理の正しさを確認する。どちらかのシステムに障害が発生した場合は，縮退運転によって処理を継続する。

イ　オンライン処理を行う現用系と，バッチ処理などを行いながら待機させる待機系システムを用意し，現用系に障害が発生した場合は待機系に切り替え，オンライン処理を続行する。

ウ　待機系に現用系のオンライン処理プログラムをロードして待機させておき，現用系に障害が発生した場合は，即時に待機系に切り替えて処理を続行する。

エ　プロセッサ，メモリ，チャネル，電源系などを二重に用意しておき，それぞれの装置で片方に障害が発生した場合でも，処理を継続する。

要点解説　ア　デュアルシステム　　　　　イ　デュプレックスシステム
　　　　　ウ　ホットスタンバイシステム　　エ　フォールトトレラントシステム

（5-03参照）

確認問題 2 ▶ 平成30年度春期 問14　正解率 ▶ 高　基本

　コンピュータを2台用意しておき，現用系が故障したときは，現用系と同一のオンライン処理プログラムをあらかじめ起動して待機している待機系のコンピュータに速やかに切り替えて，処理を続行するシステムはどれか。

ア　コールドスタンバイシステム　　イ　ホットスタンバイシステム
ウ　マルチプロセッサシステム　　　エ　マルチユーザシステム

要点解説　故障時に速やかに待機系に切り替えるのは，ホットスタンバイシステムです。データも常に同期がとられており，速やかに待機系に切り替えられます。

確認問題 3 ▶ 平成28年度秋期 問14　正解率 ▶ 中　応用

　ロードバランサを使用した負荷分散クラスタ構成と比較した場合の，ホットスタンバイ形式によるHA (High Availability) クラスタ構成の特徴はどれか。

ア　稼働している複数のサーバ間で処理の整合性を取らなければならないので，データベースを共有する必要がある。
イ　障害が発生すると稼働中の他のサーバに処理を分散させるので，稼働中のサーバの負荷が高くなり，スループットが低下する。
ウ　処理を均等にサーバに分散できるので，サーバマシンが有効に活用でき，将来の処理量の増大に対して拡張性が確保できる。
エ　待機系サーバとして同一仕様のサーバが必要になるが，障害発生時には待機系サーバに処理を引き継ぐので，障害が発生してもスループットを維持することができる。

要点解説　ロードバランサは，サーバにかかる負荷を平等に振り分けるための負荷分散装置です。
　負荷分散クラスタ構成は，多数のリクエストに対する処理を複数サーバに分散させて各サーバの負荷を減らすことが目的です。
　ホットスタンバイ形式によるHAクラスタ構成は，障害時のサービスの継続を目的とするものです。

　ア・イ・ウ：負荷分散クラスタ構成の特徴です。
　エ：ホットスタンバイ形式によるHAクラスタ構成の特徴です。

解答

問題1：ア　　　問題2：イ　　　問題3：エ

5 / 02 クライアントサーバ システム

イメージで つかむ

仕事をする際は，一人でやる，あるいは複数人で分担してやる場合があります。

コンピュータの世界にも，1台で集中的に，あるいは複数台で分散して処理する方法があります。

集中処理と分散処理

　一昔前は，1台の高性能な汎用コンピュータにデータや処理を集中させる**集中処理**が主流でしたが，コンピュータが小型化・高性能化・低価格化して，多くのコンピュータをネットワークで接続し，データや処理を分散させる**分散処理**が登場し，現在も多くのシステムで採用されています。

　次のような分散処理の形態があります。

クライアントサーバシステム

　クライアントサーバシステムは，**クライアントとサーバとの間で，機能やデータを分散させる形態**です。機能をサービスという概念で分散し，サービスを依頼・利用する**クライアント**と，サービスを提供する**サーバ**で構成されます。

　クライアントサーバシステムでは，一つのサーバに複数の機能をもたせることも，一つの機能を複数のサーバに分散させることもできます。さらに，サーバは必要に応じて，機能の一部を別のサーバに要求するクライアントにもなれます。

　サーバが提供するサービスによって，Webサーバやメールサーバ，ファイルサーバ，データベースサーバなど，様々な種類のサーバがあります。

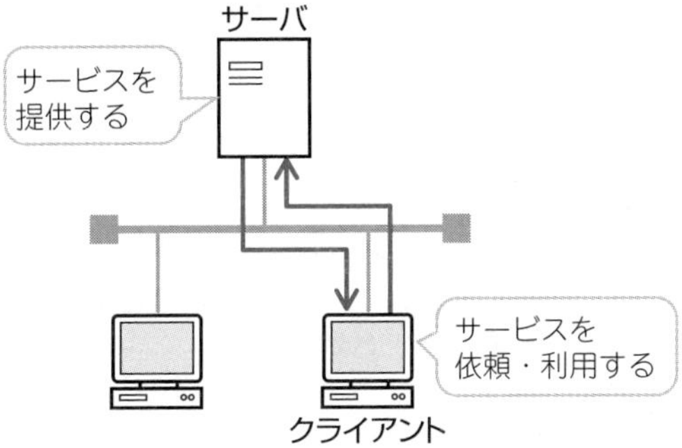

“くれば”で覚える

クライアントサーバシステム とくれば **サービスを依頼・利用するクライアントと，サービスを提供するサーバの形態**

3層クライアントサーバシステム

クライアントサーバシステムでデータベースを使用する場合，一昔前はクライアントが行っていた「データの加工」の機能を，現在はサーバに切り出し，クライアントではWebブラウザで「入力と結果表示」の機能だけを行う形態が登場しています。

3層クライアントサーバシステムは，**論理的にプレゼンテーション層・ファンクション層・データベース層の3層構造に分離した形態**です。3層にすることで，階層ごとに並行して開発でき，クライアントごとにアプリケーションを配布する必要もなくなるのでクライアントの管理も楽になりました。

次のWebサイトの例は，プレゼンテーション層以外のファンクション層とデータベース層をそれぞれ1台のサーバを使用して実装したシステム構成です。

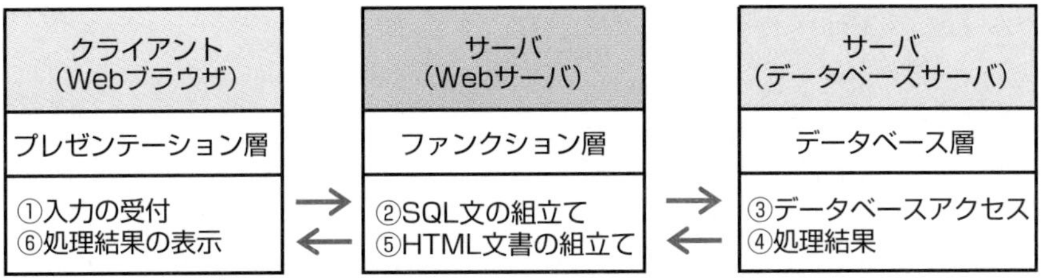

さらに，大規模なWebサイトを構築する場合，Webサーバに加えてアプリケーションサーバ(APサーバ)を用いることがあります。WebサーバとAPサーバを異なる物理サーバに配置する場合のメリットは，クライアントからの要求の種類に応じて処理を分散できることです。例えば，会社情報などの負荷が軽い静的なコンテンツへの要求は

Webサーバで処理し，商品の絞り込みなどの負荷が重い動的コンテンツへの要求はAPサーバで処理します。

🌑 ストアドプロシージャ

　ストアドプロシージャは，**クライアントサーバシステムにおいて，利用頻度の高い命令群を，あらかじめ一つの手続きとしてサーバのデータベース管理システム**(6-01参照)**に保存しておく仕組み**です。クライアントからサーバのストアドプロシージャを1回呼び出すだけで，データベースに複数の命令を発行できるので，クライアントとサーバ間のネットワーク負荷を軽減できます。

🐱 サーバの仮想化

　✦**サーバの仮想化**✦は，**1台の物理サーバ上で複数の仮想的なサーバを動作させる技術**です。物理サーバに仮想化ソフトウェアなどを用いて，仮想サーバを動作させる環境を作り出します。1台の仮想サーバにそれぞれで独立したOSとアプリケーションを実行させ，あたかも複数のサーバが同時に稼働しているかのように使用できます。

　また，物理サーバの台数を減らして統合することで，設置スペースやハードウェアのコストを削減できます。

🌑 仮想化の形態

　サーバの仮想化の形態には次のようなものがあります。

ホスト型	ホストOS上で仮想化ソフトウェアを動作させ，その上で複数のゲストOSを動かす。仮想化環境を構築しやすい
ハイパバイザ型	ハイパバイザという仮想化ソフトウェアを動作させ，その上で複数のゲストOSを動かす。クラウドサービス(11-01参照)で採用されており，自由度は高いが別のサーバに移行しにくい
コンテナ型	ホストOS上にコンテナエンジンという管理ソフトウェアを動作させ，その上でコンテナと呼ばれる実行環境を動かす。OSは共通のため自由度は低いが，移行性は高い

アプリ	アプリ	アプリ	アプリ
ゲストOS	ゲストOS		
仮想化ソフトウェア			
ホストOS			
物理サーバ			

ホスト型

アプリ	アプリ	アプリ	アプリ
ゲストOS	ゲストOS		
ハイパバイザ			
物理サーバ			

ハイパバイザ型

アプリ	アプリ	アプリ	アプリ
コンテナ		コンテナ	
コンテナエンジン			
ホストOS			
物理サーバ			

コンテナ型

もっと詳しく ⟨ ライブマイグレーション ⟩

ライブマイグレーションは，サーバの仮想化技術において，ある物理サーバで稼働している仮想サーバを停止することなく別の物理サーバに移動させる技術です。移動前の状態から引き続き，サーバの処理を継続できます。

知っ得情報 ⟨ システムの処理能力向上 ⟩

サーバを仮想化することで，システムの処理能力を容易に向上させることができます。次のような手法があります。
* **スケールアップ**は，個々のサーバのCPUやメモリなどを増強することです。サーバそのものを増強します。
* **スケールアウト**は，サーバの台数を増やすことです。複数のサーバで分散処理を行っているようなシステムに適しています。

シンクライアントシステム

✨**シンクライアントシステム**✨は，**サーバ上でOSやアプリケーション，データを集中管理することで，クライアントには必要最小限の機能しか持たせないシステム**です。クライアントサーバシステムの一種で，Thin（シン）は，「薄い」という意味です。クライアントにデータが残らず，テレワークが普及する中で情報漏えい対策として注目されています。シンクライアントシステムを実装する仕組みの一つに，次のようなものがあります。

🔵 VDI

VDI (Virtual Desktop Infrastructure：仮想デスクトップ基盤) は，**クライアントのデスクトップ環境を仮想化し，サーバ上で管理・稼働させる技術**です。利用者は，クライアントからネットワーク経由で，サーバ上のデスクトップ画面を呼び出して操作します。利用者のクライアントには，サーバ上で実行されているデスクトップ環境の画面データだけが転送（画面転送という）されます。

もっと詳しく〈 IaC 〉

IaC (Infrastructure as Code) は，サーバやネットワークの設定をコードによる自動実行で管理することです。これにより，人を介さずに迅速にインフラを構築でき，運用も非常に楽になります。

知っ得情報〈 NAS 〉

NAS (Network Attached Storage) は，ネットワーク接続型のファイルサーバ専用機です。LAN (7-01参照) に接続された複数のPCから，OSが異なってもファイルを共有できます。

確認問題 1 ▶ 平成30年度秋期　問13　　正解率 ▶ **中**　　**応用**

　Webシステムにおいて，Webサーバとアプリケーション (AP) サーバを異なる物理サーバに配置する場合のメリットとして，適切なものはどれか。

ア　Webサーバにクライアントの実行環境が実装されているので，リクエストのたびにクライアントとAPサーバの間で画面データをやり取りする必要がなく，データ通信量が少なくて済む。

イ　Webブラウザの文字コード体系とAPサーバの文字コード体系の違いをWebサーバが吸収するので，文字化けが発生しない。

ウ　データへのアクセスを伴う業務ロジックは，Webサーバのプログラムに配置されているので，業務ロジックの変更に伴って，APサーバのプログラムを変更する必要がない。

エ　負荷が軽い静的コンテンツへのリクエストはWebサーバで処理し，負荷が重い動的コンテンツへのリクエストはAPサーバで処理するように，クライアントからのリクエストの種類に応じて処理を分担できる。

 要点解説　Webサーバとアプリケーション (AP) サーバを異なる物理サーバに配置する目的は，負荷分散です。Webサーバはクライアントとのhttp (7-02参照) 通信や，画像やCSS (4-10参照) などの静的コンテンツの管理を行い，APサーバは動的コンテンツを処理し，必要があればDBサーバにリクエストを送ります。なお，静的コンテンツは誰が見ても同じ内容であり，動的コンテンツは，見る人や見るタイミングにより内容が変わります。

確認問題 2　▶ 平成30年度春期　問15　正解率▶低　基本

システムのスケールアウトに関する記述として，適切なものはどれか。

ア　既存のシステムにサーバを追加導入することによって，システム全体の処理能力を向上させる。

イ　既存のシステムのサーバの一部又は全部を，クラウドサービスなどに再配置することによって，システム運用コストを下げる。

ウ　既存のシステムのサーバを，より高性能なものと入れ替えることによって，個々のサーバの処理能力を向上させる。

エ　一つのサーバをあたかも複数のサーバであるかのように見せることによって，システム運用コストを下げる。

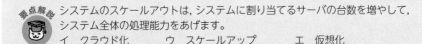

要点解説　システムのスケールアウトは，システムに割り当てるサーバの台数を増やして，システム全体の処理能力をあげます。
　イ　クラウド化　　ウ　スケールアップ　　エ　仮想化

確認問題 3　▶ 応用情報　令和4年度春期　問44　正解率▶中　応用

内部ネットワークのPCからインターネット上のWebサイトを参照するときに，DMZに設置したVDI (Virtual Desktop Infrastructure) サーバ上のWebブラウザを利用すると，未知のマルウェアがPCにダウンロードされるのを防ぐというセキュリティ上の効果が期待できる。この効果を生み出すVDIサーバの動作の特徴はどれか。

ア　Webサイトからの受信データのうち，実行ファイルを削除し，その他のデータをPCに送信する。

イ　Webサイトからの受信データは，IPsecでカプセル化し，PCに送信する。

ウ　Webサイトからの受信データは，受信処理ののち生成したデスクトップ画面の画像データだけをPCに送信する。

エ　Webサイトからの受信データは，不正なコード列が検知されない場合だけPCに送信する。

要点解説　DMZは，インターネット及び企業内部ネットワークの両方から隔離された区域です (8-06参照)。VDIサーバは，サーバ上にある仮想マシンで処理を行い，その画面データだけをクライアントのPCに送信するので，PCが未知のマルウェアに感染するのを防げます。

解答

問題1：エ　　問題2：ア　　問題3：ウ

第5章 システム構成要素

RAIDと信頼性設計

時々出　必須　超重要

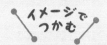

スポーツの世界で, 故障に
強い選手がいたり, 故障して
も交代する選手がいたりする
チームは強いです。
　コンピュータシステムも同
じことがいえます。

控え投手　A B C

🖲 RAID（レイド）

✨ **RAID** ✨ (Redundant Arrays of Inexpensive Disks) は, **複数の磁気ディスクを組み
合わせ, 1台の仮想的な磁気ディスクとして扱うことで, アクセスの高速化や高信頼性
を実現する技術**です。データや冗長ビットの記録方法と記憶位置の組合せに基づいて,
次のような種類がよく出題されます。なお, 表中の**パリティ**は, 磁気ディスクが故障し
たときに, データの修復に用いる情報です。

✨ **RAID0** ✨	データをブロック単位に複数の磁気ディスクに分散して書き込む (ス トライピングという)。アクセスを並列的に行うことで高速化が図れる
✨ **RAID1** ✨	磁気ディスク2台に同じデータを書き込む (ミラーリングという)。 1台が故障しても別の1台で処理が続行できるが, 使用効率が悪い
RAID3	データをビット/バイト単位に複数の磁気ディスクに分散して書き込む。さらに, 1台の磁気ディスクにパリティを書き込む。1台が故障しても, 残ったデータとパリティからデータを復旧できる
✨ **RAID5** ✨	データをブロック単位に複数の磁気ディスクに分散して書き込む。さらに, 複数の磁気ディスクにパリティも分散して書き込む。1台が故障しても, 残ったデータとパリティからデータを復旧できる

例えば, 磁気ディスク4台でRAID5を構成した場合を考えてみましょう。ディスク
Dの「パリティ1」には, ディスクAの「データ1」, ディスクBの「データ2」, ディ
スクCの「データ3」のブロックのパリティが書き込まれています。

ディスクCが故障して「データ3」を復旧させるには，ディスクDの「パリティ1」，ディスクAの「データ1」，ディスクBの「データ2」の情報を使います。

ディスクA	ディスクB	ディスクC	ディスクD
データ1	データ2	データ3	パリティ1
データ4	データ5	パリティ2	データ6
データ7	パリティ3	データ8	データ9
パリティ4	データ10	データ11	データ12

🐱! "くれば"で覚える

RAID0 とくれば **複数の磁気ディスクにデータを分散して書き込む(ストライピング)**
RAID1 とくれば **磁気ディスク2台に同じデータを書き込む(ミラーリング)**
RAID3 とくれば **データを分散，パリティは1台に固定**
RAID5 とくれば **データを分散，パリティも複数台に分散**

第5章 システム構成要素

😎 信頼性設計

システムの信頼性を向上させる設計手法には，次のようなものがあります。

🔵 フォールトアボイダンス

フォールトアボイダンス(Fault Avoidance)は，**構成要素の信頼性を高め，故障そのものを回避する設計手法**です。Avoidanceは，「回避」という意味です。構成部品の品質を高めたり，定期保守を組み入れたりします。

🔵 フォールトトレランス

✦フォールトトレランス✦(Fault Tolerance)は，**構成要素を冗長化し，故障が発生しても必要な機能は維持する設計手法**です。Toleranceは，「許容」という意味です。また，システムが部分的に故障しても，システム全体としては必要な機能を維持するシステムは，**フォールトトレラントシステム**と呼ばれています。

例えば，小惑星探査機「はやぶさ」は4基のエンジンを搭載していましたが，推進に必要なのは3基だけだったので，1基が故障しても他のものを使うことができました。

🔵 フェールセーフ

✦フェールセーフ✦(Fail Safe)は，**故障が発生した場合，危険が生じないような構造や仕組みを取り入れる設計手法**です。Safeは，「安全」という意味で，故障したときには安全重視という考え方です。

身近な例として，信号機は故障を感知すると，交差点の全ての信号機が赤になるようになっています。

● フェールソフト

✦フェールソフト✦ (Fail Soft) は，**故障が発生した場合，一部のサービスレベルを低下させても，継続させる構造や仕組みを取り入れる設計手法**です。故障したときには，継続重視という考え方です。また，システムを部分的に停止させた状態で稼働を続けることを縮退運転といいます。Windows でいうセーフモードのようなイメージです。

身近な例として，公衆電話は，停電時でも硬貨なら通話できるようになっています。

🐱！"くれば"で覚える

フェールセーフ	とくれば	**安全重視**
フェールソフト	とくれば	**継続重視**

● フールプルーフ

✦フールプルーフ✦ (Fool Proof) は，**人が誤った操作や取扱いができないような構造や仕組みを取り入れる設計手法**です。誤った操作をしても故障させないという考え方です。

身近な例として，電子レンジは，扉が開いた状態では動作しないようになっています。

📖 知っ得情報 ❮ エラープルーフ ❯

どんなに注意していても，ヒューマンエラーを100%防ぐことはできません。ヒューマンエラーを減らすためには，エラーの原因になるものを除去し（**排除**），人が行っていた作業をシステム化し（**代替化**），複雑な作業を簡単にします（**容易化**）。さらに，他に波及しないようにするために，異常を検知したら知らせて（**異常検出**），ミスの影響範囲が最小限になるようにします（**影響緩和**）。このような考え方を**エラープルーフ**といい，フールプルーフと同じ意味です。

確認問題 1　▶ 令和元年度秋期　問15　　　正解率 ▶ 中　　　基本

RAID の分類において，ミラーリングを用いることで信頼性を高め，障害発生時には冗長ディスクを用いてデータ復元を行う方式はどれか。

ア　RAID1　　　イ　RAID2　　　ウ　RAID3　　　エ　RAID4

要点解説 ミラーリングを用いるのはRAID1です。「冗長ディスクを用いて」というのは，もう片方の壊れていないディスクにデータが残っているため，復元用に使うということです。

確認問題 2　▶ 平成27年度春期　問13　　正解率 ▶ **中**　　【計算】

　仮想化マシン環境を物理マシン20台で運用しているシステムがある。次の運用条件のとき，物理マシンが最低何台停止すると縮退運転になるか。

(1) 物理マシンが停止すると，そこで稼働していた仮想マシンは他の全ての物理マシンで均等に稼働させ，使用していた資源も同様に配分する。
(2) 物理マシンが20台のときに使用する資源は，全ての物理マシンにおいて70％である。
(3) 1台の物理マシンで使用している資源が90％を超えた場合，システム全体が縮退運転となる。
(4) (1)〜(3)以外の条件は考慮しなくてよい。

　ア　2　　　　　　イ　3　　　　　　ウ　4　　　　　　エ　5

要点解説　マシンを100％使用したときの必要な資源は，20台×70％＝14台分
14台分の資源を何台で分担すれば，90％を超えるかを求めます。
$14 \div x = 90\%$　$x \fallingdotseq 15.6$　稼働台数が15.6台を下回ったとき，つまり15台となったとき縮退運転となります。これは5台停止したときです。

確認問題 3　▶ 応用情報　令和6年度春期　問12　　正解率 ▶ **中**　　【基本】

　システムの信頼性設計に関する記述のうち，適切なものはどれか。

ア　フェールセーフとは，利用者の誤操作によってシステムが異常終了してしまうことのないように，単純なミスを発生させないようにする設計方法である。
イ　フェールソフトとは，故障が発生した場合でも機能を縮退させることなく稼動を継続する概念である。
ウ　フォールトアボイダンスとは，システム構成要素の個々の品質を高めて故障が発生しないようにする概念である。
エ　フォールトトレランスとは，故障が生じてもシステムに重大な影響が出ないように，あらかじめ定められた安全状態にシステムを固定し，全体として安全が維持されるような設計手法である。

要点解説　フォールトアボイダンスは，構成要素の信頼性を高め，故障そのものを回避する設計です。
ア　フールプルーフ　　イ　フォールトトレランス　　エ　フェールセーフ

解答

問題1：ア　　　問題2：エ　　　問題3：ウ

5 04 システムの性能評価

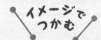

イメージで
つかむ

　学生の頃，学期末になると
テストがあり，その結果が評
価の一つとされました。
　コンピュータシステムで
も，同じプログラムを実行
し，実行時間等を計測して評
価がされます。

システムの性能指標

　システムの性能を評価する指標には，次のようなものがあります。

スループット	単位時間当たりに処理される仕事の量。単位時間あたりに処理できる件数が多いほど，システムの性能が高いといえる
ターンアラウンドタイム	利用者が処理を依頼してから，処理結果の出力が終了するまでの時間。この時間が短いほど，システムの性能が高いといえる。主に，バッチ処理（5-01参照）で使われる指標
レスポンスタイム	利用者が処理を依頼してから，処理結果が出始めるまでの時間。**応答時間**ともいう。この時間が短いほど，システムの性能が高いといえる。主に，リアルタイム処理（5-01参照）で使われる指標

攻略法 … これがレスポンスタイムとターンアラウンドタイムのイメージだ！

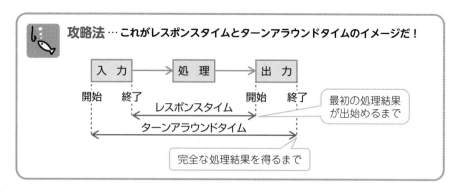

244

⬢ ベンチマークテスト

✦ベンチマークテスト✦は，**システムの使用目的に合った標準的なプログラムを実行させ，その測定値から処理性能を相対的に評価する方法**です。Benchmarkは，「基準」という意味です。次のようなものがあります。

SPECint スペックイント	整数演算の性能を測定するベンチマークテスト
SPECfp スペックエフピー	浮動小数点演算の性能を測定するベンチマークテスト
TPCベンチマーク	トランザクション処理 (6-04参照) の性能を測定するベンチマークテスト。CPUの性能だけでなく，磁気ディスクの入出力やデータベース管理システム (6-01参照) の性能までを含め評価する

😺! "くれば"で覚える

ベンチマークテスト　とくれば　**標準的なプログラムを実行させ，相対評価する**

⬤ MIPS ミップス

✦MIPS✦ (Million Instructions Per Second) は，**1秒間に実行される命令数を百万単位で表したもの**です。これは，1秒間に何百万個の命令が実行できるかを評価します。主に，同一メーカの同一アーキテクチャのCPU性能比較に用いられます。

😺! "くれば"で覚える

MIPS　とくれば　**1秒当たりの命令数を百万単位で表したもの**

⬢ 命令ミックス

CPUの命令には種類があり，それぞれ実行速度も異なります。そこで，よく使われる命令をピックアップしてセットにしたもの（**命令ミックス**という）を用意し，それぞれの命令の実行速度と出現頻度から加重平均を求め，MIPS値で表せばより正確な指標になります。例えば，次の命令ミックスの場合のMIPS値を求めてみましょう。

命令種別	実行速度（マイクロ秒）	出現頻度（%）
整数演算命令	1.0	50
移動命令	5.0	30
分岐命令	5.0	20

各命令の実行速度と出現頻度が異なるので，加重平均を使って1命令当たりの平均命令実行時間を求めます。

第5章 システム構成要素

$1.0 \times 0.5 + 5.0 \times 0.3 + 5.0 \times 0.2 = 3.0$ マイクロ秒です。

　これをMIPS値で表します。MIPSは，1秒間に実行される命令数を百万単位で表したものです。

1命令 →　3.0×10^{-6}秒（3.0マイクロ秒）
?命令 ←　1秒

> たすき掛けで考えると理解しやすい。たすきに掛けたもの同士が等しくなる

　求めると，1秒間に実行される命令の回数は333,333.33…，百万単位で表すと0.3となり，約0.3MIPSです。

攻略法 …… 比で解く方法

　MIPS値の計算のほかにも，様々な計算問題で，たすき掛けで解く方法が有効です。これは，数学で出てきた比の問題の解き方と同じです。上の例の場合は「内項の積＝外項の積」の法則から，

$1 : 3.0 \times 10^{-6} = ? : 1$

内項の積
外項の積

$1 \times 1 = 3.0 \times 10^{-6} \times ?$
　$? = 1/(3.0 \times 10^{-6})$ で求まります。

50MIPSのプロセッサの平均命令実行時間は幾らか。

ア　20ナノ秒　　　　　　　　　　イ　50ナノ秒
ウ　2マイクロ秒　　　　　　　　　エ　5マイクロ秒

要点解説　MIPSは，1秒間に実行できる命令数を100万単位で表したものです。
　50MIPSということは，1秒間に50×100万＝5×10^7命令実行できるということです。
　1秒　→　5×10^7命令
　?秒　→　1命令
　たすき掛けで解くと，$1 = ? \times 5 \times 10^7$
　求めると，$1/(5 \times 10^7) = 1/5 \times 10^{-7} = 0.2 \times 10^{-7}$秒
　ここで，10^{-3}がミリ，10^{-6}がマイクロ，10^{-9}がナノです。
　0.2×10^{-7}秒$= 2 \times 10^{-8} = 20 \times 10^{-9}$となり，20ナノ秒です。

確認問題 2 ▶ 平成29年度春期 問13　　正解率 ▶ 中　　基本

ベンチマークテストの説明として，適切なものはどれか。

ア　監視・計測用のプログラムによってシステムの稼働状態や資源の状況を測定し，システム構成や応答性能のデータを得る。

イ　使用目的に合わせて選定した標準的なプログラムを実行させ，システムの処理性能を測定する。

ウ　将来の予測を含めて評価する場合などに，モデルを作成して模擬的に実験するプログラムでシステムの性能を評価する。

エ　プログラムを実際には実行せずに，机上でシステムの処理を解析して，個々の命令の出現回数や実行回数の予測値から処理時間を推定し，性能を評価する。

 目的に合わせた測定用のソフトウェアを実行し，システムの処理性能を数値化して，他の製品と比較するのがベンチマークテストです。

確認問題 3 ▶ 平成30年度秋期 問9　　正解率 ▶ 中　　計算

動作クロック周波数が700MHzのCPUで，命令実行に必要なクロック数及びその命令の出現率が表に示す値である場合，このCPUの性能は約何MIPSか。

命令の種別	命令実行に必要なクロック数	出現率（%）
レジスタ間演算	4	30
メモリ・レジスタ間演算	8	60
無条件分岐	10	10

ア　10　　　　イ　50　　　　ウ　70　　　　エ　100

加重平均を使って平均命令クロックを求めると，$4 \times 0.3 + 8 \times 0.6 + 10 \times 0.1 = 7.0$となり，平均的には1命令につき7クロックかかります。

700MHzは，1秒間に700×10^6クロックでタイミングをとります。

ここで，MIPSは，1秒あたりに実行される命令数を100万単位で表したものです。

　　1秒　→　?命令　→　700×10^6クロック
　　　　　　1命令　→　7クロック

たすき掛けで解くと，1秒間に100×10^6命令＝100MIPSとなります。

解答

問題1：ア　　　　問題2：イ　　　　問題3：エ

5 05 システムの信頼性評価

2個の豆電球をつなぐ場合，直列と並列の2種類のつなぎ方がありました。
コンピュータシステムでも，直列システムと並列システムの2種類があり，豆電球と同じ特徴があります。

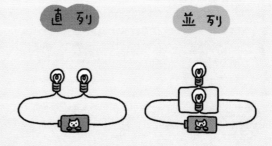

システムの評価特性

システムの評価特性には，**信頼性 (Reliability)・可用性 (Availability)・保守性 (Serviceability)・保全性 (Integrity)・安全性 (Security)** があり，頭文字をとってRASIS と呼ばれています。

✦信頼性✦	故障が少なく，安定して稼働すること。指標として，MTBF (後述) が用いられる
✦可用性✦	必要なときに，いつでも利用できること。指標として，稼働率(後述)が用いられる
✦保守性✦	故障原因の発見や，修理が容易になること。指標として，MTTR (後述)が用いられる
保全性	情報を正しい状態に保つこと
安全性	認められた者だけが情報を利用できること。機密性ともいう

！"くれば"で覚える

RASIS とくれば **信頼性・可用性・保守性・保全性・安全性**

システムの評価指標

特性を具体的な数値で評価する指標には次のものがあります。

⚙ MTBF

✦平均故障間隔✦ (MTBF：Mean Time Between Failures) は，**システムが故障してから，次に故障するまでの平均時間**です。故障している時間ではなく，**正常に稼働している平均時間**です。平均故障間隔の値が大きいほど，信頼性が高いシステムといえます。

⚙ MTTR

✦平均修理時間✦ (MTTR：Mean Time To Repair) は，**システムが故障して修理に要する平均時間**です。平均修理時間の値が小さいほど，保守性が高いシステムといえます。

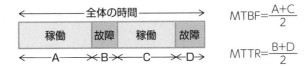

$$MTBF = \frac{A+C}{2}$$

$$MTTR = \frac{B+D}{2}$$

⚙ 稼働率

✦稼働率✦ は，**システムが正常に動作している時間の割合**です。稼働率は，MTBFとMTTRを用いて求められます。

$$稼働率 = \frac{MTBF}{MTBF + MTTR}$$

🐱！"くれば"で覚える

MTBF	とくれば	**正常に稼働している平均時間**
MTTR	とくれば	**修理している平均時間**
稼働率	とくれば	**正常に稼働している時間の割合。**稼働率 $= \dfrac{MTBF}{MTBF + MTTR}$

例えば，ある装置の4か月における各月の稼働時間と修理時間は次のとおりで，各月の故障回数は1回ずつであった場合のMTBF，MTTR，稼働率を求めてみましょう。

MTBF = 600 ÷ 4 = 150時間
MTTR = 6 ÷ 4 = 1.5時間
稼働率 = 150 ÷ (150 + 1.5) ≒ 0.99

月	稼働時間	修理時間
1	100	1
2	200	1
3	100	2
4	200	2
合計	600	6

🐱 複数システムの稼働率

次に，複数の要素で構成されているシステムについて考えてみましょう。

⚙ 直列システムの稼働率

システムAとBが直列で接続されている場合は，一方のシステムが稼働しなくなると，もう一方のシステムも稼働しなくなります。システム全体が稼働するのは，システムAとBが両方とも稼働しているときです。

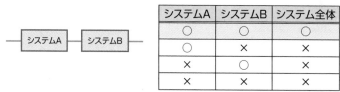

システムA	システムB	システム全体
○	○	○
○	×	×
×	○	×
×	×	×

○:稼働中　×:故障中

ここで，システムAの稼働率をa，システムBの稼働率をbとすると，**直列システムの稼働率＝a×b**で求められます。

⚙ 並列システムの稼働率

システムAとBが並列で接続されている場合は，一方のシステムが故障しても，もう一方のシステムは稼働しています。システム全体が稼働するのは，システムAとBの少なくとも一方が稼働しているときです。

システムA	システムB	システム全体
○	○	○
○	×	○
×	○	○
×	×	×

○:稼働中　×:故障中

ここで，システムAの稼働率をa，システムBの稼働率をbとすると，**並列システムの稼働率＝1－(1－a)(1－b)**で求められます。

> 🐱! "くれば"で覚える
>
> 直列システムの稼働率　とくれば　**a×b**
> 並列システムの稼働率　とくれば　**1－(1－a)(1－b)**

攻略法 …… **これが並列システムの稼働率だ！**

稼働率＝1－故障率です。式の仕組みを理解すれば，暗記の必要はありません。3台以上の並列システムも対応できます。

並列システムの稼働率＝1－(1－a)(1－b)

← ① → ← ② →
← ③ →
← ④ →

① システムAが故障している確率
② システムBが故障している確率
③ システムAとBの両方が故障している確率
④ システムAとBの両方が故障している**以外**の確率
　⇒ システムAとBのどちらか一方が稼働している確率

アドバイス［稼働率は最重要項目］

稼働率の計算問題は，ほぼ毎回出題される基本情報技術者試験の定番です。稼働率の公式は，その意味から導けるように覚えましょう。また，字面が似ていて紛らわしいMTBFとMTTRの意味は，区別できるようにして下さい。略語からフルスペルが想像できれば覚えられます。

バスタブ曲線

各装置の故障率と時間の関係をグラフにすると，一般的に次のような曲線を描きます。形が浴槽に似ているので，**バスタブ曲線**と呼ばれています。システムが故障せず，長い時間稼働させるためには，偶発故障期間に定期点検で部品を交換することで，摩耗故障期間を迎える時期を遅らせることが重要です。

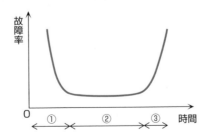

①初期故障期間	初期導入時には，設計や製造の誤りなどにより故障率が高くなる
②偶発故障期間	初期故障の誤りを修正し，故障率がほぼ一定になる
③摩耗故障期間	時間が経つにつれて，摩耗などにより故障率が高くなる

第5章 システム構成要素

あるシステムの今年度のMTBFは3,000時間，MTTRは1,000時間である。翌年度はMTBFについて今年度の20％分の改善，MTTRについて今年度の10％分の改善を図ると，翌年度の稼働率は何％になるか。

ア　69　　　　イ　73　　　　ウ　77　　　　エ　80

MTBFを改善すると時間が長くなり，MTTRを改善すると時間が短くなります。
MTBF：3,000 × (1 + 0.2) = 3,600時間
MTTR：1,000 × (1 - 0.1) = 900時間
稼働率は，3,600 ÷ (3,600 + 900) = 0.8
よって，80％です。

コンピュータシステムの信頼性に関する記述のうち，適切なものはどれか。

ア　システムの遠隔保守は，MTTRを長くし，稼働率を向上させる。
イ　システムの稼働率は，MTTRとMTBFを長くすることによって向上する。
ウ　システムの構成が複雑なほど，MTBFは長くなる。
エ　システムの予防保守は，MTBFを長くするために行う。

ア　遠隔保守は軽微な故障の修理時間が短くなるのでMTTRは短くなります。
イ　稼働率を向上させるには，MTTRは短く，MTBFは長くします。
ウ　システムの構成が複雑なほど，システム全体のMTBFは短くなります。
エ　予防保守は，故障の前兆をとらえて故障する前に部品を交換するため，MTBFは長くなります。

稼働率Rの装置を図のように接続したシステムがある。このシステム全体の稼働率を表す式はどれか。ここで，並列に接続されている部分はどちらかの装置が稼働していればよく，直列に接続されている部分は両方の装置が稼働していなければならない。

ア　$(1 - (1 - R^2))^2$　　　　　　　イ　$1 - (1 - R^2)^2$
ウ　$(1 - (1 - R)^2)^2$　　　　　　　エ　$1 - (1 - R)^4$

要点解説 システムを分解して考えます。並列システム2台が直列で接続されています。

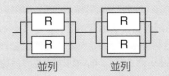

並列

並列

並列システム2台の稼働率は，それぞれ $1-(1-R)^2$
それが直列に接続されているため，$(1-(1-R)^2)^2$ です。

確認問題 4 ▶ 平成31年度春期 問14 正解率 ▶ **中** 頻出 計算

　図のように，1台のサーバ，3台のクライアント及び2台のプリンタが
LANで接続されている。このシステムはクライアントからの指示に基づい
て，サーバにあるデータをプリンタに出力する。各装置の稼働率が表のとお
りであるとき，このシステムの稼働率を表す計算式はどれか。ここで，クラ
イアントは3台のうち1台でも稼働していればよく，プリンタは2台のうち
どちらかが稼働していればよい。

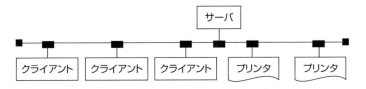

装置	稼動率
サーバ	a
クライアント	b
プリンタ	c
LAN	1

ア　ab^3c^2
イ　$a(1-b^3)(1-c^2)$
ウ　$a(1-b)^3(1-c)^2$
エ　$a(1-(1-b)^3)(1-(1-c)^2)$

要点解説 サーバとクライアントとプリンタは直列と考えます。
　サーバの稼働率は a
　クライアントどうしは並列のため，クライアント全体の稼働率は $(1-(1-b)^3)$
　プリンタどうしも並列のため，プリンタ全体の稼働率は $(1-(1-c)^2)$
　これらをかけ合わせれば全体の稼働率が求められます。

第

5

章

システム構成要素

2台の処理装置から成るシステムがある。少なくともいずれか一方が正常に動作すればよいときの稼働率と，2台とも正常に動作しなければならないときの稼働率の差は幾らか。ここで，処理装置の稼働率はいずれも0.9とし，処理装置以外の要因は考慮しないものとする。

ア 0.09   イ 0.10   ウ 0.18   エ 0.19

要点解説 稼働率0.9の処理装置2台を並列につなぐときと直列につなぐときの差を求めます。

並列の場合は，$1-(1-0.9)^2=1-0.1^2=0.99$
直列の場合は，$0.9^2=0.81$
差は，$0.99-0.81=0.18$です。

2台のプリンタがあり，それぞれの稼働率が0.7と0.6である。この2台のプリンタのいずれか一方が稼動していて，他方が故障している確率は幾らか。ここで，2台のプリンタの稼動状態は独立であり，プリンタ以外の要因は考慮しないものとする。

ア 0.18   イ 0.28   ウ 0.42   エ 0.46

プリンタA	プリンタB	確率
稼働	稼働	$0.7 \times 0.6 = 0.42$
稼働	故障	$0.7 \times (1-0.6) = 0.28$
故障	稼働	$(1-0.7) \times 0.6 = 0.18$
故障	故障	$(1-0.7) \times (1-0.6) = 0.12$

2台のプリンタのいずれか一方が稼動していて，他方が故障している確率は，$0.28+0.18=0.46$です。

解答

問題1：エ   問題2：エ   問題3：ウ   問題4：エ   問題5：ウ
問題6：エ

第 **6** 章

データベース技術

〔 科目 A 〕

6 01 データベース

イメージで
つかむ

データベースには，データ
の基地という意味がありま
す。蓄積したデータを皆で情
報を共有することで，付加価
値が生まれます。

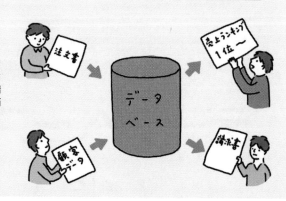

データベース

データベース(DB：Data Base) は，**一定の規則に従って関連性のあるデータを蓄積し
たもの**です。Data Base は，「データの基地」という意味です。スマートフォンの電話
帳もデータベースの一つですが，これは個人の利用に限られています。一般的には企業
などで使うデータベースは，複数の利用者が同時に利用することを目的にデータを一元
管理しています。

データモデル

データモデルは，**データベースを設計する際に，実世界におけるデータの集合をデー
タベース上で定義する枠組み**です。データ処理の対象となる情報を基に，データの構造
や意味，操作の枠組みなどを規定します。データモデルには，次のようなものがありま
す。

- **関係モデル**は，2次元の表で表現されるモデルです。
- **階層モデル**は，親子関係の木構造で表現されるモデルです。
- **ネットワークモデル**は，網状で表現されるモデルです。

🅞 関係モデル

✨**関係モデル**✨は，**データの関係を集合論などの数学モデルで表現したもの**です。これをコンピュータに実装したものが関係データベースです。対応は，次のようになります。

関係モデル		関係データベース
関係	Relation	表・テーブル
タプル(組)	Tuple	行・レコード
属性	Attribute	列・フィールド
定義域	Domain	整数型，文字列型など

項目のこと

なお，定義域は，属性が取り得る値の集合です。これは，整数型，文字列型などのデータ型と同じ意味です。

🅞 関係データベース

✨**関係データベース**✨ (RDB：Relational Data Base) は，**行と列から構成される2次元の表で表現されるデータベース**です。表間は，相互の表中の列の値を用いて関係付けられているのが特徴です (6-02参照)。**リレーショナルデータベース**とも呼ばれています。

商品表　表　列

商品番号	商品名	定価
P01	デスクトップパソコン	248,000
P02	ノートパソコン	189,000
D01	TFTディスプレイ	78,000

行

🅜 スキーマ

コンピュータにデータベースを実装するときには，スキーマを使ってデータベースの構造を定義します。✨**スキーマ**✨は，**データの形式や性質，ほかのデータとの関連などを定義したもの**で，次頁の「外部」・「概念」・「内部」の三つのスキーマが用いられ，**3層スキーマ**と呼ばれています。

これらのスキーマは，同じデータベースを視点の違いで定義したものです。3層に分けることで，データの物理的な格納構造を変更しても，アプリケーションには影響が及ぶことはありません。

第**6**章　データベース技術

外部スキーマ	利用者やアプリケーションから見たデータベースの構造で，概念スキーマから必要な部分を取り出して定義したもの。ビュー表（仮想表）(6-06参照) が相当する
概念スキーマ	開発者から見たデータ項目やデータベースの構造（論理的構造）を定義したもの。表（実表）が相当する
内部スキーマ	データベースに，データを格納するための物理的な構造（物理的構造）を定義したもの。データファイルの配置が相当する

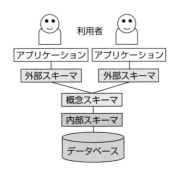

　ビュー表は，一つ以上の実表から関係演算 (6-06参照) によって得られたものを，一つの表に見せかけた仮想表です。ビュー表に対するアクセスの権限があれば利用できるので，元の実表に対する権限は必要ありません。

😋 データベース管理システム

　✦**データベース管理システム**✦ (DBMS：Data Base Management System) は，**複数の利用者で大量のデータを共同利用できるように管理するソフトウェア**です。ミドルウェア (2-01参照) に分類されます。アプリケーションからの要求を受けて，データベース内のデータの検索や追加，更新，削除などを行うほか，次のような主な機能があります。

機　能	概　要
保全機能	データの整合性を保つ機能。参照制約 (6-02参照) や排他制御 (6-04参照) など
障害回復機能	データベースの障害を回復する機能。ロールフォワードやロールバック (6-05参照) など
機密保護機能	データの改ざんや漏えいを未然に防ぐ機能。ユーザ認証やアクセス制御など

> **知っ得情報《再編成》**
> データベースに対する変更操作が繰り返されると，データの物理的な格納位置が不規則になったり，削除領域が利用できなくなったりする状態になります。これを修復し，アクセス性能を向上させることを**再編成**といいます。

確認問題 1 ▸ 平成31年度春期 問15　　　正解率 ▸ **中**　　　応用

　アプリケーションの変更をしていないにもかかわらず，サーバのデータベース応答性能が悪化してきたので，表のような想定原因と，特定するための調査項目を検討した。調査項目cとして，適切なものはどれか。

想定原因	調査項目
・同一サーバに他のシステムを共存させたことによる負荷の増加 ・接続クライアント数の増加による通信量の増加	a
・非定型検索による膨大な処理時間を要するSQL文の発行	b
・フラグメンテーションによるディスクI/Oの増加	c
・データベースバッファの容量の不足	d

ア　遅い処理の特定　　　　　　　　　イ　外的要因の変化の確認
ウ　キャッシュメモリのヒット率の調査　エ　データの格納状況の確認

要点解説　フラグメンテーション(1-07参照)によるディスクI/Oの増加が原因だとすると，データが断片化していることになります。データの格納状況を調査し，必要があればディスクを再編成してアクセス性能を向上させる対策を取ります。

確認問題 2 ▸ 平成31年度春期 問26　　　正解率 ▸ **中**　　　応用

　関係モデルの属性に関する説明のうち，適切なものはどれか。

ア　関係内の属性の定義域は重複してはならない。
イ　関係内の属性の並び順に意味はなく，順番を入れ替えても同じ関係である。
ウ　関係内の二つ以上の属性に，同じ名前を付けることができる。
エ　名前をもたない属性を定義することができる。

要点解説　属性は関係データベースでいうと列のことです。
　ア　定義域は，データ型と同じ意味です。例えば，整数型の列が二つ以上あっても特に問題はありません。
　イ　関係モデルにおいては，並び順には意味はありません。
　ウ　同じ名前を複数の属性に付けることはできません。
　エ　名前がない属性は定義できません。

解答

問題1：エ　　　問題2：イ

時々出　必須　超重要

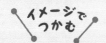

あるデータを表に整理すると，非常に見やすく扱いやすくなる場合があります。
データベースにおいても，表にして扱うものがあります。

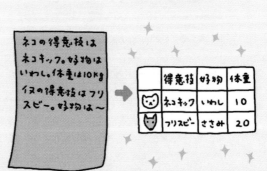

🐾 データベース設計

　データベース設計では対象業務を分析するために，次のE-R図などがよく使われます。対象業務を分析した後は，E-R図を基に実際に表などを設計していくことになります。

🔘 E-R図

　E-R図 (Entity-Relationship Diagram) は，**対象業務を構成する実体 (人や物，場所，事業など) と実体間の関連を視覚的に表した図**です。実体を長方形の箱で表し，各実体の関連を矢印で表します。

　また，**実体をエンティティ** (Entity)，**実体間の関連をリレーションシップ** (Relationship) といい，矢印の有無や矢印の方向によって4種類の関連があります。

　例えば，社員が100人で，3部署ある会社でのE-R図を考えてみましょう。ここでは，一人の社員が複数の部署に所属することはないものとします。

　この場合の実体は「社員」と「部署」，関連は「所属」です。

　まずは，「社員」から「部署」の方向へ見てみましょう。一人の「社員」は，一つの「部署」に所属しています。

　次に，「部署」から「社員」の方向へ見てみましょう。一つの「部署」には，複数人の「社員」が所属しています。

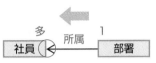

　合わせると，「社員」と「部署」の関連は，「多対1」の関係になります。

> 😺❗ **"くれば"で覚える**
> E-R図　とくれば　**実体と実体間の関連を表した図**

🐾 表の設計

　表の設計では，主キーや外部キーなどを検討しながら，データの正規化（6-03参照）を行います。

😺 主キー

　主キー（Primary Key）は，**表中の行を一意に識別するための列**のことです。一意は，「重複しない」という意味です。次の二つの制約を満たす必要があります。
　1. **同一の値は存在しないこと**（一意性制約という）
　2. **値が空（NULL）でないこと**（非NULL制約という）

> 😺❗ **"くれば"で覚える**
> 主キー　とくれば　**行を一意に識別するための列。一意性制約，非NULL制約**

😺 外部キー

　外部キー（Foreign Key）は，**他の表の主キーを参照している列**のことです。次の制約を満たす必要があります。
　・ **表間でデータの矛盾が発生しないこと**（参照制約という）

第6章　データベース技術

261

具体例で考えてみましょう。まず，次の図の社員表の「社員コード」，部署表の「部署コード」が，それぞれの表の主キーとなっています。

　さらに，社員表の「部署コード」が外部キーで，部署表の主キーである「部署コード」を参照しているので，例えば，部署表の「部署コード」には存在しない「202」の値は，社員表の「部署コード」には入力できません。また，社員表の「部署コード」に「101」の値がすでに入力されていると，部署表の「部署コード」の「101」は削除できません。これが参照制約です。

主キー　　　　外部キー　　　リレーション　　　　主キー

社員表

社員コード	名前	部署コード	給料
10010	伊藤幸子	101	200,000
10020	斉藤栄一	201	300,000
10030	鈴木裕一	101	250,000
10040	本田一弘	102	350,000
10050	山田五郎	102	300,000
10060	若山まり	201	250,000

部署表

部署コード	部署名
101	第一営業
102	第二営業
201	総務

社員表に入力済みの値は削除できない

同じ社員コードを設定できない

部署表に存在しない部署コードを設定できない

　このように，関係データベースでは，表間は主キーと外部キーで関係付けています。この**表間の関係付け**を**リレーション**（Relation）といいます。

🐱！"くれば"で覚える

外部キー　とくれば　他の表の主キーを参照する列。参照制約

得　知っ得情報〈インデックス〉

　インデックスは，どのデータがどこにあるかを示したものです。Index（インデックス）は，「索引」という意味です。インデックスを設定すると，大量のデータの中からデータを検索する際は，検索項目をインデックスにしない場合に比べて検索時間は短く，比較的一定した時間に収まるという特長があります。ただし，データの追加や削除の頻度が高いときは，データ本体だけでなくインデックスも更新しなければならず，逆に処理時間は遅くなります。

　これは，用語を調べるときに，用語集を1ページ1ページめくって探すのではなく，索引から対象ページを絞り込んでから探したほうが時間はかからないようなイメージです。

確認問題 1 ▶ 平成25年度秋期 問30　　正解率 ▶ 高　　基本

　　関係データベースの主キー制約の条件として，キー値が重複していないことの他に，主キーを構成する列に必要な条件はどれか。

ア　キー値が空でないこと
イ　構成する列が一つであること
ウ　表の先頭に定義されている列であること
エ　別の表の候補キーとキー値が一致していること

要点解説　主キーの列には，値が重複しないようにする制約に加え，主キーがNULLでないようにする制約，つまり必ず値が入っているようにする制約があります。

確認問題 2 ▶ 平成27年度春期 問46　　正解率 ▶ 中　　基本

　　E-R図の説明はどれか。

ア　オブジェクト指向モデルを表現する図である。
イ　時間や行動などに応じて，状態が変化する状況を表現する図である。
ウ　対象とする世界を実体と関連の二つの概念で表現する図である。
エ　データの流れを視覚的に分かりやすく表現する図である。

要点解説　ア　UML (9-04参照)　　　　　イ　状態遷移図 (3-09参照)
　　　　　ウ　E-R図　　　　　　　　　　エ　DFD (9-04参照)

第 6 章　データベース技術

解答

問題1：ア　　　問題2：ウ

6 03 データの正規化

時々出　必須　超重要

**イメージで
つかむ**

同じデータがたくさんある
と間違いのもと。データベー
スの正規化で，データの矛盾
が防げます。

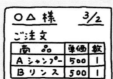

あれ？？
単価が
まちがってる？

😺 データの正規化

データの正規化は，**必要なデータ項目を整理して，データが重複しないように表を分離すること**です。データの重複を排除することで，データベース操作に伴う重複更新や矛盾の発生を防ぐことが目的です。

> **😺! "くれば"で覚える**
>
> データの正規化の目的　とくれば　**データの重複や矛盾を排除すること**

正規化には，第1正規形から第3正規形まであり，次のような手順で正規化を行います。

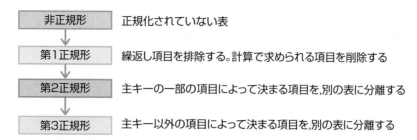

非正規形	正規化されていない表
第1正規形	繰返し項目を排除する。計算で求められる項目を削除する
第2正規形	主キーの一部の項目によって決まる項目を，別の表に分離する
第3正規形	主キー以外の項目によって決まる項目を，別の表に分離する

例えば，次の受注伝票のデータを正規化してみましょう。受注伝票は，受注した顧客ごとに作成され，受注した商品の分だけ明細行があります。

非正規形

上記の受注伝票を表で表すと，次のようになります。明細行分，同じ項目が繰り返されます。

受注No	受注日	顧客CD	顧客名	合計金額
10183	2022/10/01	G003	○△商店	2,740

続く

商品CD	商品名	単価	数量	金額	商品CD	商品名	単価	数量	金額
C001	ねこ手帳	980	1	980	D001	いぬ手帳	880	2	1,760

繰返し項目

第1正規形

第1正規化では，非正規形のデータから繰返し項目を排除します。また，計算で求められる項目を削除します。この場合は，「合計金額」と「金額」を削除します。

ここで，主キーは，「受注No」と「商品CD」の**複数の列を組み合わせることで，行を一意に特定する**ことができます。これを**複合主キー**といいます。

受注No	受注日	顧客CD	顧客名	商品CD	商品名	単価	数量
10183	2022/10/01	G003	○△商店	C001	ねこ手帳	980	1
10183	2022/10/01	G003	○△商店	D001	いぬ手帳	880	2

下線の項目は，主キーを表す

"くれば"で覚える

第1正規化　とくれば　**繰返し項目を排除する。計算で求められる項目を削除する**

265

⚫ 第2正規形

第2正規化では，主キーの一部の項目によって決まる項目を，別の表に分離します。

・「受注No」が決まれば，「受注日」，「顧客CD」，「顧客名」が一意に決まります。
・「商品CD」が決まれば，「商品名」，「単価」が一意に決まります。

このように，**主キーの一部の項目によって，項目が一意に決まる関係**を，**部分関数従属**といいます。

次の「受注表」と「商品表」に分離します。「受注表」の主キーは「受注No」，「商品表」の主キーは「商品CD」です。

残った「数量」は，「受注No」と「商品CD」が決まれば，一意に決まります。
このように，**主キーによって，項目が一意に決まる関係**を，**完全関数従属**といいます。
次の「受注明細表」の主キーは，「受注No」と「商品CD」の複合主キーです。

🐱! "くれば"で覚える

第2正規化 とくれば 主キーの一部の項目によって決まる項目を，別の表に分離する

⚫ 第3正規形

第3正規化では，主キー以外の項目によって決まる項目を，別の表に分離します。

・「顧客CD」が決まれば，「顧客名」が一意に決まります。

266

このように，**主キー以外の項目によって，項目が一意に決まる関係**を，**推移的関数従属**といいます。「受注表」は推移的関数従属の関係を持っています。

推移的関数従属

[受注表]

受注No	受注日	顧客CD	顧客名

次の「顧客表」に分離します。主キーは「顧客CD」です。

[顧客表]

顧客CD	顧客名

😺! "くれば"で覚える

第3正規化　とくれば　主キー以外の項目によって決まる項目を，別の表に分離する

以上をまとめると，第3正規形は次のようになります。

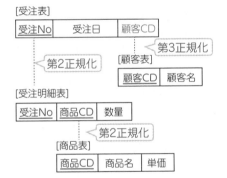

確認問題　1　　▶ 平成26年度秋期　問28　　　正解率 ▶ 中　　　**基本**

　関係を第3正規形まで正規化して設計する目的はどれか。

ア　値の重複をなくすことによって，格納効率を向上させる。
イ　関係を細かく分解することによって，整合性制約を排除する。
ウ　冗長性を排除することによって，更新時異状を回避する。
エ　属性間の結合度を低下させることによって，更新時のロック待ちを減らす。

要点解説　データの正規化を行うことによって，データの矛盾や重複を排除することができ，保守や管理を容易にできます。

　次の関数従属を満足するとき，成立する推移的関数従属はどれか。ここで，"A→B"はBがAに関数従属していることを表し，"A→{B，C}"は，"A→B"かつ"A→C"が成立することを表す。

〔関数従属〕
{注文コード，商品コード} → {顧客注文数量，注文金額}
注文コード → {注文日，顧客コード，注文担当者コード}
商品コード → {商品名，仕入先コード，商品販売価格}
仕入先コード → {仕入先名，仕入先住所，仕入担当者コード}
顧客コード → {顧客名，顧客住所}

ア　仕入先コード → 仕入担当者コード → 仕入先住所
イ　商品コード → 仕入先コード → 商品販売価格
ウ　注文コード → 顧客コード → 顧客住所
エ　注文コード → 商品コード → 顧客注文数量

要点解説 「Aが決まればBが決まる。Bが決まればCが決まる場合，Aが決まればCが決まる。」という関係を推移的関数従属といいます。

　ア　〔関数従属〕の4行目から，仕入先コードが決まれば仕入担当者コードが決まりますが，仕入担当者コードから仕入先住所は決まりません。
　イ　〔関数従属〕の3行目から，商品コードが決まれば仕入先コードが決まりますが，仕入先コードから商品販売価格は決まりません。
　ウ　〔関数従属〕の2行目と5行目から，注文コードから顧客コードが決まり，顧客コードから顧客住所が決まります。推移的関数従属が成立します。
　エ　〔関数従属〕の2行目から，注文コードから商品コードが決まりません。

確認問題 3 ▶ 平成22年度春期 問30 正解率 ▶ **中** 応用

"発注伝票"表を第3正規形に書き換えたものはどれか。ここで，下線部は主キーを表す。

発注伝票(<u>注文番号</u>，<u>商品番号</u>，商品名，注文数量)

ア　発注(<u>注文番号</u>，注文数量)
　　商品(<u>商品番号</u>，商品名)
イ　発注(<u>注文番号</u>，注文数量)
　　商品(<u>注文番号</u>，<u>商品番号</u>，商品名)
ウ　発注(<u>注文番号</u>，<u>商品番号</u>，注文数量)
　　商品(<u>商品番号</u>，商品名)
エ　発注(<u>注文番号</u>，<u>商品番号</u>，注文数量)
　　商品(<u>商品番号</u>，商品名，注文数量)

要点解説

①第1正規形
繰返し項目が排除されているので，第1正規形済です。

②第2正規形
第2正規形では，主キーの一部の項目によって決まる項目を，別の表に分離します。主キーは「注文番号」と「商品番号」の複合主キーです。
・「商品番号」が決まれば，「商品名」が一意に決まる
次の「商品」表に分離します。「商品」表の主キーは「商品番号」です。

発注(<u>注文番号</u>，<u>商品番号</u>，注文数量)

商品(<u>商品番号</u>，商品名)

③第3正規形
第3正規形では，主キー以外の項目によって決まる項目を，別の表に分離します。今回はありません。よって，ウです。

第6章 データベース技術

解答

問題1：ウ　　　問題2：ウ　　　問題3：ウ

トランザクション処理

**イメージで
つかむ**

トイレに入るときは，必ず
鍵でロックします。ロックす
れば，ほかの人は入ることは
できません。
データベースを更新すると
きも，同じようにロックがか
けられます。

トランザクション処理

トランザクション処理は，**データベース更新時に切り離すことができない一連の処理**のことです。例えば，銀行の振込処理なら，振込する人の口座からお金を減らし，振込先の口座のお金を増やしますが，これは切り離すことができない処理です。

データベースは複数の利用者が同時にアクセスするので，トランザクション処理には次の特性が求められています。頭文字をとって，**ACID特性**と呼ばれています。これらは，銀行の預金システムでも備わっている特性です。

原子性 (Atomicity)	トランザクション処理が，全て完了したか，全く処理されていないかで終了すること
一貫性 (Consistency)	データベースの内容に矛盾がないこと
独立性 (Isolation)	複数のトランザクションを同時に実行した場合と，順番に実行した場合の処理結果が一致すること
耐久性 (Durability)	トランザクションが正常終了すると，更新結果は障害が発生してもデータベースから消失しないこと

排他制御

排他制御は，**データベースの更新時にデータの不整合が発生しないように，データの更新中はアクセスを制限（ロック）して，別のトランザクションから更新できないよう制御すること**です。トランザクションの処理が終了すれば，ロックは解除されます。

これは，トイレを鍵でロックするように，データをロックすれば他からのアクセスを制限できるようなイメージです。

　例えば，同一のデータベースを，二つのトランザクションから更新する処理を考えてみましょう。ある商品の在庫数が現在100個あり，トランザクション1からは20個，トランザクション2からは30個の出庫処理をそれぞれ行います。

　まずは，排他制御を行わない更新処理の場合を見ていきましょう。

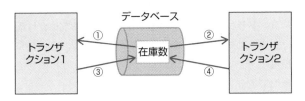

①トランザクション1： 在庫数へアクセス 　（在庫数：100個）
②トランザクション2： 在庫数へアクセス 　（在庫数：100個）
③トランザクション1： 出庫更新処理 　（在庫数：100 − 20 = 80個）
④トランザクション2： 出庫更新処理 　（在庫数：100 − 30 = 70個）

在庫数が本来なら50個にならなくてはいけないのに，70個になっており，データに不整合が発生しています。

　次に，排他制御を行った更新処理の場合を見ていきましょう。

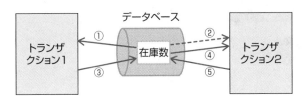

①トランザクション1： ロックをかけます。
　　　　　　　　　 在庫数へアクセス （在庫数：100個）
②トランザクション2： 在庫数へアクセス
　　　　　　　　　 ロック状態なので，待ち状態になります。
③トランザクション1： 出庫更新処理 　（在庫数：100 − 20 = 80個）
　　　　　　　　　 ロックを解除します。
④トランザクション2： （トランザクション1のロックが解除されたので，）ロックをかけます。
　　　　　　　　　 在庫数へアクセス （在庫数：80個）
⑤トランザクション2： 出庫更新処理 　（在庫数：80 − 30 = 50個）
　　　　　　　　　 ロックを解除します。

第6章 データベース技術

🔘 共有ロックと専有ロック

　ロックには，データの参照時に使用する共有ロックと，更新時に使用する専有ロックがあります。

　✦**共有ロック**✦は，**トランザクションがデータを参照する前にかけるロック**です。共有ロックしているデータに対しては，他のトランザクションからは共有ロックは可能ですが，専有ロックは不可です。つまり，共有ロック中のデータに対して，他のトランザクションからは参照できますが，更新はできません。

　✦**専有ロック**✦は，**トランザクションがデータを更新する前にかけるロック**です。専有ロックしているデータに対しては，他のトランザクションからは共有ロック，専有ロックともに不可です。つまり，専有ロック中のデータに対して，他のトランザクションからは参照も更新もできません。

　まとめると，次のようになります。

		後のトランザクション	
		共有	専有
先のトランザクション	共有	○	×
	専有	×	×

🔘 ロックの粒度

　データを更新する時に，ロックの粒度を大きくする（ロックの範囲を広くする）と，他のトランザクションの待ち状態が多く発生し，全体のスループットが低下します。

　例えば，関係データベースにおいて，二つのトランザクションがそれぞれ同じ表内の複数の行を更新する場合を考えてみましょう。

　「表単位」でロックした場合と「行単位」でロックした場合を比べてみると，ロックの競合がより起こりやすい（待ち状態が多く発生する）のは，粒度が大きい「表単位」でロックした場合です。

　一方，「行単位」でロックした場合は，競合は起こりにくくなりますが，ロックの粒度が小さいので，管理するロック数が増えることで，DBMSのメモリ使用領域がより多く必要になります。

🐱 デッドロック

✦デッドロック✦は，**複数のトランザクションが，互いに相手が専有ロックしている資源を要求して待ち状態となり，実行できなくなる状態**です。相手のロックが解放されるまで，お互い永遠に待ち状態に陥ってしまいます。

例えば，トランザクション1とトランザクション2が，次のような順番でデータAとデータBを使用する場合を見ていきましょう。

① トランザクション1：データAを専有ロック
② トランザクション2：データBを専有ロック
③ トランザクション1：データBを共有ロック（ロック解放待ち）
④ トランザクション2：データAを専有ロック（ロック解放待ち）←**デッドロック発生**

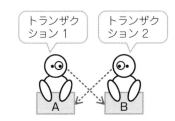

デッドロックの回避策として，「トランザクションからアクセスするテーブルの順番を一貫する」，「可能な限り行単位でロックする」，「不要に専有ロックをかけない」などがあります。

> 🐱! **"くれば"で覚える**
>
> **デッドロック　とくれば　お互いのロック解放待ち**

🐱 2相コミットメント

✦2相コミットメント✦は，**分散型データベースシステムにおいて，一連のトランザクション処理を行う複数サイトに更新処理が確定可能かどうかを問い合わせた後，全てのサイトが確定可能であれば，更新処理を確定する方式**です。

更新を確定する前に中間状態を設定して，一連の処理が障害なく更新できた場合は，全ての結果を確定します（コミット）。もし障害が発生した場合は，その処理を強制終了して（アボート），全ての結果を無効として更新前の状態に戻します（ロールバック）。つまり，「全て行うか，全く行わないか」，「All or Nothing」ということです。

次の分散型データベースの例では，主なサイト（要求元）から一つのトランザクション処理が複数のサイト（サイトAとサイトB）のデータベースを更新します。各サイトのトランザクション処理をすぐに確定するのではなく，コミットもロールバックも可能な中間状態を設定し，その後，確定処理に入るといった，2段階の仕組みになっています。

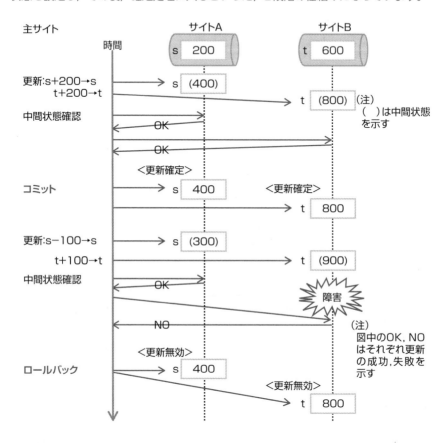

知っ得情報 〈 アクセス透過性 〉

分散システムの**アクセス透過性**は，使用する資源が遠隔地にあろうと手元にあろうと，利用者が意識することなく同じ処理方式でアクセスできることです。〇〇の透過性は，意識することなく〇〇ができるという意味です。

Hadoop
ハドゥープ

従来は「データを1台のサーバに蓄積し，条件に従い目的のデータを抽出する形態」が一般的でしたが，現在は「大規模なデータを複数のサーバに分散し，並列して高速処理する形態」が登場しています。ただし，データ間の整合性や同期をとったり，サーバに障害が発生した場合の対処方法などを組み込んだりする必要があります。**Hadoop**は，**大規模なデータを複数のサーバに分散し，並列して高速処理するミドルウェア**です。ビッグデータ(6-09参照)の活用を支える技術として注目されています。

確認問題 1 ▶ 平成30年度春期 問30 正解率 ▶ **中** **応用**

RDBMSのロックの粒度に関する次の記述において，a，bの組合せとして適切なものはどれか。

並行に処理される二つのトランザクションがそれぞれ一つの表内の複数の行を更新する。行単位のロックを使用する場合と表単位のロックを使用する場合とを比べると，ロックの競合がより起こりやすいのは ┌ a ┐ 単位のロックを使用する場合である。また，トランザクション実行中にロックを管理するためのRDBMSのメモリ使用領域がより多く必要になるのは ┌ b ┐ 単位のロックを使用する場合である。

	a	b
ア	行	行
イ	行	表
ウ	表	行
エ	表	表

 要点解説 粒度とは，「単位がどれほど細かいか」という意味です。ロックを管理するためのメモリ使用領域が多いとは，「どこをロックしたか」という情報が多いということです。

表単位のロックだと，片方のトランザクションが更新している間，もう片方のトランザクションはアクセスできなくなります。行単位のロックならば，行が競合しなければ，二つのトランザクションが別々の行を更新することが可能です。このためロックの競合が起きやすいのは表単位のロックです。

ロックを管理するRDBMSのメモリは，ロックをかける箇所が増えると，「どこをロックしたか」という情報が増えることになり，使用領域が増えます。表単位より行単位で細かくロックすると，メモリ使用領域が増えます。

なお，RDBMSはリレーショナルデータベースのDBMSのことです。

第6章 データベース技術

　分散データベースシステムにおいて，一連のトランザクション処理を行う複数サイトに更新処理が確定可能かどうかを問い合わせ，全てのサイトが確定可能である場合，更新処理を確定する方式はどれか。

ア　2相コミット　　　　　　　　イ　排他制御
ウ　ロールバック　　　　　　　　エ　ロールフォワード

分散データベースでの更新処理の確定は，2相コミットです。コミットもロールバックも可能な中間状態を設定し，その後に確定処理に入るという2段階の過程をたどります。

　DBMSに実装すべき原子性 (atomicity) を説明したものはどれか。

ア　同一データベースに対する同一処理は，何度実行しても結果は同じである。
イ　トランザクション完了後にハードウェア障害が発生しても，更新されたデータベースの内容は保証される。
ウ　トランザクション内の処理は，全てが実行されるか，全てが取り消されるかのいずれかである。
エ　一つのトランザクションの処理結果は，他のトランザクション処理の影響を受けない。

ア　一貫性　　　　イ　耐久性　　　　ウ　原子性　　　　エ　独立性

確認問題 4　▶ 令和元年度秋期　問28　　　正解率 ▶ **低**　　**応用**

一つのトランザクションはトランザクションを開始した後，五つの状態（アクティブ，アボート処理中，アボート済，コミット処理中，コミット済）を取り得るものとする。このとき，取ることのない状態遷移はどれか。

	遷移前の状態	遷移後の状態
ア	アボート処理中	アボート済
イ	アボート処理中	コミット処理中
ウ	コミット処理中	アボート処理中
エ	コミット処理中	コミット済

 イの「アボート処理中からコミット処理中」への状態遷移は，強制終了でロールバックしようとしているのにコミットしようとすることになり，あり得ません。

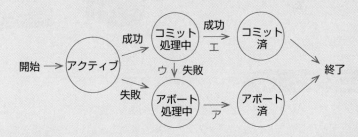

確認問題 5　▶ 平成28年度春期　問30　　　正解率 ▶ **中**　　**基本**

DBMSにおいて，複数のトランザクション処理プログラムが同一データベースを同時に更新する場合，論理的な矛盾を生じさせないために用いる技法はどれか。

ア　再編成　　　イ　正規化　　　ウ　整合性制約　　エ　排他制御

 排他制御は，複数のトランザクション処理プログラムが同一データベースを同時に更新する場合に，論理的な矛盾を生じさせないために用いる技法です。

解答

問題1：ウ　　　問題2：ア　　　問題3：ウ　　　問題4：イ　　　問題5：エ

第6章 データベース技術

6 05 データベースの障害回復

イメージで
つかむ

保存していたデータを取り出せなくなって初めて後悔をするものです。
備えあれば憂いなし。
データベースでは，障害が発生したときの復旧対策が重要です。

うわ〜
大事なデータが〜

ログファイル

　データベースのハードウェア障害やシステム障害に備え，データベースの全データをバックアップした**フルバックアップファイル**のほかに，ログファイルを取っています。
　ログファイルは，データベースの障害回復のために，**データベースの更新前や更新後の値を書き出して，データベースの更新記録を取ったもの**です。ジャーナルファイルとも呼ばれています。

！"くれば"で覚える

ログファイル　とくれば　**データベースの更新記録（更新前・更新後）**

データベースの障害回復

　データベースのハードウェア障害やシステム障害が発生したときに，データベースを回復する処理（リカバリ処理）として，次のような方法があります。

ロールフォワード（フォワードリカバリ）

　ロールフォワード（Roll Forward）は，**データベースのハードウェア障害が発生し**

た場合に，フルバックアップ時点の状態に復元した後，ログファイルの更新後情報を使
用して復旧させる方法です。

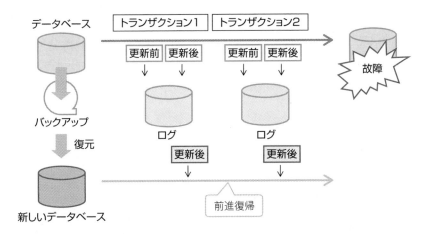

😺！ "くれば" で覚える

ロールフォワード　とくれば　**フルバックアップファイルと
ログファイルの更新後情報で復旧させる**

⚙ ロールバック（バックワードリカバリ）

ロールバック (Roll Back) は，**データベースの更新途中に異常終了した場合に，
ログファイルの更新前情報を使用して復旧させる方法**です。これは，処理を無効として
取り消すイメージです。

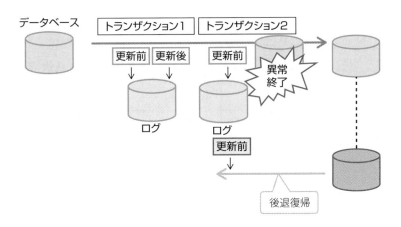

　ロールフォワードとロールバックは用語が似ていて間違えやすいですが，どちらもよく出るので区別して覚えましょう。「更新**後**情報を使って，やったことを復元する」のがロールフォワードで，「更新**前**情報を使って，無かったことにする」のがロールバックです。

🐱 チェックポイント法

　チェックポイント法では，データベースへの変更はまずメモリ上で行われ，ディスクへの反映は変更内容をある程度まとめて，チェックポイント時に行われます。これは，コミットによってメモリ上で処理が確定しても，ディスクへの反映は次のチェックポイントのタイミングで行われるということです。

　例えば，次のような時間経過で障害が発生した場合の回復方法を考えてみましょう。

- ・T1 はコミットされ，次のチェックポイントでディスクに反映しています（回復の対象外）。
- ・T2 と T3 は，チェックポイントまでの状態がディスクに反映しているので，それ以降のログファイルの更新後情報を反映させ，コミットの状態まで回復させます（ロールフォワード）。
- ・T4 と T5 は，トランザクション処理中に障害が発生したので全て処理を取り消し，トランザクション開始前まで戻します（ロールバック）。

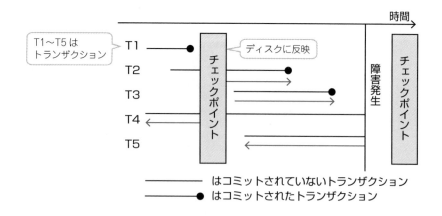

知っ得情報 《 システム障害時の対応 》

ウォームスタートは，システムの電源を切ることなく，ログの更新情報を使って処理を再開することです。一方，**コールドスタート**は，システムの電源を入れ直し，システムを初期状態に戻してから処理を再開することです。初期プログラムロードとも呼ばれています。

確認問題 1 ▶ 平成31年度春期 問57　　正解率 ▶ **中**　　**基本**

ディスク障害時に，フルバックアップを取得してあるテープからディスクにデータを復元した後，フルバックアップ取得時以降の更新後コピーをログから反映させてデータベースを回復する方法はどれか。

ア　チェックポイントリスタート　　イ　リブート
ウ　ロールバック　　　　　　　　　エ　ロールフォワード

 フルバックアップした時点の状態に復元した後，フルバックアップ以降のログファイルの更新後コピーからデータベースを回復させるのは，ロールフォワードです。

確認問題 2 ▶ 平成29年度秋期 問30　　正解率 ▶ **中**　　**基本**

トランザクション処理プログラムが，データベース更新の途中で異常終了した場合，ロールバック処理によってデータベースを復元する。このとき使用する情報はどれか。

ア　最新のスナップショット情報
イ　最新のバックアップファイル情報
ウ　ログファイルの更新後情報
エ　ログファイルの更新前情報

 ロールバックは「無かったことにする」処理です。使用する情報は，ログファイルの更新前情報です。

解答

問題1：エ　　　問題2：エ

第 6 章　データベース技術

6 / 06 データ操作とSQL

イメージで
つかむ

SELECT文に慣れてくる
と，池から魚を釣る感覚で，
面白いように関係データベー
スからデータを抽出できます。

関係演算

関係演算は，**関係データベースの表から目的のデータを取り出す演算**です。次のデータ操作ができます。

射影 (Projection)	表の中から特定の列を抽出する
選択 (Selection)	表の中から条件に合致した行を抽出する
結合 (Join)	二つ以上の表を結合して，一つの表を生成する

知っ得情報〈集合演算〉

集合演算は，同じ列で構成される二つの表から新しい表を取り出す演算です。

和	二つの表にある全ての行を取り出す。同じ行は一つにまとめる
積	二つの表に共通している行を取り出す
差	一方の表から他方の表を取り除く

以下は，先ほどの関係演算のイメージです。

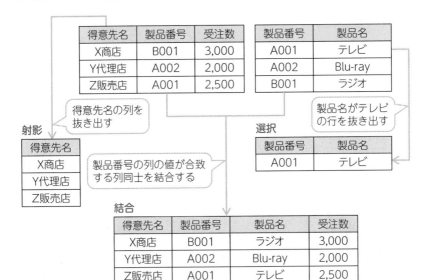

"くれば"で覚える

射影　とくれば　**列を抽出する**

選択　とくれば　**行を抽出する**

結合　とくれば　**二つ以上の表を結合して，一つの表を生成する**

SQL

SQL (Structured Query Language) は，**関係データベースの表を定義したり，データを操作したりする言語**です。SQLには，データベースや表などを定義する**データ定義言語**(DDL：Data Definition Language) と，データの抽出や挿入，更新，削除などを行う**データ操作言語**(DML：Data Manipulation Language) があります。

データ定義言語

○ 表の定義

表を定義するには，次の「**CREATE TABLE**」を指定します。これは，3層スキーマの概念スキーマに相当するものです。実際に業務で使うデータの構造を定義したもので，磁気ディスクに存在する**実表**(基底表) です。

構　文	意　味
CREATE TABLE 表名(列名 データ型 [オプション],…)	表を作成する
PRIMARY KEY	主キーを設定する。一意性制約かつ非NULL制約になる
FOREIGN KEY (列名) 　　REFERENCES 表 (列名)	外部キーを設定し参照制約をつける
UNIQUE (列名)	一意性制約をつける (重複を禁止する)
CHECK (列名 条件)	検査制約をつける (値に条件をつける)
NOT NULL	NULLを許容しない
CREATE VIEW 表名…	ビュー表を作成する

　社員表 (6-02参照) を定義してみましょう。**主キー**は「PRIMARY KEY」，**外部キー**は「FOREIGN KEY」を指定します。

```
CREATE TABLE 社員表(
      社員コード CHAR(5) PRIMARY KEY，  ←主キー
      名前 VARCHAR(20),部署コード CHAR(3),給料 NUMERIC,
      FOREIGN KEY(部署コード) REFERENCES 部署表(部署コード))  ←外部キー
```

　ここで，CHAR( )は固定長の文字データ，VARCHAR( )は可変長の文字データ，NUMERICは数値データを定義しています。

　これで，以下のような表が定義されます。

社員表

社員コード	名前	部署コード	給料
CHAR(5)	VARCHAR(20)	CHAR(3)	NUMERIC

🔘 ビュー表の定義

　ビュー表は，**実際に存在する実表から必要な部分を取り出して，一時的に作成した表**です。実表と異なる表現で利用者に提示できます。**ビューを定義する**には，「CREATE VIEW」を指定します。これは，3層スキーマの外部スキーマに相当するものです。磁気ディスクには存在しない**仮想表(導出表)**です。

　例えば，先ほど定義した実表の社員表から，社員コード，名前，給料の列を取り出した社員給料表を定義してみましょう。

```
CREATE VIEW 社員給料表(社員コード,名前,給料)
      AS SELECT 社員コード,名前,給料 FROM 社員表
```

社員給料表

社員コード	名前	給料
CHAR(5)	VARCHAR(20)	NUMERIC

利用者には部署コードは見えません

😄 データ操作言語

　関係データベースの表から必要なデータを抽出するには，「SELECT」を指定します。データを抽出することを**問合せ（クエリ）**といいます。

　「SELECT」では，どの列を，どの表から，どういう条件で抽出するかを記述することで，射影・選択・結合の関係演算ができます。

●SELECTの基本形

```
SELECT 列名1, 列名2 ………抽出する列 (射影すべき列) を指定する
    FROM 表名1, 表名2 ……抽出対象となる表を指定する
    WHERE 条件式……………抽出条件 (選択すべき行の条件) を指定する
```

○ 射影

　射影は，**表の中から特定の列を抽出する演算**です。

●例1　商品表から品名を抽出する

SELECT 品名 FROM 商品表

商品表

番号	品名	価格
010	パソコン本体	80,000
011	ディスプレイ	35,000
020	プリンタ	25,000
025	キーボード	1,000
030	マウス	3,000

抽出結果

品名
パソコン本体
ディスプレイ
プリンタ
キーボード
マウス

○ 選択

　選択は，**表の中から条件に合致した行を抽出する演算**です。「WHERE 条件式」には，次の比較演算子や論理演算子を指定します。

演算子	構　文	意　味
比較演算子	A＝B	AはBと等しい
	A＜＞B	AはBと等しくない
	A＞B	AはBより大きい
	A＜B	AはBより小さい (AはB未満)
	A＞＝B	AはBと等しいか，より大きい (AはB以上)
	A＜＝B	AはBと等しいか，より小さい (AはB以下)
論理演算子	A AND B	AかつB
	A OR B	AまたはB
	NOT A	Aではない

● **例2　商品表から番号が，'010'，'020'，'030'の商品情報(全ての列)を抽出する**

```
SELECT * FROM 商品表
    WHERE 番号='010' OR 番号='020' OR 番号='030'
```

ここで，対象となる表の全ての列を抽出する場合は，SELECTの直後に「*」を指定します。次の「SELECT」と同じ意味です。

```
SELECT 番号, 品名, 価格 FROM 商品表
    WHERE 番号='010' OR 番号='020' OR 番号='030'
```

商品表

番号	品名	価格
010	パソコン本体	80,000
011	ディスプレイ	35,000
020	プリンタ	25,000
025	キーボード	1,000
030	マウス	3,000

抽出結果

番号	品名	価格
010	パソコン本体	80,000
020	プリンタ	25,000
030	マウス	3,000

 もっと詳しく〈 IN 〉

例2のORの代わりに，「IN」を指定できます。INは，副問合せ (6-08参照) でも使われます。

```
SELECT * FROM 商品表
    WHERE 番号 IN ('010', '020', '030')
```

● **例3　商品表から，価格が1万円以上5万円以下の商品情報を抽出する**

```
SELECT * FROM 商品表
    WHERE 価格>=10000 AND 価格 <=50000
```

商品表

番号	品名	価格
010	パソコン本体	80,000
011	ディスプレイ	35,000
020	プリンタ	25,000
025	キーボード	1,000
030	マウス	3,000

抽出結果

番号	品名	価格
011	ディスプレイ	35,000
020	プリンタ	25,000

 もっと詳しく〈 BETWEEN 〉

例3のANDの代わりに，「BETWEEN」を使って，上限と下限の範囲を指定できます。

```
SELECT * FROM 商品表
    WHERE 価格 BETWEEN 10000 AND 50000
```

さらに，論理演算子を複数組み合わせることもできます。そのときの優先順位は，NOT→AND→ORの順番に処理されます。優先順位は，（　）を使用することで変更でき，（　）で囲まれた条件が最優先されます。

🔵 結合

結合は，**二つ以上の表を結合して，一つの表を生成する演算**です。「FROM」で抽出対象となる表を複数指定し，「WHERE 条件式」で表間をどの列で結合するかを指定します。

ここで，指定した複数の表に同じ列名がある場合は，「表名.列名」で区別します。例えば，「受注表.商品番号」は，受注表にある「商品番号」を，「商品表.商品番号」は，商品表にある「商品番号」をそれぞれ意味します。

● **例4　受注表と商品表を結合し，顧客名と商品名，単価を抽出する**

SELECT 顧客名，商品名，単価
　　FROM 受注表，商品表
　　WHERE 受注表.商品番号＝商品表.商品番号

受注表

顧客名	商品番号
大山商店	TV28
大山商店	TV28W
大山商店	TV32
小川商店	TV32
小川商店	TV32W

商品表

商品番号	商品名	単価
TV28	28型テレビ	25,000
TV28W	28型テレビ	25,000
TV32	32型テレビ	30,000
TV32W	32型テレビ	30,000

抽出結果

顧客名	商品名	単価
大山商店	28型テレビ	25,000
大山商店	28型テレビ	25,000
大山商店	32型テレビ	30,000
小川商店	32型テレビ	30,000
小川商店	32型テレビ	30,000

🐱 **もっと詳しく《 DISTINCT 》**

例4で，「DISTINCT」を指定すると，重複した行を一つにまとめられます。

SELECT DISTINCT 顧客名，商品名，単価
　　FROM 受注表，商品表
　　WHERE 受注表.商品番号＝商品表.商品番号

顧客名	商品名	単価	
大山商店	28型テレビ	25,000	← 重複行なし
大山商店	32型テレビ	30,000	
小川商店	32型テレビ	30,000	← 重複行なし

知っ得情報 〈 LIKE 〉

「WHERE 条件式」に「**LIKE**」を使うと，文字列の一部分が一致する行を抽出できます。次のような**ワイルドカード**を指定します。

%	0文字以上の任意の文字列
_	1文字の任意の文字列

社員表から，氏名に"三"の文字を含む社員情報を抽出します。

```
SELECT * FROM 社員表
    WHERE 氏名 LIKE '%三%'
```

(参考)

氏名 LIKE '三%' ………氏名の最初が'三'で始まる社員 (三橋，三田…など)
氏名 LIKE '%三' ………氏名の最後が'三'で終わる社員 (重三，雄三…など)

確認問題 1 ▶ 平成31年度春期 問29　　　正解率 ▶ 中　　　**応用**

"学生"表と"学部"表に対して次のSQL文を実行した結果として，正しいものはどれか。

学生

氏名	所属	住所
応用花子	理	新宿
高度次郎	人文	渋谷
午前桜子	経済	新宿
情報太郎	工	渋谷

学部

学部名	住所
工	新宿
経済	渋谷
人文	渋谷
理	新宿

```
SELECT 氏名 FROM 学生，学部
    WHERE 所属 = 学部名 AND 学部.住所 = '新宿'
```

ア　氏名
応用花子

イ　氏名
応用花子
午前桜子

ウ　氏名
応用花子
情報太郎

エ　氏名
応用花子
情報太郎
午前桜子

SQL文の意味は,
＊学生表と学部表をもとに,氏名を抽出する。
＊抽出する条件は,所属＝学部名で結合し,学部の住所が新宿であることです。
学生の「所属」と,学部の「学部名」で結合すると以下のようになります。
所属が人文と経済の学生は,学部の住所が新宿ではないため該当しません。
情報太郎さんの住所は渋谷ですが,学部は工学部で新宿にあるため該当します。

氏名	所属	住所	学部名	学部.住所
応用花子	理	新宿	理	**新宿**
高度次郎	人文	渋谷	人文	渋谷
午前桜子	経済	新宿	経済	渋谷
情報太郎	工	渋谷	工	**新宿**

確認問題 2 ▶ 平成30年度秋期 問28 正解率 ▶ 中 応用

関係XとYを自然結合した後,関係Zを得る関係代数演算はどれか。

X

学生番号	氏名	学部コード
1	山田太郎	A
2	情報一郎	B
3	鈴木花子	A
4	技術五郎	B
5	小林次郎	A
6	試験桃子	A

Y

学部コード	学部名
A	工学部
B	情報学部
C	文学部

Z

学部名	学生番号	氏名
情報学部	2	情報一郎
情報学部	4	技術五郎

ア 射影と和　　　イ 選択　　　ウ 選択と射影　　　エ 選択と和

 関係Zは,関係XとYを自然結合した後,学部コードがBである行を抽出し(選択),「学部名」,「学生番号」,「氏名」の列を取り出した(射影)結果です。
なお自然結合とは,二つ以上の表を共通する列名(本問では学部コード)で結合するもので,通常「結合」というとこの自然結合を意味します。

解答

問題1:ウ　　　問題2:ウ

第6章 データベース技術

SQL(並べ替え・グループ化)

時々出 必須 超重要

イメージで
つかむ

家計簿を集計するときは,電気代,ガス代は光熱費に,米代や野菜代は食費にグループ分けします。
SELECT文でも,まずはグループごとにまとめてから数えます。

💡 電気代	8000	
🥕 米代	5000	
🥕 野菜代	10000	
🔥 ガス代	3000	
🐱 キャットフード代	3000	

食費 光熱費

並べ替え

SQLの「SELECT」で,「**ORDER BY 列名**」を指定すると,指定した列の内容で**昇順(ASC)**,または**降順(DESC)**に行を並べ替えられます。なお,ASCは省略可能です。

```
SELECT 〜 ORDER BY 列名 ASC または DESC, …
```

●例1 日付の昇順に並べ替える

```
SELECT * FROM 出庫記録
    ORDER BY 日付 ASC
```
ASCは省略可能

さらに,複数の列で並べ替えることもできます。

●例2 日付の昇順,さらに同じ日付の中で数量の降順で並べ替える

```
SELECT * FROM 出庫記録
    ORDER BY 日付, 数量 DESC
```
ASCは省略

出庫記録(並べ替え前)

商品番号	日付	数量
200	20221010	3
400	20221011	1
100	20221010	1
300	20221011	2

出庫記録(並べ替え後)

商品番号	日付	数量
200	20221010	3
100	20221010	1
300	20221011	2
400	20221011	1

降順

昇順

😺! "くれば"で覚える

ORDER BY　とくれば　**並べ替え。ASC (昇順), DESC (降順)**

集合関数

SQLには,**指定した列の値を集計する**集合関数(集約関数・集計関数)が用意されています。次のような集合関数があります。

関　数	機　能
SUM (列名)	指定した列の合計を求める
AVG (列名)	指定した列の平均を求める
MAX (列名)	指定した列の最大値を求める
MIN (列名)	指定した列の最小値を求める
COUNT (*)	指定した行数を求める

😺! "くれば"で覚える

COUNT(*)　とくれば　**行数を求める関数**

グループ化

SQLの「SELECT」で,「**GROUP BY 列名**」を指定すると,指定した列の内容が一致する行を一つの行にまとめ**グループ化**できます。

```
SELECT 　～　 GROUP BY 列名
```

●例3　販売表から,商品コードごとの販売数量の合計を求め,商品コードと販売数量の合計を抽出する

ここで,SELECT直後の列名には,集合関数を除いてGROUP BY句に指定した列名以外を含めることができないので注意しましょう。

第6章　データベース技術

```
SELECT 商品コード, SUM (販売数量)
    FROM 販売表
    GROUP BY 商品コード
```

販売表

得意先	商品コード	販売数量
K商会	A5023	100
S商店	A5023	150
K商会	A5025	120
K商会	A5027	100
S商店	A5027	160

抽出結果

商品コード	
A5023	250
A5025	120
A5027	260

😺!"くれば"で覚える

GROUP BY とくれば **グループ化**

⚙ AS

集合関数で求めた列に, 「**AS**」を指定すると, 新たに**別名**を付けることができます。

● **例4　例3で求めたSUM (販売数量) の列に別名を付ける**

```
SELECT 商品コード, SUM (販売数量) AS 合計数量
    FROM 販売表
    GROUP BY 商品コード
```

抽出結果

商品コード	合計数量
A5023	250
A5025	120
A5027	260

😺!"くれば"で覚える

AS とくれば **別名を付ける**

⚙ HAVING

「GROUP BY 列名」のグループに対して, 「**HAVING**」を指定すると, **グループに対する条件**を付けることができます。

GROUP BY 列名 HAVING グループに対する条件

●例5　販売表から，商品コードごとの販売数量の合計が250を超える商品の
　　　商品コードと販売数量の合計を抽出する

SELECT　商品コード，SUM(販売数量)　AS　合計数量
　　　FROM　販売表
　　　GROUP BY　商品コード　HAVING SUM(販売数量)>250

抽出結果

商品コード	合計数量
A5027	260

🐱! "くれば"で覚える

HAVING　とくれば　グループに対して条件を付ける

第6章　データベース技術

確認問題　1　▶令和元年度秋期　問26　　正解率▶中　　応用

　"得点"表から，学生ごとに全科目の点数の平均を算出し，平均が80点以
上の学生の学生番号とその平均点を求める。aに入れる適切な字句はどれ
か。ここで，実線の下線は主キーを表す。

　　　　得点(学生番号，科目，点数)

〔SQL文〕
　　SELECT　学生番号，AVG(点数)
　　　　FROM　得点
　　　　GROUP BY　　a

ア　科目 HAVING AVG(点数) >= 80
イ　科目 WHERE 点数 >= 80
ウ　学生番号 HAVING AVG(点数) >= 80
エ　学生番号 WHERE 点数 >= 80

要点解説　GROUP BYでグループ化したグループに対して「平均が80点以上」という条
件を付けるにはWHEREではなくHAVINGを使います。
アは科目ごとにグループ化してしまっています。

解答

問題1：ウ

SQL（副問合せ）

イメージで
つかむ

何事も，成功するかどうか
は準備にかかっています。
　SQLでも，あらかじめ準備
したものをほかのものに使う
方法があります。

副問合せ

　副問合せは，「SELECTの条件式」の中に，さらに「SELECT」を組み込み，いった
ん抽出した結果を条件として，再度抽出することです。これは参考となるデータをあら
かじめ準備して，そのデータを使って資料を作成するようなイメージです。

　IN（その否定はNOT IN）を使った副問合せと，EXISTS（その否定はNOT EXISTS）を使っ
た相関副問合せがあります。

INを使った副問合せ

　IN（　）は，（　）内に含まれる行を抽出します。

```
SELECT 列名 FROM 表
    WHERE 列名 IN（SELECT ～ ）
```

● 例1　社員表からIPのスキルをもっている社員情報を抽出する

```
SELECT ＊ FROM 社員表　←主問合せ
    WHERE 社員番号 IN（SELECT 社員番号 FROM 社員スキル表
                WHERE スキルコード='IP'）　←副問合せ
```

社員表

社員番号	社員名	所属
0001	鈴木	A1
0002	田中	A2
0003	佐藤	B1
0004	橋本	D3
0005	今井	A1
0006	木村	B1

社員スキル表

社員番号	スキルコード	登録日
0001	FE	20191201
0001	DB	20210701
0002	IP	20180701
0002	FE	20190701
0002	AP	20200701
0005	IP	20191201

どのように抽出されるか，順に見ていきましょう。

① 副問合せで，社員スキル表からIPのスキルをもっている「社員番号」を抽出します。

社員スキル表

社員番号	スキルコード	登録日
0001	FE	20191201
0001	DB	20210701
0002	IP	20180701
0002	FE	20190701
0002	AP	20200701
0005	IP	20191201

副問合せ結果

社員番号
0002
0005

② 主問合せで，副問合せ結果の社員番号（'0002'と'0005'）を含む行が抽出対象となります。

```
SELECT * FROM 社員表
    WHERE 社員番号 IN ('0002', '0005')
```

これは，次のSQLと同じ意味です。

```
SELECT * FROM 社員表
    WHERE 社員番号='0002' OR 社員番号='0005'
```

副問合せ結果

社員番号
0002
0005

社員表

社員番号	社員名	所属
0001	鈴木	A1
0002	田中	A2
0003	佐藤	B1
0004	橋本	D3
0005	今井	A1
0006	木村	B1

抽出結果

社員番号	社員名	所属
0002	田中	A2
0005	今井	A1

第6章 データベース技術

🔵 NOT INを使った副問合せ

NOT IN ( )は，( )内に含まれない行を抽出します。

● 例2　社員表からIPのスキルをもっていない社員情報を抽出する

```
SELECT * FROM 社員表  ←主問合せ
    WHERE 社員番号 NOT IN (SELECT 社員番号 FROM 社員スキル表
                    WHERE スキルコード='IP')  ←副問合せ
```

副問合せ結果

社員番号
0002
0005

社員表

社員番号	社員名	所属
0001	鈴木	A1
0002	田中	A2
0003	佐藤	B1
0004	橋本	D3
0005	今井	A1
0006	木村	B1

副問合せ
の否定

抽出結果

社員番号	社員名	所属
0001	鈴木	A1
0003	佐藤	B1
0004	橋本	D3
0006	木村	B1

🔵 EXISTSを使った相関副問合せ

相関副問合せは，**主問合せから副問合せに一行ずつ渡し，存在の有無を判断して「真」か「偽」の結果を，副問合せから主問合せに返すことを繰り返しながら抽出すること**です。

EXISTS ( )は，( )内の行が存在するときは「真」を，存在しないときは「偽」を返します。

```
SELECT 列名 FROM 表
    WHERE EXISTS (SELECT 〜 )
```

● 例3　社員表からIPのスキルをもっている社員情報を抽出する

```
SELECT * FROM 社員表  ←主問合せ
    WHERE EXISTS (SELECT * FROM 社員スキル表  ←副問合せ
                WHERE スキルコード='IP'
                AND 社員表.社員番号=社員スキル表.社員番号)
```

どのように抽出されるか，順に見ていきましょう。

① 主問合せの社員表から1行目を取り出し，副問合せの社員スキル表に「スキルコードが'IP'で，かつ社員番号が一致する行が存在するか」を問合せします。存在する（真）なら，この行を抽出対象とします。

社員表

社員番号	社員名	所属
0001	鈴木	A1
0002	田中	存在の有無を問合せる
0003	佐藤	B1
0004	橋本	D3
0005	今井	真か偽かを返す
0006	木村	B1

社員スキル表

社員番号	スキルコード	登録日	
0001	FE	20191201	偽
	DB	20210701	偽
0002	IP	20180701	真
0002	FE	20190701	偽
	AP	20200701	偽
0005	IP	20191201	真

②これを繰り返します。

抽出結果

社員番号	社員名	所属
0002	田中	A2
0005	今井	A1

● NOT EXISTSを使った相関副問合せ

NOT EXISTS (　) は，(　) 内の行が存在しないときは「真」を，存在するときは「偽」を返します。

●例4　社員表からIPのスキルをもっていない社員情報を抽出する

```
SELECT ＊ FROM 社員表　←主問合せ
    WHERE NOT EXISTS (SELECT ＊ FROM 社員スキル表　←副問合せ
                    WHERE スキルコード='IP'
                    AND 社員表.社員番号=社員スキル表.社員番号)
```

抽出結果

社員番号	社員名	所属
0001	鈴木	A1
0003	佐藤	B1
0004	橋本	D3
0006	木村	B1

🐍 組込みSQL

組込みSQL（埋込みSQL）は，C言語などで書かれた親プログラム内にSQLを組み込み，親プログラムから関係データベースの操作を行うことです。

SQLを使って抽出された複数行の表データから，表データを直接扱えない親プログラムに1行ずつ橋渡しする機能を提供するのが**カーソル**（CURSOR）です。カーソルというと，文章入力時に点滅して現在の入力位置を示す「｜」の記号を想像しますが，現在

の処理対象を示すという点は同じです。

　抽出された表データから1行ずつ取り出して (FETCH)，現在の処理対象とし，親プログラムに引き渡して，データの追加 (INSERT) や更新 (UPDATE)，削除 (DELETE) などの処理を行います。

（例）

```
① EXEC SQL OPEN X;
② EXEC SQL FETCH X INTO:NAME, :DEPT, :SALARY;
③ EXEC SQL UPDATE 従業員
     SET 給与 = 給与 * 1.1
     WHERE CURRENT OF X;
④ EXEC SQL CLOSE X;
```

① カーソルXをオープンします。

② カーソルXを表の特定行に位置付け，データを取り出します。

③ カーソルXを位置付けた行のデータを処理します（給与を1.1倍に更新します）。

④ 　カーソルXをクローズします。

※複数の行を処理する場合は②③を繰り返します。

知っ得情報 〈 GRANT 〉

　表やビュー表に対して，「GRANT」を使うと，1人または複数の利用者に以下の権限を付与できます。GRANTは，「許可する」という意味です。

```
GRANT 権限名 ON 表名 (またはビュー表名)
     TO ユーザ名
```

権限名： SELECT：抽出　　　　　　　　　　INSERT：行の追加
　　　　 DELETE：行の削除　　　　　　　　UPDATE：値の変更
　　　　 UPDATE（列名）：特定列の値の更新

アドバイス [「ウ」で埋めればいいって本当？]

「正解はウが一番多いから，試験本番で，わからなかったらウにする」というテクニックを聞いたことがあるかもしれません。しかし，令和元年までの過去9回分で選択肢ごとの数の順位を調べてみたところ，1位になった回数が一番多いのは「エ」でした。

実は試験の選択肢の順番は決まっていて，選択肢の文字の昇順になっているのです。特定の選択肢が多くなる必然性はありません。歯が立たない問題に何か記入しておけばまぐれで当たるかもしれませんが，それはウである必要はなく，なんでもいいのです。

第 **6** 章　データベース技術

確認問題 1 ▶ 平成26年度春期　問28　　　正解率 ▶ **低**　　　応用

"商品"表，"在庫"表に対する次のSQL文の結果と，同じ結果が得られるSQL文はどれか。ここで，下線部は主キーを表す。

```
SELECT 商品番号 FROM 商品
    WHERE 商品番号 NOT IN (SELECT 商品番号 FROM 在庫)
```

商品

商品番号	商品名	単価

在庫

倉庫番号	商品番号	在庫数

ア　SELECT 商品番号 FROM 在庫
　　　WHERE EXISTS (SELECT 商品番号 FROM 商品)

イ　SELECT 商品番号 FROM 在庫
　　　WHERE NOT EXISTS (SELECT 商品番号 FROM 商品)

ウ　SELECT 商品番号 FROM 商品
　　　WHERE EXISTS (SELECT 商品番号 FROM 在庫
　　　　　　　　　WHERE 商品.商品番号 = 在庫.商品番号)

エ　SELECT 商品番号 FROM 商品
　　　WHERE NOT EXISTS (SELECT 商品番号 FROM 在庫
　　　　　　　　　WHERE 商品.商品番号 = 在庫.商品番号)

要点解説　"商品"表から，"在庫"表にない（存在しない）商品番号を抽出します。
アとイは，"在庫"表から抽出しているので明らかに誤り。
ウは，"商品"表から，"在庫"表にある（存在している）商品番号を抽出します。

解答

問題1：エ

6 09 データベースの応用

時々出　必須　超重要

イメージで
つかむ

「ここ掘れワンワン」では
ないけれども，大量のデータ
から新たな発見があるかも。

NoSQL

　NoSQL (Not only SQL) は，**関係データベースとは異なる方法で，データを保存し処理するデータベース全般**を指します。「SQLだけではない」という意味です。関係データベースは2次元の表のように事前にデータ構造をしっかり決めておく必要がありますが，NoSQLには「データベースの構造が柔軟に変更できる」，「データの増加に対応しやすい」などの長所があり，ビッグデータ（後述）の保存や解析に向いているといわれています。

　NoSQLのデータベースには，次のようなものがあります。

分　類	特　徴	データのイメージ
キーバリュー ストア型	保存したいデータと，そのデータを一意に識別できるキーを組みとして管理する	10010,伊藤, 10020,鈴木,
カラム指向型	キーに対するカラム（項目）を自由に追加できる	10010,伊藤,営業, 10020,鈴木,総務,読書,
ドキュメント 指向型	ドキュメント1件が一つのデータとなる。データ構造は自由。XMLなどでデータを記述する	10010,伊藤,営業, 10020,鈴木,総務,[読書, ドライブ,映画鑑賞]
グラフ指向型	グラフ理論(11-11参照)に基づき，ノード間を方向性のあるリレーションでつないで構造化する	10010,伊藤 10020,鈴木 10010,Follow-->,10020

キーバリューストア型

カラム指向型

ドキュメント指向型

グラフ指向型

データベースの応用

企業などでは，データベースに大量のデータを蓄積し，様々な形で有効活用しています。

データレイク	多種多様なデータを，発生したままの形式で蓄積されたデータベース。「データの湖」という意味がある。生のデータのまま保存され，利用者が必要に応じて加工する
データウェアハウス	多種多様なデータを，時系列に整理・統合して蓄積されたデータベース。「データの倉庫」という意味がある。これを用いて企業の意思決定を支援する**BI ツール** (Business Intelligence) があり，専門知識がなくても容易に操作でき，データを分析できる
データマート	データウェアハウスから抽出した目的別のデータベース。「データの小売店」という意味がある
データマイニング	大量のデータを統計的・数学的手法で分析し，新たな法則や因果関係を見つけ出すこと。Mining には，「発掘」という意味がある

ビッグデータ

ビッグデータは，**従来のデータベース管理システムなどでは保管，解析が難しいような膨大なデータ群**で，次のような三つの特徴があります。

1. データの量が大きい (Volume)
2. データの種類が多様 (Variety)
3. データの発生頻度・更新頻度が速い (Velocity)

例えば，サーバのログや売上データ，購入履歴，GPSの位置情報，センサの情報，RFIDの情報，SNSのコメント，電子メール，動画などがあり，これらを組み合わせて分析することで，新たな価値を生み出せると期待されています。

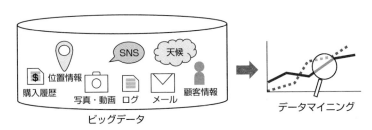
ビッグデータ　　データマイニング

第6章　データベース技術

301

● オープンデータ

オープンデータは，**主に政府や地方自治体などが保有し広く公開されている官民データ**です。機械判読に適した形式で，原則無償で自由に二次利用できるので，誰もが営利・非営利の目的を問わずに利用でき，各種の問題解決に寄与するとされています。

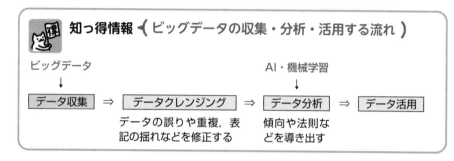
データ資源の管理

データベースを効果的に活用するには，データだけでなく，次のようなデータ資源の管理も重要です。

リポジトリ	システム開発の各工程での成果物を，関連するメタデータ (バージョンや更新履歴などの付加情報) と結び付けて管理し，開発者間で共有するデータベース。「貯蔵庫」という意味がある
データディクショナリ	データ項目の名称や意味を登録しているデータ辞書。例えば，「取引先」や「取引先名」など，同じ意味を持つデータであっても名称が複数存在することがある。逆に，同じ名称のデータであっても意味がバラバラなこともある。そこで，用語と意味を統一することで，開発や保守作業の効率を向上させることができる

確認問題 1 ▶ 応用情報 令和元年度秋期 問63 正解率 ▶ 高 　基本

オープンデータの説明はどれか。

ア　営利・非営利の目的を問わず二次利用が可能という利用ルールが定められており，編集や加工をする上で機械判読に適し，原則無償で利用できる形で公開された官民データ

イ　行政事務の効率化・迅速化を目的に，国，地方自治体を相互に接続する行政専用のネットワークを通じて利用するアプリケーションシステム内に，安全に保管されたデータ

ウ　コンビニエンスストアチェーンの売上データや運輸業者の運送量データなど，事業運営に役立つデータであり，提供元が提供先を限定して販売しているデータ

エ　商用のDBMSに代わりオープンソースのDBMSを用いて蓄積されている企業内の基幹業務データ

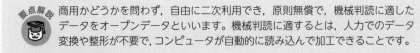

商用かどうかを問わず，自由に二次利用でき，原則無償で，機械判読に適したデータをオープンデータといいます。機械判読に適するとは，人力でのデータ変換や整形が不要で，コンピュータが自動的に読み込んで加工できることです。

確認問題 2 ▶ 令和6年度 問15 正解率 ▶ 中 　基本

ビッグデータ分析の前段階として，非構造化データを構造化データに加工する処理を記述している事例はどれか。

ア　関係データベースに蓄積された大量の財務データから必要な条件に合致するデータを抽出し，利用者が扱いやすい表計算ソフトウェアデータに加工する。

イ　個人情報を含むビッグデータを更に利活用するために，特定の個人を識別することができないように匿名化加工する。

ウ　住所データ項目の中にある，"ヶ"と"が"の混在や，丁番地の表記不統一を，標準化された表記へ統一するために加工する。

エ　ソーシャルメディアの口コミを機械学習によって単語ごとに分解し，要約を作り，分析可能なデータに加工し，関係データベースに保管する。

関係データベースのデータや表計算ソフトのデータは2次元の表で整理された構造化データであるのに対して，ビッグデータは一般的に自由な形式で整理されていない非構造化データです。アとウは構造化データのまま加工，イは非構造化データのまま加工，エは非構造化データを構造化データに加工しています。

　ビッグデータの処理で使われるキーバリューストアの説明として，適切なものはどれか。

ア　"ノード"，"リレーションシップ"，"プロパティ"の3要素によってノード間の関係性を表現する。

イ　1件分のデータを"ドキュメント"と呼び，個々のドキュメントのデータ構造は自由であって，データを追加する都度変えることができる。

ウ　集合論に基づいて，行と列から成る2次元の表で表現する。

エ　任意の保存したいデータと，そのデータを一意に識別できる値を組みとして保存する。

ア　グラフ型データベース　　　　イ　ドキュメント指向型データベース
ウ　関係データベース　　　　　　エ　キーバリュー型データベース

　ビッグデータの利用におけるデータマイニングを説明したものはどれか。

ア　蓄積されたデータを分析し，単なる検索だけではわからない隠れた規則や相関関係を見つけ出すこと

イ　データウェアハウスに格納されたデータの一部を，特定の用途や部門用に切り出して，データベースに格納すること

ウ　データ処理の対象となる情報を基に規定した，データの構造，意味及び操作の枠組みのこと

エ　データを複数のサーバに複製し，性能と可用性を向上させること

ア　データマイニング　　　　　　イ　データマート
ウ　データモデル（6-01参照）　　エ　クラスタシステム（5-01参照）

解答

問題1：ア　　　問題2：エ　　　問題3：エ　　　問題4：ア

第 7 章

ネットワーク技術

〔科目A〕

7 ⟮01⟯ ネットワーク方式

**イメージで
つかむ**

道路では，車が多くなると
交通渋滞を起こし，思い通り
の速さが出ません。
　データ通信においても，
データ量が多くなると思い通
りの速さが出なくなります。

LAN

LAN (Local Area Network) は，**ある建物内や敷地内などの比較的狭い範囲内のネットワーク**です。有線LANと無線LANに分類されます。

有線LAN

最も普及している有線LANは，**イーサネット** (Ethernet) と呼ばれ，**IEEE802.3**として規格化されています。ツイストペアケーブルや光ケーブルなどを使い，端末同士を接続します。接続形態にはいくつかの種類がありますが，スター型はハブ（7-03参照）と呼ばれる集線装置を中心に，放射線状に端末を接続する形態です。なお，端末とは，ネットワークに接続された末端に位置する，PCやスマートフォン，タブレットなどのデバイスのことです。

CSMA/CD方式

CSMA/CD (Carrier Sense Multiple Access with Collision Detection) は，イーサネットで採用されているアクセス制御方式の一つです。**伝送路上でのデータの衝突（コリジョンという）を検知したらランダムな時間を待って再送する方式**で，接続する端末の数が増えると通信速度が遅くなる特徴があります。これは，道路上の車が増えたときに速度が遅くなるようなイメージです。

😈 無線LAN

無線LANは，IEEE802.11として規格化されています。電波などを利用して通信するので，信号が届く範囲であれば自由な位置にコンピュータを配置できます。無線LANアクセスポイント（アクセスポイント）と呼ばれる中継器を経由する**インフラストラクチャモード**と，中継器を経由せずに端末が1対1で直接通信する**アドホックモード**があります。

📷 Wi-Fi

Wi-Fiは，IEEE802.11に準拠した無線LAN装置間で，相互接続性が保証されることを示すブランド名です。ロゴの認定を受けた装置同士は，「お互い無線でつながるよ」という証しになります。また，Wi-Fi DIRECTの機能を搭載した機器も登場しています。例えば，この機能を搭載したプリンタに，PCやスマートフォンから中継器を経由せずに直接印刷できます。

📷 ESSID

ESSIDは，無線のネットワークを識別する文字列です。PCやスマートフォンから無線LANに接続するときに，接続可能なアクセスポイントの一覧が表示されますが，この文字列がESSIDです。

🐱 知っ得情報 ◖ アクセス制御方式 ◗

無線LANで採用されているアクセス制御方式に，**CSMA/CA** (Carrier Sense Multiple Access with Collision Avoidance) があります。これは，通信開始時にほかのデータを検出した場合は，その通信が終了した後，ランダムな時間を待ってから通信を開始する方式です。衝突を検出する仕組みがないので，衝突を起こさないように制御します。先ほどのCSMA/CDのCDは「衝突検出」，CSMA/CAのCAは「衝突回避」という意味です。

😈 無線LANアクセスポイントのセキュリティ対策

無線LANは電波などを利用しているので，情報の漏えいや盗聴の危険性があり，セキュリティ対策が必要です。

📷 暗号化規格

アクセスポイントと端末間の通信を暗号化することで，通信途中での盗聴や改ざんを防げます。**無線LANの暗号化規格**にはWEPや✦WPA2✦などがありますが，WEPは

暗号の解読が比較的容易なので使用は避けたほうがよいと報告されています。現在の無線LANでは，WPA2をより強固にした**WPA3**も登場しています。

🔒 MACアドレスフィルタリング

アクセスポイントには，**登録されたMACアドレス**(7-02参照)**を持つ端末からの通信だけを許可する**✨**MACアドレスフィルタリング**✨機能があり，接続できる端末を制限できます。

🔒 ステルス機能

アクセスポイントには，**ESSIDの発信を停止し隠すことで，第三者が利用しにくくする**✨**ステルス**✨機能があります。この機能はESSIDを隠しているだけなので，ESSIDを知っていれば正規の利用者以外でも利用できてしまうので注意が必要です。

🐾 WAN
ワ ン

WAN (Wide Area Network) は，**通信事業者の回線を利用して，物理的に離れたLAN同士を結ぶネットワーク**です。通信事業者から様々なサービスが提供されています。

名 称	概 要
専用線サービス	特定の相手先との間を固定的に接続する
回線交換サービス	必要なときだけ接続し，回線を占有する
パケット交換サービス	データをパケット (7-03参照) に分割し，回線は共用する

🔒 VPN

✨**VPN**✨ (Virtual Private Network) は，**インターネットなどの公衆回線をあたかも専用回線のように利用する技術**です。公衆回線では盗聴や改ざんの危険がある一方，専用回線は安全ですが高価です。VPNはこれらの問題を解決し，外出先や自宅から職場のネットワークに安全に接続できます。

VPNには，インターネットを使用する**インターネットVPN**と，通信事業者と契約した者だけが利用できる閉域網を使用する**IP-VPN**と**広域イーサネット**があります。

IP-VPNはネットワーク層 (第3層，レイヤー 3) (7-02参照) で，広域イーサネットはデータリンク層 (第2層，レイヤー 2) で接続します。

🐾 モバイル通信サービス

モバイル通信サービスは，**通信事業者の電波を使って，インターネットに接続するサービス**です。通信事業者などと契約して提供される**SIM**カードを端末に挿入して通信します。機種によっては，物理的なSIMカードの交換なしで遠隔で契約情報を書き

換えられる**e-SIM** (Embedded SIM) に対応しているものもあります。通信速度が数Mbps程度の3Gから，より高速で数十Mbps程度の速度が出る**LTE** (**4G**) に方式が切り替わり，さらに超高速な5G (後述) も普及しています。

また，スマートフォンなどをアクセスポイントのように用いて，PCやゲーム機などからインターネットなどを利用する**テザリング**機能が使えるものもあります。

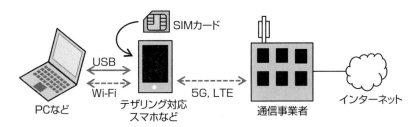

5G

5G (5 Generation) は，**第5世代移動通信システム**です。総務省の資料によれば，次の三つの特徴をもっています。

1. 超高速…………通信速度は10Gbpsと飛躍的に速くなる
2. 超低遅延………利用者が遅延を意識することがなくなる
3. 多数同時接続…身の回りのあらゆる機器がインターネットにつながる

キャリアアグリゲーション

キャリアアグリゲーションは，**複数の異なる周波数帯を束ねて，より広い帯域を使うことで無線通信の高速化や安定化を図る手法**です。LTEを発展させたLTE-Advanced規格では標準となっていて，5Gでも提供されています。

MVNO

MVNO (Mobile Virtual Network Operator：仮想移動体通信事業者) は，**通信事業者から移動体通信網を借りて，サービスを提供する事業者**です。自社の回線を持たず，店舗数を最小限にしてネット中心に営業することで，通信エリアは同じでも料金を安く抑えられるメリットがあり，最近よく聞く格安SIMは，MVNOが提供しているサービスです。

> **知っ得情報《 ネットの混雑 》**
> 輻輳（ふくそう）は，通信が急増することで，ネットワークの許容量を超えて，つながりにくくなる現象です。例えば，災害発生時には，多くの方が連絡を取り合うので，このような現象が起こる場合があります。これは，高速道路がゴールデンウィークなどに大混雑するようなイメージです。

🦢 IoTネットワーク

　IoT (11-06参照) の普及により，インターネットに接続する機器が飛躍的に増加すると予想されています。IoTでは，高速な通信が不要の場合があります。例えば，広域に配置されたセンサの値を定期的に送信するような場合は，速度は比較的低速でも問題はなく，遠距離通信が可能で，低電力・長期間運用可能であることが求められます。

　そこで，高速な4G・5Gなどのネットワークに加えて，**低速ですが，低電力で広範囲 (最大数十km) をカバーするLPWA** (Low Power Wide Area) というネットワークの整備が進められています。

　LPWAにより，都市部での電気ガスの検針などはもとより，山岳地帯の降雨情報や，土砂災害の発生状況，ソーラーパネルや風力発電所の遠隔監視，橋梁やトンネルの監視など，広域でのIoT活用が可能になります。

確認問題 1 ▶ 令和元年度秋期　問31　　　正解率 ▶ 中　　　応用

　CSMA/CD方式のLANに接続されたノードの送信動作に関する記述として，適切なものはどれか。

ア　各ノードに論理的な順位付けを行い，送信権を順次受け渡し，これを受け取ったノードだけが送信を行う。

イ　各ノードは伝送媒体が使用中かどうかを調べ，使用中でなければ送信を行う。衝突を検出したらランダムな時間の経過後に再度送信を行う。

ウ　各ノードを環状に接続して，送信権を制御するための特殊なフレームを巡回させ，これを受け取ったノードだけが送信を行う。

エ　タイムスロットを割り当てられたノードだけが送信を行う。

要点解説　CSMA/CD方式は，衝突を検知した場合は，送信端末は送出を中断し，ランダムな時間経過後に再送します。ノードは7-02参照。

確認問題 2 ▶ 応用情報 平成29年度秋期 問10 正解率 ▶ 中 　基本

IoTでの活用が検討されているLPWA (Low Power Wide Area) の特徴として，適切なものはどれか。

ア　2線だけで接続されるシリアル有線通信であり，同じ基板上の回路及びLSIの間の通信に適している。

イ　60GHz帯を使う近距離無線通信であり，4K，8Kの映像などの大容量のデータを高速伝送することに適している。

ウ　電力線を通信に使う通信技術であり，スマートメータの自動検針などに適している。

エ　バッテリ消費量が少なく，一つの基地局で広範囲をカバーできる無線通信技術であり，複数のセンサが同時につながるネットワークに適している。

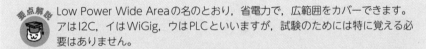

要点解説 Low Power Wide Areaの名のとおり，省電力で，広範囲をカバーできます。
アはI2C，イはWiGig，ウはPLCといいますが，試験のためには特に覚える必要はありません。

確認問題 3 ▶ 平成30年度秋期 問35 正解率 ▶ 中 　基本

携帯電話網で使用される通信規格の名称であり，次の三つの特徴をもつものはどれか。

(1) 全ての通信をパケット交換方式で処理する。
(2) 複数のアンテナを使用するMIMOと呼ばれる通信方式が利用可能である。
(3) 国際標準化プロジェクト3GPP (3rd Generation Partnership Project) で標準化されている。

ア　LTE (Long Term Evolution)
イ　MAC (Media Access Control)
ウ　MDM (Mobile Device Management)
エ　VoIP (Voice over Internet Protocol)

要点解説 難しそうに見えますが，通信規格の詳しい特徴を知らなくても解答できます。
わざわざフルスペルを入れてくれているのも親切な問題です。
LTE以外のものは携帯電話網の通信規格ではありません。
イは，端末を識別するMACアドレスのMACです (7-02参照)。
ウは，8-02参照。
エは，音声データをパケット化して送受信する技術です。

解答

問題1：イ　　　問題2：エ　　　問題3：ア

第7章 ネットワーク技術

7 02 通信プロトコル

時々出　必須　超重要

イメージで つかむ

手紙は，切手を貼り，宛名を書き，ポストに入れるという約束を守れば，回収係が回収してくれます。その後，仕分け係，配送係と，段階を追って手渡されていきます。ネットワークの世界にも，約束ごとと階層があります。

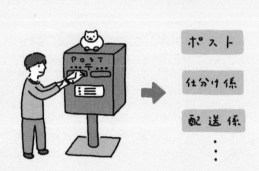

ポスト
仕分け係
配送係
：

OSI基本参照モデル

　一昔前までは，ベンダ(事業者)ごとにコンピュータのアーキテクチャ(設計思想)が異なっていたので，ベンダが違うとコンピュータ同士を接続することは難しいことでした。

　そこで，ネットワークアーキテクチャを標準化するために，ISO (International Organization for Standardization：国際標準機構)が7階層(レイヤー)にまとめ，機能を定めました。これは，**OSI基本参照モデル** (Open Systems Interconnection)と呼ばれています。このモデルに準拠して通信機器やアプリケーションを開発すれば，ベンダが違っても接続して通信できるということです。

階　層	名　称
第7層	アプリケーション層
第6層	プレゼンテーション層
第5層	セション層
第4層	トランスポート層
第3層	ネットワーク層
第2層	データリンク層
第1層	物理層

上位層 ↕ 下位層

上位層から頭をとって，
ア・プ・セ・ト・ネ・デ・プ

312

OSI基本参照モデル　とくれば　**上位層からア・プ・セ・ト・ネ・デ・ブ**

各層の役割を簡単にまとめておきましょう。

アプリケーション層	アプリケーション固有の機能を提供する
プレゼンテーション層	データの表現形式を統一する
セション層	通信の開始から終了までを提供する
✦トランスポート層✦	通信の信頼性と順序を確保する
✦ネットワーク層✦	異なるネットワーク間の通信を提供する
✦データリンク層✦	同じネットワーク内の通信を提供する
物理層	ネットワークの物理的な機能を提供する

😺 TCP/IP

ネットワーク上でコンピュータ同士が通信するときに使用する手順や約束事をプロトコルといいます。

OSI基本参照モデルにおいて，ネットワークアーキテクチャが標準化されていますが，実際にはインターネットなどで広く使われている✦**TCP/IP**✦ (Transmission Control Protocol/Internet Protocol) が，市場原理によって最も多くの利用者を獲得し，事実上の業界標準 (デファクトスタンダード) となっています。

TCP/IPはRFC (11-10参照) で規定されています。TCPとIPという二つのプロトコルを中心として構成され，OSI基本参照モデルの各層と対応しています。

OSI基本参照モデル	TCP/IP	主なプロトコル
アプリケーション層	アプリケーション層	HTTP, FTP, TELNET, SNMP, NTP, SMTP, POP3, IMAP4
プレゼンテーション層		
セション層		
トランスポート層	トランスポート層	TCP, UDP
ネットワーク層	インターネット層	IP, ICMP, ARP
データリンク層	ネットワークインタフェース層	PPP, PPPoE
物理層		

第7章 ネットワーク技術

🌼 アプリケーション層のプロトコル

✦HTTP✦	HTML文書などを送受信する。Hypertext Transfer Protocol
FTP	ファイルを転送する。File Transfer Protocol
TELNET テルネット	遠隔地にあるコンピュータにリモートログインして操作する
SNMP	ネットワーク上の構成機器や障害時の情報収集を行う。 Simple Network Management Protocol
✦NTP✦	タイムサーバの時刻を基に複数のコンピュータの時刻を同期させる。 Network Time Protocol
✦SMTP✦	メールを送信するときやメールサーバ間でメールを転送する。 Simple Mail Transfer Protocol
✦POP3✦ ポップ	メールを受信する。サーバ上にあるメールを端末にダウンロードして管理する。 Post Office Protocol Version 3
IMAP4 アイマップ	メールを受信する。POP3とは違い，メールをサーバ上で管理する。 Internet Message Access Protocol Version 4

> **攻略法** …… **これがSMTPとPOP3のイメージだ！**
>
> はがきを相手に送るときを考えてみましょう。はがきを最寄りのポストに入れると，その後はいくつもの集配局をわたり，最終的に相手の郵便ポストに配送されます(SMTP)。相手は，郵便ポストからはがきを取り出します(POP3)。

🌼 トランスポート層のプロトコル

TCP	通信相手と通信ができたかを確認する。信頼性の高いデータ転送を提供する。 Transmission Control Protocol
✦UDP✦	通信相手と通信ができたかを確認しない。信頼性は保証しないが，高速なデータ転送を提供する。User Datagram Protocol

> **もっと詳しく 〈 TCP・UDP 〉**
>
> * TCPは信頼性重視で，HTTP，FTP，TELNET，SMTP，POP3などに利用されています。
> * UDPは信頼性よりもリアルタイム性重視で，DNS，DHCP (7-04参照)，NTPなどに利用されています。
>
> 速くて信頼性が高ければ一番よいのですが，伝送経路上でのノイズによるデータの誤りや，データの順番の入れ替わりなどはどうしても避けられません。信頼性を高めるためにはデータのチェックの手順が必要になり，その分遅くなってしまいます。用途に応じて，信頼性とリアルタイム性のどちらに重きを置くかで使い分けています。

● インターネット層のプロトコル

⁺IP⁺	IPアドレス (7-04参照) を用いて，データを通信相手まで届ける。Internet Protocol
ICMP	通信相手との通信状況をメッセージで返す。Internet Control Message Protocol

もっと詳しく〈 ping 〉

ping (Packet InterNet Groper) は，ICMPを用いて通信相手との接続を確認するコマンドです。通信相手との疎通確認を行います。

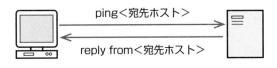

ping<宛先ホスト>

reply from<宛先ホスト>

知っ得情報〈 MACアドレスとARP 〉

* ⁺MACアドレス⁺は，ネットワーク機器に割り当てられている世界で一意の物理アドレスです。先頭24ビットがベンダID，後続24ビットが固有製品番号から構成されています。製造段階で割り振られる番号なので，利用者は原則として変更できません。

* ⁺ARP⁺は (Address Resolution Protocol) は，IPアドレスに対応するMACアドレスを取得するプロトコルです。同一のネットワーク内ではMACアドレスを使って通信相手を特定するため，データを送信するときにはARPを使ってIPアドレスに対応するMACアドレスを調べます。これに対して，RARP (Reverse ARP) は，MACアドレスに対応するIPアドレスを取得するプロトコルです。現在では，IPアドレスの割り当てはDHCP (7-04参照) が一般的になっているため，RARPはあまり使われていません。

知っ得情報〈 ノード 〉

ノードには「節点」という意味があり，ネットワーク分野以外の様々なところで登場します。ネットワーク分野の場合は，ネットワークに接続された装置や，ネットワークとネットワークを接続する装置のことをいいます。

TCP/IPのネットワークでは，コンピュータやルータなどのようにIPアドレスを持つ装置を指しています。

第7章 ネットワーク技術

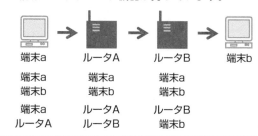
ネットワークインターフェース層のプロトコル

PPP	2地点間を接続して通信する。ダイヤルアップなどで用いる。Point-to-Point Protocol
PPPoE	LAN (Ethernet) 上でPPPを行い，常時接続する。PPP over Ethernet

アドバイス［プロトコル］

プロトコルの種類はここに上げたようにたくさんありますが，全部を完璧に覚える必要はありません。ひとまず頻出マークがあるものと，OSI参照モデルの各層の役割をしっかり覚えておきましょう。他のものは後回しにしても大丈夫です。

確認問題 1 ▶ 平成26年度秋期 問35　　正解率 ▶ 高　　**基本**

TCP/IPのネットワークにおいて，サーバとクライアント間で時刻を合わせるためのプロトコルはどれか。

ア　ARP　　　　イ　ICMP　　　　ウ　NTP　　　　エ　RIP

要点解説
ア　IPアドレスからMACアドレス (7-02参照) を取得するプロトコル
イ　通信相手との通信状況をメッセージで返すプロトコル
ウ　複数のコンピュータの時刻を同期させるプロトコル
エ　Routing Information Protocolの略。最適な経路を判断するルーティングプロトコル

確認問題 2 ▶ 応用情報 令和5年度春期 問34 正解率 ▶ **中** **基本**

IPネットワークのプロトコルのうち，OSI基本参照モデルのトランスポート層に位置するものはどれか。

ア HTTP イ ICMP ウ SMTP エ UDP

トランスポート層に位置しているプロトコルはUDPで，リアルタイム性を重視しています。

確認問題 3 ▶ 平成25年度春期 問33 正解率 ▶ **中** **基本**

OSI基本参照モデルにおけるネットワーク層の説明として，適切なものはどれか。

ア エンドシステム間のデータ伝送を実現するために，ルーティングや中継などを行う。
イ 各層のうち，最も利用者に近い部分であり，ファイル転送や電子メールなどの機能が実現されている。
ウ 物理的な通信媒体の特性の差を吸収し，上位の層に透過的な伝送路を提供する。
エ 隣接ノード間の伝送制御手順 (誤り検出，再送制御など) を提供する。

要点解説 ア ネットワーク層 イ アプリケーション層
ウ 物理層 エ データリンク層

第

7

章 ネットワーク技術

解答

問題1：ウ 問題2：エ 問題3：ア

7 03 ネットワーク接続装置

**イメージで
つかむ**

小包を送る場合，送付状を
貼ります。送付状には，お届
け先の住所と氏名，依頼主の
住所と氏名の情報があります。
TCP/IPのネットワークで
も，データを小包のように送
ります。

パケット

　パケットは，**TCP/IPのネットワーク上を流れる大きなデータを小さく分割したもの**
です。Packetは，「小包」という意味です。例えば，荷物配送時に大きな荷物を小包に
わけ，その小包ごとに送付状を付けて宛先まで郵送されるように，パケットにもヘッダ
と呼ばれる宛先情報を付加して宛先まで送信されます。パケット単位で送信した場合
は，通信回線を占有することなく，また途中で送信エラーが発生したときは，そのパ
ケットだけを再送信すればよく，一定時間内にネットワーク上を流れるパケット量（ト
ラフィックという）を軽減できます。

データ伝送単位

　先ほどのように，ネットワーク上を流れるデータ（ヘッダを含む）は全て，広義の意味
でパケットと呼ばれることがあります。

　一方，OSI基本参照モデルなどのプロトコル体系では，階層ごとのデータ（ヘッダを含
む）を，**セグメント**（トランスポート層のTCPの場合），**パケット**（ネットワーク層），**フレー
ム**（データリンク層）と呼んでいます。

　送信時は，上位層から送り出されたデータが下位層に移るとヘッダ情報が追加され，
受信時は階層が上がるごとにヘッダ情報が削除されていきます。

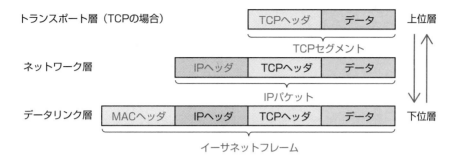

さらに，各ヘッダには，宛先に届けるために必要な情報が付加されています。

TCPヘッダ	送信元と宛先のポート番号 (7-04参照) など
IPヘッダ	送信元と宛先のIPアドレス (7-04参照) など
MACヘッダ	送信元と宛先のMACアドレスなど

ネットワーク接続装置

　「LAN内」や「LAN同士」，「LANとWAN」を接続するときは，次のようなネットワーク接続装置を使って中継します。現在では，複数の装置が一体化しているものもあるので，別の装置を使うというよりも，別の機能を使うと考えたほうがよいかもしれません。

　試験では，OSI基本参照モデルの「どの層で接続する装置か」が出題されます。接続装置を上位層から「ゲ・ル・ブ・リ」と覚える方法があります。

	OSI基本参照モデル	ネットワーク接続装置
第7層	アプリケーション層	ゲートウェイ
第6層	プレゼンテーション層	
第5層	セション層	
第4層	トランスポート層	
第3層	ネットワーク層	ルータ・L3スイッチ
第2層	データリンク層	ブリッジ・スイッチングハブ・L2スイッチ
第1層	物理層	リピータ

リピータ

　リピータ は，LAN内を接続し，**OSI基本参照モデルの物理層 (第1層) で中継する装置**です。伝送距離を延長するために，データの信号波形を増幅・整形します。

第7章　ネットワーク技術

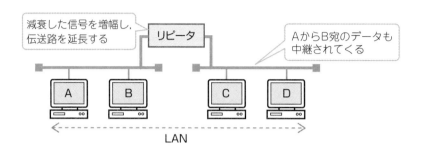

減衰した信号を増幅し，伝送路を延長する

リピータ

AからB宛のデータも中継されてくる

LAN

🔘 ブリッジ

✨ブリッジ✨は，LAN同士を接続し，**OSI基本参照モデルのデータリンク層（第2層）で中継する装置**です。ネットワークを流れるフレームの宛先MACアドレスを解析し，中継するかどうかの交通整理をします。

例えば，端末AとBは同じLANにあるので，端末AからBへのフレームは他のLANへは中継されません。これにより，ネットワーク上のトラフィックを軽減できます。

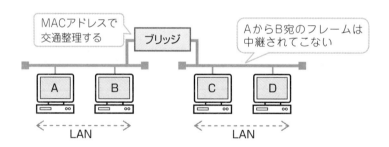

MACアドレスで交通整理する

ブリッジ

AからB宛のフレームは中継されてこない

LAN　　　LAN

もっと詳しく 〈 スイッチングハブ 〉

スイッチングハブは，LANケーブルを束ねる集線装置で，ネットワークを流れるフレームの宛先MACアドレスを解析し，宛先MACアドレスが存在するLANポートにだけ転送します。例えば，端末A宛のフレームは，端末BやCには転送しません。

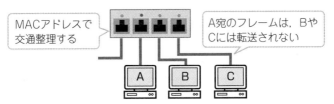

MACアドレスで
交通整理する

A宛のフレームは，Bや
Cには転送されない

また，同じ機能をもつ **L2スイッチ** (レイヤ2スイッチ)と呼ばれる装置があります。レイヤ2は，第2層という意味です。スイッチングハブの機能に，仮想的なネットワークを構成する**VLAN** (Virtual LAN)機能を加えたものもあり，物理的に一つのLANを仮想的に複数のLANに分割したりできます。

第 **7** 章 ネットワーク技術

● ルータ

ルータは，LANやWANを接続し，**OSI基本参照モデルのネットワーク層（第3層）で中継する装置**です。ネットワークを流れるパケットの宛先IPアドレスを解析し，中継するかどうかの交通整理をします。また，最適な経路（ルート）を選択する**ルーティング**機能を装備しています。

例えば，端末AとCは異なるネットワークにあるので，端末AからCへのパケットは最適な経路を選択しながら中継されます。

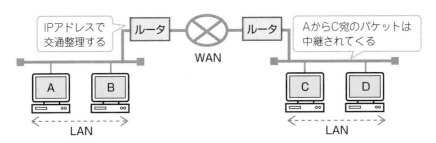

IPアドレスで
交通整理する

AからC宛のパケットは
中継されてくる

🐱! "くれば"で覚える

ルータ　とくれば　**ネットワーク層で中継。IPアドレスを解析し中継する**

もっと詳しく ❰ L3 スイッチ ❱

ルータと同じ機能をもつ✦**L3スイッチ**✦（レイヤ3スイッチ）と呼ばれる装置があります。レイヤ3は，第3層という意味です。主にルータはLANとWANの境界に設置し，L3スイッチはLAN内に設置して内部の異なるネットワーク同士をつなぐ用途で使われます。

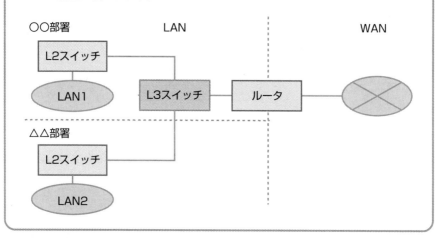

ゲートウェイ

✦**ゲートウェイ**✦は，**OSI基本参照モデルのトランスポート層（第4層）以上が異なるネットワーク同士でプロトコル変換を行う装置**です。

"くれば"で覚える

ゲートウェイ　とくれば　**トランスポート層以上で中継。プロトコル変換する**

知っ得情報 ❰ デフォルトゲートウェイ ❱

異なるネットワークを接続する出入り口となる装置を**デフォルトゲートウェイ**と呼ぶこともあります。例えば，社内LANからインターネットへ接続する装置が該当し，ルータなどが用いられます。デフォルトゲートウェイは，他のネットワークに関する経路情報を保持していて，LAN内の端末はとりあえずそこにデータを送れば，最終の宛先まで届くように中継してくれます。

確認問題 1 ▸令和6年度 問8 正解率▸高 頻出 応用

LAN間接続装置に関する記述のうち，適切なものはどれか。

ア ゲートウェイは，OSI基本参照モデルにおける第1～3層だけのプロトコルを変換する。
イ ブリッジは，IPアドレスを基にしてフレームを中継する。
ウ リピータは，同種のセグメント間で信号を増幅することによって伝送距離を延長する。
エ ルータは，MACアドレスを基にしてフレームを中継する。

要点解説
ア トランスポート層（第4層）以上が異なるネットワーク同士でプロトコル変換を行います。
イ MACアドレスを基にしてフレームを中継します。
エ IPアドレスを基にしてパケットを中継します。

確認問題 2 ▸令和元年度秋期 問32 正解率▸中 応用

メディアコンバータ，リピータハブ，レイヤ2スイッチ，レイヤ3スイッチのうち，レイヤ3スイッチだけがもつ機能はどれか。

ア データリンク層において，宛先アドレスに従って適切なLANポートにパケットを中継する機能
イ ネットワーク層において，宛先アドレスに従って適切なLANポートにパケットを中継する機能
ウ 物理層において，異なる伝送媒体を接続し，信号を相互に変換する機能
エ 物理層において，入力信号を全てのLANポートに対して中継する機能

要点解説
ア レイヤ2スイッチ
イ レイヤ3スイッチ
ウ メディアコンバータ。異なる伝送媒体とは，メタルケーブルや光ファイバなどを指します。
エ リピータハブ。集線装置がついたリピータのことです。

解答

問題1：ウ　　問題2：イ

時々出　必須　超重要

イメージでつかむ

家の固定電話やスマートフォンには，世界で一つしかない識別番号が割り振られています。
TCP/IPネットワークにおいても，端末などにはIPアドレスと呼ばれる識別番号が割り振られています。

IPアドレス

✦IPアドレス✦は，**TCP/IPのネットワーク上にある端末やネットワーク機器を識別するための番号**です。現在広く使われているIPv4では，IPアドレスは2進数32ビットで表現しています。人にとって2進数は見づらいので，8ビット単位に10進数に変換（3-01参照）し，ドット（.）で区切って表現します。

11000000110110100101100010110100	→ 2進数32ビット

11000000	11011010	01011000	10110100	8ビット単位

192.	218.	88.	180	10進数に変換し，ドットで区切る

IPアドレスは，「192.218.88.180」です。

ドメイン名

ドメイン名は，**IPアドレスを，人が理解しやすいように英字や数字，一部の記号を使って文字列に置き換えた別名**です。先ほどの「192.218.88.180」は，IPA（独立行政法人 情報処理推進機構）のIPアドレスです。このIPアドレスに対して，ドメイン名「www.ipa.go.jp」が付けられています。文字列にすることで，日本の国（jp）の政府関係（独立

行政法人)(go)の組織 (ipa) のネットワークに属しているコンピュータ (www) と人が理解しやすくなりました。

🐱 **もっと詳しく〈 ドメイン名・ホスト名・FQDN 〉**

ドメイン名には，狭義の意味と広義の意味があります。

狭義の意味では，**ドメイン名**はネットワークを識別する文字列で，**ホスト名**はネットワーク内のコンピュータを識別する文字列です。「www.ipa.go.jp」のような「ホスト名」＋「ドメイン名」のような形式は，**FQDN** (Fully Qualified Domain Name：完全修飾ドメイン名) とも呼ばれています。

広義の意味では，ドメイン名やホスト名を，インターネット上でコンピュータを特定するFQDNの意味で使うこともよくあるので，注意しましょう。

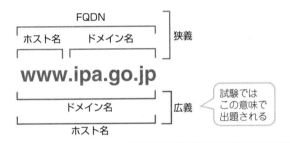

😈 **DNS (Domain Name System)**

✨ **DNS** ✨ (Domain Name System) は，**IPアドレスと，ドメイン名やホスト名を対応付ける仕組み**で，その変換処理を行うのはDNSサーバです。例えば，DNSサーバに対して，「www.ipa.go.jpのIPアドレスは？」と尋ねると，DNSサーバは「192.218.88.180」と答えてくれます。このようにして，DNSサーバへ問い合わせ，ドメイン名からIPアドレスを取得することで，データのやり取りができ，その逆も可能となります。これを**名前解決**といいます。

また，DNSサーバは階層構造で，IPアドレスとドメイン名の対応はDNSサーバにキャッシュされており，キャッシュ内に存在しない場合は上位のDNSサーバへ問い合わせします。

🐱！ **"くれば"で覚える**

DNS とくれば **IPアドレスと，ドメイン名やホスト名を対応付ける**

DHCP

✦DHCP✦ (Dynamic Host Configuration Protocol) は，**コンピュータがTCP/IPの
ネットワークに接続する際に，必要となるIPアドレスなどの設定を自動的に割り当て
るプロトコル**で，その割り当てを行うのはDHCPサーバです。DHCPサーバに登録し
てあるIPアドレスの中から現在貸し出していないIPアドレスを動的に割り当てます。
IPアドレス管理の手間を軽減できます。

グローバルIPアドレスとプライベートIPアドレス

IPアドレスは次の二つに分類できます。

グローバルIPアドレス

✦グローバルIPアドレス✦は，**インターネットで使用するIPアドレス**です。世界で
一意になるようにICANN (The Internet Corporation for Assigned Names and Numbers)
によって管理されています。

プライベートIPアドレス

✦プライベートIPアドレス✦は，**LANなどの独立したネットワークで使用するIPア
ドレス**です。独立したネットワーク内で一意になるように，組織のネットワーク管理者
によって管理されています。

> **攻略法** …… **これがIPアドレスのイメージだ！**
> 電話の外線番号がグローバルIPアドレス，内線番号がプライベートIPアド
> レスのようなイメージです。内線番号は組織内で一意であればよく，組織が異なっ
> ていれば同じ内線番号を使っても問題はありません。

NATとNAPT

LAN内の端末などに割り当てられている，プライベートIPアドレスのままではイン
ターネットを利用できないので，通常はルータなどでグローバルIPアドレスに変換し
ています。この変換方法は，次の二つに分類できます。

NAT

NAT (Network Address Translation) は，**グローバルIPアドレスとプライベートIPアドレスを「1対1」に変換する技術**です。複数の端末から同時にはインターネットに接続できません。

NAPT

NAPT (Network Address Port Translation) は，**グローバルIPアドレスとプライベートIPアドレスを「1対複数」に変換する技術**です。IPマスカレードとも呼ばれています。NATの技術に加え，ポート番号（後述）を組み合わせたものです。IPアドレスとポート番号とを合わせて変換することで，複数の端末から同時にインターネットに接続できます。

> 😺! "くれば"で覚える
>
> NAT・NAPT　とくれば　**グローバルIPアドレスとプライベートIPアドレスを相互に変換する**

❤️ ポート番号

TCP/IPのネットワークでは，IPアドレスで通信相手のコンピュータを特定しますが，そのコンピュータ上には複数のアプリケーションが動作しています。**ポート番号**は，**通信相手のコンピュータ上で稼働しているアプリケーションを識別する番号**です。0から65,535までのポート番号が割り当てられており，そのうち0から1,023までは**ウェルノウンポート**と呼ばれ，特定のアプリケーションのために予約されています。

ポート番号は，ファイアウォール（8-06参照）の設定の際にも必要です。ウェルノウンポートを知らないと解けない問題も出題されるので，特にHTTPの80番は覚えておきましょう。

FTPデータ転送	20	DNS	53
FTPデータ制御	21	HTTP	80
SMTP	25	POP3	110

> 🐟 **攻略法** …… **これがポート番号のイメージだ！**
>
> はがきを送る場合は，住所と宛名を書きます。住所で相手の家（IPアドレス）を特定しますが，その家には複数人の家族がいます。家族のうち誰宛に送るかは，宛名（ポート番号）で特定します。

新宿区市ヶ谷左内町
2-12-2
猫田猫子様

第7章　ネットワーク技術

327

確認問題 1　▶ 令和元年度秋期　問33　　正解率 ▶ **中**　　　**基本**

LANに接続されている複数のPCを，インターネットに接続するシステムがあり，装置AのWAN側インタフェースには1個のグローバルIPアドレスが割り当てられている。この1個のグローバルIPアドレスを使って複数のPCがインターネットを利用するのに必要な装置Aの機能はどれか。

ア　DHCP
イ　NAPT (IPマスカレード)
ウ　PPPoE
エ　パケットフィルタリング

要点解説　一つのグローバルIPアドレスに複数のプライベートアドレスを対応させるNAPTの機能があれば，LANに接続されている複数のPCをインターネットに接続できます。
なお，ONUは光信号と電気信号を変換する，光回線終端装置です。

確認問題 2　▶ 平成31年度春期　問34　　正解率 ▶ **中**　　　**応用**

PCとWebサーバがHTTPで通信している。PCからWebサーバ宛てのパケットでは，送信元ポート番号はPC側で割り当てた50001，宛先ポート番号は80であった。WebサーバからPCへの戻りのパケットでのポート番号の組合せはどれか。

	送信元 (Webサーバ) のポート番号	宛先 (PC) のポート番号
ア	80	50001
イ	50001	80
ウ	80と50001以外からサーバ側で割り当てた番号	80
エ	80と50001以外からサーバ側で割り当てた番号	50001

要点解説 PCからWebサーバへのパケットでは，送信元ポート番号は50001，宛先ポート番号は80でした。
Webサーバが PCに送る戻りのパケットでは，送信元ポート番号は80，送信先は50001となります。

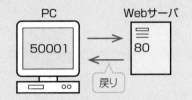

確認問題 3 ▸ 平成30年度秋期　問33　　正解率 ▸ **中**　　**基本**

TCP/IPネットワークでDNSが果たす役割はどれか。

ア　PCやプリンタなどからのIPアドレス付与の要求に対し，サーバに登録してあるIPアドレスの中から使用されていないIPアドレスを割り当てる。
イ　サーバにあるプログラムを，サーバのIPアドレスを意識することなく，プログラム名の指定だけで呼び出すようにする。
ウ　社内のプライベートIPアドレスをグローバルIPアドレスに変換し，インターネットへのアクセスを可能にする。
エ　ドメイン名やホスト名などとIPアドレスとを対応付ける。

要点解説 DNSは，ドメイン名やホスト名などとIPアドレスとの対応付けをします。
ア　DHCP　　　ウ　NATやNAPT　　　エ　DNS

第7章　ネットワーク技術

解答

問題1：イ　　　問題2：ア　　　問題3：エ

7 05 IPアドレスのクラス

時々出　必須　超重要

イメージで
つかむ

03-○○○○-○○○○　　04998-○-○○○○

日本の固定電話は，全て
10桁です。市外局番は，利
用者の多い東京23区や大阪
市などでは2桁，利用者の少
ない小笠原村などでは5桁に
なっています。
　IPアドレスも，同じように
なっています。

IPアドレスのクラス

　IPv4では，IPアドレスを2進数32ビット
で表現していますが，さらに，32ビットを
ネットワーク部とホスト部に分けることで，
「どのネットワークに属する」，「どのホスト
か」で管理しています。**ホスト**とは，ネッ
トワーク内に接続されている端末やサーバなど
のことです。

　ネットワーク部とホスト部を，32ビット
を8ビット単位にどのように表現するかで，
次のようなクラスがあります。

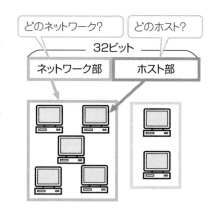

クラスA

　クラスAは，**ネットワーク部8ビット，ホスト部24ビットで構成されるクラス**で
す。ネットワーク部の先頭ビットは「0」から始まり，10進数では「1〜127」で始
まるIPアドレスです。ホスト部を24ビットで表現するので，一つのネットワーク内で
識別できる**ホストの最大台数は$2^{24}-2$台**です。2台分を引いているのは，ホスト部が
「全て0」のアドレスはそのホストが属している**ネットワークアドレス**，ホスト部が「全
て1」のアドレスは同じネットワーク内に属する全てのホストに同一の情報を送信する

のに使用する**ブロードキャストアドレス**として，あらかじめ予約されているからです。これは，クラスB，クラスCも同じです。

🔵 クラスB

　クラスBは，**ネットワーク部16ビット，ホスト部16ビットで構成されるクラス**です。ネットワーク部の先頭ビットは「10」から始まり，10進数では，「128〜191」で始まるIPアドレスです。ホスト部を16ビットで表現するので，一つのネットワーク内で識別できる**ホストの最大台数は$2^{16}-2$台**です。

🔵 クラスC

　クラスCは，**ネットワーク部24ビット，ホスト部8ビットで構成されるクラス**です。ネットワーク部の先頭ビットは「110」から始まり，10進数では，「192〜223」で始まるIPアドレスです。ホスト部を8ビットで表現するので，一つのネットワーク内で識別できる**ホストの最大台数は2^8-2台**です。

　このほかクラスDもあります。クラスDは，ネットワーク部の先頭ビットが「1110」から始まります。特殊な通信に使われます。

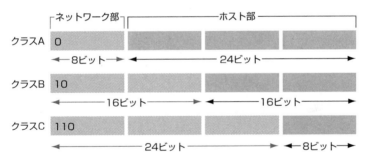

まとめると，次のようになります。

クラス	ネットワーク部	ホスト部	接続可能なホスト台数	対象とするネットワーク
A	8ビット	24ビット	$2^{24}-2=16,777,214$台	大規模
B	16ビット	16ビット	$2^{16}-2=65,534$台	中規模
C	24ビット	8ビット	$2^8-2=254$台	小規模

　また，プライベートIPアドレスは，アドレスクラスごとに次の範囲で割り当てることになっています。

アドレスクラス	プライベートIPアドレスの範囲
クラスA	10.0.0.0〜10.255.255.255
クラスB	172.16.0.0〜172.31.255.255
クラスC	192.168.0.0〜192.168.255.255

🐾 サブネッティング

✦サブネッティング✦（サブネット分割）は，ネットワーク部を拡張する（ホスト部から間借りする）ことで，**一つのネットワーク内に複数のより小さいネットワーク（サブネット）を形成すること**です。32ビットをネットワーク部とサブネット部，ホスト部に分けることで，「どのネットワークに属する」，「どのサブネットワークの」「どのホストか」で管理できるようになります。

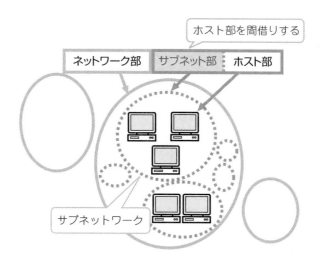

🐾 サブネットマスク

サブネッティングをするには，IPアドレスのクラスの概念を超えて，ビット数の配分を柔軟に設定できなくてはならないので，IPアドレスとは別の情報が必要です。

IPアドレスのネットワーク部とホスト部の境界を設定する32ビットのビット列をサブネットマスクといいます。ネットワーク部（サブネット部を含む）には「1」を，ホスト部には「0」を指定します。IPアドレスとサブネットマスクをペアで用います。

> 🐱！ "くれば"で覚える
>
> サブネットマスク　とくれば　　＊**ネットワーク部（サブネット部も含む）に1**
> 　　　　　　　　　　　　　　＊**ホスト部に0**

　例えば，IPアドレス「192.168.1.19」，サブネットマスク「255.255.255.240」の場合を考えてみましょう。少し難しくなります。

　IPアドレスを2進数に変換すると「110」から始まるので，クラスCです。本来，クラスCは，ネットワーク部24ビット，ホスト部8ビットであるので，サブネットマスクは「255.255.255.0」であるはずが，今回は「255.255.255.240」です。

	10進数	2進数			
サブネットマスク	255.255.255.0	11111111	11111111	11111111	00000000
	255.255.255.240	11111111	11111111	11111111	**1111**0000

サブネット部

　ここでは，ネットワーク部を4ビット拡張（ホスト部から4ビット間借り）して，サブネット部4ビット，ホスト部4ビットで表現します。サブネット部が4ビットなので，$2^4 = 16$のサブネット，ホスト部が4ビットなので$2^4 - 2 = 14$台のホストを識別できます。

　つまり，一つのネットワークに16のサブネット，各サブネットに14台のホストが管理できるようになります。

もっと詳しく〈ネットワークアドレスの求め方〉

ホストのIPアドレスとサブネットマスクをAND演算（3-06参照）すると，そのホストが属しているネットワークアドレス（サブネットワークアドレス）を求められます。

	10進数	2進数			
ホストのIPアドレス	192.168.1.19	11000000	10101000	00000001	**00010011**
サブネットマスク	255.255.255.240	11111111	11111111	11111111	**11110000**
AND演算		↓	↓	↓	↓
ネットワークアドレス	192.168.1.**16**	11000000	10101000	00000001	**00010000**

IPアドレス「192.168.1.19」の
ホストが属するネットワークアドレス

サブネットの導入で，ネットワーク部とホスト部の境界を，下位ビット側へは柔軟に移動できるようになりました。さらに進めたものが**CIDR** (Classless Inter-Domain Routing)で，8ビット単位で区切るクラスの枠を完全に取り払い，最上位ビットから1ビット単位でネットワーク部とホスト部の境界を設定します。

次のようなCIDR表記でネットワーク部を表現します。これまでのクラスやサブネットのIPアドレスも，CIDR表記で表現できます。

例えば「200.170.70.20/28」とある場合，

* 「200.170.70.20」が，ホストのIPアドレス
* 「/28」は，上位から28ビットが1（ネットワーク部），つまり，
  「11111111 11111111 11111111 11110000」
  =「255.255.255.240」という意味です。

😺 IPv6

現在広く利用されているのは，IPアドレスを32ビットで表現するIPv4ですが，インターネットの急速な普及により，新規に割り当てることができるIPv4のIPアドレスはなくなってしまいました。

そこで，**IPアドレスを128ビットに拡張した** ✦ IPv6 ✦ への移行がすすめられています。IPv6は，アドレスの16進表記を4文字ずつ「:」で区切ったフィールドで表現します。全て0のフィールドの連続は「::」で表すなど，長いアドレスを省略できます（::での省略は1か所のみ可能です）。

（例）2001:db8::abcd:ef12/64

また，上記の表記の「/64」は，IPアドレスのうちネットワーク部が先頭から何ビットであるかを表すプレフィックス長です。

さらに，IPv4とIPv6の機器はそのままでは共存できませんが，**IPv4パケットのデータ部分にIPv6アドレスを入れ込むカプセル化**（トンネリングという）などの技術を使って，相互に通信できます。

🔵 IPsec

IPsec (Security Architecture for Internet Protocol) は，**TCP/IPのネットワークで暗号通信を行うための通信プロトコル**です。ネットワーク層で動作します。IPパケットを暗号化する機能があり，IPv6には標準で組み込まれています。以下の複数のプロトコルで構成されています。

AH	発信元認証，改ざん検知
ESP	発信元認証，改ざん検知，ペイロード部（IPパケットのデータ部分）の暗号化
IKE	秘密鍵の交換

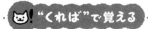

"くれば"で覚える

IPv6　とくれば　**IPアドレス128ビットで表現する**

アドバイス [IPアドレスの問題]

　本節は第7章の中でも最重要です。IPアドレス絡みの問題は，2進数の計算が必要だったりするものもあり，やや難易度が高いですが，出題頻度は高くなっています。今すぐ問題が解けなくても大丈夫です。試験本番までに，がんばって攻略してみて下さい。

確認問題　1　▶ 平成29年度春期　問34　　　正解率 ▶ **低**　　　**基本**

IPv4アドレス128.0.0.0を含むアドレスクラスはどれか。

ア　クラスA　　　イ　クラスB　　　ウ　クラスC　　　エ　クラスD

要点解説　10進数の128を2進数に基数変換すると10000000です。
128.0.0.0の上位8ビットは，10000000ということになり，先頭ビットが10からはじまるのでクラスBです。

確認問題　2　▶ 平成31年度春期　問32　　　正解率 ▶ **低**　　　**応用**

192.168.0.0/23（サブネットマスク255.255.254.0）のIPv4ネットワークにおいて，ホストとして使用できるアドレスの個数の上限はどれか。

ア　23　　　　　イ　24　　　　　ウ　254　　　　　エ　510

要点解説　IPv4のアドレス数は32ビットです。「/23」とあるため，上位23ビットがネットワーク部で，32−23＝9ビットがホストアドレスとして使えます。ただし，ホスト部がオール0とオール1となるアドレスは使えません。
使用できるアドレスの個数の上限は，$2^9 - 2 = 510$個のアドレスです。

確認問題　3　▶ 平成21年度秋期　問39　　　正解率 ▶ **低**　　　**応用**

IPアドレス10.1.2.146，サブネットマスク255.255.255.240のホストが属するサブネットワークはどれか。

ア　10.1.2.132/26　　　　　　　イ　10.1.2.132/28
ウ　10.1.2.144/26　　　　　　　エ　10.1.2.144/28

要点解説 ホストが属するサブネットワークは，IPアドレスとサブネットマスクをAND演算で求めます。

	IPアドレス (10.1.2.146)	00001010	00000001	00000010	10010010
AND	サブネットマスク (255.255.255.240)	11111111	11111111	11111111	11110000
	サブネットワーク	00001010	00000001	00000010	10010000

求めたサブネットワークを10進数に基数変換すると10.1.2.144となり，サブネットマスクから28ビット（1の部分）がネットワーク部です。
よって，ホストが所属するサブネットワークは10.1.2.144/28と表現します。

確認問題 4 ▶ 平成30年度春期 問32 正解率 ▶ **中** 応用

次のネットワークアドレスとサブネットマスクをもつネットワークがある。このネットワークをあるPCが利用する場合，そのPCに割り振ってはいけないIPアドレスはどれか。

ネットワークアドレス：200.170.70.16
サブネットマスク　　：255.255.255.240

ア　200.170.70.17　　　　　イ　200.170.70.20
ウ　200.170.70.30　　　　　エ　200.170.70.31

要点解説 サブネットマスクを2進数に変換します。

10進数	255	255	255	240
2進数	11111111	11111111	11111111	11110000

ホスト部は0となっている4ビットで表します。つまり末尾の4ビットが0000
〜1111となっているアドレスがホスト部として使えますが，オール0とオール1のアドレスは除きます。
各選択肢の末尾8ビットを確認します。
ア　17→0001 0001
イ　20→0001 0100
ウ　30→0001 1110
エ　31→0001 1111 (オール1のためホストに割り振れないアドレス)

確認問題 5 ▶ 平成27年度春期 問36 正解率 ▶ **低** 基本

IPv4のグローバルIPアドレスはどれか。

ア　118.151.146.138　　　　イ　127.158.32.134
ウ　172.22.151.43　　　　　エ　192.168.38.158

ウとエはプライベートIPアドレスです。
クラスB 172.16.0.0 〜 172.31.255.255
クラスC 192.168.0.0 〜 192.168.255.255
なお127.0.0.1 〜 127.255.255.254は，ローカルループバック（ループバックアドレス）で，そのコンピュータ自身を示します。

確認問題 6 ▶ 応用情報 令和4年度春期 問31 正解率▶中 基本

IPv6アドレスの表記として，適切なものはどれか。

ア 2001:db8::3ab::ff01 　　　イ 2001:db8::3ab:ff01
ウ 2001:db8.3ab:ff01 　　　エ 2001.db8.3ab.ff01

 ア ::の省略が2か所に登場しているため不適切です。
ウ・エ 区切りは.ではなく:のため不適切です。

確認問題 7 ▶ 平成28年度春期 問34 正解率▶中 応用

IPアドレス192.168.57.123/22が属するネットワークのブロードキャストアドレスはどれか。

ア 192.168.55.255 　　　イ 192.168.57.255
ウ 192.168.59.255 　　　エ 192.168.63.255

 192.168.57.123/22は，上位から22ビットがネットワーク部，残り10ビットがホスト部という意味です。
ブロードキャストアドレスは，ホスト部が全て1のアドレスです。

IPアドレス	192	168	57	123
	11000000	10101000	00111001	01111011
サブネットマスク	11111111	11111111	11111100	00000000
ブロードキャスト アドレス	11000000	10101000	00111011	11111111
	192	168	59	255

解答

問題1：イ 　　問題2：エ 　　問題3：エ 　　問題4：エ 　　問題5：ア
問題6：イ 　　問題7：ウ

7 06 インターネットの応用

時々出　必須　超重要

イメージで つかむ

計算問題では，必ず単位を合わせてから計算しましょう。試験では，ビットとバイトに要注意です！

1日＝24時間，

1時間＝60分，

1分＝60秒

🫱 インターネットの応用

　私たちは，インターネットを使って，毎日のようにWebサイトの閲覧やメールの送受信を行いますが，試験では次のような用語が出題されます。

⚙ URL

　Webサイトを閲覧するときは，Webブラウザのアドレス欄に，**Webサイトのネットワーク上の位置情報**である**URL** (Uniform Resource Locator) を入力します。アクセスするスキーム名（プロトコル）やホスト名，ドメイン名などを指定します。

(例) 基本情報技術者試験 (FE) 公開問題サイト

https://www.ipa.go.jp/shiken/mondai-kaiotu/sg_fe/koukai/index.html

https://	www.	ipa.go.jp	/shiken/mondai-kaiotu/sg_fe/koukai/	index.html
スキーム名	ホスト名	ドメイン名	パス名（ディレクトリ名）	ファイル名

> **🐾 知っ得情報〈 URI 〉**
>
> **URI** (Uniform Resource Identifier) はWeb上の情報源を一意に識別するための総称です。URIには，先ほどの情報源の場所を一意に表す**URL** (Uniform Resource Locator) と，情報源の名前を一意に表す**URN** (Uniform Resource Name) があります。例えば，書籍を一意に識別するISBNは，「urn:isbn:○○○」のように記述します。

CGI

CGI (Common Gateway Interface) は，**Webブラウザからの要求に対して，Webサーバが外部のプログラムを呼び出し，その結果をHTTPを介してWebブラウザに返す仕組み**です。例えば，掲示板やアンケートフォーム，アクセスカウンタなど，Webページの内容を動的に表示させたい場合に用います。

MIME

✦ MIME ✦ (Multipurpose Internet Mail Extension) は，**電子メールの規格を拡張して，様々な形式を扱えるようにした規格**です。電子メールで送信できるデータ形式は，もともと半角英数字などしか取り扱えませんでしたが，漢字や音声，画像などのマルチメディア情報も取り扱えるようにしたものです。さらに，これに**暗号化と署名をする仕組みを加えた規格**が，S/MIME (Secure /MIME) です。

> 😺！ "くれば" で覚える
>
> MIME　とくれば　**テキストだけでなく，漢字や音声，画像なども扱える規格**

メールヘッダ

メールヘッダは，SMTPでメールを送信する際に，メール本文のデータに加えて付加される様々な制御情報です。受信者はメールソフトで確認でき，メールソフトやサーバによって多少異なりますが，通常以下のようなものがあります。

メールヘッダ	概　要
From	メールの送信者
To	メールの送信先
Cc	一つのメールを複数に送る場合の宛先
Bcc	一つのメールを複数に送る場合の宛先 (この部分は受信者には送信されない)
Return-Path	メールサーバが付加するメールの送信者
X-Mailer	メール作成時使用したメールソフト
Received	メールがたどってきた経路のサーバ

メールのなりすまし対策

メールヘッダに記載される「From」は，送信者が任意に入力できるので，悪意のある送信者は他人になりすまして迷惑メールを送れてしまいます。この対策として，**メールの送信者が正当かどうかを送信側のメールサーバが確認する**SMTP-AUTHが開発されました。

第7章 ネットワーク技術

その他に，**送信元ドメインのDNSに正当なメールサーバのIPアドレスの情報を SPF レコード (Sender Policy Framework：送信ドメイン認証情報) として登録し公開しておく方法**もあります。受信側のメールサーバが，送信元のDNSに問い合わせを行い，受信メールの送信元IPアドレスと，送信元ドメインのDNSに登録されているIPアドレスとを照合することで，メールの送信者が正当かどうかを確認します。

回線に関する計算

試験では，回線に関する計算問題がよく出題されますが，伝送速度の単位である **bps** (bit per second) は，**1秒当たりに伝送されるビット数**を表します。ビット／秒と表記されることもありますが，どちらも同じ意味です。試験では，「通信速度」や「転送速度」の用語でも出題されます。計算問題の際は，通信速度や符号化速度はビット／秒に対して，データ量はバイトで表されるので，単位の変換を忘れないようにしましょう。伝送時間は，次のような計算で求めることができます。

伝送時間＝データ量÷伝送速度

例えば，1.5Mビット／秒の回線で，12Mバイトのデータを伝送するのに要する時間を考えてみましょう。ただし，回線利用率は50％とします。

12Mバイトはビットに直すと12×8＝96Mビットです。回線利用率は50％なので，1秒間に1.5M×0.5＝0.75Mビットのデータを伝送できます。

伝送時間＝96Mビット÷0.75Mビット＝128秒となります。

> **知っ得情報 ⟨ SDN ⟩**
>
> ネットワーク機器の構成や設定を変更する際に，ネットワーク機器を一つひとつ設定したり，ケーブルを抜き差ししたりするのは大変な作業です。
>
> そこで，ネットワークの構成や設定をソフトウェアで動的に変更して，集中的に制御する **SDN** (Software Defined Networking) が開発されました。「ソフトウェアで定義されるネットワーク」という意味です。これは，従来のネットワーク機器がもつ「経路制御」と「データ転送」の機能を論理的に分離し，「経路制御」の機能をソフトウェアに集約して，「データ転送」に特化したネットワーク機器を一元管理するものです。**OpenFlow** はSDNを実現する技術の一つです。

確認問題 1 ▸ 平成31年度春期 問35　正解率 ▸ **中**　**基本**

　OpenFlowを使ったSDN (Software-Defined Networking) の説明として，適切なものはどれか。

ア　RFIDを用いるIoT (Internet of Things) 技術の一つであり，物流ネットワークを最適化するためのソフトウェアアーキテクチャ

イ　様々なコンテンツをインターネット経由で効率よく配信するために開発された，ネットワーク上のサーバの最適配置手法

ウ　データ転送と経路制御の機能を論理的に分離し，データ転送に特化したネットワーク機器とソフトウェアによる経路制御の組合せで実現するネットワーク技術

エ　データフロー図やアクティビティ図などを活用し，業務プロセスの問題点を発見して改善を行うための，業務分析と可視化ソフトウェアの技術

 SDNは，ソフトウェアによる仮想的なネットワーク技術です。ネットワーク機器はデータ転送に特化し，ソフトウェアで経路制御を定義します。

確認問題 2 ▸ 令和元年度秋期 問30　正解率 ▸ **中**　**計算**

　10Mビット/秒の回線で接続された端末間で，平均1Mバイトのファイルを，10秒ごとに転送するときの回線利用率は何%か。ここで，ファイル転送時には，転送量の20%が制御情報として付加されるものとし，1Mビット=10^6ビットとする。

ア　1.2　　　　イ　6.4　　　　ウ　8.0　　　　エ　9.6

　平均1Mバイト=8Mビットのファイルを，10秒ごとに転送します。
1秒当たりだと，8÷10=0.8Mビットを転送するということです。
さらにファイル転送時に制御情報が20%付加されるため，1秒当たり0.8×1.2＝0.96Mビットの容量となります。
回線は10Mビット/秒のため，利用率は
0.96÷10＝0.096　9.6%です。

第7章　ネットワーク技術

確認問題 3 ▶ 平成30年度春期 問34　正解率▶低　応用

電子メールのヘッダフィールドのうち，SMTPでメッセージが転送される過程で削除されるものはどれか。

ア　Bcc　　　　イ　Date　　　　ウ　Received　　　エ　X-Mailer

 要点解説　ヘッダフィールドはヘッダのことです。Bccの情報をそのまま受信者に送ると，他にだれが受信しているのかがわかってしまいます。これを隠すために，SMTPでメッセージが転送される過程で，Bccの情報は削除されます。

確認問題 4 ▶ 令和元年度秋期 問44　正解率▶低　応用

電子メールをドメインAの送信者がドメインBの宛先に送信するとき，送信者をドメインAのメールサーバで認証するためのものはどれか。

ア　APOP　　　　イ　POP3S　　　　ウ　S/MIME　　　エ　SMTP-AUTH

要点解説　ア　APOPは，メール受信時のパスワード送信を暗号化する仕組みですが，脆弱性が報告されており，今では使用が推奨されていません。
イ　POP3Sは，メールサーバからのメールの取出しを暗号化する仕組みです。
ウ　S/MIMEは，電子メールの内容自体の暗号化と署名をするための仕組みです。
エ　SMTP-AUTHは，送信者を送信側のメールサーバで認証するための仕組みです。

確認問題 5 ▶ 平成30年度春期 問31　正解率▶低　計算

10Mバイトのデータを100,000ビット／秒の回線を使って転送するとき，転送時間は何秒か。ここで，回線の伝送効率を50％とし，1Mバイト＝10^6バイトとする。

ア　200　　　　イ　400　　　　ウ　800　　　　エ　1,600

要点解説　伝送効率が50％のため，1秒に100,000×0.5＝50,000ビット転送できます。
10Mバイトのデータは，ビットに直すと80Mビットです。
1秒→50,000ビット
?秒→80M（80×10^6）ビット
求めると，1,600秒です。

解答

問題1：ウ	問題2：エ	問題3：ア	問題4：エ	問題5：エ

第 8 章

情報セキュリティ

[科目 A・B]

8 01 情報セキュリティ管理

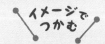

銀行口座を利用するとき，
残高が誰かに漏れたり，間
違っていたり，ATMが止
まっていたりすると困りま
す。情報の機密性・完全性・
可用性が大事です。

情報資産と脅威・脆弱性

　企業には，顧客情報のほかにも，営業情報，知的財産関連情報，人事情報など，守らなくてはならない情報が存在します。このような**組織が保持している全ての情報**を情報資産といいます。情報資産には，情報漏えいや改ざん，紛失などの**損失を与える原因となる脅威**が存在し，脅威は**情報資産に内在している弱点**である**脆弱性**を突いてくるので，情報セキュリティ対策がますます重要となっています。

脅威

脆弱性 ⇐ 情報セキュリティ対策

情報資産

情報セキュリティ

　組織における情報資産のセキュリティを適切に管理していく仕組みを情報セキュリティマネジメントシステム (ISMS：Information Security Management System) といい，国際規格の**ISO/IEC 27000**シリーズや，国内規格の**JIS Q 27000**シリーズでは，次の情報セキュリティの三要素をバランスよく管理することが求められています。

機密性 (Confidentiality)	許可された者だけが情報を使用できること
完全性 (Integrity)	情報が正確であり完全であること
可用性 (Availability)	必要なときに情報を使用できること

"くれば"で覚える

情報セキュリティの3要素　とくれば　**機密性・完全性・可用性**

このほかに，次の要素も加えることがあります。

真正性	主張するとおりの本物であること
信頼性	意図した結果が得られること
責任追跡性	後で追跡できること
否認防止	後で否定されないこと

ISMS適合評価制度

✦ISMS適合評価制度✦は，**組織における情報セキュリティの取り組みに対して，ISMS認定基準の評価事項に適合していることを特定の第三者が審査して認定する制度**です。

　これは，組織の長が，情報セキュリティに対して適切に取り組んでいることを内外に宣言し，さらに，信頼のおける第三者がその取り組みに対して審査・認定すれば，利用者は安心して個人情報などを提供できるということです。

　また，ISMS適合評価制度の認定を受けた組織は，一過性の活動に終わることなく，PDCAサイクル (Plan-Do-Check-Act) で継続的に維持・改善をしていきます。

知っ得情報〈セキュリティバイデザイン〉

セキュリティバイデザインは，システムの企画・設計段階から，情報セキュリティ対策を組み込んでおこうという考え方です。システムが完成してから考えた場合と比較して，手戻りが少ない，低コスト，保守性の向上などの利点があります。同様に，システムの企画・設計段階から，個人情報保護の仕組みを組み込んでおこうという考え方を**プライバシーバイデザイン**といいます。

リスクマネジメント

　リスクは組織が損失を被る可能性のことです。✦リスクマネジメント✦は，**想定されるリスクを組織的に管理しながら，その損失を最小限に抑える活動**です。リスクマネジ

第8章　情報セキュリティ

メントでは，「組織活動における全てのリスク」が対象ですが，試験では，「情報セキュリティにおけるリスク」や「プロジェクトにおけるリスク」(10-01参照) として出題されます。リスクマネジメントは，次の二つに大別されます。

◉ リスクアセスメント

✦リスクアセスメント✦は，**リスクを分析・評価して，あらかじめ設定しておいたリスク受容基準に照らしてリスク対応が必要かどうかを判断すること**です。全てのリスクに対処するには，金銭的にも時間的にも難しいので，リスクが発生する確率や発生したときの影響度などを勘案しながら優先度をつけ，適切に対処していく必要があります。

リスクアセスメントでは，次の三つのプロセスを順番に実施します。

リスク特定	保護すべき情報資産において，組織に存在するリスクを洗い出す
↓	
リスク分析	リスクの発生確率と影響度から，リスクの大きさ (リスクレベル) を算定する。なお，リスクの大きさは，資産価値・脅威・脆弱性の大きさによって決まる
↓	
リスク評価	リスクの大きさとリスク受容基準を比較して，リスク対応が必要かを判断する。リスクの大きさに従って優先順位をつける

◉ リスク対応

✦リスク対応✦は，**リスク評価を受け，実際にどのようなリスク対応を選択するかを決定すること**です。リスク対応は，次の二つに大別されます。

1. リスクの発生確率や大きさを小さくする方法 (リスクコントロール)
2. 損失を補てんするために金銭的な手当てをする方法 (リスクファイナンシング)。

さらに，次のようなリスク対応を実施します。

リスクコントロール	リスク軽減	リスクの損失額や発生確率を低く抑える (対応例) セキュリティ対策を実施し，リスクの発生確率を抑える
	リスク回避	リスクの原因を除去する (対応例) リスクの大きいサービスから撤退する
	リスク移転 (リスク共有)	リスクを第三者へ移転・転嫁 (第三者と共有) する (対応例)
リスクファイナンシング		問題が発生したときの損害に備え，保険に加入する
	リスク保有	影響度が小さいので，許容範囲として保有・受容する (対応例) リスクが小さいので，問題が発生したときは損害を自らが負担する

リスクマネジメントのプロセスをまとめると，次のようなプロセスになります。

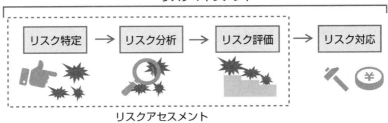

知っ得情報 ◀ ビジネスインパクト分析 ▶

ビジネスインパクト分析は，災害などの予期せぬ事態によって，特定の業務が停止・中断した場合に，事業全体に与える影響度を分析・評価することです。事業継続計画(5-01参照)を立てる前に実施し，例えば，情報システムに許容される最大停止時間などを決定します。

情報セキュリティポリシー

情報セキュリティポリシーは，**組織内の情報セキュリティを確保するための方針や体制，対策等を包括的に定めた文書**です。Why…なぜ対策するのか？(**基本方針**)，What…何を対策するのか？(**対策基準**)，How…どのような対策をするのか？(**実施手順**)の三階層から構成されます。

基本方針	…情報セキュリティに関する基本的な方針を定めたもの
対策基準	…項目ごとに遵守(じゅんしゅ)すべき行為や判断を記述したもの
実施手順	…具体的にどのような手順で実施していくのかを示したもの

情報セキュリティ基本方針

情報セキュリティ基本方針は，**組織の長が，情報セキュリティに対する考え方や取り組む姿勢を組織内外に宣言するもの**です。例えば，企業の経営者は，保護すべき情報資産と，それを保護する理由を組織内外に明示し，パートなども含めた全社員に対して周知する必要があります。

また，情報セキュリティ基本方針を策定する上で参考にできるものとして，経済産業省が策定した**情報セキュリティ管理基準**があり，情報セキュリティマネジメントの基本的な枠組みと具体的な管理項目が規定されています。

さらに，情報セキュリティ基本方針のほかに，**プライバシーポリシー**（個人情報保護方針）を定め，組織で扱う個人情報の扱い方について規定を設けることもあります。

知っ得情報 ⟨ CSIRT ⟩
シーサート
CSIRT (Computer Security Incident Response Team) は，企業や官公庁などに設けるセキュリティ対策チームです。セキュリティ事故の防止や被害の最小化のため，教育や啓発，情報の共有，対応手順の策定，異常の検知，事故対応，事後処理などに当たります。現在は，複数の組織が同時に被害に遭うことも多いので，他の組織のCSIRTとも情報を共有し，連携していくことも必要です。

確認問題 1 ▶ 平成28年度秋期　問37　　正解率 ▶ 中　　**基本**

情報の"完全性"を脅かす攻撃はどれか。

ア　Webページの改ざん
イ　システム内に保管されているデータの不正コピー
ウ　システムを過負荷状態にするDoS攻撃
エ　通信内容の盗聴

要点解説　完全性は，情報・処理方法が正確・完全であるようにすることです。
各選択肢で脅かされているのは，
　　ア　完全性，イ　機密性，ウ　可用性，エ　機密性です。

確認問題 2 ▶ 平成29年度秋期　問43　　正解率 ▶ 中　　**基本**

リスクアセスメントを構成するプロセスの組合せはどれか。

ア　リスク特定，リスク評価，リスク受容
イ　リスク特定，リスク分析，リスク評価
ウ　リスク分析，リスク対応，リスク受容
エ　リスク分析，リスク評価，リスク対応

要点解説　リスクアセスメントでは，リスク特定，リスク分析，リスク評価を行います。
リスクの対応は含みません。リスク受容は，リスク対応の一つです。

確認問題 3 ▶ 応用情報 令和4年度春期 問43 正解率 ▶ **低** **応用**

JIS Q 27000:2019 (情報セキュリティマネジメントシステム—用語) における"リスクレベル"の定義はどれか。

ア 脅威によって付け込まれる可能性のある, 資産又は管理策の弱点
イ 結果とその起こりやすさの組合せとして表現される, リスクの大きさ
ウ 対応すべきリスクに付与する優先順位
エ リスクの重大性を評価するために目安とする条件

 リスクレベルは, 発生した場合の損失額と発生確率で表現されるリスクの大きさです。

確認問題 4 ▶ 平成31年度春期 問40 正解率 ▶ **低** **応用**

リスク対応のうち, リスクファイナンシングに該当するものはどれか。

ア システムが被害を受けるリスクを想定して, 保険を掛ける。
イ システムの被害につながるリスクの顕在化を抑える対策に資金を投入する。
ウ リスクが大きいと評価されたシステムを廃止し, 新たなセキュアなシステムの構築に資金を投入する。
エ リスクが顕在化した場合のシステムの被害を小さくする設備に資金を投入する。

 リスクファイナンシングは, リスクが顕在化したときの経済的損失の発生に備えて, 企業が運転資金, 事故対策資金などを事前に準備しておくことです。

第

8

章 情報セキュリティ

解答

問題1:ア 問題2:イ 問題3:イ 問題4:ア

8 02 脅威とマルウェア

イメージで つかむ

インフルエンザが流行して くると，感染しないように， あらかじめワクチンを注射し ておくことがあります。
　コンピュータの世界でも， ウイルスに対するワクチンが あります。

ワクチンを打って 予防しましょうね

脅威の種類

　情報資産を脅かす脅威には，物理的脅威・人的脅威・技術的脅威があります。試験で は，技術的脅威を中心に出題されます。

物理的脅威

　物理的脅威は，地震・洪水・火災・落雷(停電)など，**災害による機器の故障，侵入者 による物理的破壊や妨害行為などによる脅威**です。

人的脅威

　人的脅威は，操作ミス・紛失・内部関係者による不正使用・怠慢など，**人による脅威** です。

　人的脅威のうち，**ソーシャルエンジニアリング**は，**コンピュータを使わずに人の 心理や行動の隙を突いて機密情報を入手する行為**です。例えば，緊急事態を装って外部 から電話をして社内の機密情報を聞き出す，画面を肩越しからのぞき見する(ショルダー ハッキング)，ゴミ箱に捨てられた紙から機密情報を入手する(トラッシング)などです。

　対策として，スクリーンにのぞき見防止フィルムを貼ったり，離席時に画面をロック する**クリアスクリーン**や，書類などが盗まれてもすぐわかるように机を整頓しておく**ク リアデスク**，重要な書類はシュレッダーにかけるなどを心掛けたりすることも大切です。

> ### もっと詳しく ⟨ PC の廃棄 ⟩
>
> 機密ファイルの格納されたPCの磁気ディスクなどを廃棄する際には，情報漏えい対策が必須です。磁気ディスクなどは，単に初期化しただけでは，データを復元される危険性があります。<u>データ消去用ソフトで全領域にビット列を上書きしたり，磁気ディスクなどを物理的に破壊したりするなど，元のデータにアクセスできないようにする必要があります。</u>

消去ソフトで
上書きするか
破砕する

> ### 知っ得情報 ⟨ 不正のトライアングル ⟩
>
> 不正行為は，機会・動機・正当化の三つの条件が揃ったときに行われるという，**不正のトライアングル理論**が知られています。例えば，顧客情報にアクセスする権限があり（機会），多額の借金を抱えており（動機），過重な労働を強いられている（正当化）の条件が揃うといった場合です。この対策としては，実施者と承認者を別の人にしたり（職務分掌という），セキュリティ教育を行ったりして，この条件が揃わないようにすることが重要です。

🔵 技術的脅威

　技術的脅威は，情報漏えい・データ破壊・盗聴・改ざん・なりすまし・消去など，**コンピュータウイルスやサイバー攻撃**(8-03参照)**などのITを使った脅威**です。

🎵 マルウェア

　マルウェアは，悪意を持って作成された不正なプログラムの総称です。これは，Malicious「悪意のある」とSoftwareを合わせた造語です。

　従来のコンピュータウイルスは，「コンピュータに侵入すると内部のファイルに感染し，様々な不正行為を行い，自己増殖するための機能を持っているプログラム」のことでしたが，現在はその範囲を超えた新種のものが日々登場してくるので，コンピュータウイルスも狭義の意味でマルウェアの一つとされています。

　次の表はよく出題されるマルウェアをまとめたものです。

第8章 情報セキュリティ

(狭義の) コンピュータウイルス	自己伝染・潜伏・発病の機能のうち，一つ以上の機能をもち，意図的に何らかの被害を及ぼす
マクロウイルス	ワープロソフトや表計算ソフトなどのマクロ機能を悪用する
ワーム	ネットワークやリムーバブルメディア (USBメモリなどの持ち運べる記憶媒体) を媒介として，自ら感染を広げる自己増殖機能をもつ
ボット(BOT)	ウイルスに感染したPCを，インターネットなどのネットワークを通じて外部から操る。外部から悪意のある命令を出すサーバを C&Cサーバ という。Robotの略
トロイの木馬	有益なソフトウェアと見せかけて，特定の条件になるまで活動をせずに待機した後，悪意のある動作をする
スパイウェア	利用者の意図に反してPCにインストールされ，利用者の個人情報やアクセス履歴などの情報を収集する。Spy と Software を合わせた造語
✦ランサムウェア✦	勝手にPCのファイルを暗号化して読めなくし，戻すためのパスワードと引き換えに金銭を要求する。Ransom (身代金) と Software を合わせた造語
キーロガー	キーボードの入力履歴を不正に記録し，利用者IDやパスワードを盗み出す
ルートキット (rootkit)	バックドア (正規のアクセス経路ではなく，侵入するために仕組んだ裏口のアクセス経路) を作り，侵入の痕跡を隠蔽するなどの機能をもつ不正なプログラムやツール

もっと詳しく 〈 ランサムウェア対策 〉

　ランサムウェアなど，データを勝手に暗号化して使えなくする攻撃で困るのは，重要なデータがそこにしかない場合です。対策として，PCから取り外し可能な別の媒体にバックアップを取っておけば，データを元に戻すことができます。また，データを一度書き込むと再書き込みや消去ができない WORM (Write Only Read Many) 機能を有する媒体に保存することも有効です。

知っ得情報 〈 端末の管理 〉

＊ BYOD (Bring Your Own Device) は，情報システム部門の許可を得て，私物のPCやスマートフォンなどの情報端末を業務に利用することです。使い慣れた端末を業務に使えるメリットの反面，ウイルス感染や情報漏えいなどのセキュリティリスクが増大するので，BYODを使用する際のルールを定めておく必要があります。

＊ シャドーIT は，情報システム部門の許可を得ずに，私物のPCやスマートフォン，社外のクラウドサービスなどを業務に使うことです。情報システム部門の目が届かないので，ウイルス感染や情報漏えいなどのセキュリティリスクが増大してしまいます。

＊ MDM (Mobile Device Management) は，情報セキュリティ対策として，企業が社員などに貸与するスマートフォンの設定やアプリケーションを一元管理する仕組みです。

ウイルス対策ソフト

ウイルス対策ソフトは，**コンピュータウイルスの検知・駆除・隔離などができるソフトウェア**です。ウイルスの検知には，既知のウイルスの特徴を識別できるシグネチャコードを記録した**ウイルス定義ファイル**（**パターンファイル**ともいう）を使用します。新種のウイルスが出現するたびに，ウイルス対策ソフトの事業者からは，新種のウイルスに対応したウイルス定義ファイルが提供されるので，常に最新の状態にします。主なウイルス検出方法には，次のようなものがあります。

パターンマッチング方式	検査対象と既知ウイルスのシグネチャコードと比較することで，ウイルスを検出する。未知のウイルスは検知できない
ビヘイビア方式（振舞い検知）	サンドボックスと呼ばれる仮想環境で，実際に検査対象を実行して，その挙動を監視することで，ウイルスを検出する。未知のウイルスも検知できるが，誤検知もある

もっと詳しく 〈 セキュリティホールとゼロデイ攻撃 〉

* **セキュリティホール**は，OSやソフトウェアに潜むセキュリティ上の脆弱性です。脅威は，セキュリティホールを突いて攻撃してくるので，**セキュリティパッチ**（パッチ）と呼ばれる修正プログラムが事業者から提供されたら速やかに適用することが重要です。セキュリティパッチは穴をふさぐ布のようなイメージです。
* **ゼロデイ攻撃**は，セキュリティパッチが事業者から提供される前に，セキュリティホールを突く攻撃です。

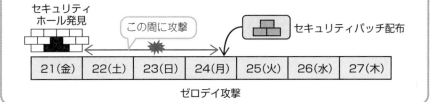

知っ得情報 〈 誤検知 〉

フォールスポジティブは，正常な事象を誤って異常や有害であると判断してしまうことです。逆に，**フォールスネガティブ**は，異常や有害である事象を誤って無害であると判断してしまうことです。例えば，マルウェアに感染していないファイルを感染していると判断してしまうのがフォールスポジティブ，マルウェアに感染しているファイルを感染していないと判断するのはフォールスネガティブです。

アドバイス [科目Bにも出題がある]

　令和5年度の試験から導入されている科目Bはアルゴリズム問題だけではなく，情報セキュリティの問題も出題されます。20問中4問ですが，知識の応用を問う事例問題の出題が予想されるので，前提となる知識の部分をしっかり固めておき，確実な得点源にしましょう。第12章にサンプルを載せています。

確認問題 1 ▶ 平成29年度春期　問64　　正解率 ▶ 高　　頻出 基本

　BYOD (Bring Your Own Device) の説明はどれか。

ア　会社から貸与された情報機器を常に携行して業務にあたること
イ　会社所有のノートPCなどの情報機器を社外で私的に利用すること
ウ　個人所有の情報機器を私的に使用するために利用環境を設定すること
エ　従業員が個人で所有する情報機器を業務のために使用すること

 BYODは，従業員の私物であるPCやスマートフォンなどの機器を，業務のために使用することです。使い慣れた端末やクラウドサービスを使えるというメリットがあります。

確認問題 2 ▶ 令和元年度秋期　問39　　正解率 ▶ 高　　 基本

　情報セキュリティにおいてバックドアに該当するものはどれか。

ア　アクセスする際にパスワード認証などの正規の手続が必要なWebサイトに，当該手続を経ないでアクセス可能なURL
イ　インターネットに公開されているサーバのTCPポートの中からアクティブになっているポートを探して，稼働中のサービスを特定するためのツール
ウ　ネットワーク上の通信パケットを取得して通信内容を見るために設けられたスイッチのLANポート
エ　プログラムが確保するメモリ領域に，領域の大きさを超える長さの文字列を入力してあふれさせ，ダウンさせる攻撃

本来認証を経なければ閲覧できないWebサイトに，認証なしでアクセス可能なURLは，バックドアに該当します。
　イ　ポートスキャナ (8-03参照)
　ウ　ミラーポート
　エ　バッファオーバフロー攻撃 (8-03参照)

確認問題 3 ▶ 平成26年度秋期 問36　　正解率 ▶ 中　　基本

ソーシャルエンジニアリングに分類される手口はどれか。

ア　ウイルス感染で自動作成されたバックドアからシステムに侵入する。

イ　システム管理者などを装い，利用者に問い合わせてパスワードを取得する。

ウ　総当たり攻撃ツールを用いてパスワードを解析する。

エ　バッファオーバフローなどのソフトウェアの脆弱性を利用してシステムに侵入する。

要点解説 ソーシャルエンジニアリングは，緊急事態を装って組織内部の人間からパスワードや機密情報のありかを不正に聞き出して入手するなどの行為です。

確認問題 4 ▶ 平成28年度春期 問45　　正解率 ▶ 中　　応用

機密ファイルが格納されていて，正常に動作するPCの磁気ディスクを産業廃棄物処理業者に引き渡して廃棄する場合の情報漏えい対策のうち，適切なものはどれか。

ア　異なる圧縮方式で，機密ファイルを複数回圧縮する。

イ　専用の消去ツールで，磁気ディスクのマスタブートレコードを複数回消去する。

ウ　ランダムなビット列で，磁気ディスクの全領域を複数回上書きする。

エ　ランダムな文字列で，機密ファイルのファイル名を複数回変更する。

要点解説 処理業者からの盗難や流出など，万が一を予想して対策しておきます。磁気ディスクにドリルで物理的に穴を開けておくか，ランダムなビット列で全領域を複数回上書きしておけば，機密ファイルの読み取りは防止できます。

第 8 章　情報セキュリティ

解答

問題1　エ　　　問題2　ア　．　　問題3　イ　　　問題4　ウ

8
03
サイバー攻撃

時々出 | 必須 | 超重要

イメージで
つかむ

サイバーの世界では，日々新たな攻撃する手法が登場し，攻撃に対して防御する手法が考え出されます。この繰り返しで，終わりなき戦いが続きます。

🐾 サイバー攻撃

　サイバー攻撃は，**インターネットなどを通じてコンピュータシステムに侵入し，情報の盗聴や窃取（せっしゅ），データの改ざんや破壊などのクラッキングを行う攻撃**です。不特定多数を無差別に攻撃するだけでなく，特定の組織を標的にする攻撃も登場し，攻撃手法も多岐にわたり，ウイルス対策ソフトだけでは防ぐことが難しくなっています。

　サイバー攻撃も技術的脅威であり，次のような攻撃手法があります。

🐾 標的型攻撃

　標的型攻撃は，SPAM（スパム）メールなどのように無差別に攻撃するのではなく，**特定の官公庁や企業など，標的を決めて行われる攻撃**です。次のようなものがあります。

APT攻撃 (Advanced Persistent Threat)	特定の組織を標的に，複数の手法を組み合わせて気付かれないよう執拗に攻撃を繰り返す。Persistent（パーシステント）には，「執拗な」という意味がある
水飲み場型攻撃	よく利用される企業などのWebサイトにウイルスを仕込み感染させる。これは，肉食動物が水飲み場に潜み，訪れる草食動物を襲う様子に由来する

😈 パスワードクラック攻撃

　パスワードクラックは，**攻撃により他人のパスワードを割り出すこと**です。次のような攻撃があります。

辞書攻撃	攻撃対象とする利用者IDを一つ定め，辞書にある単語やその組合せをパスワードとして，ログインを試行する。辞書にある単語をパスワードに設定している利用者が多いことに着目した攻撃である
ブルートフォース攻撃 (総当たり攻撃)	攻撃対象とする利用者IDを一つ定め，英字や数字，記号を組み合わせたパスワードを総当たりして，ログインを試行する。Brute Forceには，「力づくの」という意味がある。逆に，よく用いられるパスワードを一つ定め，文字を組み合わせた利用者IDを総当たりして，ログインを試行することをリバースブルートフォース攻撃(逆総当たり攻撃)という
パスワードリスト攻撃 (クレデンシャルスタッフィング)	不正に取得した他サイトの利用者IDとパスワードの一覧表を用いて，ログインを試行する。複数サイトで同一の利用者IDとパスワードを使っている利用者が多いことに着目した攻撃である

辞書攻撃　　　　　　　　　　総当たり攻撃　　　　　　パスワードリスト攻撃

🐱 もっと詳しく 〈 パスワードクラック対策 〉

　対策としては，パスワードの入力試行回数に制限をかける，複数のサイトで同一の利用者IDとパスワードを使いまわさない，などが挙げられます。

😈 サービスを妨害する攻撃

　Dos攻撃(Denial of service attack)は，**特定のサーバなどに大量のパケットを送りつけることで想定以上の負荷を与え，サーバの機能を停止させる攻撃**です。DoS攻撃は1台のコンピュータからの攻撃であるのに対して，**DDoS攻撃**(Distributed Denial of Service attack)は複数台のコンピュータからの攻撃です。

🐱 もっと詳しく 〈 Dos攻撃・DDos攻撃の対策 〉

　対策の一つとして，不正な通信を検知して管理者に通報する**IDS**(Intrusion Detection System：不正侵入検知システム)や，検知だけでなく遮断まで行う**IPS**(Intrusion Prevention System：不正侵入防止システム)を導入する，などが挙げられます。

😈 不正な命令による攻撃

Webサイトの入力領域などに不正な命令を注入することで，管理者が意図していない動作を起こさせる攻撃です。次のような攻撃があります。

● クロスサイトスクリプティング

クロスサイトスクリプティングは，**攻撃者が用意した有害な文字列を，利用者のWebブラウザを介して脆弱なWebサイトに送り込み，利用者のWebブラウザ上で実行させる攻撃**です。

例えば，攻撃者が罠を仕掛けたWebページ(罠サイトA)を利用者が閲覧し，当該ページ内のリンクをクリックしたときに，悪意のあるスクリプトを含む文字列が脆弱なWebサーバ(WebサイトB)に送り込まれ，利用者のWebブラウザで実行させる攻撃です。サイトをまたいで悪意のあるスクリプトが送り込まれ，実行されるところが「クロスサイト」と呼ばれる所以です。

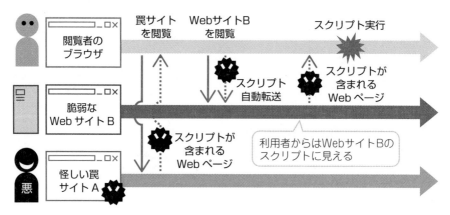

この対策として，有害な入力を無害化する**サニタイジング**があります。その一つに**エスケープ処理**があり，有害となる特殊な文字や記号(' , ", < , >など)を無害な文字に強制的に置き換えます。

● SQLインジェクション

SQLインジェクションは，**脆弱性のあるWebアプリケーションの入力領域に，攻撃者が悪意のある問合せや操作を行う命令文を注入することで，管理者の意図していないSQL文を実行させる攻撃**です。Injectionは，悪意のある命令文を「注入」するという意味です。

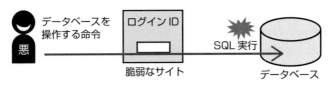

この対策として，**プレースホルダ**を使って命令文を組み立てる手法があります。SQL文中で利用者の入力値を埋め込む場所に，あらかじめプレースホルダと呼ばれる文字列を設定しておき，プレースホルダ経由でその入力値をSQL文中に埋め込みます。たとえ不正な値が入力されたとしても「SQLの命令」として解釈されずに，「値」として処理されるので不正なSQLの実行が防げます。Placeholderは「代替の入れ物」という意味です。

● ディレクトリトラバーサル

ディレクトリトラバーサルは，**攻撃者が外部からサーバ内のファイル名を指定し，非公開の重要なファイルにアクセスする攻撃**です。Trabersalは，ディレクトリ間を「横断する」という意味です。

この対策として，相対パス（2-04参照）や上位ディレクトリを指定する文字（../）を含むときはアクセスを受け付けない，などがあります。

● OSコマンドインジェクション

OSコマンドインジェクションは，**脆弱性のあるWebアプリケーションの入力領域に，攻撃者がOSコマンドを紛れ込ませ，Webサーバ上で不正にOSコマンドを実行する攻撃**です。

この対策として，OSコマンドを呼び出せる関数を使用しない，などが挙げられます。

> **知っ得情報 〈 WAF 〉**
>
> **WAF** (Web Application Firewall) は，Webアプリケーションに対する，外部からの攻撃をブロックする仕組みです。Webサイトに対するアクセス内容を監視し，クロスサイトスクリプティングやSQLインジェクションなどの攻撃とみなされるパターンを検知したときは当該アクセスを遮断します。

第8章 情報セキュリティ

🐾 なりすましによる攻撃

なりすましは，攻撃者が正規の利用者を装い，情報資産の窃取や不正行為などを行う攻撃です。次のような攻撃があります。

セッションハイジャック	Webサイトと利用者間の一連の通信（セッションという）を乗っ取り，正規の利用者になりすます
DNSキャッシュポイズニング	DNSサーバに偽のドメイン情報を注入して，利用者を偽装されたサーバに誘導する。Poisoningには，「毒を盛る」という意味がある
SEOポイズニング	検索サイトの順位付けアルゴリズムを悪用し，悪意のあるWebサイトが，検索結果の上位に表示されるようにする
IPスプーフィング	送信元IPアドレスを詐称して，標的のネットワーク上のホストになりすまして接続する。Spoofingには，「なりすまし」という意味がある
Evil Twins攻撃	公衆無線LANで，正規のアクセスポイントになりすまし，より強い電波で利用者を偽装のアクセスポイントに誘導する

🐾 その他の攻撃

その他にも，次のような攻撃があります。

ドライブバイダウンロード攻撃	Webサイトを閲覧したときに，利用者の意図にかかわらず，マルウェアをダウンロードさせて感染させる
フィッシング	実在する会社などを装って電子メールを送信し，偽のWebサイトに誘導し，個人情報をだまし取る
バッファオーバフロー攻撃	プログラムが用意している入力用のデータ領域を超えるサイズのデータを入力することで，想定外の動作をさせる
クリックジャッキング攻撃	罠サイトのコンテンツ上に著名なサイトのボタンを透明化して配置し，意図しない操作をさせる

> **知っ得情報 ◀ Webビーコン ▶**
>
> **Webビーコン**は，Webページなどに埋め込まれた小さな画像です。これは，利用者のアクセス動向などを収集するために埋め込まれた，利用者には見えない小さな画像です。個人情報が漏えいすることまではありませんが，無断で情報収集することには一部批判があります。

攻撃の準備

フットプリンティングは，**サイバー攻撃を行う前に行う情報収集**のことです。攻撃者はいきなり攻撃するのではなく，攻撃対象となるPCやサーバ，ネットワークについて念入りに下調べをしてきます。Footprintは，「足跡」という意味です。

フットプリンティングの一つに**ポートスキャン**があります。主にサーバを対象に，外部からパケットを各ポートに対して順番に送信し，その応答から，「稼働しているサービス」，「サーバのOSなどの種類やバージョン」などを調査する行為です。これ自体は攻撃ではありませんが，攻撃の予兆としてとらえ，不要なポートは閉じるなどの対策を講じることが重要です。

知っ得情報 〈 デジタルフォレンジクス 〉

デジタルフォレンジクスは，磁気ディスクやUSBメモリのデータを複製したり，ネットワークやサーバの監視をしたりして，コンピュータ犯罪の証拠となる電子データを集め，解析することです。Forensicsは，「鑑識」という意味です。

確認問題 1 ▶ 平成29年度春期 問37　正解率 ▶ 高　基本

ディレクトリトラバーサル攻撃に該当するものはどれか。

ア 攻撃者が，Webアプリケーションの入力データとしてデータベースへの命令文を構成するデータを入力し，管理者の意図していないSQL文を実行させる。

イ 攻撃者が，パス名を使ってファイルを指定し，管理者の意図していないファイルを不正に閲覧する。

ウ 攻撃者が，利用者をWebサイトに誘導した上で，Webアプリケーションによる HTML出力のエスケープ処理の欠陥を悪用し，利用者のWebブラウザで悪意のあるスクリプトを実行させる。

エ セッションIDによってセッションが管理されるとき，攻撃者がログイン中の利用者のセッションIDを不正に取得し，その利用者になりすましてサーバにアクセスする。

要点解説　ア SQLインジェクション　　　　イ ディレクトリトラバーサル
　　　　　ウ クロスサイトスクリプティング　エ セッションハイジャック

SQLインジェクション攻撃による被害を防ぐ方法はどれか。

ア　入力された文字がデータベースへの問合せや操作において，特別な意味をもつ文字として解釈されないようにする。

イ　入力にHTMLタグが含まれていたら，HTMLタグとして解釈されない他の文字列に置き換える。

ウ　入力に，上位ディレクトリを指定する文字列 (../) を含むときは受け付けない。

エ　入力の全体の長さが制限を超えているときは受け付けない。

SQLインジェクションは，Webアプリケーションの入力データとしてデータベースの命令文を構成するデータを入力し，想定外のSQLを実行する攻撃です。不正にシステムに侵入されたり，データの漏えいや改ざん，破壊が行われたりする危険があります。これを防ぐには，利用者が入力している文字の中にデータベースへの問合せの際に特別な意味をもつ文字（「'」など）があるかを検証し，見つかったときは削除するか別の文字に置き換えるようにするなどの対策をとります。

攻撃者が行うフットプリンティングに該当するものはどれか。

ア　Webサイトのページを改ざんすることによって，そのWebサイトから社会的・政治的な主張を発信する。

イ　攻撃前に，攻撃対象となるPC，サーバ及びネットワークについての情報を得る。

ウ　攻撃前に，攻撃に使用するPCのメモリを増設することによって，効率的に攻撃できるようにする。

エ　システムログに偽の痕跡を加えることによって，攻撃後に追跡を逃れる。

フットプリンティングは，攻撃前に，標的となるコンピュータやネットワークなどの情報を得ることをいいます。技術的な情報だけではなく，ソーシャルエンジニアリングのために従業員の情報やメールアドレスなども収集される場合があります。

確認問題 4 ▶ 平成31年度春期 問37　正解率▶ 中　基本

パスワードリスト攻撃の手口に該当するものはどれか。

ア　辞書にある単語をパスワードに設定している利用者がいる状況に着目して，攻撃対象とする利用者IDを一つ定め，辞書にある単語やその組合せをパスワードとして，ログインを試行する。

イ　パスワードの文字数の上限が小さいWebサイトに対して，攻撃対象とする利用者IDを一つ定め，文字を組み合わせたパスワードを総当たりして，ログインを試行する。

ウ　複数サイトで同一の利用者IDとパスワードを使っている利用者がいる状況に着目して，不正に取得した他サイトの利用者IDとパスワードの一覧表を用いて，ログインを試行する。

エ　よく用いられるパスワードを一つ定め，文字を組み合わせた利用者IDを総当たりして，ログインを試行する。

 パスワードリスト攻撃は，利用者が複数のサービスに同じIDやパスワードを使い回しがちなことを利用するものです。
　ア　辞書攻撃　　　イ　総当たり攻撃　　　エ　逆総当たり攻撃

確認問題 5 ▶ 令和5年度 問9　正解率▶ 中　基本

ドライブバイダウンロード攻撃に該当するものはどれか。

ア　PCから物理的にハードディスクドライブを盗み出し，その中のデータをWebサイトで公開し，ダウンロードさせる。

イ　電子メールの添付ファイルを開かせて，マルウェアに感染したPCのハードディスクドライブ内のファイルを暗号化し，元に戻すための鍵を攻撃者のサーバからダウンロードさせることと引換えに金銭を要求する。

ウ　利用者が悪意のあるWebサイトにアクセスしたときに，Webブラウザの脆弱性を悪用して利用者のPCをマルウェアに感染させる。

エ　利用者に気付かれないように無償配布のソフトウェアに不正プログラムを混在させておき，利用者の操作によってPCにダウンロードさせ，インストールさせることでハードディスクドライブから個人情報を収集して攻撃者のサーバに送信する。

要点解説　ア　窃盗（物理的脅威）　　　　イ　ランサムウェア
　　　　　ウ　ドライブバイダウンロード攻撃　エ　スパイウェア

解答

問題1：イ	問題2：ア	問題3：イ	問題4：ウ	問題5：ウ

イメージで
つかむ

他人に見られたくない内容を書くときは，ハガキではなくて封筒を使います。
ネットワーク上でも，他人に見られたくないデータをやり取りするときは，対策を講じます。

「君はぼくの太陽だ！君のいない世界はすべて闇の中だ！…」

ネットワーク上の脅威

インターネットをはじめとしたネットワークの世界では，不特定多数のサーバを経由してデータが送受信されます。データが送信者から受信者へ届けられるまでには，次のような脅威があります。

盗聴	第三者が，送信者から受信者へ送信されたデータを盗み取る
なりすまし	第三者が，送信者を装って受信者へデータを送信する
改ざん	第三者が，送信者から受信者へ送信されたデータを書き換える

データの暗号化

盗聴の対策の一つに，暗号化があります。

暗号化は，人が容易に解読できる平文を「暗号化アルゴリズム」と「暗号化鍵」を使って，容易に解読できない暗号文に変換することです。逆に，**復号**は，「復号アルゴリズム」と「復号鍵」を使って，暗号文を再び元の平文に戻すことです。

暗号方式

暗号方式には，次のような方式があります。

共通鍵暗号方式

✦共通鍵暗号方式✦は，**暗号化鍵と復号鍵が共通の暗号方式**です。**送信者は「共通の秘密鍵」で暗号化し，受信者も同じ「共通の秘密鍵」で復号します。**暗号化鍵が盗まれると，その鍵で復号できてしまうので，秘密に管理しておくという意味で**秘密鍵暗号方式**とも呼ばれています。

●特徴

* 第三者に知られることなく，安全に通信相手に鍵を配布する必要がある
* 通信相手ごとに鍵を作成する必要があるので，鍵の管理が煩雑になる
* 暗号化や復号の処理にかかる負担が小さく，公開鍵暗号方式（後述）に比べて処理が速い

代表的な共通鍵暗号方式には，脆弱性が指摘されたDESにかわり，米国の次世代暗号方式として規格された**AES** (Advanced Encryption Standard) があります。AESは，無線LANの暗号化規格であるWPA2で使われています。

🐱! "くれば"で覚える

共通鍵暗号方式　とくれば　＊暗号化鍵と復号鍵は共通　＊鍵の配布と管理に注意
＊共通の秘密鍵で暗号化して，共通の秘密鍵で復号する
＊暗号化/復号の処理が速い　＊代表例はAES

攻略法 …… これが共通鍵暗号方式のイメージだ！

家の鍵は，閉める鍵と開ける鍵が同じです。家族の人数分の鍵を作って，鍵を落とさないように管理しておく必要があります。

私たちしか持ってないから大丈夫

🔓 公開鍵暗号方式

✨公開鍵暗号方式✨は，**暗号化鍵と復号鍵が異なる暗号方式**です。**送信者は「受信者の公開鍵」で暗号化し，受信者は対の「受信者の秘密鍵」で復号します。**公開鍵で暗号化した暗号文は，対の受信者本人だけが保持している秘密鍵でしか復号できないので，一方の鍵を公開しても大丈夫ということです。

●特徴

* 一方の鍵を公開するので，鍵の配布や管理が容易
* 暗号化や復号の処理にかかる負担が大きく，共通鍵暗号方式に比べて処理が遅い

代表的な公開鍵暗号方式には，非常に大きな数を素因数分解することが困難なことを利用した**RSA**，RSAより短い鍵長で同等の安全性を提供できる**楕円曲線暗号**があります。楕円曲線暗号は，TLS (8-05参照) で使われています。

🐱!"くれば"で覚える

公開鍵暗号方式　とくれば

　＊暗号化鍵と復号鍵は異なる　　＊鍵の配布と管理が容易
　＊受信者の公開鍵で暗号化して，受信者の秘密鍵で復号する
　＊暗号化/復号の処理が遅い　　＊代表例はRSA・楕円曲線暗号

攻略法 …… **これが公開鍵暗号方式のイメージだ！**

南京錠は，閉める鍵と開ける鍵が異なります。誰でも鍵を閉めることができますが，鍵を開けることができるのは，鍵を持っている本人だけです。

私しか開けられないから安心して

😊 デジタル署名

なりすましや改ざんの対策の一つに，デジタル署名があります。

✨デジタル署名✨ (電子署名) は，**公開鍵暗号方式を使って電子文書の正当性を保証する仕組み**です。デジタル署名では，次の二つのことが検知できます。

1. **電子文書を作成したのは本人であること** (なりすまし対策)
2. **電子文書の内容は改ざんされていないこと** (真正性の確認)

公開鍵暗号方式は，受信者の公開鍵で暗号化して，対の受信者の秘密鍵で復号するのに対し，**デジタル署名は，送信者の秘密鍵** (署名鍵ともいう) **で署名して，対の送信者の公開鍵** (検証鍵ともいう) **で検証します**。これが，本人確認の証明となります。なぜなら，署名に使う秘密鍵は本人しか持っておらず，本人以外にそのような署名を作成できません。また，対の公開鍵で検証できるからです。

具体的に，デジタル署名の流れを見ていきましょう。

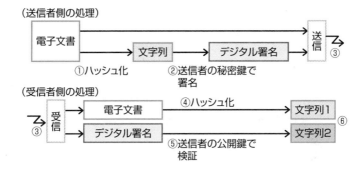

● 送信者側の処理

① 電子文書からハッシュ関数 (後述) を使用して文字列を作成する (ハッシュ化)

② 作成した文字列から「送信者の秘密鍵」でデジタル署名を作成する

③ 電子文書に暗号化したデジタル署名を付加して送信する

● 受信者側の処理

④ 電子文書から送信者と同じハッシュ関数を使用して文字列を作成する

⑤ デジタル署名を「送信者の公開鍵」で検証する ⇒ **電子文書を作成したのは本人であることが確認できる**

⑥ ④と⑤で得られた文字列を比較して同一である ⇒ **電子文書の内容は改ざんされていないことが確認できる**

ただし，デジタル署名で改ざんを防止したり，改ざんされた場所を特定することはできません。

もっと詳しく 〈 ハッシュ関数 〉

ハッシュ関数を使用して，電子文書から文字列（**ハッシュ値**，または**メッセージダイジェスト**）を作成することを**ハッシュ化**といいます。同じ電子文書をハッシュ化すると，常に同じ文字列が作成されますが，一部でも改ざんされていると同じ文字列は作成されません。また，ハッシュ関数は一方向関数であるので，作成された文字列から元の電子文書を推測したり復元したりできません。

なお，代表的なハッシュ関数として**SHA** (Secure Hash Algorithm) があり，256ビットの文字列が得られる**SHA-256**，512ビットの文字列が得られる**SHA-512**があります。

一文字でも異なると、異なるハッシュ値になる

ハッシュ値から元の電子文書は復元できない

〈 "くれば"で覚える 〉

デジタル署名　とくれば

* 送信者の秘密鍵で署名して送信者の公開鍵で検証する
* 「電子文書を作成したのは本人である」，「電子文書の内容は改ざんされていない」ことを確認する

知っ得情報 〈 電子署名法 〉

電子署名法は，電子契約に法的効力をもたせるために定めた法律です。電子署名が付けられた電子文書は，民事訴訟法における押印や手書きの署名と同等の法的効力が認められています。

もっと詳しく 〈 ブロック暗号方式 〉

ブロック暗号方式は，データを固定長のブロックに分割して，それぞれ個別に暗号化する方式です。先ほどのAESもブロック暗号方式の一つで，データを128ビットごとに分割し，128ビット，192ビット，256ビットの3種類の鍵から選んで暗号化します。鍵が長いほど解読に時間がかかり安全ですが，暗号化／復号に時間がかかります。

確認問題 1 ▶ 平成30年度春期 問38 正解率▶高 応用

　AさんがBさんの公開鍵で暗号化した電子メールを，BさんとCさんに送信した結果のうち，適切なものはどれか。ここで，Aさん，Bさん，Cさんのそれぞれの公開鍵は3人全員がもち，それぞれの秘密鍵は本人だけがもっているものとする。

ア　暗号化された電子メールを，Bさんだけが，Aさんの公開鍵で復号できる。

イ　暗号化された電子メールを，Bさんだけが，自身の秘密鍵で復号できる。

ウ　暗号化された電子メールを，Bさんも，Cさんも，Bさんの公開鍵で復号できる。

エ　暗号化された電子メールを，Bさんも，Cさんも，自身の秘密鍵で復号できる。

 Bさんの公開鍵で暗号化したメールは，Bさんの秘密鍵で復号します。復号できるのは秘密鍵をもつBさんだけです。

　ここで，公開鍵暗号方式でもデジタル署名でも，同じ人の秘密鍵と公開鍵をセットで使います。つまり，AさんとBさんの鍵をセットにすることはなく，公開鍵どうし，秘密鍵どうしをセットにすることもありません。

確認問題 2 ▶ 平成29年度秋期 問40 正解率▶中 頻出 基本

　デジタル署名における署名鍵の用い方と，デジタル署名を行う目的のうち，適切なものはどれか。

ア　受信者が署名鍵を使って，暗号文を元のメッセージに戻すことができるようにする。

イ　送信者が固定文字列を付加したメッセージを署名鍵を使って暗号化することによって，受信者がメッセージの改ざん部位を特定できるようにする。

ウ　送信者が署名鍵を使って署名を作成し，それをメッセージに付加することによって，受信者が送信者を確認できるようにする。

エ　送信者が署名鍵を使ってメッセージを暗号化することによって，メッセージの内容を関係者以外に分からないようにする。

 公開鍵を用いたデジタル署名を利用する主な目的は二つです。

＊受信者がメッセージの送信者を確認すること(本人認証)

＊署名が行われた後で，メッセージに変更が加えられていないかどうかを確認すること(改ざんの有無の確認のみで，改ざんの部位はわからない)

第 8 章　情報セキュリティ

　　ファイルの提供者は，ファイルの作成者が作成したファイルAを受け取り，ファイルAと，ファイルAにSHA-256を適用して算出した値Bとを利用者に送信する。そのとき，利用者が情報セキュリティ上実現できることはどれか。ここで，利用者が受信した値Bはファイルの提供者から事前に電話で直接伝えられた値と同じであり，改ざんされていないことが確認できているものとする。

ア　値BにSHA-256を適用して値Bからデジタル署名を算出し，そのデジタル署名を検証することによって，ファイルAの作成者を確認できる。

イ　値BにSHA-256を適用して値Bからデジタル署名を算出し，そのデジタル署名を検証することによって，ファイルAの提供者がファイルAの作成者であるかどうかを確認できる。

ウ　ファイルAにSHA-256を適用して値を算出し，その値と値Bを比較することによって，ファイルAの内容が改ざんされていないかどうかを検証できる。

エ　ファイルAの内容が改ざんされていても，ファイルAにSHA-256を適用して値を算出し，その値と値Bの差分を確認することによって，ファイルAの内容のうち改ざんされている部分を修復できる。

要点解説 SHA-256はハッシュ関数の一つで，ファイルに適用するとハッシュ値が得られます。同一のファイルからは同一のハッシュ値が算出されるため，ファイルAの内容が改ざんされていないかどうかを検証できます。

楕円曲線暗号の特徴はどれか。

ア　RSA暗号と比べて，短い鍵長で同レベルの安全性が実現できる。

イ　共通鍵暗号方式であり，暗号化や復号の処理を高速に行うことができる。

ウ　総当たりによる解読が不可能なことが，数学的に証明されている。

エ　データを秘匿する目的で用いる場合，復号鍵を秘密にしておく必要がない。

要点解説 楕円曲線暗号は，公開鍵暗号方式の一つです。ECC (Elliptic Curve Cryptography) とも呼ばれます。RSA暗号よりも短い暗号鍵で同じ程度の安全性が得られるため，暗号化や復号にかかる時間も短くなります。仮想通貨(暗号資産)(11-06参照)にも使われています。

確認問題　5　▶ 応用情報　令和2年秋期　問40　正解率▶ 高　**基本**

　送信者Aからの文書ファイルと，その文書ファイルのデジタル署名を受信者Bが受信したとき，受信者Bができることはどれか。ここで，受信者Bは送信者Aの署名検証鍵Xを保有しており，受信者Bと第三者は送信者Aの署名生成鍵Yを知らないものとする。

ア　デジタル署名，文書ファイル及び署名検証鍵Xを比較することによって，文書ファイルに改ざんがあった場合，その部分を判別できる。
イ　文書ファイルが改ざんされていないこと，及びデジタル署名が署名生成鍵Yによって生成されたことを確認できる。
ウ　文書ファイルがマルウェアに感染していないことを認証局に問い合わせて確認できる。
エ　文書ファイルとデジタル署名のどちらかが改ざんされた場合，どちらが改ざんされたかを判別できる。

 デジタル署名で，「文書ファイルが改ざんされていないこと」，及び，デジタル署名が送信者Aしか知らない生成鍵Yによって生成されたこと，つまり「送信者がAであること」が確認できます。

第8章　情報セキュリティ

解答

問題1：イ　　問題2：ウ　　問題3：ウ　　問題4：ア　　問題5：イ

8 05 認証技術

**イメージで
つかむ**

役所が発行する印鑑登録の
証明書で，実印がその人のも
のであることを第三者に証明
できます。インターネットの
世界にも同じような仕組みが
あります。

認証局

公開鍵暗号方式では公開鍵が使われますが，この公開鍵の所有者と公開鍵の正当性が
保証されている必要があります。そこで，**申請に基づいて所有者と公開鍵の正当性を保
証して，デジタル証明書（電子証明書）を発行する第三者機関**が，認証局（CA：
Certification Authority）です。

デジタル証明書の発行までの手順を見ていきましょう。

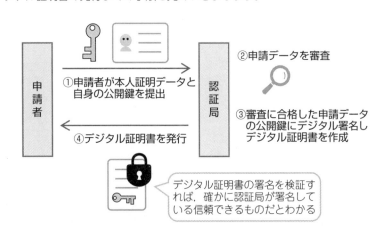

申請者

①申請者が本人証明データと
自身の公開鍵を提出

②申請データを審査

認証局

③審査に合格した申請データ
の公開鍵にデジタル署名し
デジタル証明書を作成

④デジタル証明書を発行

デジタル証明書の署名を検証す
れば，確かに認証局が署名して
いる信頼できるものだとわかる

372

デジタル証明書には，申請者の情報，正当性を保証する公開鍵のほかに，認証局名，証明書の有効期間などが含まれています。さらに，デジタル証明書の有効期間内であっても，申請者の秘密鍵が流出するなどした場合には，認証局が証明書失効リスト (**CRL**：Certificate Revocation List) を公開して証明書を失効させます。

"くれば"で覚える

認証局　とくれば　**デジタル証明書を発行し，公開鍵の正当性を保証する**

PKI

✦ **PKI** ✦ (Public Key Infrastructure：公開鍵基盤) は，**公開鍵暗号方式を利用して，インターネット上で安全な情報のやり取りができるインフラ (基盤)** のことです。

攻略法　……　**これがPKIのイメージだ！**

	PKI	実社会
媒体	電子文書	紙文書
第三者機関	認証局	役所
正当性を証明するもの	公開鍵	印鑑
発行する証明書	デジタル証明書	印鑑証明書
本人確認に使うもの	デジタル署名	印影

メッセージ認証

メッセージ認証は，**共通鍵を用いて，メッセージの内容が改ざんされていないことを確認する仕組み**です。

メッセージ認証の仕組みを見ていきましょう。事前に，送信者と受信者で共通鍵を秘密裏に共有しておきます。

●送信者側の処理

① 送信者は，メッセージと共通鍵を基に，ハッシュ関数を用いて**メッセージ認証コード (MAC**：Message Authentication Code) を生成する

② 送信者は，メッセージとMACを受信者へ送信する

●受信者側の処理

③ 受信者は，受信したメッセージと共通鍵を基に，同じハッシュ関数を用いてMACを生成する

④ 受信者は，②と③のMACが一致するかを検証する

ここで，MAC値が一致すれば，受信者は改ざんされていないことを確認できると同時に，事前に共通鍵を保持しているのは送信者と受信者だけなので，なりすまし対策にもなります。ただし，受信者も送付されてきたメッセージから共通鍵を使って同じMACを生成することができるので，否認防止はできません。

　デジタル署名と比較すると，次のようになります。

	デジタル署名	メッセージ認証
改ざん対策	○	○
なりすまし対策	○	○
否認防止	○	×
鍵	公開鍵・秘密鍵	秘密鍵・秘密鍵
付加情報	デジタル署名	MAC

SSL

　✦ SSL ✦ (Secure Sockets Layer) は，**インターネット上での通信を暗号化して，盗聴や改ざんを防ぐ仕組み**です。これにより，インターネット上で，個人情報やパスワード，クレジット番号など，機密性の高いデータを安全にやりとりできます。Webブラウザには標準搭載されていて，SSLの暗号通信をHTTP (7-02参照) に実装したものが**HTTPS** (HTTP over SSL/TLS) です。HTTPSは，WebブラウザとWebサーバ間の通信を暗号化します。なお，**TLS** (Transport Layer Security) は，SSLをベースに標準化したもので，機能はほぼ同じです。**SSL/TLS**とまとめて呼ぶこともあります。

　具体的に，SSL通信の流れを見ていきましょう。

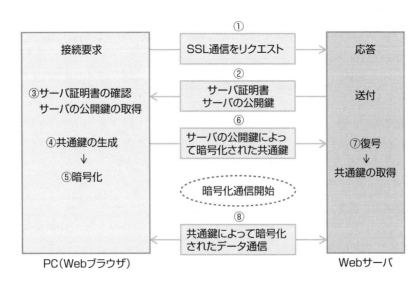

① PC（Webブラウザ）からWebサーバへSSL暗号通信をリクエストする

②「サーバ証明書」と「サーバの公開鍵」を送付する

③ 主な「認証局」のルート証明書はWebブラウザに搭載されているので，これを使って「サーバ証明書」を確認する。同時に，「サーバの公開鍵」を取得する

④ 以降のデータ通信で使用する「共通鍵」を生成する

⑤「共通鍵」を③で取得した「サーバの公開鍵」で暗号化する

⑥「サーバの公開鍵」によって暗号化された「共通鍵」を送付する

⑦ ⑥で送付された「共通鍵」を「サーバの秘密鍵」で復号して取得する。両者が「共通鍵」を持ち合わせたことになる

⑧ 以降は，「共通鍵」によって暗号化されたデータ通信を行う

ハイブリッド方式

　ハイブリッド方式は，SSL通信のように，**共通鍵暗号方式と公開鍵暗号方式の両者の特徴を組み合わせた方式**です。この方式では，データの暗号化/復号には共通鍵暗号方式を，その共通鍵の配布には公開鍵暗号方式を使います。これは，共通鍵暗号方式は暗号化/復号の処理が速く，公開鍵暗号方式は鍵の配布が容易という両者の長所を生かした方式だといえます。

> ### 知っ得情報 ❮ セキュアブートと TPM，耐タンパ性 ❯
>
> * **セキュアブート**は，TPM（後述）を利用してPCの起動時（ブート時）にOSやデバイスドライバのデジタル署名を検証し，信頼のおけるソフトウェアだけを動作させる技術です。OS起動前のマルウェアの実行を防ぎます。
> * **TPM**（Trusted Platform Module）は，PCのセキュリティを強化するためにマザーボードに組み込まれたセキュリティチップです。「暗号化鍵の生成や保管」，「デジタル署名の生成や証明書の管理」などを行います。
> * **耐タンパ性**は，外部からの不正アクセスや改ざんなどに対して強いことを表す性質のことです。TPMは耐タンパ性を高める役割を果たします。

第 8 章　情報セキュリティ

PKIにおける認証局が，信頼できる第三者機関として果たす役割はどれか。

ア　利用者からの要求に対して正確な時刻を返答し，時刻合わせを可能にする。
イ　利用者から要求された電子メールの本文に対して，デジタル署名を付与する。
ウ　利用者やサーバの公開鍵を証明するデジタル証明書を発行する。
エ　利用者やサーバの秘密健を証明するデジタル証明書を発行する。

要点解説　認証局は，取引当事者から独立した信頼できる第三者機関として，利用者の公開鍵の正当性を証明するデジタル証明書を発行します。

HTTPSを用いて実現できるものはどれか。

ア　Webサーバ上のファイルの改ざん検知
イ　クライアント上のウイルス検査
ウ　クライアントに対する侵入検知
エ　電子証明書によるサーバ認証

要点解説　HTTPSで確認できるものは，
① 電子証明書が改ざんされていないこと
② 電子証明書が認証局の発行審査を受けた会社のものであることです。
選択肢の中では，エが該当します。
電子証明書以外のファイルの改ざん検知や，クライアント上のウイルス検査，クライアントへの侵入検知は実現できません。

確認問題 3 ▶ 令和5年度 問10　　　正解率 ▶ 高　　　応用

図のような構成と通信サービスのシステムにおいて，Webアプリケーションの脆弱性対策のためのWAFの設置場所として，最も適切な箇所はどこか。ここで，WAFには通信を暗号化したり，復号したりする機能はないものとする。

ア　a
イ　b
ウ　c
エ　d

PC　PC　PC
インターネット
HTTPS　a
ファイアウォール
HTTPS　b
SSL アクセラレータ
HTTP　c
Web サーバ
データベース
アクセス用　d
サービス
データベースサーバ

要点解説　WAF (Web Application Firewall) は，データの内容まで見てアクセス制御しています (8-03参照)。「通信の暗号化/復号機能はない」とあるので，平文のデータで内容を確認する必要があります。SSLアクセラレータは通信内容を高速に暗号化/復号するための機器ですが，この用語を知らなくても，ここを通るとHTTPSとHTTPが相互に変換されているので役割は想像できます。平文で確認するには，cの位置にWAFを置く必要があります。

確認問題 4 ▶ 応用情報 令和2年度秋期 問44　　　正解率 ▶ 低　　　応用

TPM (Trusted Platform Module) に該当するものはどれか。

ア　PCなどの機器に搭載され，鍵生成，ハッシュ演算及び暗号処理を行うセキュリティチップ

イ　受信した電子メールが正当な送信者から送信されたものであることを保証する，送信ドメイン認証技術

ウ　ファイアウォール，侵入検知，マルウェア対策など，複数のセキュリティ機能を統合したネットワーク監視装置

エ　ログデータを一元的に管理し，セキュリティイベントの監視者への通知及び相関分析を行うシステム

要点解説　ア　TPM　　　　　　　　　イ　SPF (7-06参照)
　　　　　　ウ　UTM (8-06参照)　　　エ　SIEM (8-06参照)

解答

問題1：ウ	問題2：エ	問題3：ウ	問題4：ア

利用者認証と
ネットワークセキュリティ

8
06

イメージでつかむ

火事の延焼から守るために，防火壁を設置した家を見かけます。
　ネットワークの世界にも防火壁を設置して，外部からの不正アクセスを防いでいます。

利用者認証

　利用者認証は，**コンピュータシステムを使用する際に，利用者が使用することを許可されている本人であるかを確認すること**です。**ユーザ認証**とも呼ばれています。

　利用者IDとパスワードの組み合わせは，昔からある認証方法ですが，よりセキュリティを高めるために，最近は，次の二つ以上の異なる認証を組み合わせる**多要素認証**が行われます。

① **記憶**による認証
② **所有物**による認証
③ **生体情報**による認証

　特に，**二つの認証を組み合わせること**を**二要素認証**と呼びます。例えば，ログインする際に使用するICカード（所有物）とPINコード（記憶），また，オンラインバンキングでは，ログインの際にはパスワード（記憶）を入力し，振込のときはさらにトークン（所有物）を使ったワンタイムパスワードを組み合わせています。

もっと詳しく〈 ワンタイムパスワード 〉

ワンタイムパスワードは，1回限りのパスワードです。毎回，パスワードが変更になるので，第三者にパスワードを盗まれたとしても，そのパスワードでは二度と認証できません。

バイオメトリクス認証

バイオメトリクス認証（生体認証）には，**身体的な特徴を使った認証と行動的な特徴を使った認証**があります。身体的な特徴を使った認証には，指紋認証や静脈認証，虹彩認証などがあり，行動的な特徴を使った認証には，署名の速度や筆圧などがあります。なお，生体認証システムを導入する際には，本人を誤って拒否する確率（FRR：False Rejection Rate）と，他人を誤って許可する確率（FAR：False Acceptance Rate）を調整する必要があります。

知っ得情報〈 CAPTCHA 〉

プログラムによる自動入力を排除する技術にCAPTCHAがあります。これは，ゆがめたり一部を隠したりした画像から文字を判読させて入力させることです。人には読み取ることができますが，プログラムでは読み取ることが難しいという差異を利用しています。

チャレンジレスポンス認証

チャレンジレスポンス認証は，**サーバから送られてきたランダムな文字列**（チャレンジ）**と，利用者が入力したパスワードとをクライアント側で演算し，その結果**（レスポンス）**をサーバに送信する認証**です。ネットワーク上にパスワードは流れません。

具体的にチャレンジレスポンス認証の流れを見ていきましょう。なお，サーバ側にはあらかじめアカウント情報（利用者ID，パスワード）を保持しています（次頁参照）。

① 利用者は，利用者IDとパスワードを入力し，利用者IDのみサーバに送付する
② サーバは，ランダムな文字列（チャレンジ）を生成し，端末に送付する
③ 端末は，①で入力されたパスワードと，②で送付されたチャレンジから，ハッシュ関数を用いてハッシュ値（レスポンス）を生成し，サーバに返送する
④ サーバは，①で送付された利用者IDからアカウント情報を検索し，検索結果のパスワードと②で生成したチャレンジから，同じハッシュ関数を用いてハッシュ値を生成する
⑤ ③のレスポンスと④のハッシュ値を照合する。同一であれば，ログインを認める

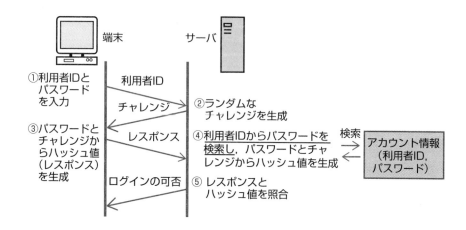

①利用者IDと
　パスワード
　を入力

利用者ID

②ランダムな
　チャレンジを生成

チャレンジ

③パスワードと
　チャレンジから
　ハッシュ値
　（レスポンス）
　を生成

レスポンス

④利用者IDからパスワードを
　検索し，パスワードとチャ
　レンジからハッシュ値を生成

検索

アカウント情報
（利用者ID,
パスワード）

ログインの可否

⑤ レスポンスと
　 ハッシュ値を照合

端末　　サーバ

🔘 シングルサインオン

　シングルサインオン (SSO：Single Sign On) は，あるサービスにログインが成功した認証情報を，事前に許可したサービスに引き継ぐ認証です。利便性が高くなりますが，パスワードが漏れてしまうと他のサービスにも第三者にログインされる危険性があるので，ログインできる端末を限定したり，他の認証と組み合わせる多要素認証が有効です。

> ### 知っ得情報 ◀ リスクベース認証 ▶
> 　**リスクベース認証**は，利用者が普段利用するデバイスや，利用者のIPアドレスなどの環境を分析し，普段とは異なるデバイスやネットワークからのアクセスに対して，追加の認証を課すことで不正アクセスを防ぐ仕組みです。

🦇 ファイアウォール

　✨ファイアウォール✨は，**インターネットと内部ネットワークの境界に配置し，外部からの不正なアクセスを遮断する仕組み**です。また，逆に外部に向けての許可されていないアクセスも遮断できます。Firewall（ファイアウォール）は，「防火壁」という意味です。

🔘 パケットフィルタリング方式

　ファイアウォールの仕組みの一つに，**✨パケットフィルタリング方式✨**があります。これは，**パケットのヘッダ情報で判断し，通過の可否を決定する方式**です。パケットのヘッダ情報には，「送信元のIPアドレスとポート番号」，「あて先のIPアドレスとポート番号」などがあり，あらかじめ決められたルールに基づいて，パケットを通過させるかどうかを判断します。

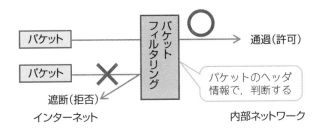

DMZ

✦ DMZ ✦ (DeMilitarized Zone) は，**インターネットと内部ネットワークの両方から隔離されたネットワーク領域**です。「非武装地帯」という意味です。DMZには，インターネットに公開するサーバ(Webサーバ，DNSサーバなど)を配置し，ファイアウォールの機能を用いて，インターネットから内部ネットワークへの不正なアクセスを遮断します。たとえ公開したサーバに不正なアクセスがあったとしても，内部ネットワークまで被害を及ばないようにするという仕組みです。

例えば，WebサーバとDBサーバから構成されるシステムにおいて，利用者向けのWebサービスを公開する場合は，WebサーバをDMZに，DBサーバを内部ネットワークに配置します。ファイアウォールの機能を用いて，インターネットとDMZとの間と，DMZと内部ネットワークとの間の通信は特定のプロトコルだけを許可して，インターネットと内部ネットワークとの間の直接の通信は許可しません。

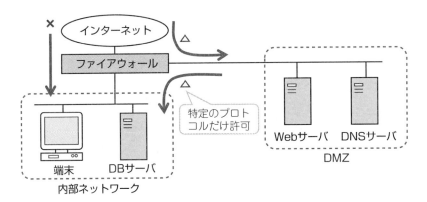

第
8
章

情報セキュリティ

⚙ プロキシサーバ・リバースプロキシサーバ

プロキシサーバは，**内部ネットワークとインターネットの間に配置し，アクセスを代理で中継するサーバ**です。「代理サーバ」という意味で，次の2種類があります。

- フォワードプロキシサーバは，**内部ネットワークからインターネットへのアクセスを代理で中継するサーバ**です。インターネット側からは端末の存在は見えず，さらに端末が一度アクセスしたWebコンテンツを，プロキシサーバにキャッシュすることで，ネットワークの負荷を軽減でき，高速にアクセスできる役割もあります。
- リバースプロキシサーバは，**インターネットから内部ネットワークへのアクセスを代理で中継するサーバ**です。ロードバランサ機能を用いて，インターネットからのアクセスを振り分け，Webサーバの負荷分散などを行います。

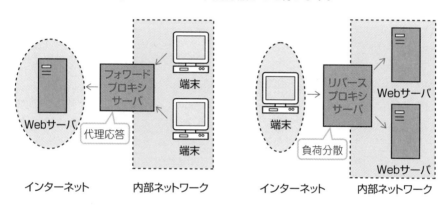

🙂 その他のセキュリティ対策

以下のようなものが出題されています。

UTM	Unified Threat Management。ファイアウォール機能をもち，ウイルス対策や侵入検知，侵入防止などを連携させ，複数のセキュリティ機能を1台の筐体に統合した製品，または統合的に管理すること
SIEM	Security Information and Event Management。様々なシステムの動作ログを一元的に蓄積・管理し，サイバー攻撃などのセキュリティ上の脅威となる事象をいち早く検知して分析するツール
SOC	Security Operation Center。24時間体制で企業のネットワークやデバイスを外部からリアルタイムに監視する。サイバー攻撃の検出や分析，対応策を提案する事業者の専門組織
ペネトレーションテスト	システムを実際に攻撃して，ファイアウォールや公開サーバに対するセキュリティホールや設定ミスの有無を確認する検査手法。侵入テストとも呼ばれる
ファジング	システムに問題を引き起こしそうなデータを，多様なパターンで大量に入力して挙動を観察し，脆弱性を見つける検査手法

知っ得情報 〈 ゼロトラスト 〉

　これまでのセキュリティ対策は,「組織の内側は安全で外側は危険だから,外部からの通信は信用しない」ということが前提となっていました。しかし, テレワークやクラウドシステムを導入する組織が増えて, 外側と内側の境界が不明瞭になっています。そこで,「内側も外側も信用せず, 全てのデバイスや通信を検査し認証する」という**ゼロトラスト**という考え方が出てきました。

確認問題 1 ▶ 平成29年度春期　問42　　正解率 ▶ **中**　　頻出　応用

　社内ネットワークとインターネットの接続点にパケットフィルタリング型ファイアウォールを設置して, 社内ネットワーク上のPCからインターネット上のWebサーバの80番ポートにアクセスできるようにするとき, フィルタリングで許可するルールの適切な組合せはどれか。

ア

送信元	あて先	送信元ポート番号	あて先ポート番号
PC	Webサーバ	80	1024以上
Webサーバ	PC	80	1024以上

イ

送信元	あて先	送信元ポート番号	あて先ポート番号
PC	Webサーバ	80	1024以上
Webサーバ	PC	1024以上	80

ウ

送信元	あて先	送信元ポート番号	あて先ポート番号
PC	Webサーバ	1024以上	80
Webサーバ	PC	80	1024以上

エ

送信元	あて先	送信元ポート番号	あて先ポート番号
PC	Webサーバ	1024以上	80
Webサーバ	PC	1024以上	80

要点解説　PCには1024以上のポート番号が割り当てられます。発信は送信元がPC・あて先がWebサーバ, 応答は送信元はWebサーバ・あて先がPCです。

第

8

章　情報セキュリティ

確認問題 2 ▶ 令和元年度秋期 問42　　正解率 ▶ 中　　応用

　1台のファイアウォールによって，外部セグメント，DMZ，内部セグメントの三つのセグメントに分割されたネットワークがあり，このネットワークにおいて，Webサーバと，重要なデータをもつデータベースサーバから成るシステムを使って，利用者向けのWebサービスをインターネットに公開する。インターネットからの不正アクセスから重要なデータを保護するためのサーバの設置方法のうち，最も適切なものはどれか。ここで，Webサーバでは，データベースサーバのフロントエンド処理を行い，ファイアウォールでは，外部セグメントとDMZとの間，及びDMZと内部セグメントとの間の通信は特定のプロトコルだけを許可し，外部セグメントと内部セグメントとの間の直接の通信は許可しないものとする。

ア　WebサーバとデータベースサーバをDMZに設置する。
イ　Webサーバとデータベースサーバを内部セグメントに設置する。
ウ　WebサーバをDMZに，データベースサーバを内部セグメントに設置する。
エ　Webサーバを外部セグメントに，データベースサーバをDMZに設置する。

 要点解説　Webサーバは外部の利用者に公開するためDMZに置き，データベースサーバは不正アクセスから保護するために内部セグメントに設置します。データベースサーバは受信ポートを固定にし，Webサーバからデータベースサーバの受信ポート番号へ発信された通信だけを通すようにします。

確認問題 3 ▶ 平成31年度春期 問45　　正解率 ▶ 中　　応用

　ファジングで得られるセキュリティ上の効果はどれか。

ア　ソフトウェアの脆弱性を自動的に修正できる。
イ　ソフトウェアの脆弱性を検出できる。
ウ　複数のログデータを相関分析し，不正アクセスを検知できる。
エ　利用者IDを統合的に管理し，統一したパスワードポリシを適用できる。

 要点解説　ファジングは，システムにエラーを引き起こしそうなさまざまな種類のデータを入力することで，脆弱性を発見しようというものです。

解答

問題1：ウ	問題2：ウ	問題3：イ

第 **9** 章

システム開発技術

〔 科目 A 〕

9 01 情報システム戦略と企画・要件定義プロセス

イメージでつかむ

家を建て始めるまでの過程を考えてみましょう。まずは、「どのような家を建てたいのか」「どの業者に依頼するのか」を考えます。情報システムも同じような検討から始まります。

情報システム戦略

　情報システム戦略は，**ITによる情報システムをどのように構築し，企業活動に効果的に活用していくのかという戦略**です。試験では，情報戦略やIT戦略の用語でも出題されます。情報システム戦略を立案する際は，経営戦略に基づき，組織全体における最適化(全体最適化)の観点から情報システムのあるべき姿を明確にすることが重要です。

システム管理基準

　システム管理基準は，**組織が経営戦略と情報システム戦略に基づき，情報システムの企画・開発・運用・保守などを効果的に行うための実践規範**です。経済産業省が策定し，情報戦略，企画戦略，開発業務，運用業務，保守業務などにおける留意事項がまとめられています。

CIO

　CIO (Chief Information Officer：最高情報責任者) は，**経営戦略に基づく情報システム戦略を策定する最高責任者**です。また，情報システム部門を統括し，経営戦略との整合性の確認や評価も行います。

🐱! "くれば"で覚える

情報システム戦略　とくれば　**経営戦略に基づいた情報システムを活用する戦略**

🐱得 知っ得情報 ❰ ITガバナンス ❱

　現在は情報システムの良し悪しが組織全体に大きな影響を及ぼします。情報システムを担当部署や情報システム部門に任せるのではなく，全体最適化の観点から情報システムの導入や運用，リスク管理などコントロールしていく仕組みが必要です。これが✦**ITガバナンス**✦と呼ばれるもので，**情報システム戦略の策定と実行をコントロールする組織の能力**のことです。

🌀 EA

　✦**エンタープライズアーキテクチャ**✦ (EA：Enterprise Architecture) は，**全体最適化の観点から各業務と情報システムを見直すための技法**です。現状の姿 (**As-Is モデル**) と，あるべき理想の姿 (**To-Be モデル**) との差を分析 (**ギャップ分析**) しながら，業務と情報システムを同時に改善していきます。

　ここでは，次の四つの体系で分析し，全体最適化の観点から見直していきます。

ビジネスアーキテクチャ	経営戦略に必要な実現すべき業務の姿を体系化するもの
データアーキテクチャ	業務に必要なデータの内容やデータ間の関連性などを体系化するもの
アプリケーションアーキテクチャ	業務処理に最適な情報システムの形態を体系化するもの
テクノロジアーキテクチャ	情報システムの構築・運用に必要な技術的構成要素を体系化するもの

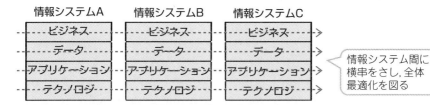

🌀 ソフトウェアライフサイクルプロセス

　ソフトウェアライフサイクルプロセス (SLCP：Software Life Cycle Process) は，**ソフトウェアの企画・要件定義・開発・運用・保守までの一連の活動**をいいます。試験では，次の五つのプロセスが出題されます。

共通フレーム

　ソフトウェアライフサイクルプロセスにおいて，同じ用語でありながら利用者と開発者の間で微妙な意味の取り違いからズレが生じ，システム開発に大きな影響を与えてしまうことがあります。そこで，システム開発に関係する人たちが「同じ言葉」で話せるように，**共通の物差しとなるガイドライン**（共通フレームという）を作り，各プロセスにおける用語や作業内容を明確にしています。試験では，**共通フレーム2013**（SLCP-JCF2013）の用語でも出題されます。

　なお，この節では，次の場面を想定して説明します。

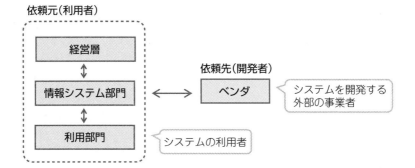

企画プロセス

　企画プロセスは，**システム全体の構想や計画を策定するプロセス**です。導入するシステムは，経営のニーズに基づいたものであることが重要です。

システム化構想

　システム化構想は，経営上のニーズや課題を確認し，業務と情報システムの将来像を明確にした上で，全体最適化を図ります。

　これは家を建てるときに，「家族が増えるので，もっと広い家が必要になるのでは？」などのニーズに基づいているようなイメージです。

システム化計画

　✦**システム化計画**✦は，**システム化の基本方針を策定**します。具体的には，管理体制や開発スケジュール，概算コスト，費用対効果などを検討します。

これは家を建てるときの初期段階で，「スケジュールは？」「どれくらいの費用がかかるの？」「多くの費用を出してまで家を建てるの？」と考えるようなイメージです。

要件定義プロセス

✦要件定義プロセス✦は，**情報システムの機能や性能を明確にするプロセス**です。導入するシステムは，利用者を含めた利害関係者のニーズに基づいたものであることが重要です。

要件定義には，次のようなものがあります。

業務要件定義		日々の業務に必要な要件。業務手順，関係する組織の責任や権限など
システム要件	機能要件定義	システムに必要な機能。必要なデータ項目，処理内容，ユーザインタフェースなど
	非機能要件定義	システムに必要な性能。稼働時間，応答時間，セキュリティなど

これは家を建てることが現実になってくると，「どのような家を建てるの？」「どこまで機能を持たせるの？」と考えるようなイメージです。

調達

システム化が決定すると，システム開発を担当するベンダを選定して契約を締結します。

これは家を建てることが決まると，複数の事業者から見積りをとり「どの事業者に頼むの？」と考えるようなイメージです。

ベンダとの契約締結までの流れは，次のようになります。その過程で様々な情報や書類をやり取りしていきます。

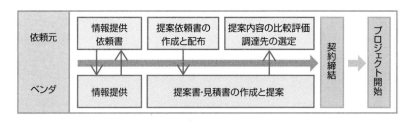

RFI

✦情報提供依頼書✦（RFI：Request For Information）は，システム化の目的や業務の概要を提示し，ベンダの実績や開発方法，情報技術動向などの**情報提供を依頼する文書**です。依頼元からベンダへ依頼します。

第 **9** 章 システム開発技術

🐱 RFP

✦提案依頼書✦ (RFP：Request For Proposal) は，導入するシステムの基本方針や概要，実現すべき機能，調達条件などを提示し，**提案書の提出を依頼する文書**です。依頼元からベンダへ依頼します。依頼先を適切に判断するには，各ベンダなどからの提案書が提出される前に，提案の評価基準や選定の手順などを決めておく必要があります。

🐱 提案書

提案書は，提案依頼書を基に，開発体制やシステム構成，開発手法などを提案する文書です。ベンダから依頼元へ提案します。

🐱 見積書

見積書は，システムの開発や運用・保守などにかかる費用を提示する文書です。ベンダから依頼元へ提示します。

🐱！ "くれば" で覚える

RFI　とくれば　**ベンダに対して，情報提供を依頼する文書**
RFP　とくれば　**ベンダに対して，提案書の提出を依頼する文書**

🈐 知っ得情報 ≪ 企業の社会的責任 ≫

* ✦CSR✦ (Corporate Social Responsibility：企業の社会的責任) は，企業が利益の追求だけでなく，顧客への適切な対応や環境への配慮，地域社会へのボランティア活動などを意識した活動をすることです。社会に貢献することで，企業が社会的にも信頼され，長期的なビジネスの成長につながります。
* **グリーンIT** もCSRの一環で，省エネや資源の有効活用など，環境への配慮を行っている製品やサービスを選定することです。国などの機関では，グリーン購入法によりグリーンITを実践している製品やサービスを選ぶこと (✦**グリーン購入**✦という) が義務付けられています。
* **カーボンフットプリント**は，企業の商品やサービスにおけるサプライチェーン (原材料の調達から製造，輸送，製品の使用，廃棄・リサイクルまで) の過程で排出される，地球温暖化に与える二酸化炭素の排出量のことです。Carbon Footprint (カーボン フットプリント) は，「炭素の足跡」という意味です。カーボンフットプリントの削減もCSRの一つです。

知っ得情報 〈 NDA 〉

NDA (Non-Disclosure Agreement) は，**秘密保持契約**のことです。システム開発では，再委託先も含め，企業間でお互いに知り得た相手の秘密情報の守秘義務について，秘密保持契約を結んでおくことが重要です。

確認問題 1 ▶ 平成30年度春期　問65　　正解率 ▶ **中**　　頻出　基本

　国や地方公共団体が，環境への配慮を積極的に行っていると評価されている製品・サービスを選んでいる。この取組みを何というか。

ア　CSR　　　　　　　　　　　　イ　エコマーク認定
ウ　環境アセスメント　　　　　　エ　グリーン購入

 環境に配慮した製品やサービスを選ぶことを，グリーン購入といいます。

第9章　システム開発技術

確認問題 2 ▶ 令和5年度　問19　　正解率 ▶ 高　　基本

　CIO の説明はどれか。

ア　経営戦略の立案及び業務執行を統括する最高責任者
イ　資金調達，財務報告などの財務面での戦略策定及び執行を統括する最高責任者
ウ　自社の技術戦略や研究開発計画の立案及び執行を統括する最高責任者
エ　情報管理，情報システムに関する戦略立案及び執行を統括する最高責任者

 ア　CEO (Chief Executive Officer：最高経営責任者)
　　イ　CFO (Chief Financial Officer：最高財務責任者)
　　ウ　CTO (Chief Technology Officer：最高技術責任者)
　　エ　CIO (Chief Information Officer：最高情報責任者)

"提案評価方法の決定"に始まる調達プロセスを，調達先の選定，調達の実施，提案依頼書（RFP）の発行，提案評価に分類して順番に並べたとき，cに入るものはどれか。

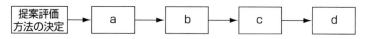

ア　調達先の選定　　　　　　　　イ　調達の実施
ウ　提案依頼書（RFP）の発行　　　エ　提案評価

RFPは，調達対象システムや調達条件などを示し，ベンダ企業に提案書の提出を依頼する文書です。
　a　提案依頼書（RFP）の発行　　　b　提案評価
　c　調達先の選定　　　　　　　　d　調達の実施

システム化計画の立案において実施すべき事項はどれか。

ア　画面や帳票などのインタフェースを決定し，設計書に記載するために，要件定義書を基に作業する。
イ　システム構築の組織体制を策定するとき，業務部門，情報システム部門の役割分担を明確にし，費用の検討においては開発，運用及び保守の費用の算出基礎を明確にしておく。
ウ　システムの起動・終了，監視，ファイルメンテナンスなどを計画的に行い，業務が円滑に遂行していることを確認する。
エ　システムを業務及び環境に適合するように維持管理を行い，修正依頼が発生した場合は，その内容を分析し，影響を明らかにする。

システム化計画の立案においては，開発体制や役割分担，概算コスト，費用対効果を明確にします。

確認問題 5 ▶ 令和元年度秋期　問65　　正解率 ▶ **低**　　**基本**

非機能要件の定義で行う作業はどれか。

ア　業務を構成する機能間の情報 (データ) の流れを明確にする。

イ　システム開発で用いるプログラム言語に合わせた開発基準, 標準の技術要件を作成する。

ウ　システム機能として実現する範囲を定義する。

エ　他システムとの情報授受などのインタフェースを明確にする。

ア　機能要件　　　イ　非機能要件
ウ　機能要件　　　エ　機能要件

確認問題 6 ▶ 平成31年度春期　問61　　正解率 ▶ **中**　　**基本**

エンタープライズアーキテクチャを構成するアプリケーションアーキテクチャについて説明したものはどれか。

ア　業務に必要なデータの内容, データ間の関連や構造などを体系的に示したもの

イ　業務プロセスを支援するシステムの機能や構成などを体系的に示したもの

ウ　情報システムの構築・運用に必要な技術的構成要素を体系的に示したもの

エ　ビジネス戦略に必要な業務プロセスや情報の流れを体系的に示したもの

アプリケーションアーキテクチャは, アプリケーション (業務システム) の機能や構成を体系的に表したものです。
ア　データアーキテクチャ
ウ　テクノロジアーキテクチャ
エ　ビジネスアーキテクチャ

第9章　システム開発技術

解答

問題1：エ　　　問題2：エ　　　問題3：ア　　　問題4：イ　　　問題5：イ
問題6：イ

9 02 ソフトウェア開発

イメージで つかむ

滝の水は，逆流することなく上流から下流に流れていきます。
コンピュータシステムも，同じように構築していく方法があります。

ソフトウェア開発工程

ソフトウェア開発では，開発者が利用者の要件を取り入れながら，次のような各工程を順番に実施していきます。各工程で作成されたドキュメント (定義書・設計書など) は，次の工程へと引き継がれていきます。

上流工程

システム要件 定義 (外部設計)	開発者が利用者にヒアリングして，システム化する目的や対象範囲 (対象業務・対象部署) を明確にし，システムに必要な機能や性能などを定義する。システムの応答時間や処理時間，信頼性の目標値などを決定する 成果物：システム要件定義書など
ソフトウェア要件 定義 (外部設計)	開発者が利用者にヒアリングして，利用者の視点からソフトウェアに要求される機能や性能などを定義する。業務モデリング (9-04参照)，ユーザインタフェースの設計 (9-05参照) などを行う 成果物：ソフトウェア要件定義書など
システム設計 (外部設計)	開発者の視点から，システム要件をシステムでどのように実現すべきかを決定する。ハードウェアやソフトウェア，手作業で実施する範囲を明確にし，ハードウェア構成やソフトウェア構成，システムの処理方式，使用するデータベースの種類などを決定する 成果物：システム設計書など

⬇	
ソフトウェア設計 (内部設計)	開発者の視点から，ソフトウェア要件をソフトウェアでどのように実現すべきかを決定する。ソフトウェア構造とソフトウェア要素(9-06参照)の設計，ユーザインタフェースの詳細設計，モジュールの機能仕様決定などを行う 成果物：ソフトウェア設計書，ソフトウェア統合仕様書など
⬇	
実装・構築 (プログラミング)	開発者がプログラムを作成する 成果物：プログラム
⬇	
テスト	各種テストを行う(9-07参照)

下流工程

🖤 ソフトウェア開発手法

家を建てる工法がいろいろあるように，ソフトウェアにも次のような開発手法があります。

⚙ ウォータフォールモデル

✦**ウォータフォールモデル**✦は，先ほどのように，**上流工程から下流工程へ順番に進めていく開発手法**です。Water Fallは，「滝」という意味で，滝の水が上流から下流へと順に流れていくようなイメージです。これは昔ながらの開発手法で，大規模なシステム開発に向いています。

●**特徴**

　＊ 全体スケジュールが立てやすく，開発全体の進捗も把握しやすい

　＊ 各工程で実施すべき作業が全て完了してから次の工程に進む

　＊ 後戻りが発生しないように，各工程が終了する際に綿密にチェックを行う

●**欠点**

　＊ 開発の初期段階で，利用者の要件を確定してしまうので，開発途中での利用者の要件を取り入れにくい

　＊ 仕様変更や不具合が発生すると，後戻り作業による影響が大きく，それにかかる費用と時間が膨大になる

🐟 **攻略法** …… **これがウォータフォールモデルの欠点だ！**

　ウォータフォールモデルは，各工程を順番に進め，後戻りせずに開発を進めるのが原則です。ただし，利用者が完成品を確認できるのは，最終段階になってからであり，もし利用者の要件と異なっていたら，後戻りが発生し，開発効率が著しく低下します。これは家が完成してしまった後に，間取りを変更したいといっても後の祭りのようなイメージです。

第**9**章　システム開発技術

ウォータフォールモデル　とくれば　上流工程から下流工程へ順番に開発する

アジャイル開発

　✦アジャイル開発✦は，**短い開発工程を何度も繰り返し，迅速かつ段階的に完成度を高めていく開発手法**です。Agileは，「俊敏な」・「素早い」という意味です。取り巻く経営環境や利用者のニーズが変化していくことを前提に，ニーズの変化を随時取り入れながら，ブラッシュアップしていくイメージです。この開発手法は，小規模なシステム開発に向いています。

●特徴

* ドキュメントの作成よりもソフトウェアの作成を優先する
* 変化する利用者の要件を素早く取り入れることができる
* 軽量であるので，仕様変更に柔軟に対応でき，後戻り作業による影響も小さい

●欠点

* 全体スケジュールが立てにくく，開発全体の進捗も把握しづらい
* 開発の方向性がブレやすい

XP

　✦XP✦(eXtreme Programming：**エクストリームプログラミング**)は，アジャイル開発の手法の一つで，次のような実践(プラクティス)が提唱されています。

* **イテレーション**と呼ばれる短いサイクル(数週間程度)で，動作するプログラムを作成することを繰り返す
* **2人1組となってプログラミングをする**(✦ペアプログラミング✦という)。1人がプログラムのコードを打ち込み，もう1人はコードをチェックする。また，相互に役割を交代することで，コミュニケーションを円滑にし，プログラムの品質を図る
* ソフトウェアの保守性を高めるために，リリース済みのコードであっても，随時，改善を繰り返す。**外部仕様を変更することなく，プログラムの内部構造を変更する**(✦リファクタリング✦という)
* 動作するソフトウェアを迅速に開発するために，**プログラムを書く前にテストケースを作成する**(テスト駆動開発，テストファーストという)
* コードの結合とテストを継続的に繰り返す(継続的インテグレーションという)

🔵 スクラム開発

✦**スクラム開発**✦もアジャイル開発の手法の一つで，ラグビーのスクラムが語源となっており，開発チームが一体となり取り組みます。次のような特徴があります。

* 製品（プロダクト）の責任者で機能の優先順位を決める**プロダクトオーナー**，スクラム開発のプロセスを円滑に進める**スクラムマスター**，実際の開発を担う**チーム**で構成される
* **スプリント**と呼ばれる短いサイクル（数週間程度）で，動作するプログラムを作成することを繰り返す
* スプリントの始まりの**スプリントプランニング**で，作業計画を立てる
* 優先順位の高い機能から作成する
* 毎日のミーティング（デイリースクラム）を重ねることで，早めの問題解決を図る
* スプリントの終わりの前の**スプリントレビュー**で，成果物のレビューを行う
* スプリントの終わりのふりかえり（レトロスペクティブ）で，改善事項を検討し，次のスプリントの課題とする

🔵 スクラム開発の見積もり

スクラム開発における一般的な見積もり手法に**プランニングポーカー**があります。この手法では，まずはプロダクトオーナーが作業内容を説明し，メンバーが質問し合い理解した上で，メンバー各人が思う作業の規模を表す数字のカードを提示します。極端に異なる見積もりを出したメンバー同士で議論し理解を深めた後，再度見積もりを行い最終的な合意が得られるまで繰り返します。

😺 "くれば"で覚える

アジャイル開発　とくれば　**利用者のニーズを取り入れながら，素早く開発する**

🐟 **攻略法** …… **これがウォータフォールモデルとアジャイル開発のイメージだ！**

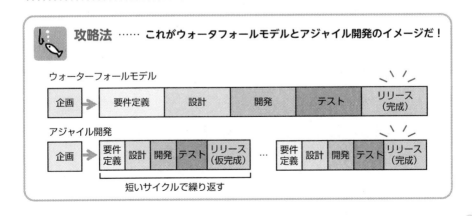

第9章 システム開発技術

🔧 プロトタイピングモデル

　プロトタイピングモデルは，システム開発の早い段階から試作品（プロトタイプ）を作成して，利用者の確認を得ながら開発を進めていく開発手法です。Prototypeは，「試作品」という意味です。利用者と開発者の間で，システム要求についての解釈の違いを早い段階で確認できるので，後戻りを少なくでき，利用者のシステムへの参画意識も高められます。この開発手法は，小規模なシステム開発に向いています。

🔧 リバースエンジニアリング

　通常のシステム開発では，仕様書を基にしてプログラムを作成します。それとは逆に，**既存のプログラムを解析してそのプログラムの仕様書を導き出すこと**を ✨**リバースエンジニアリング**✨ といいます。Reverseは，「逆」という意味です。

😋 DevOps

　DevOpsは，**開発部門（Development）と運用部門（Operations）が協力しながらシステムの改善を進めようという考え方**です。開発と運用の間に生じる目的のずれや隔たりを取り除くことで，生産性の向上や素早いリリース，品質の向上などが図れます。

🎁 知っ得情報 ⟨ 開発組織のプロセス成熟度 ⟩

　CMMI（Capability Maturity Model Integration：**統合能力成熟度モデル**）は，組織のソフトウェア開発能力を客観的に評価するモデルです。次の5段階で定義されています。

レベル	プロセス成熟度	概　要
レベル1	初期状態	場当たり的でルールがない
レベル2	管理された状態	経験則で管理されている
レベル3	定義された状態	標準化されている
レベル4	定量的に管理された状態	定量的に管理されている
レベル5	最適化している状態	継続的に改善されている

確認問題 1 ▶ 令和元年度秋期 問50　正解率▶中　基本

　XP (eXtreme Programming) において，プラクティスとして提唱されているものはどれか。

ア　インスペクション
イ　構造化設計
ウ　ペアプログラミング
エ　ユースケースの活用

 XPでは，ペアプログラミングの実践が提唱されています。一つのプログラムを2人で開発することで，より洗練されたプログラムにすることができます。

確認問題 2 ▶ 平成29年度秋期 問50　正解率▶中　基本

　ソフトウェアのリバースエンジニアリングの説明はどれか。

ア　開発支援ツールなどを用いて，設計情報からソースコードを自動生成する。
イ　外部から見たときの振る舞いを変えずに，ソフトウェアの内部構造を変える。
ウ　既存のソフトウェアを解析し，その仕様や構造を明らかにする。
エ　既存のソフトウェアを分析し理解した上で，ソフトウェア全体を新しく構築し直す。

 リバースエンジニアリングは，すでに作成済みのソフトウェアのドキュメントが入手できないときに，ソフトウェアの動作を解析するなどの方法で仕様や構造を明らかにすることをいいます。

確認問題 3 ▶ 令和6年度 問12　正解率▶高　基本

　アジャイル開発手法の一つであるスクラムで定義され，スプリントで実施するイベントのうち，毎日決まった時間に決まった場所で行い，開発チームの全員が前回からの進捗状況や今後の作業計画を共有するものはどれか。

ア　スプリントプランニング
イ　スプリントレトロスペクティブ
ウ　スプリントレビュー
エ　デイリースクラム

 デイリースクラムは，開発チーム全員が集まり「昨日の作業内容」，「今日の予定」，「障害になっていること」などを共有する，毎日のイベントです。

解答

問題1：ウ　　問題2：ウ　　問題3：エ

9 03 オブジェクト指向

イメージで
つかむ

テレビの詳しい構造はわかりませんが，スイッチを入れると電源が入ります。オブジェクトも，利用者から中身が見えないようになっています。

オブジェクト指向

オブジェクト指向は，**オブジェクトと呼ばれる単位で設計し，様々なオブジェクトを組み合わせてシステムを構築していく考え方**です。JavaやC++，Python（4-10参照）などはオブジェクト指向の代表的なプログラム言語です。

オブジェクト

オブジェクト指向では，✦**オブジェクト**✦は**「データ」**と**「メソッド」を一体化した**ものです。Object（オブジェクト）は，現実世界における「対象物」や「実体」という意味です。

また，オブジェクト内のデータやメソッドを，他のオブジェクトから直接アクセスされないように，**外部から隠蔽すること**を✦**カプセル化**✦といいます。カプセル化することで，オブジェクトの独立性が高まり，オブジェクト内のデータやメソッドを変更したとしても，他のオブジェクトがその影響を受けにくくなります。

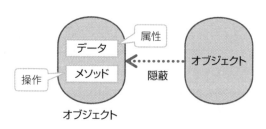

オブジェクト　とくれば　**データとメソッドを一体化したもの**
カプセル化　　とくれば　**データとメソッドを外部から隠蔽すること**

オブジェクトは他のオブジェクトに対してメッセージを送ること(メッセージパッシングという)で呼出し,操作やデータの取得を行います。

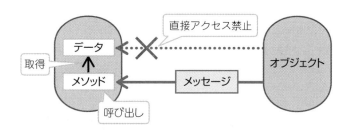

🐱 クラスとインスタンス

⚫ クラス

✨クラス✨は,**オブジェクトを定義するための設計図や雛形**のようなものです。

⚫ インスタンス

クラスを基にして実際に生成されたものがオブジェクトで,そのオブジェクトは✨インスタンス✨とも呼ばれます。

インスタンス　とくれば　**クラスを基にして生成したオブジェクト**

🐟 **攻略法** …… **これがクラスとインスタンスのイメージだ!**
たこ焼きは,鋳型(いがた)に小麦粉を流し込み,たこを入れて焼きます。一つの鋳型から,いくつものたこ焼きができます。このとき,たこ焼きの鋳型はクラスで,焼き上がった個々のたこ焼きはインスタンスに当たります。

🐾 継承とポリモフィズム

オブジェクト指向では，既存のクラスを基にして，新しいクラスを生成できます。**基となるクラスをスーパークラス**（基底クラス），**新しく生成したクラスをサブクラス**（派生クラス）といいます。

⚙ 継承

✦継承（インヘリタンス）✦は，**スーパークラスで定義しているデータやメソッドを，サブクラスに引き継ぐこと**です。これにより，サブクラスでは，スーパークラスとの差異を定義するだけで済みます。

> 🐱! **"くれば"で覚える**
>
> 継承　とくれば　**スーパークラスのデータやメソッドをサブクラスに引き継ぐこと**

⚙ ポリモフィズム

オーバライドは，**スーパークラスで定義されたメソッドをそのまま継承するのではなく，サブクラスで再定義することで動作を変更すること**です。これにより，同一のメッセージを送っても，特有の動作ができます。これは，✦**ポリモフィズム**✦（多相性・多態性）と呼ばれています。

> 🐱! **"くれば"で覚える**
>
> ポリモフィズム　とくれば　**同一のメッセージを送っても，インスタンスで特有の動作ができる。オーバライドで実現する**

攻略法 …… これがポリモフィズムのイメージだ！

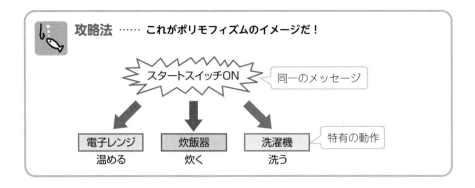

例えば，スポーツクラブの会員管理システムをオブジェクト指向の考え方で設計した場合を考えてみましょう。クラス図 (9-04参照) に説明を加えています。

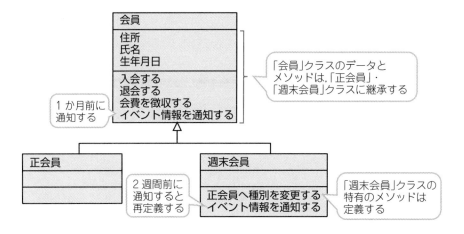

* 「会員」クラスのデータとメソッドは，「正会員」・「週末会員」クラスに継承するので，サブクラスには定義しない。
* 「週末会員」クラスのメソッド「正会員へ種別を変更する」は，特有のメソッドであるので定義する。
* 「週末会員」クラスのメソッド「イベント情報を通知する」の内容を，「2週間前に通知」と再定義する (オーバライド)。
* 「正会員」・「週末会員」クラスのインスタンスが受けるメッセージ「イベント情報を通知する」は，同じメッセージ名でも，正会員は「1か月前に通知する」，週末会員は「2週間前に通知する」，と動作が異なる (ポリモフィズム)。

知っ得情報〈委譲〉

委譲は，あるオブジェクトに依頼されたメッセージの処理を，そのオブジェクトの内部から他のオブジェクトに委ねることです。

第9章 システム開発技術

クラスの階層化

クラスを階層化したとき，上位クラスと下位クラスには，次のような「汎化－特化」，「集約－分解」の関係があります。

汎化（抽象化）－特化

汎化（抽象化）は，**下位クラスの共通部分を抽出して上位クラスを定義すること**です。その逆を**特化**といいます。「汎化－特化」には，「下位クラス is a 上位クラス」の関係があり，例えば，「人は哺乳類である」，「犬は哺乳類である」は，is-a関係にあります。

また，先ほどのスーパークラスとサブクラスには，「汎化－特化」の関係があり，「サブクラス is a スーパークラス」の関係が成り立ちます。

集約－分解

集約は，**上位クラスが下位クラスの組合せで構成されていること**です。その逆を**分解**といいます。「集約－分解」には，「下位クラス is part of 上位クラス」の関係があり，例えば，「アクセルは自動車の一部である」，「ブレーキは自動車の一部である」は，part-of関係にあります。

確認問題 1 ▶ 平成29年度春期 問48 　正解率 ▶ 高 　**頻出** **基本**

オブジェクト指向の基本概念の組合せとして，適切なものはどれか。

ア　仮想化，構造化，投影，クラス
イ　具体化，構造化，連続，クラス
ウ　正規化，カプセル化，分割，クラス
エ　抽象化，カプセル化，継承，クラス

要点解説 オブジェクト指向の基本概念は，抽象化（汎化），カプセル化，継承，クラスの組合せです。

確認問題 2 ▶ 平成27年度春期 問48　正解率 ▶ 高 〔応用〕

　オブジェクト指向の考え方に基づくとき，一般に"自動車"のサブクラスといえるものはどれか。

ア　エンジン　　イ　製造番号　　ウ　タイヤ　　エ　トラック

 スーパークラスとサブクラスにはis-a関係が成立します。「トラックは，自動車である」というis-a関係（汎化−特化）が成り立っています。

確認問題 3 ▶ 平成28年度秋期 問47　正解率 ▶ 高 〔基本〕

　オブジェクト指向におけるカプセル化を説明したものはどれか。

ア　同じ性質をもつ複数のオブジェクトを抽象化して，整理すること
イ　基底クラスの性質を派生クラスに受け継がせること
ウ　クラス間に共通する性質を抽出し，基底クラスを作ること
エ　データとそれを操作する手続を一つのオブジェクトにして，データと手続の詳細をオブジェクトの外部から隠蔽すること

 オブジェクト指向では，データを外部から見えないようにし，メソッドと呼ばれる手続きと一つにまとめて間接的に操作します。これにより，オブジェクトの内部構造が変更されても利用者がその影響を受けないようにすることができます。データとメソッドを一つにまとめた構造にすることをカプセル化といいます。

確認問題 4 ▶ 平成30年度春期 問46　正解率 ▶ 中 〔基本〕

　オブジェクト指向において，あるクラスの属性や機能がサブクラスで利用できることを何というか。

ア　オーバーライド　　イ　カプセル化　　ウ　継承　　エ　多相性

あるクラスの下にサブクラスを設定するとき，上位クラスの属性や機能がサブクラスで利用できます。これを継承といいます。

第9章　システム開発技術

解答

問題1：エ　　　　問題2：エ　　　　問題3：エ　　　　問題4：ウ

9 04 業務モデリング

イメージでつかむ

間取り図は，家を「モデル化」したもので，リフォームであれば間取り図を見て改善点を考えます。
コンピュータシステムにおいても，まずは業務を「モデル化」して，現状の問題点を調査・分析していきます。

間取り図

この部屋をネコ専用運動場にリフォームしよう！

業務モデリング

業務プロセス(ビジネスプロセス)は**業務の一連の流れ**のことです。

要件定義の工程では，利用者にヒアリングをしながら，まずは対象業務の様々な問題点を洗い出し，改善・解決を図ることを目的に，既存の業務プロセスの現状把握や分析を行います。このときに，対象業務のモデル化(モデリング)を行います。対象業務を可視化することで，システム開発者と利用者との間で共通認識を持つことができます。

対象業務をモデリングする際の代表的なモデリング手法として，E-R図(6-02参照)のほかに，次のDFDやUMLがあります。

もっと詳しく（業務改革）

✦ **BPR** ✦ (Business Process Re-engineering) は，業務プロセスを見直し，再設計することで，組織の体質や構造を抜本的に変革することです。BPRは一過性のものではなく，PDCAサイクル (Plan-Do-Check-Act) で継続的に評価・改善していくことを **BPM** (Business Process Management) といいます。

😎 DFD (Data Flow Diagram)

✦DFD✦は，**業務プロセス中のデータの流れをモデル化したもの**です。「データがどこから発生して，どのように処理され，どこで吸収されるか」を，次の記号を用いて表します。

記号	名　称	意　味
→	データフロー	データの流れを表す
◯	プロセス(処理)	データの処理を表す
=	データストア(ファイル)	ファイルを表す
□	データの源泉と吸収	データの始まりと終わりを表す

例えば，営業部で働いているMさんの業務プロセスを考えてみましょう。

① Mさんは受注処理を担当している

② 取引先から注文書がくる

③ 注文を受注台帳に登録する

④ 在庫台帳を参照して在庫の引当を行う

⑤ 在庫の引当ができたときは，在庫台帳を更新する

⑥ 在庫の引当ができないときには，購買部門に対して購入を依頼する

この業務プロセスをDFDで表します。

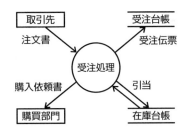

DFDと業務プロセスを対応させると，次のようになります。

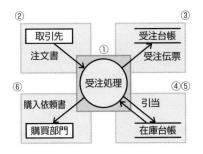

 **UML**

✦ **UML** ✦ (Unified Modeling Language) は，**オブジェクト指向開発の分析から設計・実装・テストまでを統一した表記法でモデル化したもの**です。様々な図がありますが，試験では次のような図が出題されています。

例えば，書籍の卸売業者の受注管理システムを考えてみましょう。

● ユースケース図

ユースケース図は，システムが外部に提供する機能と，その利用者や外部システムとの関係を表現した図です。

例えば，次の「受注管理システム」では，外部に提供する機能 (受注処理・受注変更処理・受注取消処理) は，**ユースケース**と呼ばれ，楕円でシステム境界の内部に記述します。また，その利用者である「受注担当者」や外部システムである「在庫管理システム」は，**アクター**と呼ばれ，人型でシステム境界の外部に記述します。

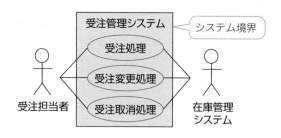

では，受注管理システムで使用する受注伝票を考えてみましょう。

受注伝票

受注番号 12345　　得意先 P書店　　受注日 20210920

No.	商品番号	商品名	単価	数量	小計
1	5001	UML入門	2,000	2	4,000
2	5011	XML(上)	2,500	1	2,500
3	6001	XMLセット	5,940	1	5,940
4					
⋮	⋮	⋮	⋮	⋮	⋮
10					
				合計	12,440

一度の注文で，10種類まで注文できる

商品には，単独商品とセット商品がある。セット商品は，2種類以上の単独商品を組み合わせたもので1%引き。例えば，XMLセットは，XML(上)とXML(下)のセット商品

クラス図

✦クラス図✦は，**クラス間の関係を表した図**です。長方形で表し，上段からクラス名，属性名（データ名），操作名（メソッド名）を記述します。

また，クラス間を線で結び，次のような多重度を記述して，クラス間の関連を表します。多重度は，E-R図（6-02参照）の関連と同じ考え方です。

多重度	意味
1	1
*	複数
0..*	0以上
2..*	2以上

なお，関連を表す線の終端である，◇ は集約関係， → は汎化関係（9-03参照）を表しています。

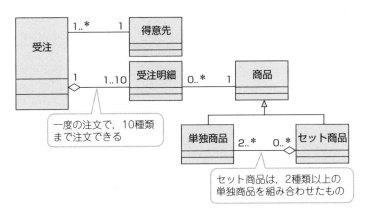

さらに，各クラスに必要な属性と操作を追加すると，次のようになります。

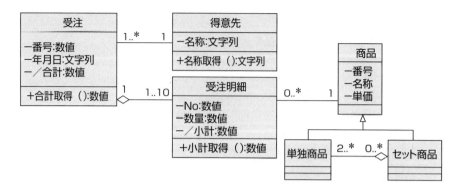

　ここで，属性名の前にある「／」は，派生要素です。この属性の値は他の属性から計算できます。また，属性と操作の前にある「＋」は，全てのクラスから参照可能であり，"－"は自分自身のクラスからだけ参照可能であることを表しています。

🔵 オブジェクト図

✨**オブジェクト図**✨は，**オブジェクト（インスタンス）間の関係を表した図**です。

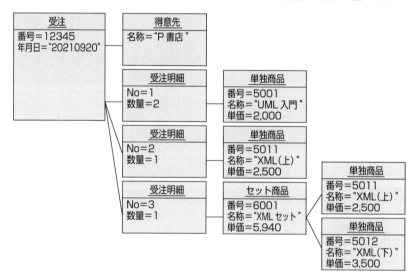

🔵 アクティビティ図

　アクティビティ図は，**ある振る舞いから次の振る舞いへの制御の流れを表現した図**です。実行順序や条件分岐，並行処理など，制御の流れを記述し，フローチャート（4-01参照）と同じようなイメージです。

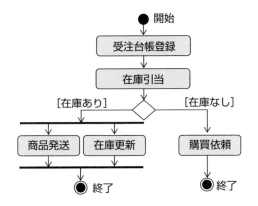

コミュニケーション図

　コミュニケーション図は，**オブジェクト間で送受信されるメッセージを表した図**です。**オブジェクト同士の関係**の観点からメッセージを表現します。

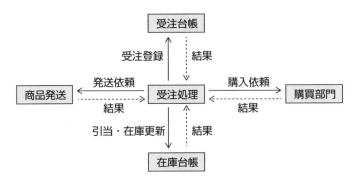

シーケンス図

　シーケンス図は，**オブジェクト間で送受信されるメッセージを表した図**です。**時系列**の観点からメッセージを表現します。

　例えば，分散型システムにおける2相コミットメント (6-04参照) をシーケンス図で表すと，次のようになります。

第 9 章　システム開発技術

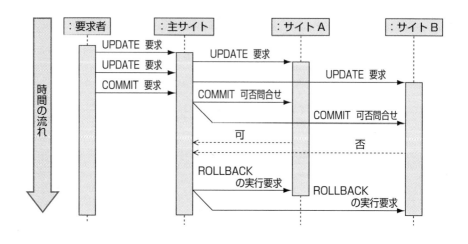

UMLを用いて表した図の概念データモデルの解釈として，適切なものはどれか。

部署　◀所属する　従業員
1..*　　　0..*

ア　従業員の総数と部署の総数は一致する。
イ　従業員は，同時に複数の部署に所属してもよい。
ウ　所属する従業員がいない部署の存在は許されない。
エ　どの部署にも所属しない従業員が存在してもよい。

要点解説　従業員は部署に所属します。E-R図（6-02参照）と同様の考え方から，部署から従業員を見ると「0..＊」なので，部署には0人以上の従業員が所属します。

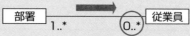

従業員から部署を見ると「1..＊」なので，従業員は，一つ以上の部署に所属します。

このことから，従業員は同時に複数の部署に所属できることになります。

確認問題 2 ▶ 平成28年度秋期 問63　　正解率 ▶ **中**　　**頻出** **基本**

企業活動における**BPM** (Business Process Management) の目的はどれか。

ア　業務プロセスの継続的な改善　　イ　経営資源の有効活用
ウ　顧客情報の管理,分析　　　　　エ　情報資源の分析,有効活用

要点解説 BPMは,PDCAで業務プロセスを継続的に改善していく手法です。

確認問題 3 ▶ 平成31年度春期 問46　　正解率 ▶ **低**　　　　**基本**

UMLにおける振る舞い図の説明のうち,アクティビティ図のものはどれか。

ア　ある振る舞いから次の振る舞いへの制御の流れを表現する。
イ　オブジェクト間の相互作用を時系列で表現する。
ウ　システムが外部に提供する機能と,それを利用する者や外部システムと
　　の関係を表現する。
エ　一つのオブジェクトの状態がイベントの発生や時間の経過とともにどの
　　ように変化するかを表現する。

要点解説 アクティビティ図は,フローチャートと同じようなイメージで,ある振る舞い
から次の振る舞いへの制御の流れを記述します。
　　イ　シーケンス図
　　ウ　ユースケース図
　　エ　状態遷移図 (3-09参照)

第

9

章

システム開発技術

解答

問題1:イ　　　問題2:ア　　　問題3:ア

9 05 ユーザインタフェース

イメージで つかむ

家には「住む人」と「建てる人」がいます。
コンピュータシステムにおいても，システムを「使う人」と「構築する人」があり，設計段階では両方の立場からそれぞれ行います。

ユーザインタフェース

ユーザインタフェースは，ソフトウェアの操作画面などの**利用者とコンピュータとの接点**のことです。利用者が直接，システムに接する部分なので，その良し悪しでシステムの評価を決めてしまう可能性があります。

要件定義では，開発者が利用者にヒアリングして，利用者の視点から，「画面や帳票のレイアウト」，「必要な項目の洗い出し」などのユーザインタフェース設計などを行います。

一方，ソフトウェア設計では，開発者の視点から，すでに決定している利用者の要件をどのように実現すべきかを検討し，ユーザインタフェース詳細設計などを行います。

画面設計・帳票設計

画面設計や帳票設計をする際には，事前にレイアウトやデザイン，タイトルの位置，文字の大きさ，文字の色などを合わせておきます（標準化という）。

画面設計の留意点

* 関連する入力項目は隣接するように配置する（氏名とふりがな，郵便番号と住所など）
* カーソルは画面の「左から右へ」「上から下へ」移動するように配置する
* 操作ボタンの表示位置や形を同じにする

* エラーメッセージの表示方法や表示位置を同じにする
* エラーメッセージは，簡明かつ正確に表示し，再入力を促す
* Webサイトの場合は，各Webページの相対位置を把握するために，**トップページからそのページへの経路情報**である**パンくずリスト**を表示する　など

| 本を探す | 新刊書籍 | 雑誌 | 電脳会議 |

書籍案内 ≫ 書籍ジャンル ≫ 資格試験(IT) ≫ **基本情報技術者** ― パンくずリスト

● GUI

GUI (Graphical User Interface) は，画面上のアイコンやボタン，メニューなどをマウスでクリックすることで，**視覚的に操作するインタフェース**です。GUI画面では，キーボード操作に慣れている利用者にも，慣れていない利用者にも操作効率のよいユーザインタフェースとするために，よく使う操作はマウスとキーボードの両方のインタフェースを用意しておくことも必要になります。主なGUI部品には，次のようなものがあります。

↔ラジオボタン↔	互いに排他的な項目から一つを選択させる。関連する項目を常に表示し，一つ選択すると，それ以前に選んだ項目の選択は解除される
チェックボックス	各項目を選択させる。クリックするたびに，選択と非選択が切り替わる
スピンボタン	特定の連続する値を増減させる。増加または減少に対応するボタンをクリックするたびに値が増減する
プルダウンメニュー	上から垂れ下がるように表示されるメニュー。複数の項目から一つを選択させる。操作するときだけ表示されるので，画面上の領域を占有しない
ポップアップメニュー	画面から浮き出るように表示されるメニュー。複数の項目から一つを選択させる。操作するときだけ表示されるので，画面上の領域を占有しない

また，**NUI** (Natural User Interface) はタッチや音声，ジェスチャーなどの**人の自然な行動を利用したインタフェース**です。スマホやタブレット，VRやARなど (2-05参照) においても重要なインタフェースとなっています。

◉ シグニファイア

初めての場所のドアを開けるときには，ドアを「押す」，「引く」，「スライドさせる」などが考えられますが，「取っ手の形」や「張られたラベル」などから判断して行動に移します。このときの「押す」，「引く」，「スライドさせる」などのような，**人がある物に対して与える行動の可能性**のことを**アフォーダンス**といい，「取っ手の形」や「張られたラベル」などのような，**人の特定の行動を誘発させる手掛かりとなるデザイン**を**シグニファイア**といいます。Webページ上の文字で，青色で示されて下線が付いている個所があったらリンクで他のページにいける，とわかるのもシグニファイアの例です。

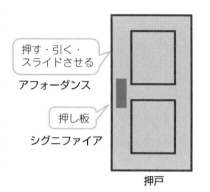

押す・引く・スライドさせる

アフォーダンス

押し板

シグニファイア

押戸

🔧 ユニバーサルデザイン

ユニバーサルデザインは，**国籍や年齢，性別，身体的条件などに関わらず，誰もが使える設計**のことです。「万人向けの設計」という意味です。これには，次の概念が含まれています。

アクセシビリティ	年齢や身体的条件などに関わらず，誰もが情報サービスを支障なく操作または利用できる度合い。「使えない状態」から「使える状態」にするアクセスのし易さ
ユーザビリティ	利用者がどれだけストレスを感じずに，目標とする要求が達成できる度合い。「使える状態」から「使いやすい状態」にする使い易さ (満足度)。利用者の満足度を評価するには，実際に利用者と会話して調査する**インタビュー法**を用いる

> **もっと詳しく〈ユーザ体験〉**
>
> 最近はWebサービスの広がりとともに，使いやすさや機能性が要求される
> UIにとどまらず，製品やサービスから得られる体験までを含んだ**UX** (User
> Experience：ユーザ体験) という考え方がでてきました。例えば，スマホで地図の拡大
> や縮小を2本の指で行う方法は直感的で，楽しく操作でき，また，操作が直感的に
> わかりやすいWebサイトでも，納期が半年後となると注文したくなくなります。

入力チェック

データが入力された際には，入力データが正しいかどうかを検査します。誤ったデータが入力されると，誤動作やシステム障害の原因にもなりかねません。主な入力データのチェック方式には，次のようなものがあります。

ニューメリックチェック	数値として扱う必要のあるデータに，文字などの数値として扱えないものが含まれていないかどうかを検査する
シーケンスチェック	データが昇順や降順など，決められた順番に並んでいるかどうかを検査する
重複チェック	重複したデータが存在しないかどうかを検査する
フォーマットチェック	データが決められた形式にあっているかどうかを検査する
論理チェック	データが論理的に矛盾しないかどうかを検査する
リミットチェック	データの値が一定の範囲内にあるかどうかを検査する
照合チェック	データがファイルに存在するかどうかを検査する

チェックディジット検査

チェックディジット検査は，入力データの数値から，一定の規則に従って検査文字（**チェックディジット**）を求め，検査文字を入力データの末尾に付加することで，入力データに誤りがないかどうかを検査する方法です。

例えば，次のような規則があるとします。

① 与えられたデータの各桁に，先頭から係数4，3，2，1と割り当てる
② 各桁の数値と割り当てた係数との積の和を求める
③ ②で求めた値を11で割って余りを求める
④ ③で求めた余りの数字を検査文字とする。ただし余りが10のときは，Xを検査文字とする

このとき，4桁のデータ「2131」の場合を考えてみましょう。
$(2 \times 4 + 1 \times 3 + 3 \times 2 + 1 \times 1) \div 11$ は，余りが7なので，検査文字7をデータの末尾に付加し「21317」です。

第9章　システム開発技術

$$\underline{2131}\underline{7} \leftarrow \boxed{\text{チェックディジット}}$$

ここで，誤って「21137」と入力したとすると，システム側でも同じ規則を使って，チェックディジットを求めると，（2×4＋1×3＋1×2＋3×1）÷11の余りが5となり，入力データの末尾の7と一致しないので，入力誤りがあったと判断されます。

🐱! **"くれば"で覚える**

チェックディジット　とくれば　入力誤りを防ぐ

確認問題 1 ▶ 平成28年度秋期　問24　　正解率 ▶ **中**　　**基本**

　次のような注文データが入力されたとき，注文日が入力日以前の営業日かどうかを検査するために行うチェックはどれか。

注文データ

伝票番号 （文字）	注文日 （文字）	商品コード （文字）	数量 （数値）	顧客コード （文字）

ア　シーケンスチェック　　　　　イ　重複チェック
ウ　フォーマットチェック　　　　エ　論理チェック

 要点解説　注文日が入力日より後の日付になっていると，未来の注文を入力することになってしまいます。これは論理的におかしいので，論理チェックが該当します。

確認問題 2 ▶ 平成31年度春期　問24　　正解率 ▶ **中**　　**基本**

　GUIの部品の一つであるラジオボタンの用途として，適切なものはどれか。

ア　幾つかの項目について，それぞれの項目を選択するかどうかを指定する。
イ　幾つかの選択項目から一つを選ぶときに，選択項目にないものはテキストボックスに入力する。
ウ　互いに排他的な幾つかの選択項目から一つを選ぶ。
エ　特定の項目を選択することによって表示される一覧形式の項目から一つを選ぶ。

要点解説　ア　チェックボックス
　　　　　イ　コンボボックス（テキストボックスとプルダウンメニューをまとめたもの）
　　　　　ウ　ラジオボタン
　　　　　エ　プルダウンメニュー

確認問題 3 ▸ 平成29年度春期 問46　　正解率 ▸ 高　　**基本**

　システムの外部設計を完了させるとき，承認を受けるものとして，適切なものはどれか。

ア　画面レイアウト　　　　　　イ　システム開発計画
ウ　物理データベース仕様　　　エ　プログラム流れ図

外部設計では，利用者の立場から画面レイアウトや帳票レイアウトなどを作成して，完了時に承認を受けます。

確認問題 4 ▸ 応用情報　令和3年度春期　問26　正解率 ▸ 高　　**基本**

　利用者が現在閲覧しているWebページに表示する，Webサイトのトップページからそのページまでの経路情報を何と呼ぶか。

ア　サイトマップ　　　　　　イ　スクロールバー
ウ　ナビゲーションバー　　　エ　パンくずリスト

Webサイトにある，他のWebページとの経路情報を階層表示したものをパンくずリストと呼びます。例えば「トップページ>本>コンピュータ・IT>プログラミング」のようなイメージです。名前の由来は「ヘンゼルとグレーテル」という童話で，森を進みながらパンくずをまいて，帰り道がわかるようにしたところからきています。

解答

問題1：エ　　　問題2：ウ　　　問題3：ア　　　問題4：エ

第9章 システム開発技術

イメージで
つかむ

　親子の関係は，"親離れ"
"子離れ"をすることによっ
て，独立していきます。
　モジュール間においても，
お互い関係が弱くなるほど独
立した状態になります。

構造化設計

　構造化設計は，**システムの機能に着目して，ソフトウェア開発の上位レベルの大きな機能から段階的に詳細化していく設計手法**です。

　ソフトウェア開発の各工程では，次のように詳細化していきます。

システム設計	システムをサブシステム（機能）に分割する
ソフトウェア要素の設計	サブシステムを**コンポーネント**（ソフトウェア要素）に分割する。コンポーネントは，ある機能を実現するために部品化されたプログラム
モジュールの設計	コンポーネントを**モジュール**（ソフトウェアユニット）に分割する。モジュールはプログラムを構成する最小単位

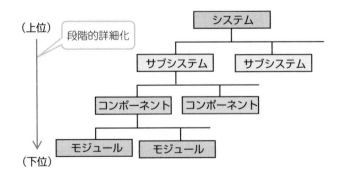

モジュール分割

構造化設計では，システムは最終的に数多くのモジュールで構成されますが，モジュールの独立性が高くなるように設計します。ここで，モジュールの独立性が高いとは，あるモジュールを変更したとしても，他のモジュールへの影響度が低いことをいいます。

モジュールの独立性は，次のモジュール強度とモジュール結合度により評価されます。

モジュール強度

モジュール強度は，**一つのモジュール内に含まれる機能間の関連性の度合いのこと**です。モジュール強度が強いほど，モジュールの独立性が高くなります。

名　称	概　要	強度	独立性
機能的強度	単一の独立した機能だけをもつ	強	高
情報的強度	同一のデータを扱う複数の機能を一つにまとめる	↑	↑
連絡的強度	データの受渡し，または参照を行いながら連続して処理する複数の機能を一つにまとめる		
手順的強度	連続して処理する複数の機能を一つにまとめる		
時間的強度	特定の時点で連続して処理する複数の機能を一つにまとめる		
論理的強度	引数の値によって選択する，複数の機能を一つにまとめる	↓	↓
暗号的強度	複数の機能をもつが，特別な関連性がない	弱	低

モジュール結合度

モジュール結合度は，**複数のモジュール間の結合の度合いのこと**です。モジュール結合度が弱いほど，モジュールの独立性が高くなります。

名　称	概　要	結合度	独立性
データ結合	データを引数として，モジュール間で受け渡しする	弱	高
スタンプ結合	データ構造を引数として，モジュール間で受け渡しする	↑	↑
制御結合	制御パラメタを引数として，モジュール間で受け渡しする		
外部結合	外部宣言したデータを，複数のモジュールが参照する		
共通結合	外部宣言したデータ構造を，複数のモジュールが参照する	↓	↓
内容結合	他のモジュール内にあるデータを参照する	強	低

第9章 システム開発技術

"くれば"で覚える

モジュールの独立性を高める　とくれば　**モジュール強度を強く，モジュール結合度を弱くする**

知っ得情報 ≺ レビュー ≻

　各工程の終わりには検討会が開かれます。この検討会を**レビュー**といいます。レビューの目的は，設計の品質評価を行い，仕様の不備や誤りを早期に発見して，後戻りの工数削減を図ることです。誤りの責任を追及したり，人事評価に利用したりすることのないようにします。レビュー資料は，レビュー用に用意するのではなく，設計作業時に作られたものを使用します。

　代表的なレビューに，次のようなものがあります。

ラウンドロビン	参加者全員がテーマごとに順番に進行役となる検討会。進行役以外のレビュア全員が順番にコメントを終えると，進行役を交代する。参加者全員の参画意欲が高まる
ウォークスルー	レビュー対象物の作成者が説明者となり，複数の関係者が質問やコメントをする検討会。入力データ値を仮定して，手続きをステップごとに机上でシミュレーションを行う
インスペクション	進行役の議長（モデレータ）がコーディネートを行い，参加者の役割を明確にして，チェックリストなどに基づいてコメントをする検討会。レビューの焦点を絞って，迅速にレビュー対象を評価する

持ち回りで責任者になる　　ラウンドロビン

作成者が説明者になる　　ウォークスルー

参加者の役割や進行役を固定　　インスペクション

確認問題 1　▶令和元年度秋期　問46　　正解率▶低　　基本

モジュール結合度が最も弱くなるものはどれか。

ア　一つのモジュールで，できるだけ多くの機能を実現する。
イ　二つのモジュール間で必要なデータ項目だけを引数として渡す。
ウ　他のモジュールとデータ項目を共有するためにグローバルな領域を使用する。
エ　他のモジュールを呼び出すときに，呼び出したモジュールの論理を制御するための引数を渡す。

要点解説

ア　モジュールの持つ機能は，モジュール結合度とは無関係です。
イ　データ結合（一番弱い）
ウ　外部結合
エ　制御結合

確認問題 2　▶平成27年度秋期　問46　　正解率▶中　　基本

レビュー技法の一つであるインスペクションにおけるモデレータの役割はどれか。

ア　レビューで，提起された欠陥，課題，コメントを記録する。
イ　レビューで発見された欠陥を修正する。
ウ　レビューの対象となる資料を，他のレビュー参加者に説明する。
エ　レビューを主導し，参加者にそれぞれの役割を果たさせるようにする。

要点解説

モデレータは司会進行役・調整役として，不備や誤りが提起されやすくなるようにレビューを主導します。

解答

問題1：イ　　問題2：エ

テスト手法

時々出　必須　超重要

イメージで
つかむ

学校のテストは，良い点を
取ることだけが目的ではあり
ません。理解していない部分
を確認するためのものです。
コンピュータシステムのテ
ストも同じことがいえます。

55点は
ココ！

プログラムテスト

　バグは，**プログラム中に潜む誤り**のことです。プログラムテストの目的は，バグを発見し，取り除くことにあります。そのためには，エラーを発見できるようなテストケース（後述）を想定する必要があります。

　一般的にはテスト開始段階では多くのバグが潜んでいますが，テストが進むにつれてバグが取り除かれ，高品質のプログラムになります。テスト開始後からの累積バグ件数をグラフに表すと，通常は，左の図のような**信頼度成長曲線**（ゴンペルツ曲線）と呼ばれる曲線を描きます。ただし，右の図のようなバグ管理図のように，バグ検出数や未消化テスト項目数，未解決バグ数の推移が全て横ばいになった場合は，解決困難なバグに直面していないかどうかを確認する必要があります。

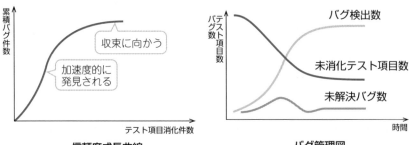

信頼度成長曲線　　　　　　　　　バグ管理図

テスト工程

　ソフトウェアの構築が終われば，次はテスト工程です。テスト工程では，開発中のシステムやソフトウェアが利用者の要件どおりに，また開発者が設計した仕様どおりに正しく動作するかを確認します。テスト工程には，次のような種類があり，各設計工程で定義したテスト仕様に基づいて，テストケースを準備して実施します。

　ここで**テストケース**は，テスト項目の条件分けや，その条件ごとに期待される動きをまとめたものです。

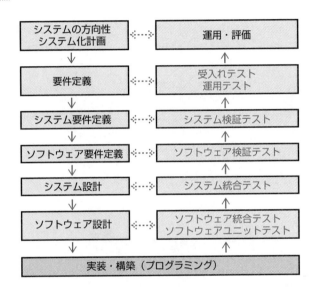

ソフトウェアユニットテスト

　✦ソフトウェアユニットテスト✦は，**プログラムを構成するモジュール単位に行うテスト**です。**単体テスト**とも呼ばれています。プログラム開発者が，ソフトウェア設計で定義したテスト仕様に基づいて，要求事項を満たしているかを確認します。

　代表的なテスト手法に，次のようなものがあります。

第9章　システム開発技術

🛡 ホワイトボックステスト

✦ホワイトボックステスト✦は，**モジュールの内部構造に着目して行うテスト**です。これは，アルゴリズムの詳細仕様など，プログラムの内部仕様からテストケースを設計する手法です。主に，プログラム開発者自身が実施します。

🐱! "くれば"で覚える

ホワイトボックステスト　とくれば　モジュールの内部構造に着目する

ホワイトボックステストには，次のようなテストケース設計の手法があります。いろいろな条件を網羅するほど品質は上がる反面，テストケースが増えてしまい，テスト完了まで時間がかかってしまいます。

✦命令網羅✦	全ての命令を，少なくとも1回以上確認する
✦分岐網羅✦（判定条件網羅）	全ての分岐を，少なくとも1回以上確認する
✦条件網羅✦	各条件式の真と偽の組合せを，少なくとも1回以上確認する
✦複数条件網羅✦	各条件式の真と偽の組合せを，全て確認する

例えば，次のような場合のテストケースを考えてみましょう。

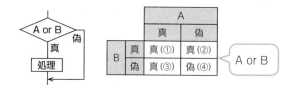

命令網羅	全ての命令（処理）を，少なくとも1回以上確認する「真（①②③）のいずれか」	命令（処理）に注目する
分岐網羅	全ての分岐を少なくとも1回以上確認する。次の1と2の両方を確認する 1. 真（①②③）のいずれか 2. 偽（④）	分岐に注目する

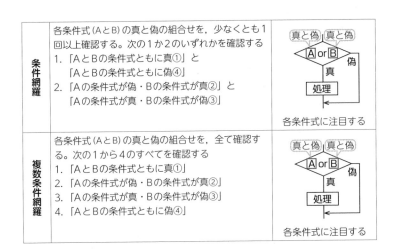

条件網羅	各条件式（AとB）の真と偽の組合せを，少なくとも1回以上確認する。次の1か2のいずれかを確認する 1. 「AとBの条件式ともに真①」と 　「AとBの条件式ともに偽④」 2. 「Aの条件式が偽・Bの条件式が真②」と 　「Aの条件式が真・Bの条件式が偽③」	各条件式に注目する
複数条件網羅	各条件式（AとB）の真と偽の組合せを，全て確認する。次の1から4のすべてを確認する 1. 「AとBの条件式ともに真①」 2. 「Aの条件式が偽・Bの条件式が真②」 3. 「Aの条件式が真・Bの条件式が偽③」 4. 「AとBの条件式ともに偽④」	各条件式に注目する

● ブラックボックステスト

✦ブラックボックステスト✦は，**モジュールの外部仕様に着目して行うテスト**です。プログラムの内部構造を考慮しないので，プログラム内に冗長なコードがあっても検出はできません。プログラムが，設計者の意図した機能を実現しているかどうかを確認するテストで，主にプログラム開発者以外の第三者が実施します。また，ソフトウェアユニットテストのほか，各テスト工程でも実施されます。

🐱！"くれば"で覚える

ブラックボックステスト　とくれば　モジュールの外部仕様に着目する

ブラックボックスには，次のようなテストケース設計の手法があります。

名　称	概　要
限界値分析	有効値と無効値の境界となる値をテストケースとする
同値分割	有効値と無効値のクラスに分け，それぞれのクラスの代表的な値をテストケースとする

例えば，入力項目「年齢（整数値）」の有効なデータ範囲を $15 \leqq 年齢 \leqq 60$ で制限する場合を考えてみましょう。

（無効同値クラス）	（有効同値クラス）		（無効同値クラス）
… 　14	15 　…	60	61 　…

限界値分析では，有効同値クラスの最小値と最大値，それらを一つ超えた値をテストケースにします。例では，14，15，60，61です。

同値分割では，有効同値クラスと無効同値クラスから，それぞれ代表的な値をテストケースにします。例えば，10，30，70などです。

✿ ソフトウェア統合テスト

✦ソフトウェア統合テスト✦は，**ソフトウェアユニットテストが完了したモジュール同士を結合して行うテスト**です。**結合テスト**とも呼ばれます。開発者が，ソフトウェア設計で定義したテスト仕様に基づいて，モジュール間のインタフェースを確認します。

😺! "くれば"で覚える

ソフトウェア統合テスト　とくれば　**モジュール間のインタフェースを確認する**

代表的なテスト手法に，次のようなものがあります。

⚫ トップダウンテスト

✦トップダウンテスト✦は，**上位モジュールから下位モジュールへと順次結合してインタフェースを確認するテスト**です。下位モジュールが完成していない場合は，テスト対象の上位モジュールからの呼出し命令の条件に合わせて値を返す，仮のモジュールとなる✦スタブ✦が必要です。

⚫ ボトムアップテスト

✦ボトムアップテスト✦は，**下位モジュールから上位モジュールへと順次結合してインタフェースを確認するテスト**です。上位モジュールが完成していない場合は，テスト対象の下位モジュールに引数を渡して呼び出す，仮のモジュールとなる✦ドライバ✦が必要です。

"くれば"で覚える

トップダウンテスト　とくれば　**上位モジュールから下位モジュールへ順次結合。**
　　　　　　　　　　　　　　　　仮のモジュールは，スタブ

ボトムアップテスト　とくれば　**下位モジュールから上位モジュールへ順次結合。**
　　　　　　　　　　　　　　　　仮のモジュールは，ドライバ

システム統合テスト

システム統合テストは，システム設計で定義したテスト仕様に基づくテストです。開発者が，ハードウェアやソフトウェア，手作業，さらには関連するほかのシステムを結合して動作するかを確認します。

ソフトウェア検証テスト

ソフトウェア検証テストは，ソフトウェア要件定義で定義したテスト仕様に基づくテストです。開発者が，利用者の要求するソフトウェア要件を満たしているかを確認します。

システム検証テスト

システム検証テストは，**システム要件定義で定義したテスト仕様に基づくテスト**です。**システムテスト**とも呼ばれています。開発者が，実際に業務で使うデータや，業務上例外として処理されるデータなどを使い，利用者の要求するシステム要件を満たしているかを確認します。

もっと詳しく〈テスト手法〉

システム統合テストやソフトウェア検証テスト，システム検証テストでは，目的に応じて，次のようなテスト手法を使います。

機能テスト	必要な機能が全て含まれているかを確認する
性能テスト	処理能力や応答時間などが要求を満たしているかを確認する
操作性テスト	ユーザインタフェースの使いやすさやエラーメッセージの分かりやすさなどを確認する
例外処理テスト	誤ったデータを入力しても，エラーとして認識されるかを確認する
負荷テスト（ストレステスト）	大きな負荷（大量データなど）をかけても，システムが正常に動作するかを確認する

❤ 運用テスト・受入れテスト

　運用テストは，**システム本番移行直前に，最終利用者（業務担当者）が行うテスト**です。開発者が支援して本番環境や本番疑似環境下で，システムが利用者の要求どおりの機能や性能を備えているかどうかを確認します。実際のデータや業務手順どおりにシステムを稼働させ，利用者の操作研修を同時に行う場合もあります。また，その後のシステムの納品を受諾するかどうかを検査する**受入れテスト**を兼ねる場合もあります。

　受入テストでは，完成したシステムが当初の目的を果たすものになっているかどうかを確認する**妥当性確認テスト**が行われます。

　ここまでのテストをクリアしたら，本番運用開始となり，保守プロセスへ移行します。

❤ ソフトウェア保守

　ソフトウェア保守は，**本番稼働中のソフトウェアに対するバグの修正や，新しい要件に対応すること**です。次のようなものが該当します。

* 本番稼働中のソフトウェアに不具合が発生したので修正する
* 仕様変更に伴い，ソフトウェアを修正する
* 法律改正に伴い，ソフトウェアを改修する

　また，**プログラムの修正や改修によって，影響を受けるはずのない箇所に影響を及ぼしていないかどうかを確認するテスト**を **リグレッションテスト**（退行テスト）といいます。

🐱 知っ得情報《 ソフトウェアの品質特性 》

　開発者は，次のようなソフトウェアの品質特性を考慮して，ソフトウェアを設計する必要があります。これらが備わっていなければ，最終的に完成したソフトウェアは，利用者側にとって非常に使いづらく，最悪の場合は使われなくなってしまいます。

機能性	仕様書どおりに操作ができ，正しく動作すること
使用性	利用者にとって，理解や習得，操作しやすいこと
信頼性	必要な時に使用できること。また，故障時には速やかに回復できること
効率性	応答時間や処理時間，信頼性など求められる性能が備わっていること
保守性	プログラムの修正がしやすいこと
移植性	ある環境から他の環境へ移しやすいこと

知っ得情報 《 コーディング規約 》

プログラムを作成するにあたり，コーディング規約と呼ばれるルールを事前に決めておきます。**コーディング規約**は，プログラム内の変数名の付け方やコメントの書き方などの**標準的な記述のルール**のことです。コーディング規約にしたがってプログラムを記述することで，保守性を向上させることができます。

確認問題 1 ▶ 平成31年度春期 問47 正解率 ▶ 中 頻出 応用

ブラックボックステストに関する記述として，最も適切なものはどれか。

ア　テストデータの作成基準として，命令や分岐の網羅率を使用する。
イ　被テストプログラムに冗長なコードがあっても検出できない。
ウ　プログラムの内部構造に着目し，必要な部分が実行されたかどうかを検証する。
エ　分岐命令やモジュールの数が増えると，テストデータが急増する。

 ブラックボックステストでは，入力に対してテスト仕様通りの正しい出力が得られるかを確認します。プログラムの内部構造は確認しないため，プログラム中に冗長なコードがあっても検出できません。

確認問題 2 ▶ 平成28年度秋期 問48 正解率 ▶ 低 応用

整数1～1,000を有効とする入力値が，1～100の場合は処理Aを，101～1,000の場合は処理Bを実行する入力処理モジュールを，同値分割法と境界値分析によってテストする。次の条件でテストするとき，テストデータの最小個数は幾つか。

〔条件〕
① 有効同値クラスの1クラスにつき，一つの値をテストデータとする。
　ただし，テストする値は境界値でないものとする。
② 有効同値クラス，無効同値クラスの全ての境界値をテストデータとする。

ア　5　　　　　イ　6　　　　　ウ　7　　　　　エ　8

①の条件では，1～100のうちの境界値でない値を一つ，101～1,000のうちの境界値でない値を一つテストデータとします。合計二つです。
②の条件では，0，1，100，101，1,000，1,001の六つの境界値をテストデータとします。
テストデータの最小個数は，これらの合計の八つです。

階層構造のモジュール群から成るソフトウェアの結合テストを，上位のモジュールから行う。この場合に使用する，下位モジュールの代替となるテスト用のモジュールはどれか。

ア　エミュレータ　　　　　　イ　シミュレータ
ウ　スタブ　　　　　　　　　エ　ドライバ

 トップダウンテストで用いる仮のモジュールはスタブ，ボトムアップテストで用いる仮のモジュールはドライバと呼ばれています。スタブとは，「切り株」という意味です。

プログラム中の図の部分を判定条件網羅（分岐網羅）でテストするときのテストケースとして，適切なものはどれか。

ア	
A	B
偽	真

イ	
A	B
偽	真
真	偽

ウ	
A	B
偽	偽
真	真

エ	
A	B
偽	真
真	偽
真	真

テストケース	A	B	A or B
No1	真	真	真
No2	真	偽	真
No3	偽	真	真
No4	偽	偽	偽

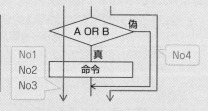

判定条件で，真偽ともに少なくとも1回は実行させます。ア・イ・エは真のときしかテストされません。したがって，ウです。

解答

問題1：イ　　　問題2：エ　　　問題3：ウ　　　問題4：ウ

第 10 章

マネジメント系

[科目 A]

10 01 プロジェクト マネジメント

**イメージで
つかむ**

旅をするときは，最適な
ルートを選択し，時間や予算
などを管理しながら目的地ま
で進んでいきます。プロジェク
トも同じことが言えます。

プロジェクト

　プロジェクトは，**決められた期間の中で，独自の製品やサービスを作り出すために編
成される組織**です。決められた期間と予算で活動し，目標が達成されると解散します。
今まで見てきた，システム開発もプロジェクトの一つといえます。

　プロジェクトは，プロジェクトの責任者である**プロジェクトマネージャ**，構成員であ
る**プロジェクトメンバ**，プロジェクトの影響を受ける全ての利害関係者である**ステーク
ホルダ**で構成されます。プロジェクトマネージャやプロジェクトメンバもステークホル
ダに含まれます。

プロジェクト憲章

　プロジェクトの立ち上げるにあたり，プロジェクトマネージャは，プロジェクトの目
標や期待される効果などを盛り込んだ**プロジェクト憲章**を作成して，公に認可させるこ
とで，正式にプロジェクトが開始されます。

　なお，プロジェクト憲章の作成は，統合マネジメント（後述）の範囲です。

 PMBOK

PMBOK (Project Management Body of Knowledge：プロジェクトマネジメント知識体系ガイド) は，**プロジェクト管理に必要な知識を体系化した文書**です。プロジェクトマネジメント協会が，どのようなプロジェクトにも汎用的に役立つように作成し，現在ではプロジェクトマネジメントにおける**デファクトスタンダード** (事実上の標準) になっています。

PDCAサイクル

プロジェクトは，「立ち上げ」から「終結」までの間，**PDCA** (Plan-Do-Check-Act) **サイクル**で継続的に改善する活動です。例えば，予定と実績を常に監視して，実績が予定よりも遅れているようであれば，必要に応じて計画を変更して改善します。

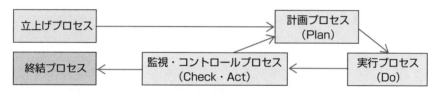

プロジェクトマネジメントの知識エリア

PMBOKの最新版では，これまで存在していた次の10の知識エリアがなくなっていますが，プロジェクトに必要な知識なので，試験対策として覚えておきましょう。試験では，スコープマネジメント (10-02参照)，コストマネジメント (10-02参照)，タイムマネジメント (10-03参照)，リスクマネジメント (8-01参照) がよく出題されます。

知識エリア	説明
統合マネジメント	他の知識エリアを統合的に調整・管理する
スコープマネジメント	作業範囲を明確にし，必要な作業を洗い出す
コストマネジメント	予定の予算内で完了させるために，コスト管理を行う
タイムマネジメント	予定の期間内に完了させるために，スケジュール管理・進捗管理を行う
品質マネジメント	要求される品質を確保するために，品質管理を行う
資源マネジメント	必要な人的・物的資源を管理する
コミュニケーションマネジメント	ステークホルダとの適切なコミュニケーション手段を選択する
リスクマネジメント	想定されるリスクの特定・分析・評価を行い，リスク対応を検討する
調達マネジメント	外部調達や契約を管理する
ステークホルダマネジメント	利害関係者と良好な関係を構築する

😈 プロジェクト統合マネジメント

統合マネジメントは，**他の九つの知識エリアを統合的に管理し，調整する分野**です。

プロジェクトでは，「ソフトウェアの品質はできる限り高く，期間は短期間で，予算は少なく」が理想ですが，そうはうまくいかないものです。例えば，「本稼働に間に合わせるために当初必要であった機能を削る」，「コストをかけて人員を補強して間に合わせる」などの各エリアの調整を行います。

また，プロジェクト統合マネジメントの活動の一つに**構成管理**があります。プロジェクトにおけるドキュメントやソースプログラムなどの成果物が最新の状態を保つよう維持する活動です。ソースプログラムの変更履歴管理やバージョン管理などが該当します。

🈸 知っ得情報 ◀ 実現可能性の探求 ▶

* **フィージビリティスタディ**は，新しい事業やプロジェクトなどの計画に対し，その実現可能性を評価するために調査・検証することです。「実現可能性調査」とも呼ばれています。
* **アクションラーニング**は，参加者自らが現実の課題に対処し，お互いのフィードバックを通じて，個人や組織の問題解決能力を養う学習方法です。実際の課題に基づく実践的な学びが得られることで，より実現可能な解決策が図られ，適切な意思決定ができます。

確認問題 1　▶ 応用情報　令和5年度春期　問51　正解率 ▶ 低　　基本

プロジェクトマネジメントにおける"プロジェクト憲章"の説明はどれか。

ア　プロジェクトの実行，監視，管理の方法を規定するために，スケジュール，リスクなどに関するマネジメントの役割や責任などを記した文書
イ　プロジェクトのスコープを定義するために，プロジェクトの目標，成果物，要求事項及び境界を記した文書
ウ　プロジェクトの目標を達成し，必要な成果物を作成するために，プロジェクトで実行する作業を階層構造で記した文書
エ　プロジェクトを正式に認可するために，ビジネスニーズ，目標，成果物，プロジェクトマネージャ，及びプロジェクトマネージャの責任権限を記した文書

要点解説　ア　プロジェクトマネジメント計画書　　　イ　プロジェクトスコープ記述書
ウ　WBS (10-02参照)　　　　　　　　　　エ　プロジェクト憲章

確認問題 2 ▶ 平成27年度春期 問52　　正解率 ▶ 高　　応用

プロジェクトに関わるステークホルダの説明のうち，適切なものはどれか。

ア　組織の内部に属しており，組織の外部にいることはない。

イ　プロジェクトに直接参加し，間接的な関与にとどまることはない。

ウ　プロジェクトの成果が，自らの利益になる者と不利益になる者がいる。

エ　プロジェクトマネージャのように，個人として特定できることが必要である。

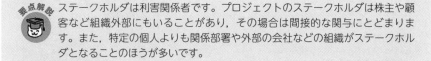 ステークホルダは利害関係者です。プロジェクトのステークホルダは株主や顧客など組織外部にもいることがあり，その場合は間接的な関与にとどまります。また，特定の個人よりも関係部署や外部の会社などの組織がステークホルダとなることのほうが多いです。

確認問題 3 ▶ 平成28年度春期 問50　　正解率 ▶ 中　　頻出　基本

ソフトウェア開発において，構成管理に**起因しない**問題はどれか。

ア　開発者が定められた改版手続に従わずにプログラムを修正したので，今まで正しく動作していたプログラムが，不正な動作をするようになった。

イ　システムテストにおいて，単体テストレベルのバグが多発して，開発が予定どおりに進捗しない。

ウ　仕様書，設計書及びプログラムの版数が対応付けられていないので，プログラム修正時にソースプログラムを解析しないと，修正すべきプログラムが特定できない。

エ　一つのプログラムから多数の派生プログラムが作られているが，派生元のプログラムの修正が全ての派生プログラムに反映されない。

要点解説　本問のように「○○しないものはどれか」という出題もあるので要注意です。構成管理は，プロジェクトにおけるドキュメントやソースプログラムなどの成果物が最新の状態を保つよう維持する活動です。

　ア　プログラムを修正するための手続きを決めておくのは，構成管理です。

　イ　単体テストレベルのバグの多発は，構成管理が原因ではありません。

　ウ　仕様書や設計書，プログラムの版数の対応付けは，構成管理です。

　エ　派生プログラムの管理は，構成管理です。

第10章　マネジメント系

解答

問題1：エ　　　問題2：ウ　　　問題3：イ

10 02 スコープ・コスト マネジメント

イメージでつかむ

やるべき作業を書き出したToDoリストを作成することで，作業の抜け漏れを防げ，作業を効率的に行えます。プロジェクトも，やるべき作業を明確にすることから始めます。

🐱 スコープマネジメント

スコープマネジメントは，**プロジェクトの作業範囲（スコープ）を明確にする分野**です。スコープには，次の二つがあります。

1. プロジェクトで作成する成果物（**成果物スコープ**）
2. 成果物を作成するために必要な作業（**プロジェクトスコープ**）

この二つをプロジェクトスコープ記述書にまとめますが，スコープから除外する内容も明示することがあります。

⚙ WBS

✦ **WBS** ✦ (Work Breakdown Structure：作業分解構成図) は，**プロジェクトで実施すべき全ての成果物や作業を洗い出し，階層構造にブレークダウンして整理した構成図**です。WBSの作成はプロジェクトの計画段階で行う作業の一つで，WBSでの最下位にある具体的な作業を**ワークパッケージ**といい，コストの見積りやスケジュール管理を行えるレベルになっています。

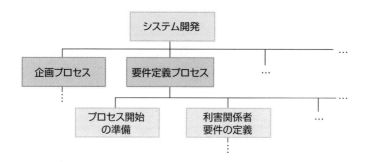

🐱 コストマネジメント

コストマネジメントは，プロジェクトを決められた予算内で完了させるために，開発コストを積算して管理する分野です。次のような見積もり手法が用いられます。

😊 ファンクションポイント法

✦**ファンクションポイント法**✦は，**帳票数や画面数，ファイル数などからソフトウェアの機能を定量的に把握し，その機能の難易度を数値化して見積もる方法**です。利用者から見える帳票や画面などを単位として見積もるので，利用者にとって理解しやすいといった特徴があります。

　例えば，次の表の機能と特性をもったプログラムのファンクションポイント値を求めてみましょう。ここで，複雑さの補正係数は0.75とします。

ユーザファンクションタイプ	個数	重み付け係数
外部入力	1	4
外部出力	2	5
内部論理ファイル	1	10
外部インタフェースファイル	0	7
外部照会	0	4

　ファンクションポイント数を求めると，$(1 \times 4 + 2 \times 5 + 1 \times 10 + 0 \times 7 + 0 \times 4) \times 0.75 = 18$です。

ファンクションポイント法　とくれば　機能ごとに難易度を数値化して見積もる

その他にも，次のような見積もり手法があります。

類推見積法	開発条件が過去に経験したシステムと類似している場合に，過去の実績値を基にして見積もる
プログラムステップ法	開発するプログラムごとのステップ数を基にして見積もる。LOC法 (Lines Of Code) ともいう
COCOMO法	LOC法を基に，開発者のスキルや難易度などの補正係数を掛け合わせて見積もる。COnstructive COst MOdelの略
標準タスク法	WBSに基づいて，成果物単位や作業単位に見積もり，ボトムアップに積算して見積もる

⚙ 開発工数

　開発コストを見積もる際に，開発工数を用います。単位には**人月**などがあり，**人月＝人数×月数**で求めます。例えば，10人月の作業とは，「10人で行えば1か月」，「5人で行えば2か月」，「1人で行えば10か月」かかる作業という意味です。

🉐 知っ得情報 〈 TCO 〉

　TCO (Total Cost of Ownership) は，システム導入から運用・保守・維持管理までを含めた総所有コストです。そのうち，システム導入時に発生する費用を**イニシャルコスト** (初期コスト)，システム導入後に発生する運用・保守・維持管理の費用を**ランニングコスト** (運用コスト) といいます。身近な例では，プリンタの購入代が初期コストで，紙代・インク代・電気代などが運用コストです。また，TCOはシステムのライフサイクルに要する総コストという意味で，**ライフサイクルコスト**と呼ばれることもあります。

確認問題　**1**	▶ 平成28年度春期　問52	正解率 ▶ 高	**基本**

プロジェクトの目的及び範囲を明確にするマネジメントプロセスはどれか。

ア　コストマネジメント　　　　イ　スコープマネジメント
ウ　タイムマネジメント　　　　エ　リスクマネジメント

🎓 *要点解説*　プロジェクトの範囲，つまりプロジェクトが提供する成果物とそれを作成する作業をスコープといいます。プロジェクトの目的や範囲を明確にするマネジメントプロセスは，スコープマネジメントです。

確認問題 2 ▶ 平成30年度秋期　問51　　　正解率 ▶ 高　　　基本

　ソフトウェア開発プロジェクトにおいてWBS (Work Breakdown Structure) を使用する目的として，適切なものはどれか。

ア　開発の所要日数と費用がトレードオフの関係にある場合に，総費用の最適化を図る。
イ　作業の順序関係を明確にして，重点管理すべきクリティカルパスを把握する。
ウ　作業の日程を横棒 (バー) で表して，作業の開始時点や終了時点，現時点の進捗を明確にする。
エ　作業を階層に分解して，管理可能な大きさに細分化する。

 WBSでは，プロジェクトで行う作業を，大枠から詳細なレベルまでトップダウン方式で階層的に分解して定義します。

確認問題 3 ▶ 平成30年度秋期　問54　　　正解率 ▶ 中　　　計算

　ある新規システムの機能規模を見積もったところ，500FP (ファンクションポイント) であった。このシステムを構築するプロジェクトには，開発工数の他にシステムの導入や開発者教育の工数が10人月必要である。また，プロジェクト管理に，開発と導入・教育を合わせた工数の10%を要する。このプロジェクトに要する全工数は何人月か。ここで，開発の生産性は1人月当たり10FPとする。

ア　51　　　　　イ　60　　　　　ウ　65　　　　　エ　66

 開発規模は，1人月当たり10FPであるため，500FPでは50人月です。
システム導入や教育の工数が10人月必要であるため，50 + 10 = 60人月
プロジェクト管理に，この工数の10%が必要であるため，全工数は
60 × 1.1 = 66人月です。

第10章　マネジメント系

解答

| 問1：イ | 問2：エ | 問3：エ |

タイムマネジメント

**イメージで
つかむ**

試験日に間に合うように、
第1章はいつまで、第2章は
いつまで、第1章と第2章が
終われば第3章…と計画は
しっかり立てますが、実践す
るのはなかなか難しいもので
す。

タイムマネジメント

タイムマネジメントは、プロジェクトを決められた期間内に完了させるために、スケジュール管理や進捗管理を行う分野です。次のような手法があります。

アローダイアグラム (Arrow Diagram)

✦**アローダイアグラム**✦は、作業の順序や作業の関連性を表した図です。PERT図
(Program Evaluation and Review Technique) とも呼ばれ、プロジェクトの「所要
日数」や「遅れてはいけない作業」などが把握できます。

プロジェクトの達成に必要な作業を矢線で結び、各作業の結合点を○印で表します。
また、矢線の上に作業名を、下に所要日数を記述します。なお、ダミー作業は、作業の
順序関係だけを表す所要日数が0の作業です。

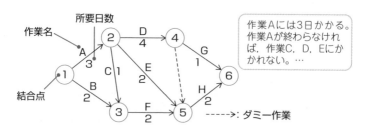

作業Aには3日かかる。
作業Aが終わらなけれ
ば、作業C, D, Eにか
かれない。…

最早開始日（最早結合点時刻）

最早開始日は，**全ての先行作業が完了し，最も早く後続作業を開始できる時点**です。「**先行作業の最早開始日＋作業日数**」で求め，複数の作業が集まる結合点の最早開始日は，最も遅い作業に合わせるのがポイントです。

なお，先行作業の完了を待って，後続作業が開始する関係を**FS関係**（Finish-to-Start）といいます。

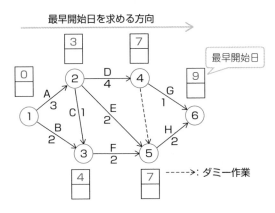

最早開始日を求める方向 →

最早開始日

-----▷：ダミー作業

* 結合点①の最早開始日：0日（先行作業なし）
* 結合点②の最早開始日：0＋3＝3日
* 結合点③の最早開始日：4日

    ①→③＝0＋2＝2日   ｜遅い作業に合わせる

    ②→③＝3＋1＝4日

* 結合点④の最早開始日：3＋4＝7日
* 結合点⑤の最早開始日：7日

    ②→⑤＝3＋2＝5日

    ③→⑤＝4＋2＝6日   ｜遅い作業に合わせる

    ④→⑤＝7＋0（ダミー作業）＝7日

* 結合点⑥の最早開始日：9日

    ④→⑥＝7＋1＝8日   ｜遅い作業に合わせる

    ⑤→⑥＝7＋2＝9日

したがって，このプロジェクトは9日で完了します。

! "くれば"で覚える

最早開始日　とくれば　**最も遅い作業に合わせる**

🐾 最遅開始日（最遅結合点時刻）

　最遅開始日は，**全ての後続作業の日程が遅れないように，遅くとも先行作業が完了していなくてはならない時点**です。「**後続作業の最遅開始日－作業日数**」で求め，複数の作業が分岐する結合点の最遅開始日は，最も早い作業に合わせるのがポイントです。

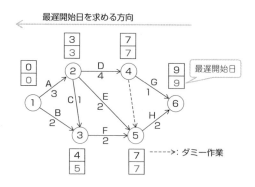

* 結合点 ⑥ の最遅開始日：9日（全体の作業が完了する日）
* 結合点 ⑤ の最遅開始日：9－2＝7日
* 結合点 ④ の最遅開始日：7日

　　　⑤→④＝7－0（ダミー作業）＝7日 ← 早い作業に合わせる

　　　⑥→④＝9－1＝8日

* 結合点 ③ の最遅開始日：7－2＝5日
* 結合点 ② の最遅開始日：3日

　　　⑤→②＝7－2＝5日

　　　④→②＝7－4＝3日 ← 早い作業に合わせる

　　　③→②＝5－1＝4日

* 結合点 ① の最遅開始日：0日

　　　③→①＝5－2＝3日

　　　②→①＝3－3＝0日 ← 早い作業に合わせる

😺！ "くれば"で覚える

最遅開始日　とくれば　**最も早い作業に合わせる**

🐟 攻略法 …… これが最遅開始日のイメージだ！

　最後の単元の学習に3日かかる。その前の単元は，遅くとも試験3日前には完了しておかなければ間に合わない。

♦ クリティカルパス

✦**クリティカルパス**✦は，**最早開始日と最遅開始日が等しい結合点を結んだ経路**です。Critical Path（クリティカル パス）は，「危険な経路」・「余裕のない経路」という意味で，余裕日数が0の作業を結んだ経路です。クリティカルパス上の作業が遅れると，プロジェクト全体の遅れにつながり，逆にクリティカルパス上の作業が短縮できると，プロジェクト全体の日数を短縮できます。

このプロジェクトのクリティカルパスは，①→②→④→⑤→⑥です。

また，クリティカルパスを求める問題がでたら，次のように全ての経路パターンを拾い上げ，その中で最も日数がかかる経路を求めます。この経路がクリティカルパスになっています。試験を解く上でのテクニックとして覚えておきましょう。

①→②→④→⑥＝3＋4＋1＝8日
①→②→④→⑤→⑥＝3＋4＋0＋2＝9日（クリティカルパス）
①→②→③→⑤→⑥＝3＋1＋2＋2＝8日
①→②→⑤→⑥＝3＋2＋2＝7日
①→③→⑤→⑥＝2＋2＋2＝6日

🉐 **知っ得情報 ◀ スケジュールの短縮の手段 ▶**

プロジェクトでは，納期が前倒しになったり，予定のスケジュールから遅延したりする事態はよくあります。そのようなときに，追加で人や資金を投入することでスケジュールを短縮する**クラッシング**が行われます。また，別の方法として，前工程が完了する前に後工程を開始する**ファストトラッキング**があります。Fast Tracking（ファスト トラッキング）は，「早期着工」という意味です。

🐱 ガントチャート

ガントチャートは，**作業開始から作業終了までの予定と実績や，作業中の項目を棒状に表した図**です。進捗（しんちょく）が進んでいたり遅れていたりする状況を視覚的に確認できます。

	5月	6月	7月
システム設計	■		
プログラム作成		■	
設置工事		■	
データベース移行		■	
システムテスト		■	
運用テスト			■

バーンダウンチャート

バーンダウンチャートは，**時間と残作業量の関係を表した図**です。グラフは右肩下がりとなり，プロジェクトの進捗が予定からどのくらい離れているのかを視覚的に把握できます。Burn Downは，「下火になる」という意味です。

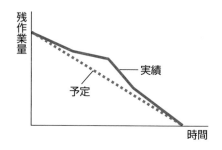

確認問題　1　▶ 令和5年度　問13　　　　正解率 ▶ **中**　　　**計算**

図に示すとおりに作業を実施する予定であったが，作業Aで1日の遅れが生じた。各作業の費用増加率を表の値とするとき，当初の予定日数で終了するために掛かる増加費用を最も少なくするには，どの作業を短縮すべきか。ここで，費用増加率とは，作業を1日短縮するのに要する増加費用のことである。

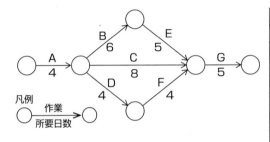

作業名	費用増加率
A	4
B	6
C	3
D	2
E	2.5
F	2.5
G	5

凡例

ア　B　　　　　イ　C　　　　　ウ　D　　　　　エ　E

要点解説　まずは，クリティカルパスを求めます。
A→B→E→G＝4＋6＋5＋5＝20日（クリティカルパス）
A→C→G＝4＋8＋5＝17日
A→D→F→G＝4＋4＋4＋5＝＝17日
ここで，1日の遅れを取り戻すには，クリティカルパス上の作業を1日短縮します。作業B，作業E，作業Gのうち，費用増加率が最も少ない作業はEです。

第

10

章

マネジメント系

　図のアローダイアグラムで表されるプロジェクトは，完了までに最短で何日を要するか。

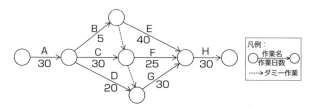

ア　105　　　　　　イ　115　　　　　　ウ　120　　　　　　エ　125

 各結合点における最早開始日を求めていきます。複数の先行作業が合流する結合点の最早開始日は，最も遅い作業に合わせるのがポイントです。説明上，問題文の図の結合点に番号を付加しました。

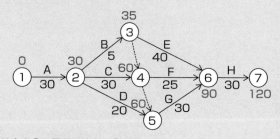

* 結合点①の最早開始日：①＝0日
* 結合点②の最早開始日：①→②＝0＋30＝30日
* 結合点③の最早開始日：②→③＝30＋5＝35日
* 結合点④の最早開始日：60日
　（②→④＝30＋30＝60日，③→④＝35＋0＝35日）
* 結合点⑤の最早開始日：60日
　（④→⑤＝60＋0＝60日，②→⑤＝30＋20＝50日）
* 結合点⑥の最早開始日：90日
　（③→⑥＝35＋40＝75日，④→⑥＝60＋25＝85日，⑤→⑥＝60＋30＝90日）
* 結合点⑦の最早開始日：⑥→⑦＝90＋30＝120日

確認問題 3 ▶ 応用情報 令和元年度秋期 問52 正解率 ▶ 中 **計算**

　アローダイアグラムで表される作業A～Hを見直したところ，作業Dだけが短縮可能であり，その所要日数は6日間に短縮できることが分かった。作業全体の所要日数は何日間短縮できるか。

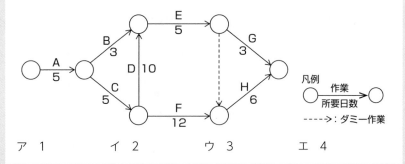

ア 1　　　　イ 2　　　　ウ 3　　　　エ 4

要点解説 クリティカルパスは，全ての経路のうち最も所要日数がかかる経路のため，全ての経路を網羅して，次のように求めることもできます。
A→B→E→G：5＋3＋5＋3＝16日
A→B→E→H：5＋3＋5＋0＋6＝19日
A→C→D→E→G：5＋5＋10＋5＋3＝28日
A→C→D→E→H：5＋5＋10＋5＋0＋6＝31日（クリティカルパス）
A→C→F→H：5＋5＋12＋6＝28日
ここで，作業Dが関係しているのは次の2経路です。
A→C→D→E→G：5＋5＋6＋5＋3＝24日
A→C→D→E→H：5＋5＋6＋5＋0＋6＝27日
したがって，クリティカルパスはA→C→F→Hの28日に移るため，
31－28＝3日間短縮できます。

解答

問題1：エ　　　問題2：ウ　　　問題3：ウ

10 04 ITサービスマネジメント

**イメージで
つかむ**

便利な宅配ピザ。一定の時
間内に届けられないとき，ド
リンク券をくれることがあり
ます。
　情報システムの利用の際
も，似た考え方があります。

😀 ITサービスマネジメント

　ITサービスマネジメントは，利用者のニーズに合ったITサービスの安定的・効果的
な提供と，その品質を維持・改善するための一連のマネジメント活動です。

　ITサービスマネジメントのベストプラクティス（成功事例）を集め，ITサービスのフ
レームワーク（枠組み）を示したものに，ITIL（アイティル）（Information Technology Infrastructure
Library）があります。これは，英国で作成されたものですが，今やデファクトスタン
ダード（事実上の標準）として各国で導入され，「ITサービスをこのように提供・管理すれ
ばうまくいくよ」という，ITサービスを安定的，効果的に行うための手引書になって
います。

🔵 サービスデスク

　サービスデスクは，ITサービスを提供する事業者と利用者の間の単一窓口です。利
用者への影響を最小限にし，サービスへ復帰できるように支援します。具体的には，利
用者からの製品の使用方法やトラブル時の対処方法，苦情への対応などの様々な問合せ
を受け付けます。

　サービスデスクには，次のような種類があります。

中央サービスデスク	サービスデスクを一か所に配置して効率化を図る
ローカルサービスデスク	サービスデスクを利用者の近くに配置して，利用者との正確な意思疎通や多言語対応を図る
バーチャルサービスデスク	サービスデスクの場所を複数に分散させ，通信技術を用いて，仮想的に窓口の一元化を図る

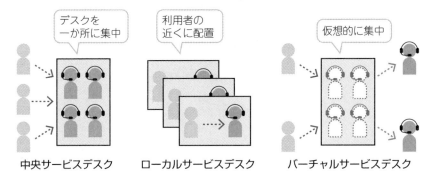

中央サービスデスク　　　ローカルサービスデスク　　　バーチャルサービスデスク

📷 インシデント管理

　インシデント管理は，**迅速に正常なITサービスへ復旧させることを優先するプロセス**です。利用者への悪影響を最小限に抑えます。

　なお**インシデント**とは，ITサービスの停止や処理速度の低下など，利用者に対する正常なITサービスの妨げになる事象のことです。

　サービスデスクでは，利用者からのインシデントの報告を受けた時点で，まずは記録をとります。次に，優先度の割当て・分類をし，既知のエラーに該当するかどうかを診断して，解決方法が判明していれば，利用者にその解決方法を知らせます。

　ここで，インシデントが解決できた場合は，解決方法や解決までの経過時間などを記録して，インシデントをクローズします。

　ただし，サービスデスクだけで解決できない場合は，専門知識や権限のある問題管理（後述）のスタッフに解決を委ねます。これは，**エスカレーション**と呼ばれています。

🐱! "くれば"で覚える

インシデント管理　とくれば　ITサービスを迅速に復旧させることを優先する

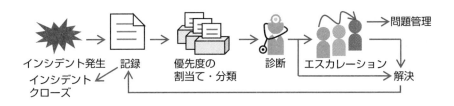

インシデント発生　　記録　　優先度の　　　診断　　エスカレーション　→問題管理
インシデント　　　　　　　　　割当て・分類　　　　　　　　　　　　　→解決
クローズ

第10章　マネジメント系

問題管理

　✦問題管理✦は，インシデント管理からエスカレーションされた**インシデントの根本的な原因を突き止め，再発を防止して恒久的な解決策を提供するプロセス**です。解決したインシデントは「既知のインシデント」として記録して，その後に発生するインシデントの解決に役立てます。

"くれば"で覚える

問題管理　とくれば　**インシデントの根本的な原因を究明する**

変更管理

　変更管理は，インシデントの解決策として，ITサービスの変更が必要と判断された場合に，変更に伴う影響を検証・評価を行った上で，承認または却下の決定を行うプロセスです。

リリース管理

　リリース管理は，変更管理で承認された変更を，適切な時期に本番環境に適用するプロセスです。変更の情報は，構成管理（後述）で管理します。

構成管理

　構成管理は，構成管理データベース（CMDB：Configuration Management Database）を使用して，ITサービスの提供に必要なIT資産を常に正しく把握し，最新状態に保つプロセスです。

これまでを図で表すと，次のようなイメージです。

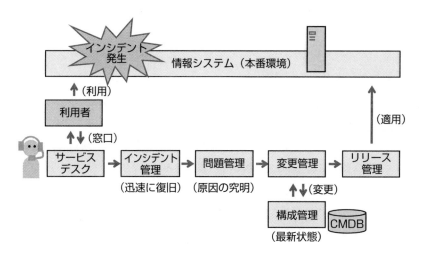

サービスレベル管理

サービスレベル管理は，利用者が要求するサービスレベルを満たしているかを評価するプロセスです。ITサービスを提供する際に，**ITサービス提供事業者と利用者との間でサービスの範囲やレベルを定めた** ✦ **SLA** ✦ （Service Level Agreement：サービスレベル合意書）を締結します。

具体的には，両者間で，「サービス提供時間は〇時から〇時までの間」，「月の稼働率は〇％以上を確保する」，「障害が発生してから〇時間以内に復旧させる」など，あらかじめ合意事項を決めておきます。サービスの範囲と品質を明確にすることで，両者が共通認識をもてます。もし合意事項を守れなかったときには，減額することを盛り込む場合もあります。

また，SLAは一過性のものではなく，PDCAサイクル（Plan-Do-Check-Act）で継続的に維持・改善していくマネジメント活動を ✦ **SLM** ✦ （Service Level Management：サービスレベル管理）といいます。

😺! "くれば" で覚える

SLA　とくれば　事業者と利用者とのサービスの品質に対する合意書

可用性管理

可用性管理は，サービスの利用者が利用したいときに，確実にITサービスが利用できるよう，ITサービスを構成する個々の機能の維持管理を行うプロセスです。

🔵 キャパシティ管理

キャパシティ管理は，SLAを実現するために，ITリソースの容量・能力や取得時期，コストなどの最適化を図るプロセスです。例えば，CPU使用率やディスクの空き容量，応答時間，ネットワークのトラフィック量などを常に監視し，必要であればITリソースを増強するなどが挙げられます。

🐱 ファシリティマネジメント

ファシリティマネジメント (Facility Management：施設管理) は，**建物やIT関連設備の保有・運用・維持管理などを常に監視し改善を図ること**です。試験では，次のようなことが出題されます。

- ・ 電源の喪失対策に自家発電装置を設置する
- ・ 電源の瞬断対策にUPSを設置する (後述)
- ・ 地震対策に免震床を設置する
- ・ 落雷による過電圧対策に**サージプロテクト機能**のあるOAタップを使用する
- ・ PCの盗難対策にセキュリティワイヤを使用する
- ・ セキュリティ対策に入退出管理を実施する
- ・ コスト削減を図るために省エネのIT機器を使用する
- ・ 快適な環境を提供するためにフリーアドレスを導入する (自席を設けず，空いている席を使って仕事を行うこと)　など

🐱 もっと詳しく ◀ UPS ▶

UPS (Uninterruptible Power Supply) は，電源の瞬断や停電時にシステムを終了させるのに必要な時間だけ電源供給することを目的とした装置です。「無停電電源装置」とも呼ばれています。容量には限界があるので，電源異常を検出した後，数分以内にシャットダウンを実施する必要があります。

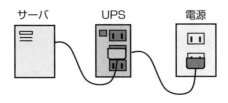

確認問題 1 ▶ 平成29年度春期　問57　　正解率 ▶ 中　　基本

　ITサービスマネジメントの活動のうち，インシデント管理及びサービス要求として行うものはどれか。

ア　サービスデスクに対する顧客満足度が合意したサービス目標を満たしているかどうかを評価し，改善の機会を特定するためにレビューする。

イ　ディスクの空き容量がしきい値に近づいたので，対策を検討する。

ウ　プログラム変更を行った場合の影響度を調査する。

エ　利用者からの障害報告に対し，既知のエラーに該当するかどうかを照合する。

要点解説　インシデント管理及びサービス要求では，システム利用者の業務の継続を優先し，既知の回避策があれば，まずそれを伝えます。

確認問題 2 ▶ 平成30年度秋期　問14　　正解率 ▶ 中　　応用

　稼働状況が継続的に監視されているシステムがある。稼働して数年後に新規業務をシステムに適用する場合に実施する，キャパシティプランニングの作業項目の順序として，適切なものはどれか。

〔キャパシティプランニングの作業項目〕

① システム構成の案について，適正なものかどうかを評価し，必要があれば見直しを行う。

② システム特性に合わせて，サーバの台数，並列分散処理の実施の有無など，必要なシステム構成の案を検討する。

③ システムの稼働状況から，ハードウェアの性能情報やシステム固有の環境を把握する。

④ 利用者などに新規業務をヒアリングし，想定される処理件数や処理に要する時間といったシステムに求められる要件を把握する。

ア　③，②，④，①　　　　　　　イ　③，④，②，①
ウ　④，②，①，③　　　　　　　エ　④，③，①，②

要点解説　まずは現在の稼働状況を把握した上で，新規業務で求められるシステム要件を検討し，システム構成案を考えます。最後に，システム構成案を評価して，必要であれば見直します。よって，イです。

解答

問題1：エ　　　　問題2：イ

10 05 システム監査と内部統制

イメージで
つかむ

自分の間違いは自分では発見しづらく、見落としてしまう場合もあります。
情報システムにおいても、第三者によるチェックが必要です。

システム監査

システム監査は、**情報システムのリスクが適切にコントロールされているかを、独立した第三者が監査すること**です。システム監査の目的は、情報システムにまつわるリスクに適切に対処しているかどうかを、独立かつ専門的な立場のシステム監査人が点検・評価・検証することで、情報システムを安全、有効かつ効率的に機能させ、ITガバナンス (9-01参照) の実現に寄与することにあります。

また、システム監査が正しく実施されるように、経済産業省が次の二つの基準を作成し、公表しています。

1. **システム管理基準**…情報システムを管理するうえで実施すべき事項などをまとめたもの
2. **システム監査基準**…システム監査人の行動規範などをまとめたもの

なお、システム監査には、企業内の監査部門が行う**内部監査**と、第三者機関に依頼して行う**外部監査**がありますが、いずれにせよ第三者の目で客観的にチェックします。

"くれば"で覚える

システム監査　とくれば　**システム監査人が独立した立場で、客観的に情報システムを監査する**

システム監査の手順

システム監査は，「システム監査計画の作成」・「システム監査の実施」・「システム監査の報告」・「フォローアップ」の順に実施します。

システム監査計画の作成

実施するシステム監査の目的を有効かつ効果的に達成するために，監査手続の内容や時期，範囲などについて，適切な監査計画を作成します。

システム監査の実施

監査計画に基づき，「予備調査」・「本調査」・「評価・結論」の順で実施します。

予備調査	本調査に先立ってアンケート調査などを行い，監査対象業務の実態を把握する
本調査	インタビューや現地調査などを行い，監査対象の実態を詳細に調査し，**監査証拠**を入手する
評価・結論	入手した監査証拠に基づいて，指摘事項などの監査意見を**監査調書**にまとめる

> **もっと詳しく（監査証拠・監査調書）**
> * **監査証拠**は，システム監査人が被監査部門から得た情報を裏付けるための文書や記録です。
> * **監査調書**は，システム監査人が行った監査業務の実施記録で，監査意見の根拠となるものです。

システム監査の報告

システム監査人は，システム監査の目的に応じた**監査報告書**を作成し，遅延なく監査依頼者（経営者など）に報告します。

フォローアップ

システム監査人は，改善提案に対する監査対象部門の改善状況を確認し，改善に向けて助言しますが，監査対象部門に対して改善命令を出すのは監査依頼者（経営者など）です。

第10章 マネジメント系

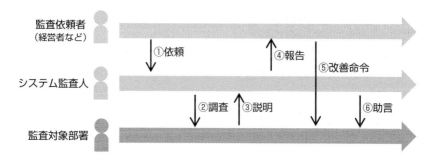

🔌 内部統制

　✦内部統制✦は，**企業自らが，健全な企業活動を継続するための体制を整備・運用する仕組み**です。経営者の責任のもと，チェック体制や基準，業務手続きなどを整備・運用します。具体的な取り組みとして，実際に作業を行う人とそれを承認する人のように役割分担や権限を明確にする**職務分掌**などが挙げられます。また，内部統制が有効に機能していることを継続的に監視・評価する**モニタリング**も行います。

　一方，✦コーポレートガバナンス✦ (Corporate Governance：企業統治) は，**企業経営が健全に行われているかどうかを，外部から監督・監視する仕組み**です。具体的な取り組みとして，独立性の高い社外取締役の登用，ステークホルダへのアカウンタビリティ (説明責任) などが挙げられます。

　内部統制は内部から企業の健全化を図る仕組みに対して，コーポレートガバナンスは外部から企業の健全化を図る仕組みです。

確認問題 1 　▶ 平成28年度春期　問75　　正解率 ▶ 高　　　基本

　企業経営の透明性を確保するために，企業は誰のために経営を行っているか，トップマネジメントの構造はどうなっているか，組織内部に自浄能力をもっているかなどの視点で，企業活動を監督・監視する仕組みはどれか。

ア　コアコンピタンス　　　　　　イ　コーポレートアイデンティティ
ウ　コーポレートガバナンス　　　エ　ステークホルダアナリシス

要点解説 企業活動そのものを監督・監視する仕組みをコーポレートガバナンスといいます。コアコンピタンスは，企業が核となるノウハウや技術に経営資源を集中することです。

コーポレートアイデンティティ (CI) は，企業のロゴやブランド名，イメージカラーなどを通じて企業理念を発信し，認知度やブランド力を高めることです。

ステークホルダアナリシスは，企業の利害関係者がもつ課題を分析することです。

確認問題 2 ▸ 応用情報 令和2年度秋期 問59 正解率 ▸ 高 応用

システム監査のフォローアップにおいて，監査対象部門による改善が計画よりも遅れていることが判明した際に，システム監査人が採るべき行動はどれか。

ア 遅れの原因に応じた具体的な対策の実施を，監査対象部門の責任者に指示する。
イ 遅れの原因を確かめるために，監査対象部門に対策の内容や実施状況を確認する。
ウ 遅れを取り戻すために，監査対象部門の改善活動に参加する。
エ 遅れを取り戻すための監査対象部門への要員の追加を，人事部長に要求する。

要点解説 システム監査人は，厳密な調査に基づいて監査報告書をまとめ，改善指導を行います。責任者に指示したり，改善活動に参加したり，人事部長に要求したりすることはなく，指摘・助言・指導にとどまります。

確認問題 3 ▸ 平成29年度秋期 問58 正解率 ▸ 高 応用

システム運用業務のオペレーション管理に関する監査で判明した状況のうち，指摘事項として監査報告書に記載すべきものはどれか。

ア 運用責任者が，オペレータの作成したオペレーション記録を確認している。
イ 運用責任者が，期間を定めてオペレーション記録を保管している。
ウ オペレータが，オペレーション中に起きた例外処理を記録している。
エ オペレータが，日次の運用計画を決定し，自ら承認している。

要点解説 職務分掌の観点から，作業を行うオペレータと，承認をする人は別の人であるべきです。

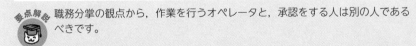

システムテストの監査におけるチェックポイントのうち，最も適切なものはどれか。

ア テストケースが網羅的に想定されていること
イ テスト計画は利用者側の責任者だけで承認されていること
ウ テストは実際に業務が行われている環境で実施されていること
エ テストは利用者側の担当者だけで行われていること

要点解説 「テストがきちんと行われているか」という観点でチェックします。
システムテストでテストケースに漏れがあると，稼働後の不具合につながります。

経営者が社内のシステム監査人の外観上の独立性を担保するために講じる措置として，最も適切なものはどれか。

ア システム監査人にITに関する継続的学習を義務付ける。
イ システム監査人に必要な知識や経験を定めて公表する。
ウ システム監査人の監査技法研修制度を設ける。
エ システム監査人の所属部署を内部監査部門とする。

要点解説 外観上の独立性を担保するというのは，他の部署から独立しているように見えるということです。所属部署が内部監査部門であれば，その人はシステム開発などに従事しているのではなく監査専任の人物であり，他の部署から独立していると判断できます。

解答

| 問題1：ウ | 問題2：イ | 問題3：エ | 問題4：ア | 問題5：エ |

第11章

ストラテジ系

〔 科目 A 〕

11 01 ソリューションビジネスと システム活用促進

イメージで つかむ

最近は，情報システムを所有せず，事業者が提供するサービスを必要な時にだけ利用してサービス利用料を支払う時代です。

ソリューションビジネス

ソリューションビジネスは，企業が抱えている経営課題や業務上の悩みの解決を目的とした，サービス提供事業者のサービスです。

従来のように，**自社の施設内に，自社が所有する情報システムを設置して運用することをオンプレミス**といいます。

これに対して，最近は自社で情報システムは所有せず，サービス提供事業者が提供するサービスを利用することが多くなってきています。これは，家で料理をするのではなく，外食で済ませるようなイメージです。

ハウジングサービスとホスティングサービス

サービス提供事業者が所有する施設 (スペース) やサーバなどを貸し出すサービスがあります。その施設には高速回線や地震対策，セキュリティ対策などが施されており，利用する側にとっては，運用の手間とコストを削減できるメリットがあります。

ハウジングサービス

ハウジングサービスは，**サービス提供事業者がサーバを設置する施設 (スペース) を貸し出すサービス**です。その施設に，自社が所有するサーバを預けます。

🐾 ホスティングサービス

ホスティングサービスは，**サービス提供事業者がサーバを貸し出すサービス**です。自社は，サービス提供事業者が所有するサーバを借ります。レンタルサーバのことです。

違いをまとめると，次のようなイメージになります。

オンプレミス

ハウジングサービス

ホスティングサービス

🐱 もっと詳しく ◀ オンラインストレージ ▶

オンラインストレージは，サービス提供事業者が，インターネット経由でデータを保管するディスク領域を貸し出すサービスです。DropboxやOneDrive，Google Drive，iCloudなどが代表例です。インターネットに接続されている環境であれば，自宅や外出先などからデータにアクセスできます。

🐱 クラウドコンピューティング

クラウドコンピューティングは，**インターネット上のハードウェアやソフトウェアなどを，物理的にどこにあるのかを意識することなく，自社から利用できる形態**です。この形態でサービス提供事業者が，サーバやOS，ソフトウェアなどを所有して提供するサービスを，**クラウドサービス**といいます。自社はネットワーク経由で，サービス提供事業者のサービスを利用できます。自社でハードウェアやソフトウェアなどを所有せず，サービス提供事業者のサービスを利用する時代です。つまり「所有」から「利用」へと移り変わっています。

クラウドサービスでは，仮想化技術の利用により，導入コストが小さくなっています。多くは月額や年額の料金体系となっていて，自社はサービスの利用に対してサービス利用料を支払うだけです。また，CPUパワーやメモリ，ストレージ容量の増減の自由度が高く，メンテナンスもサービス提供事業者が実施します。

ただし，いったんクラウドサービスに移行してしまうと，別のサービス提供事業者への移設が困難になったり，情報セキュリティや障害管理が自社の管理外となったりするデメリットもあります。

第11章 ストラテジ系

クラウドサービスには，次のようなものがあります。

🌸 IaaS
アイアース／イアース

IaaS (Infrastructure as a Service) は，**サービス提供事業者が，情報システムの稼働に必要なネットワークやサーバなどのインフラ (基盤) を，ネットワーク経由で提供するサービス**です。「サービスとしてのインフラ」という意味で，サーバは仮想サーバで提供される場合が多く，サーバの数やCPUパワー，メモリ容量，磁気ディスクなどを柔軟に増減できます。

🌸 PaaS
パース

PaaS (Platform as a Service) は，**サービス提供事業者が，ソフトウェアの稼働に必要なOSやミドルウェアなどのプラットフォームを，ネットワーク経由で提供するサービス**です。「サービスとしてのプラットフォーム」という意味で，ソフトウェアは自社が用意します。代表的な例では，「Amazon Web Services (AWS)」や「Microsoft Azure」，「Google Cloud Platform」などがあります。
アジュール

🌸 SaaS
サース

✨**SaaS**✨ (Software as a Service) は，**サービス提供事業者が，ソフトウェアをネットワーク経由で提供するサービス**です。「サービスとしてのソフトウェア」という意味で，ソフトウェアの導入や更新，保守にかかる手間や費用を低減できます。身近な例では，「Microsoft 365」や「Gmail」，「Yahoo!メール」のWebメールなどがあります。

🐱 "くれば"で覚える

SaaS　とくれば　**サービスとしてのソフトウェアをネットワーク経由で提供する**

まとめると，以下のようになります。

	オンプレミス	ハウジングサービス	ホスティングサービス	IaaS	PaaS	SaaS
ソフトウェア						
ミドルウェア						
OS	自社が用意					
仮想サーバ						
物理サーバ				サービス提供事業者が用意		
設置場所・ネットワーク						

◄── 構築時の機器や環境の自由度大　　　　　　　　構築後の容量や性能の自由度大 ──►

さらに，DaaS (Desktop as a Service) というものもあります。**サービス提供事業者が，シンクライアントシステム** (5-02参照) **を，ネットワーク経由で提供するサービス**です。「サービスとしてのデスクトップ仮想化」という意味です。

なお，クラウドサービスには，不特定多数の利用者に提供する**パブリッククラウド**と，特定の企業や個人だけに提供する**プライベートクラウド**があります。一般的に，パブリッククラウドのほうが安価ですが，通信回線やサーバ，OS，ソフトウェアは，パブリッククラウド事業者から準備された環境を利用するので自由度は低くなります。

また，パブリッククラウドとプライベートクラウドとの連携や，オンプレミスなどと自由に組み合わせた形態を**ハイブリットクラウド**といいます。

もっと詳しく 〈 ISMS クラウドセキュリティ認証 〉

ISMS クラウドセキュリティ認証は，クラウド事業者が情報セキュリティの管理体制を適切に整備し，運用していることを第三者が認証する制度です。第三者のお墨付きがあれば，自社や利用者は安心して利用できます。ISMS (Information Security Management System) は情報セキュリティマネジメントシステムの略です (8-01参照)。

知っ得情報 〈 クラウドファンディングとクラウドソーシング 〉

インターネットにより，知らない人同士を結び付けることが容易になりました。Web サイトでやりたいことを公開し，賛同してくれた人から広く資金を集める仕組みを**クラウドファンディング**といいます。Crowd (群衆) と Funding (資金調達) を合わせた造語です。また，ネットでの公募により，主に個人に仕事を外部委託することを**クラウドソーシング**といいます。

SOA

✦ **SOA** ✦ (Service Oriented Architecture：サービス指向アーキテクチャ) は，**業務プロセスの機能をサービスとして部品化し，そのサービスを組み合わせることで，情報システム全体を構築していく考え方**です。ソフトウェアを「サービス」という単位で用意しておき，それらを連携することで，より高次の処理を行うソフトウェア設計の考え方です。クラウドコンピューティングを実現するためのベースとなる概念となっています。

"くれば"で覚える

SOA とくれば **サービスを組み合わせて情報システムを構築する考え方**

システム活用促進

デジタルリテラシーは，**情報機器やインターネットなどを利用して情報を収集し，適切に情報を評価して活用・発信できる能力**です。企業では社員に対して，オフィスツールやデータ分析ツールといったツールの使用方法やそれらの業務への活用方法などに関する研修を実施することで，デジタルリテラシーの向上を図っています。

デジタルディバイド

☀️**デジタルディバイド**☀️は，**情報機器やインターネットなどを利用できる能力や機会の違いによって生じる経済的・社会的な格差**です。「情報格差」という意味です。

検索・抽出　　入力・転記　　レポート作成　　メール送信　　　　　　　自動化

確認問題 1 ▸ 平成29年度秋期 問14 正解率 ▸ 中 応用

社内業務システムをクラウドサービスへ移行することによって得られるメリットはどれか。

ア PaaSを利用すると，プラットフォームの管理やOSのアップデートは，サービスを提供するプロバイダが行うので，導入や運用の負担を軽減できる。

イ オンプレミスで運用していた社内固有の機能を有する社内業務システムをSaaSで提供されるシステムへ移行する場合，社内固有の機能の移行も容易である。

ウ 社内業務システムの開発や評価で一時的に使う場合，SaaSを利用することによって自由度の高い開発環境が整えられる。

エ 非常に高い可用性が求められる社内業務システムをIaaSに移行する場合，いずれのプロバイダも高可用性を保証しているので移行が容易である。

 ア プラットフォームの管理の負担を軽減できます。
イ 社内固有の機能の移行はカスタマイズが発生するため困難です。
ウ SaaSの場合は自由度が低くなります。
エ プロバイダにより異なります。

確認問題 2 ▸ 平成30年度秋期 問63 正解率 ▸ 中 頻出 基本

SOAを説明したものはどれか。

ア 業務体系，データ体系，適用処理体系，技術体系の四つの主要概念から構成され，業務とシステムの最適化を図る。

イ サービスというコンポーネントからソフトウェアを構築することによって，ビジネス変化に対応しやすくする。

ウ データフローダイアグラムを用い，情報に関するモデルと機能に関するモデルを同時に作成する。

エ 連接，選択，反復の三つの論理構造の組合せで，コンポーネントレベルの設計を行う。

 ア EA (9-01参照)　　　イ SOA
ウ データ中心設計　　　エ 構造化設計 (9-06参照)

解答

問題1：ア　　　問題2：イ

第
11
章
ストラテジ系

時々出　必須　超重要

イメージで
つかむ

「このじゃらし方で全ての
ネコは陥落するはず！」
　あなたにも，だれにも負け
ない独自のノウハウや技術が
あるはずです。企業を伸ばす
には，独自のノウハウや技術
が核となります。

経営組織

経営組織の代表的な形態として，次のようなものがあります。

職能別組織	「生産」・「販売」・「人事」・「財務」などの仕事の性質（職能）によって，部門を編成した組織
事業部制組織	社内を「製品」・「顧客」・「地域」などの事業ごとに分割し，編成した組織。編成された組織単位に自己完結的な経営活動が展開できる
マトリックス組織	構成員が，自己の専門とする職能部門と特定の事業を遂行する部門の両方に所属する組織
プロジェクト組織	特定の問題を解決するために，一定の期間に限って結成される組織。問題が解決されると解散する

経営戦略

経営戦略は，企業全体を対象とした**全社戦略**，個別の事業を対象とした**事業戦略**，営業・開発・生産などの部署（機能）を対象とした**機能別戦略**の視点から策定されます。

全社戦略

全社戦略は，企業全体の視点から進むべき方向性を示したものです。自社がどの事業領域（ドメイン）を核とするのかを示し，経営資源であるヒト・モノ・カネ・情報を集中させていきます。自社の経営資源だけでは不十分な場合は，他社の経営資源で補完して

いくことも考えます。

> ### もっと詳しく〈 HRテック 〉
>
> **HRM** (Human Resource Management：人的資源管理) は，人材を経営資源として戦略的に管理していく考え方です。具体的には，人材の採用や育成，配置，評価，報酬から人事制度の設計，組織設計に至るまでを戦略的に管理します。現在ではAIやビッグデータなどの最新技術を人事や採用，人材育成などに応用する**HRテック**が注目されています。Human Resource (人的資源) と Technology (技術) を合わせた造語です。

● PPM

PPM (プロダクト ポートフォリオ マネジメント Product Portfolio Management) は，**事業や製品を，「花形」・「負け犬」・「金のなる木」・「問題児」の四つのカテゴリに分類し，経営資源の最適配分を意思決定する手法**です。市場成長率と市場占有率のマトリックスによって分析します。ポートフォリオとは，「複数のものの組み合わせ」，「一覧」という意味です。

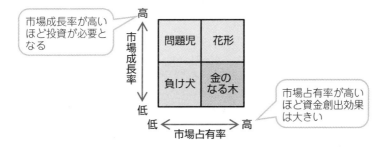

市場成長率が高いほど投資が必要となる

市場占有率が高いほど資金創出効果は大きい

花形	市場成長率	高	資金創出効果は大きいが，継続して投資も必要となる
	市場占有率	高	
負け犬	市場成長率	低	将来的には撤退を考えざるを得ない
	市場占有率	低	
金のなる木	市場成長率	低	企業の主たる資金源の役割を果たしている
	市場占有率	高	
問題児	市場成長率	高	事業としての魅力はあるが，事業を育てるためには積極的な投資が必要である
	市場占有率	低	

● コアコンピタンス

コアコンピタンスは，**競合他社がまねのできない独自のノウハウや技術などに経営資源を集中し，競争優位を確立する手法**です。Core は「核」，Competence は「能力」という意味です。

🔵 ベンチマーキング

✦ベンチマーキング✦は，**最強の競合他社，または先進企業と比較して，製品やサービス，オペレーションなどを定性的・定量的に把握する手法**です。優れた業績を上げている企業との比較分析から，自社の経営革新を行います。Benchmarkは，「標準点」という意味です。

🔵 M&A

M&A (Mergers and Acquisitions) は，**企業の合併・買収**です。他社を合併・買収することで，自社の不足している経営資源を短期間で獲得できます。A＋B→Aのイメージです。Mergersは「合併」，Acquisitionsは「買収」という意味です。

🔵 アライアンス

アライアンス (Alliance) は，**企業同士の連携**です。他社と統合することなく，自社で不足している経営資源を他社との連携によって補完します。Allianceは，「同盟」という意味です。A＋B→A・Bのイメージです。また，企業提携とも呼ばれ，技術提携や販売提携，生産提携などがあります。

🔵 アウトソーシング

アウトソーシング (Outsourcing) は，情報システムのコストを削減するために，**情報システムの開発や運用・保守に関わる全部または一部の機能を外部の専門企業に委託する形態**です。「外部委託」という意味です。

また，人件費などが比較的安い海外の企業に外部委託することを**オフショアアウトソーシング**といいます。Offshoreは，「海外の」という意味です。

さらに，自社の業務を含めて外部企業に委託することを**BPO** (Business Process Outsourcing) といいます。例えば，自社の管理部門やコールセンタなど特定部門の業務プロセス全般を，業務システムの運用などと一体として外部の専門企業に委託することなどが挙げられます。

🔴 事業戦略

事業戦略は，事業ごとに進むべき方向性を示したものです。顧客や競合他社などの外部環境を分析し，事業の目標や戦略を策定します。

🔵 SWOT分析

✦SWOT分析✦ (Strength, Weakness, Opportunity, Threat) は，企業の経営環境を，**内部環境である「強み」と「弱み」，外部環境である「機会」と「脅威」の四つのカテゴリに分類し，分析する手法**です。

内部環境には商品価格や技術力，ブランド力などがあり，外部環境には政治・経済情勢や市場，競合他社などがあります。

	プラス要素	マイナス要素
内部環境	強み	弱み
外部環境	機会	脅威

● バリューチェーン分析

バリューチェーン分析は，企業の事業活動を機能ごとに主活動と支援活動に分け，**製品やサービスの付加価値は，どの活動で生み出されているか**を分析する手法です。自社の競争優位性を分析します。

主活動	購買物流	製造	出荷物流	販売・マーケティング	サービス
支援活動	調達，技術開発，人事・労務管理，全般管理				

付加価値

● 成長マトリクス

アンゾフが提唱した**成長マトリクス**は，市場と製品の2軸に，それぞれ既存と新規を区分して，「**市場浸透**」，「**製品開発**」，「**市場開拓**」，「**多角化**」の四つのカテゴリに分類し，分析する手法です。どの成長戦略が最適かを分析します。

		製品	
		既存	新規
市場	既存	市場浸透	製品開発
	新規	市場開拓	多角化

● ファイブフォース

ファイブフォースは，「**競合企業**」・「**新規参入の脅威**」・「**代替品の脅威**」・「**売り手の交渉力**」・「**買い手の交渉力**」の五つのカテゴリに分類し，分析する手法です。自社を取り巻く五つの脅威を分析します。

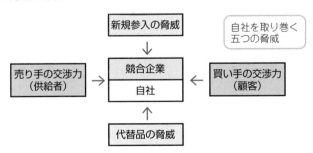

知っ得情報 〈 ブルーオーシャン戦略 〉

既に様々な企業が激しい競争を展開している市場をレッドオーシャンといいます。一方，競争のない新たな市場を開拓する戦略を**ブルーオーシャン戦略**といいます。例えば，散髪で洗髪や肩もみのサービスを取り除き，「低価格で短時間でカットしたい」という顧客ニーズを満たす市場を開拓した，理容チェーン店があります。これは，競争の激しい血みどろの「赤い海」に対して，競争のない穏やかな「青い海」のようなイメージです。

確認問題　1　　▶ 令和6年度　問18　　　　　　正解率 ▶ 中　　　【基本】

HRテックの説明はどれか。

ア　ICTを活用して，住宅内のエネルギー使用状況の監視，機器の遠隔操作や自動制御などを可能にし，家庭におけるエネルギー管理を支援するソリューション

イ　既存のビジネスモデルによる業界秩序や既得権益を破壊してしまうほど大きな影響を与える新しいICTやビジネスモデル

ウ　個人の資金に関わる情報を統合的に管理するサービスやマーケットプレイス・レンディングなどの金融サービスを実現するための新しい情報技術

エ　採用，育成，評価，配属などの人事領域の業務を対象に，ビッグデータ解析やAIなどの最新ICTを活用して，業務改善と社員満足度向上を図るソリューション

要点解説　ア　HEMS（11-06参照）　　イ　ラディカルイノベーション（11-05参照）
ウ　Fintech（フィンテック）。金融サービスに，AIなどの情報技術を組み合わせることで，様々なサービスを創設することです。
エ　HRテック

確認問題 2 ▶ 平成28年度春期　問67　　正解率 ▶ 高　　**基本**

SWOT分析を説明したものはどれか。

ア　企業のビジョンと戦略を実現するために，財務，顧客，業務プロセス，学習と成長という四つの視点から検討し，アクションプランにまで具体化する。

イ　企業を，内部環境と外部環境の観点から，強み，弱み，機会，脅威という四つの視点で評価し，企業を取り巻く環境を認識する。

ウ　事業を，分散型，特化型，手詰まり型，規模型という四つのタイプで評価し，自社の事業戦略策定に役立てる。

エ　製品を，導入期，成長期，成熟期，衰退期という四つの段階に分類し，企業にとって最適な戦略策定に活用する。

要点解説
ア　バランススコアカード (11-04参照)
イ　SWOT分析
ウ　競争変数の大小と，優位性構築可能性の大小により事業を分類する，アドバンテージマトリクスです。
エ　プロダクトライフサイクル

確認問題 3 ▶ 応用情報 平成30年度秋期　問61　正解率 ▶ 中　　**応用**

IT投資ポートフォリオにおいて，情報化投資の対象を，戦略，情報，トランザクション，インフラの四つのカテゴリに分類した場合，トランザクションカテゴリに対する投資の直接の目的はどれか。

ア　管理品質向上のために，マネジメント，レポーティング，分析などを支援する。

イ　市場における競争優位やポジショニングを獲得する。

ウ　複数のアプリケーションによって共有される基盤部分を提供する。

エ　ルーチン化された業務のコスト削減や処理効率向上を図る。

要点解説
聞きなれない用語が出題されることもありますが，ポートフォリオは「組み合わせ」トランザクションは「複数の処理」だと思い出せればヒントになります。
IT投資ポートフォリオは，ITに関する投資リスクや投資価値の類似性でカテゴリを分類し，経営戦略の実現のために最適な資源配分を行う管理手法です。
ア　情報　　イ　戦略　　ウ　インフラ　　エ　トランザクション

第11章 ストラテジ系

解答

問題1：エ　　　問題2：イ　　　問題3：エ

11 03 マーケティング戦略

時々出 必須 超重要

イメージでつかむ

マーケティングは顧客層のニーズに応じた戦略を展開し，効果的に販売していくことが重要です。

マーケティング戦略

　時間をかけて素晴らしい経営戦略を策定しても，最終的に自社の製品やサービスが顧客に売れなければ何も意味がありません。マーケティング戦略は，顧客が自社の製品やサービスに満足してもらうことで，継続的に売れる仕組みを作る一連の活動です。

　最近は「顧客満足度ランキングNo.1」をうたったテレビのCMや雑誌の記事をよく見かけます。マーケティング戦略において，顧客を精神的・主観的に満足させる**CX** (Customer Experience：顧客体験) も重要な要素となっています。

プロダクトライフサイクル

　プロダクトライフサイクルは，製品が市場に導入されて衰退するまでの期間を，「**導入期**」・「**成長期**」・「**成熟期**」・「**衰退期**」の四つのカテゴリに分類し，各段階に応じた戦略を設定する手法です。

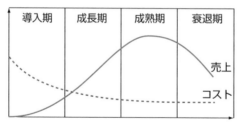

導入期	成長期	成熟期	衰退期

売上
コスト
時間

導入期	市場に商品を投入した直後の時期。商品の認知度を高める戦略をとる
成長期	売上や利益が急激に上昇する時期。新規参入企業によって競争が激化してくるので、競合他社との差別化を図る戦略をとる
成熟期	売上や利益が鈍化してくる時期。商品の品質改良やスタイル変更などで、シェアの維持・利益の確保を図る戦略をとる
衰退期	売上や利益が急激に減少する時期。場合によっては、市場からの撤退を検討する

もっと詳しく PLM

PLM (Product Lifecycle Management) は、企画や発売から廃棄までの一連のサイクルを通じて、製品の情報を一元管理し、商品力向上やコスト低減を図る取り組みです。

STP分析

STP分析は、マーケティングの基本戦略の要素である、**セグメンテーション・ターゲティング・ポジショニング**の三つの視点から分析することです。Segmentation は「細分化」、Targeting は「標的」、Positioning は「立ち位置」という意味です。市場を細分化して、細分化した市場のうち自社がどのような市場をターゲットに、どのような立ち位置で勝負していくのかを分析します。

コトラーの競争戦略

コトラーが提唱した競争戦略は、市場シェアで「**リーダ**」・「**チャレンジャ**」・「**フォロワ**」・「**ニッチャ**」の四つに分類し、分析する手法です。これは競争上の地位に応じた戦略をとるポジショニング戦略です。

リーダ	全市場をカバーし、トップシェアを維持する全方位戦略
チャレンジャ	リーダのトップシェアを奪取するための差別化戦略
フォロワ	リーダを参考にして、市場チャンスに素早く対応する模倣戦略
ニッチャ	他社が参入しにくい特定の市場や商品に絞った特定化戦略

マーケティングミックス

マーケティングミックスは、「**製品**」・「**価格**」・「**流通**」・「**販売促進**」の四つの要素を組み合わせてマーケティングを展開する手法です。売り手から見た要素は **4P** と呼ばれ、買い手から見た要素は **4C** と呼ばれています。

第 **11** 章　ストラテジ系

売り手から見た要素 (4P)		買い手から見た要素 (4C)
Product (製品)	⟷	Customer Value (顧客価値)
Price (価格)	⟷	Customer Cost (顧客負担)
Place (流通)	⟷	Convenience (利便性)
Promotion (販売促進)	⟷	Communication (対話)

⬡ コストプラス価格決定法

コストプラス価格決定法は，**製造原価，または仕入原価に一定のマージンを乗せて価格を決定する手法**です。「原価＋利益→価格」ということです。

コストプラス価格決定法はコスト志向型ですが，そのほか，競争相手の価格を反映する**競争指向型**や，目標とするROI (11-08参照) を実現できる価格に設定する**ターゲットリターン型**，一番売れそうな価格に設定する**需要指向型**などもあります。

⬡ イノベータ理論

新製品をすぐ購入する人もいれば，あまり関心のない人もいます。イノベータ理論では，消費者を，新製品への関心が高い順に五つに分類しています。

イノベータ	2.5%	革新者。新製品を他の人に先駆けて購入する
アーリーアダプタ	13.5%	初期採用層。新製品が市場に流通し始めてから購入し，情報を友人や知人に伝える。オピニオンリーダやインフルエンサーとも呼ばれる
アーリーマジョリティ	34%	前期追随層。新製品の信頼性や利便性を確認してから購入する
レイトマジョリティ	34%	後期追随層。新製品には懐疑的で，周囲にユーザが増えてから購入する
ラガード	16%	遅滞層。新製品には興味がなく保守的

アーリーアダプタとアーリーマジョリティの間には，重要視するポイントの違いによる溝(キャズム)があるといわれています。新製品をアーリーマジョリティまで浸透させるには，目新しさよりも信頼性や利便性を伝えられるようにマーケティングを行います。

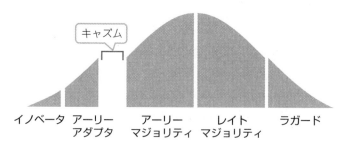

確認問題 1 ▶平成30年度秋期 問67　　正解率 ▶ 高　　頻出　基本

プロダクトライフサイクルにおける成長期の特徴はどれか。

ア　市場が商品の価値を理解し始める。商品ラインもチャネルも拡大しなけ
　　ればならない。この時期は売上も伸びるが，投資も必要である。

イ　需要が大きくなり，製品の差別化や市場の細分化が明確になってくる。
　　競争者間の競争も激化し，新品種の追加やコストダウンが重要となる。

ウ　需要が減ってきて，撤退する企業も出てくる。この時期の強者になれる
　　かどうかを判断し，代替市場への進出なども考える。

エ　需要は部分的で，新規需要開拓が勝負である。特定ターゲットに対する
　　信念に満ちた説得が必要である。

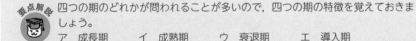

要点解説　四つの期のどれかが問われることが多いので，四つの期の特徴を覚えておきま
しょう。
　　　　　ア　成長期　　　イ　成熟期　　　ウ　衰退期　　　エ　導入期

確認問題 2 ▶令和5年度 問18　　正解率 ▶ 高　　基本

イノベータ理論では，消費者を新製品の購入時期によって，イノベータ，
アーリーアダプタ，アーリーマジョリティ，レイトマジョリティ，ラガード
の五つに分類する。アーリーアダプタの説明として，適切なものはどれか。

ア　新しい製品及び新技術の採用には懐疑的で，周囲の大多数が採用して
　　いる場面を見てから採用する層

イ　新商品，サービスなどを，リスクを恐れず最も早い段階で受容する層

ウ　新商品，サービスなどを早期に受け入れ，消費者に大きな影響を与え
　　る層であり，流行に敏感で，自ら情報収集を行い判断する層

エ　世の中の動きに関心が薄く，流行が一般化してからそれを採用するこ
　　とが多い層であり，場合によっては不採用を貫く，最も保守的な層

要点解説　ア　レイトマジョリティ　　　　　　　イ　イノベータ
　　　　　ウ　アーリーアダプタ　　　　　　　　エ　ラガード

第11章　ストラテジ系

解答

問題1：ア　　　問題2：ウ

11 04 業績評価と経営管理システム

時々出 必須 超重要

イメージでつかむ

学校では，新学期に目標を立て，学期末に評価されます。目標達成なら引き続き頑張ろう，目標未達成ならもっと頑張ろう。企業でも同じです。

業績評価手法

BSC

BSC (Balance Score Card：バランススコアカード) は，企業のビジョンや戦略を実現するために，**「財務」・「顧客」・「業務プロセス」・「学習と成長」** の四つの視点から，具体的に目標を設定して業績を評価する手法です。

財務 (過去の視点) ………………………… 売上高・利益・キャッシュフローなど
顧客 (外部の視点) ………………………… 市場占有率・顧客満足度の結果など
業務プロセス (内部の視点) …………… 開発効率・在庫回転率など
学習と成長 (未来の視点) ……………… 特許取得件数・新技術の提案件数など

以下は，生命保険会社のバランススコアカードの例です。

視点	目標達成指標 (KGI)	重要成功要因 (CSF)	業績評価指標 (KPI)	アクションプラン
財務	利益率向上	既存顧客の契約高の維持向上	当期純利益率	効率良い営業活動
顧客	顧客満足度向上	顧客からの信頼回復	解約率	アフターサービス強化
業務プロセス	保険金不払解消	不払防止体制の強化	不払件数	支払事由発生有無確認の強化
学習と成長	顧客対応力向上	モチベーション強化	従業員満足度	報酬制度の整備

 **"くれば"で覚える**

BSC　とくれば　**財務・顧客・業務プロセス・学習と成長の四つの視点から業績評価**

また，BSCでは四つの視点において，次のKGI・CSF・KPIを設定し，モニタリングを繰り返して継続的に改善していきます。

KGI (Key Goal Indicator)	目指すべき最終的な目標となる数値。「重要目標達成指標」という意味。売上高など
CSF (Critical Success Factor)	最終目標を達成するために必要不可欠となる要因。「重要成功要因」という意味
KPI (Key Performance Indicator)	KGIを細分化した中間的な目標となる数値。「重要業績評価指標」という意味。訪問数，客単価など

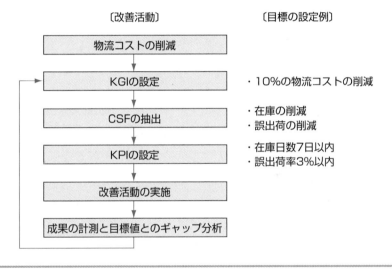

〔改善活動〕

物流コストの削減
↓
KGIの設定
↓
CSFの抽出
↓
KPIの設定
↓
改善活動の実施
↓
成果の計測と目標値とのギャップ分析

〔目標の設定例〕

・10%の物流コストの削減

・在庫の削減
・誤出荷の削減

・在庫日数7日以内
・誤出荷率3%以内

もっと詳しく〈 継続的な改善 〉

PDCAとは，マネジメントサイクルの一つで，Plan (計画) → Do (実行) → Check (評価) → Act (改善)，これを繰り返すことによって，継続的に改善していく手法です。何事もやりっぱなしではなく，評価して改善していくことが重要です。

🐱 経営管理システム

経営管理システムは，今までは個人別や部署別など，ばらばらに管理していた情報を1か所に集約 (一元管理) し，全社的，さらには企業間で情報を共有することで，効率的な経営の実現を支援するシステムです。

🔘 CRM

CRM (Customer Relationship Management：顧客関係管理) は，**個別の顧客に関する情報や対応履歴などを一元管理し共有する**ことで，長期的な視点から顧客との良好な関係を築き，収益の拡大を図る手法です。顧客の年齢や性別，趣味，購買履歴などの個人情報を収集し，顧客のニーズに細かく対応することで，顧客満足度や一人の顧客が企業にもたらす価値（顧客生涯価値という）を向上させることが目的です。

🐱 もっと詳しく ◀ 営業活動の支援 ▶

SFA (Sales Force Automation：営業支援システム) は，個人が保持している営業に関する知識やノウハウなどを一元管理し共有することで，効率的・効果的に営業活動を支援する手法です。

SFAの基本機能の一つに**コンタクト管理**があり，顧客訪問日・営業結果などの履歴を管理し，見込客や既存客に対して効果的な営業活動を行います。SFAは，CRMの一環として行われます。

🔘 SCM

SCM (Supply Chain Management：供給連鎖管理) は，**部品の調達から生産・物流・販売までの一連のプロセス** (サプライチェーンという) **の情報を一元管理し共有する**ことで，業務プロセスの全体最適化を図る手法です。**サプライチェーンマネジメント**の用語でも出題されます。商品を受注してから納品するまでの期間 (リードタイムという) の短縮や，在庫コストや流通コストの削減が目的です。

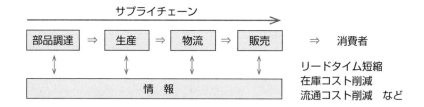

🐱 もっと詳しく ◀ 3PL ▶

3PL (Third-Party Logistics) は，企業の物流機能のすべて，または一部を外部の企業に委託することです。倉庫やトラック，ドライバー，システムなどを揃えて，維持・管理することは膨大な時間とコストがかかるので，外部の資源を有効に活用します。

⚙ ERP

ERP (Enterprise Resource Planning：企業資源計画) は，生産・流通・販売・財務・経理などの**企業の基幹業務の情報を一元管理し共有する**ことで，企業の経営資源の最適化を図る手法です。各業務の状況をリアルタイムに把握し，効率的な経営を実現することが目的です。

企業の経営資源を総合的に管理する

⚙ ナレッジマネジメント

ナレッジマネジメント (Knowledge Management：知識管理) は，社員個人が**ビジネス活動から得た客観的な知識や経験，ノウハウなどを一元管理し共有する**ことで，全体の問題解決力を高める手法です。個人の知識や情報を統合された経営資源として活用することが目的です。

🐱!　"くれば"で覚える

CRM	とくれば	**顧客情報を一元管理する**
SCM	とくれば	**サプライチェーンを一元管理する**
ERP	とくれば	**企業の経営資源を一元管理する**
ナレッジマネジメント	とくれば	**個人の知識・経験・ノウハウを一元管理する**

第 **11** 章　ストラテジ系

確認問題 1 ▸ 応用情報 平成31年度春期 問68 正解率 ▸ 中 　　基本

　バランススコアカードの四つの視点とは，財務，学習と成長，内部ビジネスプロセスと，もう一つはどれか。

ア　ガバナンス　　イ　顧客　　ウ　自社の強み　　エ　遵法

要点解説 バランススコアカードは，財務，学習と成長，顧客，内部ビジネスプロセス（業務プロセス）の四つの視点から，具体的に目標を設定して業績を評価する手法です。

確認問題 2 ▸ 令和元年度秋期 問67 正解率 ▸ 中 　　応用

　バランススコアカードの内部ビジネスプロセスの視点における戦略目標と業績評価指標の例はどれか。

ア　持続的成長が目標であるので，受注残を指標とする。
イ　主要顧客との継続的な関係構築が目標であるので，クレーム件数を指標とする。
ウ　製品開発力の向上が目標であるので，製品開発領域の研修受講時間を指標とする。
エ　製品の製造の生産性向上が目標であるので，製造期間短縮日数を指標とする。

要点解説
ア　受注残は，受注後未納品の状態をいい，財務の視点です。
イ　顧客との関係は，顧客の視点です。
ウ　製品開発力の向上は，学習と成長の視点です。
エ　生産性向上は，内部ビジネスプロセス（業務プロセス）の視点です。

確認問題 3 ▸ 平成28年度秋期 問69 正解率 ▸ 中 　　基本

　CRMの目的はどれか。

ア　顧客ロイヤリティの獲得と顧客生涯価値の最大化
イ　在庫不足による販売機会損失の削減
ウ　製造に必要な資材の発注量と発注時期の決定
エ　販売時点での商品ごとの販売情報の把握

要点解説 CRMは，顧客と良好な関係を築いて自社の顧客として囲い込み，収益の拡大を図る手法です。ここで，顧客ロイヤリティは，顧客からの信頼や愛着です。
ア　CRM　　イ　SCM　　ウ　MRP（11-06参照）　　エ　POS

確認問題 4 ▸ 応用情報 令和6年度秋期 問67 正解率▸ 中 **基本**

SCMの目的はどれか。

ア 顧客情報や購買履歴，クレームなどを一元管理し，きめ細かな顧客対応を行うことによって，良好な顧客関係の構築を目的とする。

イ 顧客情報や商談スケジュール，進捗状況などの商談状況を一元管理することによって，営業活動の効率向上を目的とする。

ウ 生産，販売，在庫管理，財務会計，人事管理など基幹業務のあらゆる情報を統合管理することによって，経営効率の向上を目的とする。

エ 複数の企業や組織にまたがる調達から販売までの業務プロセス全ての情報を統合的に管理することによって，コスト低減や納期短縮などを目的とする。

 SCMの目的は，サプライチェーンを管理することで，コスト低減や納期短縮などを図ることです。

　ア　CRM　　　イ　SFA　　　ウ　ERP

確認問題 5 ▸ 令和5年度 問17 正解率▸ 中 **基本**

ERPを説明したものはどれか。

ア 営業活動にITを活用して営業の効率と品質を高め，売上・利益の大幅な増加や，顧客満足度の向上を目指す手法・概念である。

イ 卸売業・メーカーが小売店の経営活動を支援することによって，自社との取引量の拡大につなげる手法・概念である。

ウ 企業全体の経営資源を有効かつ総合的に計画して管理し，経営の効率向上を図るための手法・概念である。

エ 消費者向けや企業間の商取引を，インターネットなどの電子的なネットワークを活用して行う手法・概念である。

　ア　SFA

　イ　リテールサポート。卸売業やメーカーが，取引先である小売店に対して経営的な支援活動を行うことです。

　ウ　ERP

　エ　EC（11-06参照）

 解答

| 問題1：イ | 問題2：エ | 問題3：ア | 問題4：エ | 問題5：ウ |

イメージで
つかむ

「人生は山あり谷あり」と
言われますが，技術開発も同
じです。多くの時間とコスト
をかけても，日の目を見る技
術は限られています。

技術開発戦略

技術開発戦略は，企業を持続的に発展させていくために，技術開発への投資やイノ
ベーション（後述）の促進を図り，技術と市場のニーズを結びつける戦略です。

MOT

MOT（Management of Technology：技術経営）は，**高度な技術を核とする技術開発に
投資し，イノベーションを創出することで技術革新を事業に結び付けていく経営**です。
イノベーションを強く念頭に置いた経営です。

イノベーション

イノベーションは，**今までにない，画期的な新しいものを創り出すこと**です。
Innovationは，「技術革新」・「新機軸」・「新しい切り口」という意味です。

イノベーションには，次のようなものがあります。

プロダクトイノベーション	革新的な新製品を開発するといった，製品そのものに関する技術革新
プロセスイノベーション	研究開発過程，製造工程，物流過程の技術革新
インクリメンタルイノベーション	既存製品の細かな部品改良を積み重ねる技術革新
ラディカルイノベーション	経営構造の全面的な改革を必要とする技術革新

もっと詳しく〈 イノベーションのジレンマ 〉

イノベーションのジレンマは，優良な企業が，既存の製品や技術に固執している間に，市場の変化に対応できずに新しい製品や技術に敗北してしまう現象です。例えば，高画質を追及していたデジタルカメラが，画質は劣るものの手軽さやSNSとの親和性が高いスマートフォン内蔵のカメラを相手に苦戦しています。評価軸の違う新技術の動向を追い続け，新規市場に向けた製品開発の持続が重要です。

● APIエコノミー

API (Application Programming Interface) は，異なるアプリケーション間で機能やデータを容易に利用できるようにする仕組みです。**企業同士がAPIを使ってサービスを連携させることで生まれる新しい経済圏**をAPIエコノミーといいます。

もっと詳しく〈 マッシュアップ 〉

マッシュアップは，APIを使用して異なるサービスを組み合わせ，新しいサービスを構築することです。例えば，配車サービスのUberのアプリは，Google MapsのAPIを使って地図を表示し，決済機能も外部のAPIを利用します。また，Uberで車を呼ぶボタンもAPIとして外部アプリに配置でき，新規顧客がそのアプリ経由でUberを使うと，Uberから外部アプリ製作者にキックバックがあります。このように，異なるサービスの入出力を連結させ一連の新しいサービスを構築することを**ロジックマッシュアップ**といいます。

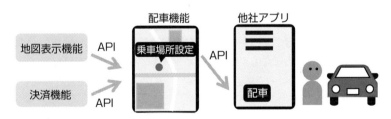

● オープンイノベーション

オープンイノベーションは，企業内部にとどまらず，**他企業や他業種，大学，官公庁，地方自治体などと協力して，互いの専門知識を生かしてイノベーションを起こそうという考え**です。APIエコノミーも広い意味ではオープンイノベーションの結果であるといえます。

第11章 ストラテジ系

💿 魔の川・死の谷・ダーウィンの海

それぞれ技術経営における課題を表す言葉です。**魔の川**は，基礎研究が製品開発に結び付かないこと，**死の谷**は，製品開発が事業に結び付かないこと，**ダーウィンの海**は，事業化できても市場に浸透（産業化）できないことをいいます。

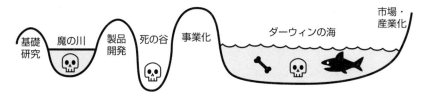

💿 技術のSカーブ

技術のSカーブは，**技術の進歩の過程を示した曲線**です。最初は緩やかに進歩しますが，やがて急激に進歩し，その後，穏やかに停滞していく過程は，Sのカーブを描きます。

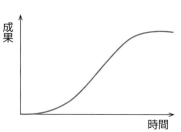

💿 デザイン思考

デザイン思考は，**利用者も気づかないような潜在的なニーズを掘り起こし，イノベーションを生み出そうとする考え方**です。デザイン制作における思考を，経営や事業に活かすアプローチで，「利用者の立場で観測する」・「潜在的な問題点を抽出する」・「様々な解決策を出す」・「プロトタイプを作成する」・「評価して改善する」という流れを繰り返します。

ここでのデザインは，色や形だけの話ではなく，もっと広く「設計する」・「問題を解決する」という意味です。例えば，この手法を使って，MDプレーヤーでの曲数の少なさやMDの入れ替えの手間を問題点とし，大量の音楽データをメディアの入れ替えなしに手軽に持ち歩けるiPodが開発されました。

💿 リーンスタートアップ

リーンスタートアップは，**低コストで最小限の製品やサービスを短期間で市場に出**

し，顧客の反応をフィードバックして継続的に改良を繰り返す手法です。Leanは，「最低水準の」という意味です。

技術ロードマップ

技術ロードマップは，**将来の技術動向を予測して進展の道筋を時間軸上に表したもの**です。例えば，経済産業省の技術戦略マップがあります。特定技術分野の有識者によって作成され，将来的な研究開発や技術利用の方向性を示したものです。

> ### もっと詳しく 〈 デルファイ法 〉
> **デルファイ法**は，「複数の専門家からの意見を収集する」・「収集した意見を集約する」・「集約された意見をフィードバックする」という流れを繰り返すことで意見を収束させていく手法です。技術開発戦略の立案に必要となる将来の技術動向の予測などに用いられます。

確認問題 1 ▶ 令和6年度 問5　　正解率 ▶ 低　　基本

　複数のWebサービスの入出力処理を連結させて新たなサービスを提供する，"ロジックマッシュアップ"の例はどれか。

ア　利用者が選択した飲食店情報のページを表示する際に，他のWebサービスが提供する地図コンテンツをアクセスマップとして表示する。

イ　利用者が選択した投資商品の情報を表示する際に，関連する経済指標のデータを複数のWebサービスから取得し，グラフに加工して表示する。

ウ　利用者が入力した予算の範囲で宿泊可能な施設のリストを他のWebサービスから取得し，それらの宿泊施設の空室状況を別のWebサービスから取得して表示する。

エ　利用者がマウスのドラッグで地図を操作した際に，Webページ全体ではなく一部を読み直すことによって地図をスクロールして表示する。

要点解説
ア　プレゼンテーションマッシュアップの例。集めたデータを使って視覚的に表現します。
イ　データマッシュアップの例。様々なデータを集めて新しいデータを作ります。
ウ　ロジックマッシュアップの例。
エ　Ajaxによる非同期通信（4-10参照）の例。

解答

問題1：ウ

ビジネスインダストリ

イメージで つかむ

PCを使って商品を注文して，カードで決済。買い物も非常に楽な時代になりました。でも，PCに表示された商品をながめるだけで買ったつもり。これはいつの時代も変わらない？？

e-ビジネス

e-ビジネスは，インターネット技術を活用したビジネスです。

EC

✦EC✦（Electronic Commerce：電子商取引）は，**インターネット技術を活用した，消費者向けや企業間などの商取引**です。誰と取引するかで，次のような取引形態があります。

CtoC	Consumer to Consumer：個人間取引 （例）ネットオークション，逆オークション
BtoC	Business to Consumer：企業対個人取引 （例）バーチャルモール（仮想商店街）のインターネットショッピングで，書籍を購入する
BtoB	Business to Business：企業間取引 （例）Web-EDI（後述）を利用して，企業が外部ベンダに資材を発注する
BtoE	Business to Employee　企業対従業員間取引 （例）企業内の社員販売サイトで，割引特典のあるサービスを申し込む
GtoC	Government to Citizen：政府対個人間取引 （例）住民票や戸籍謄本，婚姻届，パスポートなどを電子申請する
GtoB	Government to Business：政府対企業間取引 （例）自治体の利用する物品や資材の電子調達・電子入札を行う
GtoG	Government to Government：政府間取引 （例）住民基本台帳ネットワークによって，自治体間で住民票データを送受信する

▣ EDI

EDI (Electronic Data Interchange：電子データ交換) は，**ネットワークを介して，商取引のためのデータをコンピュータ間で交換すること**です。取引の際に当事者間で必要となる各種の取決めには，次のような規約があります。

情報伝達規約	接続方法・伝送手順などを定めたもの
情報表現規約	データフォーマットなどを定めたもの
情報運用規約	システムの運用時間・障害対策などを定めたもの
情報基本規約	支払時期・支払方法などを定めたもの

▣ 暗号資産

暗号資産 (仮想通貨) は，**電子データでやりとりされる財産的価値のこと**です。法定通貨やプリペイドカードではない手段ですが，代金の支払いなどに使用できます。ハッシュ関数 (8-04参照) を利用して，取引の履歴 (✦**ブロックチェーン**✦という) を分散して持ち合うことで，改ざんなどの不正を防ぐ仕組みになっています。

また，**ブロックチェーンを作成する際の複雑な計算作業に協力し，その報酬として新規に発行された仮想通貨を得ること**を**マイニング**といいます。

☺ Webによる販売促進

Webサイトへのアクセス件数のうち，最終的に商品やサービスなどの購入に至った件数を**コンバージョン率**といいます。コンバージョン率を上げるには，買うかもしれない人がWebサイトに来てもらうこと (集客)，来た人が買ってくれるよう導くこと (接客) が重要です。以下のような仕組みが使われています。

✦ **SEO** ✦	Search Engine Optimization。検索エンジン最適化。Googleなどの検索サイトで上位に表示させるような工夫や技術
リスティング広告	検索誘導型広告。ある用語を検索したときに，その用語と関連した商品の広告を同じ画面に表示させる
アフィリエイト	成果報酬型広告。個人のWebサイトなどに企業の広告や企業サイトへのリンクを掲載し，誘導実績に応じた報酬を支払う
SNS	Social Networking Service。Web上で社会的な繋がりを促進するサービス。利用者が発信する情報を多数の利用者に伝播させる
✦ **CGM** ✦	Consumer Generated Media。消費者が情報発信した内容を基に生成されていくメディア。口コミサイト・Q&Aサイト・動画投稿サイトなど
eマーケットプレイス	インターネット上に設けられた市場を通じて，多くの売手と買手が出合い，中間流通業者を介さず，直接取引をする

第

11

章

ストラテジ系

◉ ロングテール

　実店舗では，売り場面積などの制約もあり，売れ筋商品しか店頭に並びません。しかし，**インターネットショッピングでは，あまり売れない商品群も売り続けることができ，この売上や利益が無視できないくらい大きなものになっているという現象**が起こっています。これを**ロングテール**といいます。

◉ オムニチャネル

　オムニチャネルは，実店舗での販売やカタログ通販，ネット通販など，複数の販売チャネルを持ち，それらを統合して，どの手段でも不便なく購入できるようにすることです。実店舗で在庫がなければ他店の在庫やネット通販用の在庫を自宅に直送で送るなどの例があります。ターゲットは主にリピータの顧客です。

　類似の考え方として，**O to O**(Online to Offline)があります。Webサイトを見た顧客を仮想店舗から実店舗に，また逆に，実店舗から仮想店舗に誘導することです。SNSで会員にクーポンを発行するなどの例があります。主に新規顧客をターゲットにしています。

😀 行政システム

　マイナンバー制度は，**行政を効率化し，国民の利便性を高めるため，公平・公正な社会を実現する社会基盤**のことです。日本に住民票がある人に，氏名・住所・生年月日・性別と関連付けられる12桁の**マイナンバー**(個人番号)が与えられます。

　社会保障や税，災害対策の分野で効率的に情報の管理を行うことが目的です。行政機関に書類を提出するときにマイナンバーの記載が必要となり，法に定めた目的以外にマイナンバーを使用することはできません。また，これらの手続きに必要な場合を除いて，マイナンバーそのものを民間が利用することは禁止されています。

　希望者に配布される**マイナンバーカード**は，表に顔写真・氏名・住所・生年月日・性別が，裏にマイナンバーが記載され，身分証明書として利用できます。カードにはICチップによる公的個人認証機能があり，氏名・住所・生年月日・性別が含まれる**署名用電子証明書**と，個人情報が含まれない**利用者証明用電子証明書**の2種類が記録されてい

ます。これらの公的個人認証機能は，国税の電子申告や健康保険証に利用できるほか，オンラインバンキングをはじめ各種の民間のオンライン取引に利用できるようになるとされています。

知っ得情報 《 MaaS 》

MaaS (Mobility as a Service) は，様々な交通手段をITにより一つのサービスとして統合することです。交通機関だけでなく，カーシェアリング，シェアサイクルなども統合し，人々の移動を大きく変えることで，利便性の向上から地域の課題解決，環境負荷の軽減を図ることが目的です。

エンジニアリングシステム

エンジニアリングシステムは，生産工程において生産性を上げる考え方や自動化を図るシステムです。

JIT

ジャストインタイム(JIT : Just In Time) は，**必要な物を，必要な時に，必要な量だけを生産する方式**です。中間在庫を極力減らすため，生産ラインにおいて，後工程が自工程の生産に合わせて，必要な部品を前工程から調達します。JITを採用しているトヨタ自動車では，部品のやりとりの際に「かんばん」と呼ばれる作業指示書を使うことから**かんばん方式**と呼ばれています。この方式は，後に製造業以外にも適用できるよう**リーン生産方式**として一般化されています。

MRP

MRP (Materials Requirements Planning : 資材所要量計画) は，**生産計画を基に，製品を生産するために必要な資材と部品の調達や在庫管理を行う手法**です。

🔘 セル生産方式

✦セル生産方式✦は，**部品の組立てから完成検査までの全工程を，1人または数人で作業する生産方式**です。従来のライン生産方式と違い，1人が広範囲の作業を行うので，多種類かつフレキシブルな生産に向いています。

🔘 CAD (キャド)

CAD (Computer Aided Design：コンピュータ支援設計) は，**コンピュータを使って設計作業を支援すること**です。製図作業や図面作成などが短時間で正確に処理できます。

😀 民生機器・産業機器

🔘 組込みシステム

組込みシステムは，**特定の機能を実現するために専用化されたハードウェアと，それを制御するソフトウェアから構成されるシステム**です。ソフトウェアを変更するだけで，製品の改良を低コストで実現できるメリットがあります。家庭で使用されているエアコンや冷蔵庫などの民生機器や，産業用途で使用されているエレベータや信号機，銀行のATMなどの産業機器に組み込まれています。用途により，高いリアルタイム性や安全性，信頼性が求められる特徴があります。

🔘 IoT

✦IoT✦ (Internet of Things) は，情報端末だけでなく，民生機器や産業機器などの**様々なモノに通信機能を持たせ，インターネットに接続することでデータを収集する仕組み**です。自動認識や遠隔計測などが可能になったり，大量のデータを収集・分析して高度なサービスや自動制御を実現したりできます。IoTも組込みシステムの一種で，「モノのインターネット」という意味です。

実際の応用事例として，次の用語が出題されています。

M2M (エムツーエム)	Machine to Machine。機械同士が直接通信し，人が介在せずに高度な処理を実現する
HEMS (ヘムス)	Home Energy Management System。家庭内の太陽光発電装置や家電，センサなどをネットワーク化して，エネルギーの可視化と消費の最適制御を行う
スマートメータ	双方向の通信機能を備えた電力量計。遠隔地からの検針や開閉が可能なほか，電力消費量を可視化できる
デジタルサイネージ	ディスプレイに映像・文字などの情報を表示する電子看板。リアルタイム情報や動画も表示できる

● エッジコンピューティング

　従来のIoTシステムでは，IoTデバイスで収集したデータをネットワーク経由でクラウドへ送信し，クラウド上でデータ処理を行う集中型でしたが，最近は**IoTデバイスの近くに設置したエッジサーバで一次処理をさせる分散処理**をとることで，通信の遅延やネットワーク負荷の低減などを実現しています。これを**エッジコンピューティング**といいます。

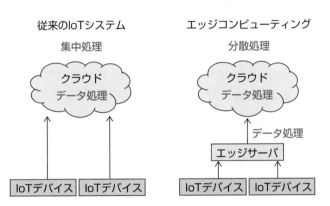

従来のIoTシステム　　　　エッジコンピューティング

集中処理　　　　　　　　　分散処理

確認問題 1　▶ 平成31年度春期　問72　　正解率 ▶ 高　　基本

　CGM (Consumer Generated Media) の例はどれか。

ア　企業が，経営状況や財務状況，業績動向に関する情報を，個人投資家向けに公開する自社のWebサイト

イ　企業が，自社の商品の特徴や使用方法に関する情報を，一般消費者向けに発信する自社のWebサイト

ウ　行政機関が，政策，行政サービスに関する情報を，一般市民向けに公開する自組織のWebサイト

エ　個人が，自らが使用した商品などの評価に関する情報を，不特定多数に向けて発信するブログやSNSなどのWebサイト

要点解説　CGM (Consumer Generated Media) は，消費者 (Consumer) によって作られた (Generated)，メディアを指します。ブログやSNS，口コミサイト，Q&Aサイトなどのことです。

第11章 ストラテジ系

IoT (Internet of Things) の実用例として，**適切でないもの**はどれか。

ア　インターネットにおけるセキュリティの問題を回避するために，サーバに接続せず，単独でファイルの管理，演算処理，印刷処理などの作業を行うコンピュータ

イ　大型の機械などにセンサと通信機能を内蔵して，稼働状況，故障箇所，交換が必要な部品などを，製造元がインターネットを介してリアルタイムに把握できるシステム

ウ　検針員に代わって，電力会社と通信して電力使用量を送信する電力メータ

エ　自動車同士及び自動車と路側機が通信することによって，自動車の位置情報をリアルタイムに収集して，渋滞情報を配信するシステム

重点解説 IoTは，身の回りの家電や自動車，さまざまな工業機器がインターネットに接続されることをいいます。アのようにスタンドアロンで使用するコンピュータはIoTの例としては不適切です。

　サイトアクセス者の総人数に対して，最終成果である商品やサービスの購入に至る人数の割合を高める目的でショッピングサイトの画面デザインを見直すことにした。効果を測るために，見直し前後で比較すべき，効果を直接示す値はどれか。

ア　ROAS (Return On Advertising Spend)
イ　コンバージョン率
ウ　バナー広告のクリック率
エ　ページビュー

重点解説 商品やサービスの購入に至る人数の割合を高めるために画面デザインを見直したということなら，「改善前/改善後」のコンバージョン率を比較すれば効果がわかります。

確認問題 4 ▶ 令和元年度秋期 問70　正解率 ▶ 中　基本

"かんばん方式"を説明したものはどれか。

ア 各作業の効率を向上させるために，仕様が統一された部品，半製品を調達する。

イ 効率よく部品調達を行うために，関連会社から部品を調達する。

ウ 中間在庫を極力減らすために，生産ラインにおいて，後工程の生産に必要な部品だけを前工程から調達する。

エ より品質が高い部品を調達するために，部品の納入指定業者を複数定め，競争入札で部品を調達する。

要点解説 かんばん方式は，JITともいわれ，必要な物を，必要な時に，必要な量だけ生産する方法です。後工程の生産に必要な部品だけを前工程から調達します。

確認問題 5 ▶ 平成31年度春期 問74　正解率 ▶ 中　基本

デジタルサイネージの説明として，適切なものはどれか。

ア 情報技術を利用する機会又は能力によって，地域間又は個人間に生じる経済的又は社会的な格差

イ 情報の正当性を保証するために使用される電子的な署名

ウ ディスプレイに映像，文字などの情報を表示する電子看板

エ 不正利用を防止するためにデータに識別情報を埋め込む技術

要点解説 デジタルサイネージは，電子看板と訳されます。駅や地下街などに設置される大型のディスプレイで，動画の広告や案内などを表示します。
ア デジタルディバイド (11-01参照)
イ デジタル署名 (8-04参照)
ウ デジタルサイネージ
エ 電子透かし (11-09参照)

第11章 ストラテジ系

解答

問題1：エ　　問題2：ア　　問題3：イ　　問題4：ウ　　問題5：ウ

品質管理

**イメージで
つかむ**

どの世界でも成功するためには，うまく道具を使いこなすことが大事です。品質管理では，道具として様々な図解が用いられます。

🐟 品質管理手法

　製造部門を中心に，品質を管理するために，データを収集・数値化して定量的または定性的にデータを分析します。その数値化したデータをもとに，現状分析や課題を視覚的に図解にして整理します。次のような図解が用いられています。

⬡ 特性要因図

　特性要因図は，**特性と要因の関連を魚の骨のような形態に整理して体系的にまとめた図**です。特性に対してどのような要因が関連しているかを把握します。フィッシュボーン図とも呼ばれています。

魚の骨に見える

⬡ 散布図

　散布図は，**X軸とY軸の座標上をプロットした点のばらつき具合を表した図**です。二つの特性間の相関関係を把握します。相関関係には，**「正の相関」・「負の相関」・「相関なし」**があります。

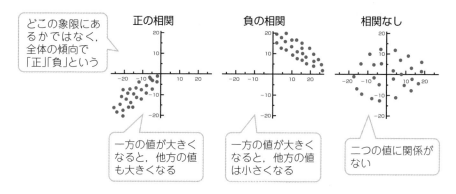

散布図にプロットされた個々の点の値から，次のものが求められます。

　回帰直線は，**全体の大まかな傾向を表す直線**で，個々の点からの誤差が最も少なくなるように最小二乗法を用いて求めます。

　相関係数は，**二つの特性間に直線的な関係があるかを示す値**で，+1〜-1の間の数値になります。1に近いほど正の相関が大きく，0に近いほど相関は少なくなります。-1に近くなると，負の相関が大きくなります。

🌸 パレート図

　パレート図は，**データを幾つかの項目に分類し，横軸方向に大きさの順に棒グラフとして並べ，累積値を折れ線グラフで表した図** (左下図) です。

　また，パレート図を利用したものに**ABC分析**があります。ABC分析は，ある項目の件数を降順に並べた結果，全体に対する比率で，例えば，A群(70%)，B群(20%)，C群(10%)のようにクラス分けをします。クラスに分けることで，重点項目を把握します(右下図)。

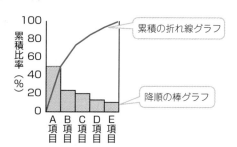

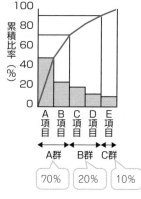

○ ヒストグラム

　ヒストグラムは，収集したデータを幾つかの区間に分け，各区間に属するデータの個数を棒グラフで表した図です。データのばらつきを把握します。

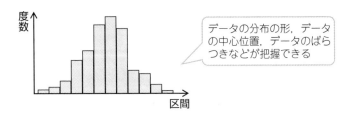

データの分布の形，データの中心位置，データのばらつきなどが把握できる

○ 管理図

　管理図は，時系列データのばらつきを折れ線グラフで表した図です。上方と下方の管理限界線を利用して，品質不良や工程の異常がないかを把握します。

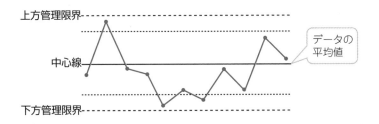

データの平均値

😺! "くれば"で覚える

特性要因図	とくれば	特性と要因の関連をみる
散布図	とくれば	2項目間の相関関係をみる
パレート図	とくれば	降順の棒グラフと累積の折れ線グラフで重点項目をみる
ヒストグラム	とくれば	区間と出現度数でデータの分布やばらつきをみる
管理図	とくれば	管理限界線で異常の有無をみる

○ OC曲線

　同じものを工場で大量生産する場合，一定量をまとめて作るほうが効率的です。まとめて作る一定量のことをロットといいます。ロットの品質の良し悪しを知りたい場合は，ロット全数を検査しなくても，いくつかの標本を抜き取って検査すれば，推定できます。**抜き取り検査を行う際に，ロットの不良率と検査合格率の関係を表した図がOC曲線** (OC：Operating Characteristic) です。横軸をロットの不良率，縦軸をロットの検査合格率とし，不良率と合格率の兼ね合いを見ながら，どこまでの不良率なら出荷するかを決定します。

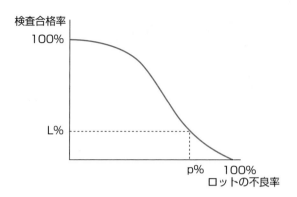

PDPC法

PDPC法(Process Decision Program Chart)は,**事前に考えられる様々な結果を予測し,プロセスの進行をできるだけ望ましい方向に導く手法**です。試行錯誤を避けられない状況における最適策の立案に役立ちます。

確認問題 1 ▶ 平成30年度春期 問75　　正解率 ▶ 高　　**基本**

ABC分析手法の説明はどれか。

ア　地域を格子状の複数の区画に分け,様々なデータ(人口,購買力など)に基づいて,より細かに地域分析をする。

イ　何回も同じパネリスト(回答者)に反復調査する。そのデータで地域の傾向や購入層の変化を把握する。

ウ　販売金額,粗利益金額などが高い商品から順番に並べ,その累計比率によって商品を幾つかの階層に分け,高い階層に属する商品の販売量の拡大を図る。

エ　複数の調査データを要因ごとに区分し,集計することによって,販売力の分析や同一商品の購入状況などの分析をする。

 ABC分析は,データをいくつかの項目に分類し,値が高いものから順に並べ,全体に対する比率によってA群,B群,C群などに分けて重点項目を把握します。

解答

問題1:ウ

11 08 会計・財務

イメージで
つかむ

モノを売るときは，これだけ売れれば儲かり，これだけしか売れなければ損になると常に考えているものです。

管理会計と財務会計

企業会計は，その目的から管理会計と財務会計に分類できます。管理会計は「内部に対しての報告」，財務会計は「外部に対しての報告」です。

管理会計は，企業内部の意思決定や組織統制が目的です。損益分岐点分析（後述）や原価管理，予算管理など，経営判断のための内部報告書を作成します。

財務会計は，企業の経営者が，株主や債権者などの企業外部の利害関係者（**ステークホルダ**）に対して会計報告を行うことが目的です。会計法規に準拠した会計処理を行い，貸借対照表や損益計算書（後述）などの財務諸表を作成します。なお，**企業の経営成績や財務状態を外部に公開すること**を**ディスクロージャ**といいます。

> 📖 **知っ得情報 〈 サステナビリティレポート 〉**
>
> 企業会計は数値的な財務状況を報告するのに対して，**サステナビリティレポート**は，企業の環境・社会・経済への持続可能な取り組みや成果をまとめた報告書です。自社がどのような社会的な貢献をしているかを知らせることで，ステークホルダの信頼を得ることができます。

🐱 費用と利益

費用のうち，**売上に関係なく一定であるもの**は固定費，**売上に比例して増減するもの**は変動費と呼ばれています。例えば，人件費(固定給)や店舗の家賃，光熱費などは固定費であり，材料費や材料の運送料などが変動費に当たります。

また，総費用は，固定費と変動費を足したもので，次の式が成立します。

総費用＝固定費＋変動費

売上高がわかれば，利益は次の式で求められます。

利益 ＝売上高－総費用
**　　＝売上高－(固定費＋変動費)**

🐱 損益分岐点分析

✦損益分岐点✦は，**損失と利益の分岐点**です。損益分岐点での利益は0であり，売上高がこの点を上回れば利益が，下回れば損失が出ることになります。損益分岐点での売上高(損益分岐点売上高)は，変動費と固定費の和に等しくなります。

損益分岐点売上高＝固定費＋変動費

また，変動費は売上高に比例して一定の割合で増えていきます。この割合を**変動費率**といい，**変動費率＝変動費÷売上高**で表されます。

損益分岐点は，次の式で求められます。試験では，よく出題されるので覚えましょう。

損益分岐点売上高＝固定費÷(1－変動費率)
変動費率＝変動費÷売上高

> 🐱 **"くれば"で覚える**
>
> 損益分岐点　とくれば　**損益分岐点売上高＝固定費÷(1－変動費率)**
> 　　　　　　　　　　　**変動費率＝変動費÷売上高**

第

11

章

ストラテジ系

なお，損益分岐点をグラフに表すと，次のようになります。

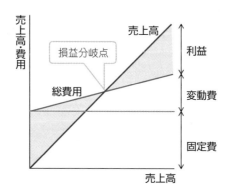

例えば，次の目標利益を達成できるような売上高を考えてみましょう。

売上高が100百万円のとき，変動費が60百万円，固定費が30百万円です。目標利益18百万円を達成するために必要な売上高は何百万円かを求めましょう。

まず，変動費率を求めます。変動費率＝変動費÷売上高＝60百万÷100百万＝0.6

必要な売上高を x（百万）とすると，変動費は 0.6x（百万）です。

ここで，利益＝売上高－（固定費＋変動費）に数値を代入すると

　　18百万＝x－（30百万＋0.6x）

求めると，x=120百万となり，目標利益18百万円を達成するためには，120百万の売上高が必要です。

ちなみに，この場合の損益分岐点は，30百万÷（1－0.6）＝75百万円です。

❤ 財務諸表

財務諸表は，**企業の財政状態や経営成績をステークホルダへ報告するために作成される計算書類**です。次のようなものがあります。

● 貸借対照表

貸借対照表は，**会計期間末日時点の全ての資産・負債・純資産などを記載したもの**で，企業の財政状態を明らかにします。B/S（Balance Sheet）とも呼ばれています。「その時点での会社の財産や借金はいくらあるの？」ということです。

貸借対照表

| 資産 | 負債 |
| | 純資産 |

貸借対照表の左側と右側の合計額は一致する。
資産＝負債＋純資産の関係にある

資産 …… プラスの財産。現金，預金，土地，建物，売掛金，受取手形など

負債 …… マイナスの財産。借入金，買掛金，支払手形，社債など

純資産 … 正味の財産。資産－負債。資本金，利益剰余金など

攻略法 …… **これが買掛金と売掛金のイメージだ！**

企業間の代金のやりとりは，一定期間の取引をまとめて後払いするのが普通です。これは「ツケ」のイメージです。買ったときのツケが買掛金，売ったときのツケが売掛金です。

損益計算書

損益計算書は，**会計期間に発生した収益と費用を記載し，算出した利益を示したもの**です。P/L (Profit and Loss statement) とも呼ばれます。「その期間にいくら儲かった？ 損した？」ということです。

売上高から費用を引けば利益が求まりますが，どこまで差し引くかにより次の5段階の利益があります。

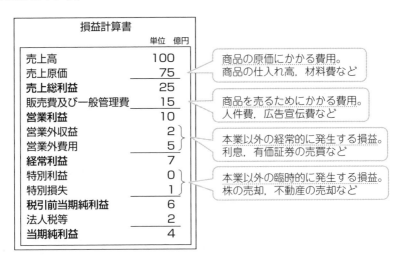

損益計算書	
	単位　億円
売上高	100
売上原価	75
売上総利益	25
販売費及び一般管理費	15
営業利益	10
営業外収益	2
営業外費用	5
経常利益	7
特別利益	0
特別損失	1
税引前当期純利益	6
法人税等	2
当期純利益	4

商品の原価にかかる費用。商品の仕入れ高，材料費など

商品を売るためにかかる費用。人件費，広告宣伝費など

本業以外の経常的に発生する損益。利息，有価証券の売買など

本業以外の臨時的に発生する損益。株の売却，不動産の売却など

① **売上総利益**＝売上高－売上原価

② **営業利益**＝売上総利益 (①) －販売費及び一般管理費

③ **経常利益**＝営業利益 (②) ＋営業外収益－営業外費用

④ **税引前当期純利益**＝経常利益 (③) ＋特別利益－特別損失

⑤ **当期純利益**＝税引前当期純利益 (④) －法人税等

* **ROE** (Return On Equity：<u>自己資本利益率</u>) は，<u>自己資本に対する当期純利益の割合</u>です。**ROE (%)＝当期純利益÷自己資本×100** で求めます。この指標により，自己資本（返済の必要がない資金。資本金，利益剰余金，など）がどの程度効率的に利益を生み出しているかを把握でき，この数値が高いほど自己資本が効率的に活用されていると判断できます。

* **ROI** (Return On Investment：投資利益率) は，投資に対する利益の割合です。**ROI (%)＝利益÷投資額×100** ＝ (売上－売上原価－投資額) ÷投資額×100 で求めます。この指標により，投資額に見合うリターンが得られるかどうかを把握できます。費用対効果を具体的な数値として表したものです。

💾 キャッシュフロー計算書

キャッシュフロー計算書は，**会計期間における現金の流れを示したもの**です。「その期間の現金の動きは？資金繰りは？」ということです。「営業活動」「投資活動」「財務活動」の3活動区分に分けて表します。

営業活動による キャッシュフロー	営業活動による現金の増減を表したもの 増加要因…商品の販売，棚卸資産の減少など 減少要因…商品の仕入，給与の支払いなど
投資活動による キャッシュフロー	投資活動による現金の増減を表したもの 増加要因…固定資産の売却，有価証券の売却など 減少要因…固定資産の取得，有価証券の取得など
財務活動による キャッシュフロー	資金の調達や返済による現金の増減を表したもの 増加要因…借入，社債の発行，株式の発行など 減少要因…借入金の返済，社債の償還，配当金の支払いなど

💾 NPV

NPV (Net Present Value：正味現在価値) は，**投資によって将来どれだけの利益が得られるのかを示す指標**です。この値が大きいほど投資効果が高く，マイナスであれば投資の採算が取れないと判断します。

例えば，利率が年に5%なら，現在の100万円（現在価値）は1年後には105万円（将来価値）になり，次のように二つは同じ価値だと考えます。

$$将来価値＝現在価値 (PV) \times (1 ＋利率)^n 年後$$

もし，投資しても1年後に102万円にしかならないなら，将来の価値が下がるので，投資より銀行に預けるほうがマシということになります。

ここで，時間軸を逆にして，現在価値 (PV) は，次のように求めます。<u>割引率は，将来受け取ることができる価値を現在の価値に換算したものです</u>（先ほどの例では，現在の100万円は1年後の105万円に対して5%割り引かれています）。

$$現在価値(PV)＝将来価値÷(1＋割引率)^n年後$$

最後に，**正味現在価値(NPV)＝現在価値(PV)の合計－初期投資額**で求めます。

では，初期投資額100億円で，投資期間3年間にわたり毎年40億円ずつ利益を上げたときの正味現在価値(NPV)を求めてみましょう。割引率を5%とします。

現在価値(PV)の合計 $= 40 \div (1.05)^1 + 40 \div (1.05)^2 + 40 \div (1.05)^3 \fallingdotseq 108.9$億円

正味現在価値(NPV)＝108.9億円－100億円＝8.9億円，プラスなので採算がとれると判断します。

減価償却

建物や機械などのような固定資産は，時間の経過とともに価値が減っていきます。**減価償却は，資産の購入にかかった金額**(取得価額という)**を，一定の方法に従って，利用した年度ごとに減価償却費として計上していく方法**です。これは，取得した年度に全額を計上すると，その年度だけ支出が急に増えてしまい，正確な経営状況がつかめなくなるからです。

また，資産の利用可能な年数を耐用年数といい，資産の種別ごとに**法定耐用年数**として定められています。PCは4年，サーバは5年，ソフトウェアも「販売するための原本」及び「研究開発目的」は3年，「その他のもの」は5年と定められています。

減価償却の方法には，毎年同じ金額を計上する**定額法**と，一定の割合の金額を計上する**定率法**があります。

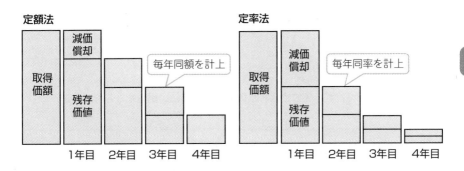

在庫評価

商品を倉庫に保管するうち，帳簿上の在庫数と実際の在庫数が合わなくなることがあります。そのため，実際の数を数えて帳簿上に反映させる「棚卸し」が必要です。

棚卸しでは，在庫数を確認するだけではありません。決算書に計上するためには，その数がいくら分に当たるのか，金額に換算する必要があります。ただし，同じ商品

でも仕入時期によって仕入単価が異なることがあるので，次のような方法で在庫を評価します。

先入先出法	先に仕入れた商品から先に売れたものとみなして，払出単価とする方法
移動平均法	商品を購入した都度，そのときの在庫金額と購入価額との合計額を，在庫数量と購入数量との合計数量で割り，払出単価とする方法
総平均法	期初在庫の評価額と仕入れた商品の総額との合計をその総数量で割り，払出単価とする方法

　例えば，先入先出法による4月10日の払出単価を求めてみましょう。右側の在庫のイメージ欄は，理解しやすくするために書き加えたものです。

取引日	取引内容	数量 （個）	単価 （円）	金額 （円）	在庫のイメージ （1,000個単位）
4月1日	前月繰越	2,000	100	200,000	100 100
4月5日	購入	3,000	130	390,000	100 100 130 130 130
4月10日	払出	3,000			~~100~~ ~~100~~ ~~130~~ 130 130

（単価100円のものが1,000個）

　先入先出法は，先に仕入れた商品から先に払い出したとみなします。

　4月10日に払い出した3,000個のうち2,000個が前月繰越分で，残りの1,000個が4月5日に購入した商品です。

　前月繰越分の2,000個は単価100円で，残りの1,000個が単価130円であるので，払出単価は，(2,000 × 100 + 1,000 × 130) ÷ 3,000 = 110円です。

　ここで，4月10日払出後の在庫金額を求める場合は，倉庫に残っている商品の単価と個数を掛け合わせるので，2,000個 × 130円 = 260,000円です。

🐱❗ **"くれば"で覚える**

先入先出法　とくれば　**先に仕入れた商品から先に払い出したとみなす方法**

📢 **アドバイス [会計・財務の計算問題]**

　ここは覚える用語も計算も多く，出題もさまざまなバリエーションがあるため，なかなか攻略しづらい節です。この節で一番出題頻度が高いのは先入先出法なので，計算方法をマスターしておきましょう。

確認問題 1 ▶ 平成23年度特別問77 正解率▶中 基本

売上総利益の計算式はどれか。

ア 売上高－売上原価
イ 売上高－売上原価－販売費及び一般管理費
ウ 売上高－売上原価－販売費及び一般管理費＋営業外損益
エ 売上高－売上原価－販売費及び一般管理費＋営業外損益＋特別損益

 ア 売上総利益 イ 営業利益 ウ 経常利益 エ 税引前当期純利益

確認問題 2 ▶ 平成26年度春期 問78 正解率▶中 計算

表は，ある企業の損益計算書である。損益分岐点は何百万円か。

単位 百万円

項 目	内 訳		金 額
売上高			700
売上原価	変動費	100	300
	固定費	200	
売上総利益			400
販売費・一般管理費	変動費	40	340
	固定費	300	
営業利益			60

ア 250 イ 490 ウ 500 エ 625

 固定費＝200＋300＝500，変動費＝100＋40＝140
変動費率＝変動費÷売上高＝140÷700＝0.2 より
損益分岐点＝固定費÷（1－変動費率）
＝500÷（1－0.2）＝500÷0.8＝625百万円です。

第

11

章 ストラテジ系

　新製品の設定価格とその価格での予測需要との関係を表にした。最大利益が見込める新製品の設定価格はどれか。ここで，いずれの場合にも，次の費用が発生するものとする。

固定費：1,000,000円
変動費：600円／個

新製品の設定価格 (円)	新製品の予測需要 (個)
1,000	80,000
1,200	70,000
1,400	60,000
1,600	50,000

ア　1,000　　　イ　1,200　　　ウ　1,400　　　エ　1,600

利益は，価格×販売個数−固定費−変動費×販売個数で求めます。
ア　1000×80,000 − 1,000,000 − 600×80,000 = 31,000,000
イ　1200×70,000 − 1,000,000 − 600×70,000 = 41,000,000
ウ　1400×60,000 − 1,000,000 − 600×60,000 = 47,000,000
エ　1600×50,000 − 1,000,000 − 600×50,000 = 49,000,000
よって，最大利益が見込めるのはエです。

　当期の建物の減価償却費を計算すると，何千円になるか。ここで，建物の取得価額は10,000千円，前期までの減価償却累計額は3,000千円であり，償却方法は定額法，会計期間は1年間，耐用年数は20年とし，残存価額は0円とする。

ア　150　　　イ　350　　　ウ　500　　　エ　650

定額法では，毎年同じ額を計上します。残存価額は，耐用年数経過後に残る帳簿上の価値です。残存価額が0ということは，10,000千円−0円を20年間，同額で減価償却すればよいことになります。
(10,000 − 0) ÷ 20 = 500のため，毎年500千円ずつ減価償却することになります。当期の減価償却費は500千円です。
なお，前期までの減価償却累計額が3,000千円ということは，3,000÷500 = 6なので，6回の会計年度が過ぎていることになり，今期は7年目になることがわかります。

| 確認問題 | 5 | ▶ 平成30年度春期　問78 | 正解率 ▶ 低 | 計算 |

商品Aの当月分の全ての受払いを表に記載した。商品Aを先入先出法で評価した場合，当月末の在庫の評価額は何円か。

| 日付 | 摘要 | 受払個数 | | 単価 |
		受入	払出	(円)
1	前月繰越	10		100
4	仕入	40		120
5	売上		30	
7	仕入	30		130
10	仕入	10		110
30	売上		30	

ア　3,300　　　イ　3,600　　　ウ　3,660　　　エ　3,700

要点解説

在庫評価の問題は，計算方法さえ覚えてしまえば得点源になります。
倉庫にある在庫の評価額合計を計算させたり，売上で倉庫から出庫した商品の払出単価を計算させたりするパターンがあるため，何を求めるのかに注意しましょう。
先入先出法は，先に仕入れた商品から先に払い出したとみなします。
在庫の品の動きを見てみます。在庫のイメージ欄の左側が，先に仕入れた商品です。

| 日付 | 摘要 | 受払個数 | | 単価 | 在庫のイメージ |
		受入	払出	(円)	（10個単位）
1	前月繰越	10		100	100
4	仕入	40		120	100 120 120 120 120
5	売上		30		~~100~~ ~~120~~ ~~120~~ 120 120
7	仕入	30		130	120 120 130 130 130
10	仕入	10		110	120 120 130 130 130 110
30	売上		30		~~120~~ ~~120~~ ~~130~~ 130 130 110

当月末の在庫の評価額は，$130 \times 20 + 110 \times 10 = 3,700$円です。

解答

問題1：ア　　　問題2：エ　　　問題3：エ　　　問題4：ウ　　　問題5：エ

第11章　ストラテジ系

11 09 知的財産権と セキュリティ関連法規

イメージで つかむ

著作物を創作した時点で著作権が発生します。
あなたの頭の中にも，たくさんの財産が眠っています。

知的財産権

知的財産権は，文化的な創造物を保護する権利である**著作権**と，産業の発展を保護する権利である**産業財産権**とに大別できます。

著作権

✦**著作権**✦は，**文芸や美術，音楽，映像，コンピュータプログラムなどの創作物にかかわる権利**です。著作権法で保護され，出願や登録をしなくても，著作物を創作した時点から権利が発生し，個人では著作者の死後70年間は保護されます。

さらに，著作権は著作者人格権と著作財産権とに分けられます。

著作者人格権	公表権・氏名表示権・同一性保持権など
著作財産権	複製権・貸与権・頒布権など

* 公表権 …………未公表の著作物を公開するかどうか，公表の時期や方法，条件などを著作者が決定できる権利
* 氏名表示権 ……著作名を表示するのか，実名で表示するのか，ペンネームで表示するのかなどを著作者が決定できる権利
* 同　性保持権 …著作物に対しし，著作者の意に反する改変などを受けない権利

510

　著作者人格権は，他人に譲渡や相続できませんが，著作財産権は，他人に一部または全部を譲渡・相続できます。

"くれば"で覚える

著作権　とくれば　**著作物を創作した時点から発生する**

コンピュータに関する著作物

　プログラムやマニュアル，Webページなどのコンピュータに関する著作物も著作権の対象であり，無断で複製した時は著作権の侵害になります。

　また，次のようなことが試験ではよく出題されます。

* プログラム言語やアルゴリズム（解法），規約（プロトコル）は著作権の保護対象外であるが，プログラムは著作権の保護対象である
* A社に属するBさんが業務でプログラムを開発した場合は，特段の取り決めがない限り，プログラムの著作権はA社にある
* A社がB社にプログラム開発を委託した場合は，特段の取り決めがない限り，プログラムの著作権はB社にある

知っ得情報〈ステガノグラフィ〉

　ステガノグラフィは，画像データや音声データなどの中に別の情報を埋め込み，その存在を隠すことです。これを応用して著作物に著作者情報などを埋め込んだ**電子透かし**があります。電子透かしは，**デジタルウォータマーク**とも呼ばれています。

産業財産権

　産業財産権には次のようなものがあり，特許庁に出願・審査・登録することで権利が発生します。

名　称	概　要	スマートフォンの例
特許権	新しい高度な発明を保護	リチウムイオン電池
実用新案権	物品の構造・形状の考案を保護	ボタンの配置
意匠権	物品のデザインを保護	画面のデザイン
商標権	商品やサービスに使用するマークを保護	商品名

! "くれば"で覚える

産業財産権　とくれば　**特許権・実用新案権・意匠権・商標権**

特許権

✦特許権✦は，**産業上利用できる新規性のある高度な発明にかかわる権利**です。特許法で保護され，最初の出願者に与えられる権利（**先願主義**）で，出願から20年間は独占的に利用できます。

また，従来の特許は，製品や技術を対象にしたものでしたが，最近はコンピュータやインターネットなどを活用した新しいビジネスの仕組せ（ビジネスモデル）を対象とした**ビジネスモデル特許**があります。例えば，Amazon社の「1-click」があります。これは，あらかじめ利用者が支払情報を入力しておけば，1回のクリックで商品のオンライン購入を完結できます。

実用新案権

実用新案権は，**物品の形状や構造，組合せの考案にかかる権利**です。実用新案法で，出願から10年間は保護されます。特許権と違い，高度さまでは求められていません。

意匠権

意匠権は，**物品の形状や模様，色彩などで表したデザインにかかる権利**です。意匠法で，出願から25年間は保護されます。

商標権

商標権は，**商品や役務（サービス）を他社のものと区別するために使用するマークや名称，ロゴにかかる権利**です。商標法で保護され，登録から10年ごとに更新することで，半永久的に権利を保有できます。商品について使用する**トレードマーク**と，役務について使用する**サービスマーク**とがあります。

! "くれば"で覚える

特許権	とくれば	**高度な発明を保護する**
実用新案権	とくれば	**考案を保護する**
意匠権	とくれば	**デザインを保護する**
商標権	とくれば	**マークを保護する**

🐱 不正競争防止法

　✦不正競争防止法✦は，**事業活動に有用な技術上または営業上の秘密として管理され**
ている情報を保護する法律です。不正な競争を防止することを目的とし，他人の商品の
形態の丸写し（デッドコピー）などの模倣，他人の商品や営業活動と誤認混同されるよう
な表示の使用に対して，差止請求や損害賠償請求ができます。**営業秘密**とは，次の三つ
の要件を満たすものです。

1. 秘密として管理されているもの
2. 事業活動に有用な技術または情報であるもの
3. 公然と知られていないもの

🐱! "くれば"で覚える

不正競争防止法　とくれば　営業秘密を保護する法律

🐱 セキュリティ関連法規

　セキュリティ関連法規には，次のようなものが出題されます。

🔵 サイバーセキュリティ基本法

　サイバーセキュリティ基本法は，**日本のサイバーセキュリティに関する施策の基本理**
念やセキュリティ戦略を定めた法律です。この法律では，国や地方公共団体，重要社会
基盤事業者（重要インフラ事業者）などの責務等が定められています。また，国民につい
ても，「国民は，基本理念にのっとり，サイバーセキュリティの重要性に関する関心と
理解を深め，サイバーセキュリティの確保に必要な注意を払うよう努めるものとする」
とされています。

🔵 不正アクセス禁止法

　✦不正アクセス禁止法✦は，**コンピュータへの不正な侵入や利用を禁止する法律**で
す。ネットワークに接続され，アクセスが制限されているコンピュータが対象で，以下
のような行為を禁止し，違反者に対しての罰則規定を定めています。

* 無断で他人のIDやパスワードなどの認証情報を使い，コンピュータにアクセスす
  る行為
* 無断で第三者に他人の認証情報を教える行為
* セキュリティホール（ソフトウェアのセキュリティ上の弱点）を攻撃してコンピュータ
  に侵入する行為　など

他人の認証情報を
勝手に使う

他人の認証情報を
第三者に教える

セキュリティホールを
ついて侵入

"くれば"で覚える

不正アクセス禁止法　とくれば　**不正なアクセスを禁止する法律**

🔒 個人情報保護法

✦個人情報保護法✦は，**個人情報を適切に取り扱うことを義務付ける法律**です。**個人情報**とは，生存する個人に関する情報で，氏名や生年月日，住所などの記述により特定の個人を識別できる情報のほか，**個人識別符号**(DNAや顔，マイナンバー，免許証の番号など)を含む情報です。防犯カメラの映像なども，個人を特定できるときは個人情報に該当します。

個人情報保護法では，個人情報を取り扱う事業者(個人情報取扱事業者)に対し，以下のことが義務付けられています。

＊ 利用目的を本人に明確にすること　＊ 本人に開示可能であること

＊ 本人の了解を得て収集すること　＊ 本人の申し出により訂正や削除に応じること

＊ 正確な個人情報を保つこと　＊ 個人情報の流出や盗難，紛失を防止すること

🐱 もっと詳しく ◀ 匿名加工情報 ▶

匿名加工情報は，特定の個人が識別できないように匿名加工した情報です。個人情報には当たらず，一定のルールの下で本人の同意を得ることなく目的外利用や第三者提供が可能です。データが大量になるにつれ，データのセキュリティの確保が重要になります。また，データが特定の企業に集中しすぎて寡占化が起こり，健全な競争を阻害する懸念もあります。

情報流通プラットフォーム対処法

インターネット上の誹謗中傷などが絶えない中，プロバイダ責任制限法が改正され，**情報流通プラットフォーム対処法**と名称が変更されました。SNSなどの大規模プラットフォーム事業者を対象に，削除申請を受ける窓口の設置や，十分な知識経験を有する調査専門員の配置を義務付けています。また，削除基準を作成・公表したうえで，削除依頼があった場合は一定期間内に投稿を削除するかどうかを判断し，申請者へ通知するなどが盛り込まれています。

コンピュータ犯罪と刑法

不正指令磁気記録に関する罪は，**コンピュータウイルスを正当な理由なく作成，配布するコンピュータ犯罪**です。通称，**ウイルス作成罪**と呼ばれ，刑法の処罰対象となります。

ウイルスの作成・保管

ウイルスの取得・供用

確認問題 1 ▶ 平成30年度秋期 問79　　正解率 ▶ 高　　応用

個人情報保護委員会"個人情報の保護に関する法律についてのガイドライン（通則編）平成28年11月（平成29年3月一部改正）"によれば，個人情報に該当しないものはどれか。

ア　受付に設置した監視カメラに録画された，本人が判別できる映像データ
イ　個人番号の記載がない，社員に交付する源泉徴収票
ウ　指紋認証のための指紋データのバックアップデータ
エ　匿名加工情報に加工された利用者アンケート情報

要点解説 個人が特定できるような顔や住所，氏名などの情報を削除し，復元できないように加工した匿名加工情報については，個人情報には該当しません。

A社は，B社と著作物の権利に関する特段の取決めをせず，A社の要求仕様に基づいて，販売管理システムのプログラム作成をB社に委託した。この場合のプログラム著作権の原始的帰属はどれか。

ア　A社とB社が話し合って決定する。
イ　A社とB社の共有となる。
ウ　A社に帰属する。
エ　B社に帰属する。

特に契約に定めない限り，プログラム著作権の原始的帰属は実際にプログラムを作成した受託側です。この場合は，B社に帰属します。

不正競争防止法において，営業秘密となる要件は，"秘密として管理されていること"，"事業活動に有用な技術上又は営業上の情報であること"と，もう一つはどれか。

ア　営業譲渡が可能なこと　　　　イ　期間が10年を超えないこと
ウ　公然と知られていないこと　　エ　特許出願をしていること

不正競争防止法で営業秘密として保護されるための3要件のもう一つは，「公然と知られていないこと」です。

著作権法において，保護の対象とならないものはどれか。

ア　インターネットで公開されたフリーソフトウェア
イ　ソフトウェアの操作マニュアル
ウ　データベース
エ　プログラム言語や規約

プログラム言語や規約，解法（アルゴリズム）は，著作権保護対象外です。

確認問題　5 ▸ 平成30年度秋期　問78　　正解率 ▸ 高　　**基本**

　コンピュータウイルスを作成する行為を処罰の対象とする法律はどれか。

ア　刑法　　　　　　　　　　イ　不正アクセス禁止法
ウ　不正競争防止法　　　　　エ　プロバイダ責任制限法

要点解説　コンピュータウイルスに関する罪は，不正指令電磁的記録作成・提供罪，通称，ウイルス作成罪といい，刑法の処罰対象です。

確認問題　6 ▸ 令和6年度　問20　　　　　正解率 ▸ 低　　**基本**

　日本において，産業財産権と総称される四つの権利はどれか。

ア　意匠権，実用新案権，商標権，特許権
イ　意匠権，実用新案権，著作権，特許権
ウ　意匠権，商標権，著作権，特許権
エ　実用新案権，商標権，著作権，特許権

要点解説　産業財産権は，意匠権，実用新案権，商標権，特許権です。著作権は含まれないので注意しましょう。

確認問題　7 ▸ 応用情報　平成27年度秋期　問79　正解率 ▸ 高　　**応用**

　サイバーセキュリティ基本法において，サイバーセキュリティの対象として規定されている情報の説明はどれか。

ア　外交，国家安全に関する機密情報に限られる。
イ　公共機関で処理される対象の手書きの書類に限られる。
ウ　個人の属性を含むプライバシー情報に限られる。
エ　電磁的方式によって，記録，発進，伝送，受信される情報に限られる。

要点解説　ボーナス問題ですね。サイバーセキュリティに関する戦略を定めた法律なので，イの手書きは除外されそうです。また，外交や国家安全の機密情報，個人のプライバシー情報だけに限定されないので，ア・ウも除外されます。

解答

問題1：エ　　　問題2：エ　　　問題3：ウ　　　問題4：エ　　　問題5：ア
問題6：ア　　　問題7：エ

労働・取引関連法規と標準化

時々出　必須　超重要

イメージで つかむ

何事も頼まれたことは，責任をもって期間内にやり遂げなくてはなりません。仕事も同じです。

さかさま...

労働関連法規

労働関連には，次のようなものが出題されます。

労働基準法

労働基準法は，**労働者の労働条件の最低基準を定めた法律**です。労働時間は原則として1日8時間，週40時間を超えてはいけませんが，時間外や休日の労働を認めるためには，労使協定を書面で締結し，行政官庁に届けることになっています。これは，労働基準法第36条に規定されているので，**36協定**（サブロク）と呼ばれています。

また，休息時間は，労働時間が6時間を超える場合は45分，8時間を超える場合は1時間を少なくとも途中で入れる必要があります。ただし，経営的立場にある管理監督者は残業などの規制の対象外です。

関連した法規として，労働者や使用者が対等の立場で労働条件について合意し，労働契約を締結することを定めた**労働契約法**があります。

知っ得情報 ◀ 多様な働き方 ▶

＊**裁量労働制**は，実際の労働時間に関係なく，労使間であらかじめ取り決めた労働時間を働いたとみなす制度です。仕事の進め方や時間配分を労働者にまかすよというイメージです。ただし，特定の専門業務や企業業務に限られています。

＊**ワークシェアリング**は，従業員一人あたりの勤務時間を短縮し，仕事配分を見直すことで，より多くの雇用を確保することです。

＊**ワークライフバランス**は，仕事と生活の調和を実現するため，多様かつ柔軟な働き方を目指す考え方です。

＊**テレワーク**は，ICTを活用して，時間や場所の制約を受けない柔軟な働き方の一つです。自宅やサテライトオフィス（自宅に近いところに設けられた拠点）などの場所で仕事をします。Tele（離れた場所）とWork（仕事）を合わせた造語です。

労働者派遣契約

労働者派遣契約は，**労働者が，派遣元企業（派遣会社）との雇用関係とは別に，派遣先企業の指揮命令を受けて仕事を行う契約**です。雇用関係と指揮命令関係が切り離されている形態です。

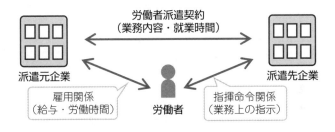

労働者派遣契約
（業務内容・就業時間）

派遣元企業　　　　派遣先企業

雇用関係
（給与・労働時間）

労働者

指揮命令関係
（業務上の指示）

労働者派遣法では，派遣労働者を保護する目的で，次のようなことが定められています。

* 同一の組織単位への同一人物の派遣は原則3年を上限とする
* 派遣先企業は，派遣労働者を選ぶことができない（事前面接の禁止）
* 派遣先企業は，派遣労働者を別会社へ再派遣することはできない（二重派遣の禁止）
* 派遣元企業は，派遣労働者との雇用期間が終了後，派遣先企業に雇用されることを禁止することはできない（派遣先企業が雇用してもよい）
* 自社を離職した労働者を1年以内に派遣労働者として迎えることはできない
* 建設・警備・医療関係などの派遣禁止の業務がある

第

11

章

ストラテジ系

🔘 請負契約

✦請負契約✦は，**請負企業が発注企業から請け負った仕事を期日までに完成させることを約束し，発注企業がその仕事の成果物に対して対価を支払う契約**です。請負契約は民法で定められています。

請負契約では，請負企業が成果物を納品するまでは，全て請負企業の責任とリスクにおいて作業を実施するので，**発注企業が請負企業の労働者に直接指示を出せません。**

また，成果物が契約の内容に合わないときは，相当の期間内（最長10年）であれば，請負企業が責任を負う**契約不適合責任**があります。

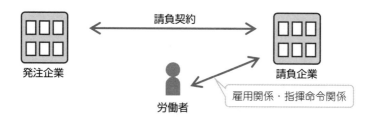

知っ得情報 ◀ 準委任契約 ▶

準委任契約は業務を委託する契約で，請負と違い完成責任は負いません。要件定義・外部設計・システムテスト・導入受入れなどは利用者側が主体として進めるべきもので，ベンダはサポートする立場であるため，請負よりも準委任契約のほうが適切といえます。なお，委任契約は，法律行為の委託の契約です。

🔘 公益通報者保護法

公益通報者保護法は，**所属する組織や派遣先企業などの重大な犯罪行為を知り，公益のために内部告発（公益通報）した労働者が，解雇などの不利益な扱いを受けないように保護する法律**です。

😋 取引関連法規

取引関連の法規には，次のようなものがあります。

🔘 製造物責任法

✦製造物責任法✦（PL法）は，**消費者が製造物を使用することで生じる損害に対し，製造業者などが負う責任を定めた法律**です。消費者を保護することを目的とし，製造物責任とは次の要件を満たすものです。

1. 製造業者等が製造物を自ら引き渡したこと
2. 製造物に欠陥が存在すること
3. 欠陥と損害発生との間に因果関係が存在すること

⚙ 特定商取引法

特定商取引法は，**店舗以外での販売形態をとる訪問販売や通信販売など，トラブルが生じやすい取引に対し，消費者保護を目的として定めた法律**です。事業者名の表示義務や契約締結時の書面交付の義務，不当な勧誘の禁止，誇大広告の規制，通信販売などの広告メールの規制などが定められています。

> 🐱 **知っ得情報** 〈 **ソフトウェアのライセンス契約** 〉
>
> **シュリンクラップ契約**は，ソフトウェアの購入者がパッケージを開封することで，使用許諾契約に同意したものとみなす契約です。Shrink Wrapは，熱によって収縮するプラスチックフィルムを使った包装のことです。

😺 標準化

標準化は，**物やサービスなどにおいて共通の基準や規格を決めること**です。標準化することで，製品の互換性が確保され，利便性が上がります。また，品質の確保や大量生産に役立ち，良質のものを安く作ることができるようになります。

身近な例では，単三電池や単四電池などの電池は，規格が決まっていてサイズや形状などが細かく決められています。そのお陰で，私たちはストレスなく電池を購入して使うことができます。

次のような規格が出題されています。

⚙ ISO

ISO (International Organization for Standardization：国際標準化機構) は，**電気分野を除く，工業や技術に関する国際規格**を決めています。また，国家間の調整を行っており，試験では次のような規格が出題されます。

規格の例

ISO 9000シリーズ	品質マネジメントシステムに関する国際規格
ISO 14000シリーズ	環境マネジメントシステムに関する国際規格
ISO/IEC 20000シリーズ*	ITサービスマネジメントシステムに関する国際規格
ISO/IEC 27000シリーズ*	情報セキュリティマネジメントシステムに関する国際規格

*国際標準化機構 (ISO) と国際電気標準会議 (IEC) が共同で策定

第11章 ストラテジ系

⚙ JISC

JISC (Japanese Industrial Standards Committee：日本産業標準調査会) は，**産業製品に関する国内規格**である**JIS** (Japanese Industrial Standards：日本産業規格) を決めています。JISはISOなどの国際規格との整合性に配慮した規格となっています。

規格の例

ISO	JIS
ISO 9000シリーズ	JIS Q 9000シリーズ
ISO 14000シリーズ	JIS Q 14000シリーズ
ISO/IEC 20000シリーズ	JIS Q 20000シリーズ
ISO/IEC 27000シリーズ	JIS Q 27000シリーズ

⚙ IEEE

IEEE (The Institute of Electrical and Electronics Engineers：米国電気電子技術者協会) は，電気工学・電子工学に関する規格を決めています。次のようなLANの規格があります。

規格の例

IEEE802.3	有線LAN
IEEE802.11	無線LAN

⚙ IETF

IETF (The Internet Engineering Task Force：インターネット技術特別調査委員会) は，インターネットで利用される技術 (TCP/IPなど) の標準化を行っています。技術仕様をまとめた文書が**RFC** (Request for Comments) としてインターネット上に公開されています。

確認問題 1 ▸ 平成31年度春期 問80　　正解率▸低　　基本

インターネットで利用される技術の標準化を図り，技術仕様をRFCとして策定している組織はどれか。

ア　ANSI　　　イ　IEEE　　　ウ　IETF　　　エ　NIST

要点解説 TCP/IPなど，インターネットで利用されている技術の仕様や要件をRFCとしてまとめています。発行している組織は，IETFです。

確認問題 2 ▸ 令和元年度秋期 問80　　正解率▸低　　応用

ソフトウェアやデータに瑕疵がある場合に，製造物責任法の対象となるものはどれか。

ア　ROM化したソフトウェアを内蔵した組込み機器
イ　アプリケーションソフトウェアパッケージ
ウ　利用者がPCにインストールしたOS
エ　利用者によってネットワークからダウンロードされたデータ

要点解説 ソフトウェアについては製造物責任法の対象外ですが，組込み機器にソフトウェアが内蔵されている場合は対象となります。

確認問題 3 ▸ 平成26年度春期 問80　　正解率▸低　　応用

労働者派遣における派遣元の責任はどれか。

ア　派遣先での時間外労働に関する法令上の届出
イ　派遣労働者に指示する業務の遂行状況の管理
ウ　派遣労働者の休日や休憩時間の適切な取得に関する管理
エ　派遣労働者の日々の就業で必要な職場環境の整備

要点解説 労働者は，派遣元企業とは雇用関係，派遣先企業とは指揮命令関係にあります。労働者の時間外労働については，労使協定を書面で締結し行政官庁に届ける必要がありますが，労働者が雇用関係を結んでいるのは派遣元企業のため，派遣元企業が法令上の手続きを行う必要があります。

解答

問題1：ウ　　　問題2：ア　　　問題3：ア

11 11 オペレーションズリサーチ

時々出 / 必須 / 超重要

イメージでつかむ

「1カ月以内に1キロ減量する」と目標を立てても，周りには誘惑するものがたくさんあります。私たちも，様々な制約の中で生活しています。

😺 オペレーションズリサーチ

オペレーションズリサーチ(OR：Operations Research) は，制約がある課題の最適解を数理的な手法で合理的に得るための問題解決の手法です。需要の予測から生産計画，政策決定まで，様々な分野に応用できます。

😺 線形計画法

線形計画法は，「**1次式で表現される制約条件の下にある資源を，どのように配分したら最大の効果が得られるか**」という問題を解く手法です。

例えば，T商店では，毎日KとLという菓子を作り，これを組み合わせて箱詰めした商品MとNを販売しています。箱詰めの組合せと1商品当たりの利益は次の表に示すとおりで，菓子Kの1日の最大製造能力は360個，菓子Lの1日の最大製造能力は240個です。全ての商品を売ったときの1日の販売利益を最大にするように，商品MとNを作ったときの利益を求めてみましょう。

		K（個）	L（個）	販売利益（円）
x個	商品M	6	2	600
y個	商品N	3	4	400

最大360個　　最大240個　　最大の販売利益z

524

　ここで，商品Mの製造個数をx，商品Nの製造個数をyとします。xもyも，負には
ならないので，

$$x \geq 0, \ y \geq 0$$

菓子Kの1日の最大製造能力は360個であるので，

$$6x + 3y \leq 360$$

また，菓子Lの1日の最大製造能力は240個であるので，

$$2x + 4y \leq 240$$

これらの四つの制約条件式を満たす範囲は，次のグラフの灰色の部分です。

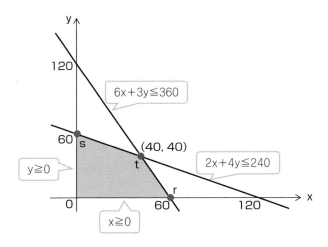

　この制約条件下での最大となる販売利益 (z) を求めます。
　式で表すと，

$$z = 600x + 400y$$

　ここで，制限条件の範囲内にある三つの頂点s (0，60)，t (40，40)，r (60，0) は
解の候補となります。
　それぞれの場合の販売利益 (Z) を求めると，

　　　(s，t，r) = (24,000，40,000，36,000) です。

　したがって，最大の販売利益 (Z) を得るためには，商品Mを40個，商品Nを40個
製造することになり，そのときの利益は40,000円です。

😊 グラフ理論

　グラフ理論は，**ノード（頂点・接点）と，そのつながりであるエッジ（枝）で表された対象をグラフといい，このグラフの性質を分析すること**です。ここでいうグラフは，棒グラフや円グラフなどではありません。

　次の二つの図は，ぱっと見は違うように見えますが，ノードとそのつながりという観点からは同じ意味です。エッジの長さは関係ありません。

　あるノードから出ているエッジの数のことを次数といいます。例えば，下図のDの次数は3です。

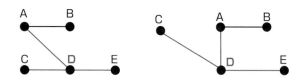

　点どうしのつながりということで，様々な分野に応用できます。SNSでのフォローや乗換案内，ルーティングなどが代表例です。アローダイアグラムも応用例の一つです。

　また，つながりに方向性がないものを無向グラフ，あるものを有向グラフといいます。ノードやエッジが有限の数であるグラフを有限グラフといいます。

😊 ゲーム理論

　ゲーム理論は，競争者がいる地域での販売戦略の策定のように，**お互いの戦略が相手に影響する関係（相互依存関係）のある状況において，相手がどのような戦略を選択するか，またそれに対して自分にとって最善となる戦略は何なのかを分析する理論**です。

　最悪の事態でも自分の利得（得られる利益）が最大になるように行動することを**マキシミン戦略**といい，最良の事態になることを予想して行動することを**マキシマックス戦略**といいます。

　また，お互いに非協力的な戦略を採るプレーヤーが，どのプレーヤーもこれ以上自らの戦略を変更する動機付けが働かない戦略の組合せを**ナッシュ均衡**といいます。

　例えば，A社とB社がそれぞれ2種類の戦略を採る場合の利得が表のように予想されるとき，両社がそれぞれのマキシミン戦略を採った場合の戦略の組合せはどうなるか考えてみましょう。ここで，表の各欄において，左側の数値がA社の利得，右側の数値がB社の利得とします。この例は，片方が得すれば片方が同じ分だけ損をする，ゼロサムゲームになっています。

		B社	
		戦略b1	戦略b2
A社	戦略a1	−15, 15	20, −20
	戦略a2	5, −5	0, 0

まず，A社の立場から考えるときは左側の数字を見ます。

		B社	
		戦略b1	戦略b2
A社	戦略a1	−15, 15	20, −20
	戦略a2	5, −5	0, 0

> a1 では最悪−15,
> **a2 では最悪0**

- A社が仮に戦略a1を採ったとき，B社が戦略b1を採ってきたならA社の利得は −15，戦略b2なら20です。
- A社が仮に戦略a2を採ったとき，B社が戦略b1なら5，戦略b2なら0です。

よって，B社がどちらの戦略を採ったとしても，戦略a1なら最悪の場合−15の利得ですが，戦略a2なら0なので，よりマシな戦略a2を採ります。

次に，B社の立場から考えるときは右側の数字を見ます。

		B社	
		戦略b1	戦略b2
A社	戦略a1	−15, 15	20, −20
	戦略a2	5, −5	0, 0

> **b1 では最悪−5,**
> b2 では最悪−20

- B社が仮に戦略b1を採ったとき，A社の戦略がa1を採ってきたならB社の利得は15，a2なら−5です。
- B社が戦略b2を採ったとき，A社が戦略a1なら−20，戦略a2なら0です。

よって，A社がどちらの戦略を採ったとしても，戦略b1なら最悪の場合−5の利得ですが，戦略b2なら−20なので，よりマシな戦略b1を採ります。

結局A社の戦略はa2，B社の戦略はb1になるので，A社の利得は5，B社の利得は−5となります。このようにマキシミン戦略は，「最悪の状況を少しでもマシにする」という慎重・保守的な考え方です。

		B社	
		戦略b1	戦略b2
A社	戦略a1	−15, 15	20, −20
	戦略a2	5, −5	0, 0

　ある製品の設定価格と需要との関係が1次式で表せるとき，aに入る適切な数値はどれか。

(1) 設定価格を3,000円にすると，需要は0個になる。
(2) 設定価格を1,000円にすると，需要は60,000個になる。
(3) 設定価格を1,500円にすると，需要は□ a □個になる。

ア　30,000　　　イ　35,000　　　ウ　40,000　　　エ　45,000

要点解説

1次式で表せるということは，設定価格と需要との関係で$y = ax + b$の式が成立するということです。

yを需要，xを設定価格とし，(1)(2)の式に代入します。

(1)より$0 = 3{,}000a + b$
よって，$b = -3{,}000a$…①
(2)より$60{,}000 = 1{,}000a + b$…②
①を②に代入すると，
$60{,}000 = 1{,}000a - 3{,}000a$
$2{,}000a = -60{,}000$
よって，$a = -30$…③
③を①に代入すると
$b = -3{,}000 \times -30$
よって，$b = 90{,}000$…④
③，④を$y = ax + b$に代入すると，
$y = -30x + 90{,}000$
この式が，需要と設定価格の間で成立します。
設定価格が1500のときの需要は，
$y = -30 \times 1500 + 90{,}000$
$y = 45{,}000$個です。

確認問題 2 ▶ 平成28年度秋期 問71　　正解率 ▶ **中**　　**計算**

　ある工場では表に示す3製品を製造している。実現可能な最大利益は何円か。ここで，各製品の月間需要量には上限があり，また，製造工程に使える工場の時間は月間200時間までで，複数種類の製品を同時に並行して製造することはできないものとする。

	製品X	製品Y	製品Z
1個当たりの利益(円)	1,800	2,500	3,000
1個当たりの製造所要時間(分)	6	10	15
月間需要最上限(個)	1,000	900	500

ア　2,625,000　　　　　　　イ　3,000,000
ウ　3,150,000　　　　　　　エ　3,300,000

要点解説　線形計画法の一種ですが，本問では，複数の変数を含む制約条件式は，組立て所要時間に関する式の一つしかないため，単純に1分当たりの利益が多いものから割り当てていけば解けます。
　工場が使える時間は200時間＝12,000分
　製品Xの1分当たりの利益は，1,800÷6＝300円
　製品Yの1分当たりの利益は，2,500÷10＝250円
　製品Zの1分当たりの利益は，3,000÷15＝200円
　1分当たりの利益が一番多い製品Xを，需要最上限まで作ると1,000×6＝6,000分
　得られる利益は1,800×1,000＝1,800,000円で，残りの時間は6,000分
　残りの時間で製品Yは，6,000÷10＝600個作成でき，得られる利益は600×2,500＝1,500,000円。トータルの利益は，3,300,000円です。
　なお，この条件でいくと，製品Zは製造しないことになります。

製品X及びYを生産するために2種類の原料A，Bが必要である。製品1個の生産に必要となる原料の量と調達可能量は表に示すとおりである。製品XとYの1個当たりの販売利益が，それぞれ100円，150円であるとき，最大利益は何円か。

原料	製品Xの1個当たりの必要量	製品Yの1個当たりの必要量	調達可能量
A	2	1	100
B	1	2	80

ア　5,000　　　　イ　6,000　　　　ウ　7,000　　　　エ　8,000

要点解説　製品Xの生産数をx，製品Yの生産量をyとし，負にならないため，
$x \geqq 0$, $y \geqq 0$
原料Aの調達可能量は100，原料Bの調達可能量は80のため，次のような制約条件が成り立ちます。
$2x + y \leqq 100$…①, $x + 2y \leqq 80$…②
これらの四つの制約条件を満たす範囲は，次のグラフの灰色の部分になります。

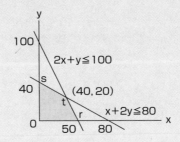

この制約条件下での最大となる販売利益(z)は$z = 100x + 150y$と表せます。
ここで，制約条件の範囲にある三つの頂点s，t，rは解の候補です。
それぞれ求めると，
sは②の式でxが0のときなので，$y = 40$, $x = 0$となり，利益は6,000
rは①の式でyが0のときなので，$y = 0$, $x = 50$となり，利益は5,000
tの①・②の交点は連立方程式で求まるので，$y = 20$, $x = 40$となり，利益は7,000
$(s, t, r) = (6,000, 7,000, 5,000)$です。
したがって，製品Xを40個，製品Yを20個生産したときに販売利益7,000円で最大となります。

確認問題 4 ▶ 応用情報　令和6年度秋期　問75　正解率 ▶ **低**　**応用**

A社とB社がそれぞれ2種類の戦略を採る場合の市場シェアが表のように予想されるとき，ナッシュ均衡，すなわち互いの戦略が相手の戦略に対して最適になっている組合せはどれか。ここで，表の各欄において，左側の数値がA社のシェア，右側の数値がB社のシェアとする。

単位：%

		B社	
		戦略b1	戦略b2
A社	戦略a1	40, 20	50, 30
	戦略a2	30, 10	25, 25

ア　A社が戦略a1，B社が戦略b1を採る組合せ
イ　A社が戦略a1，B社が戦略b2を採る組合せ
ウ　A社が戦略a2，B社が戦略b1を採る組合せ
エ　A社が戦略a2，B社が戦略b2を採る組合せ

要点解説 A社はB社が戦略b1を採った場合，戦略a1（40），戦略a2（30）なので，戦略a1を採る。
A社はB社が戦略b2を採った場合，戦略a1（50），戦略a2（25）なので，戦略a1を採る。
B社はA社が戦略a1を採った場合，戦略b1（20），戦略b2（30）なので，戦略b2を採る。
B社はA社が戦略a2を採った場合，戦略b1（10），戦略b2（25）なので，戦略b2を採る。
まとめると，

		B社	
		戦略b1	戦略b2
A社	戦略a1	<u>40</u>, 20	<u>50</u>, <u>30</u>
	戦略a2	30, 10	25, <u>25</u>

したがって，互いの戦略が相手の戦略に対して最適になっている組合せは，A社が戦略a1，B社が戦略b2の戦略を採るときです。

第 11 章　ストラテジ系

ある営業部員の1日の業務活動を分析した結果は，表のとおりである。営業支援システムの導入によって訪問準備時間が1件あたり0.1時間短縮できる。総業務時間と1件当たりの顧客訪問時間を変えずに，1日の顧客訪問件数を6件にするには，"その他業務時間"を何時間削減する必要があるか。

1日の業務活動の時間分析表

総業務時間					1日の顧客訪問件数
	顧客訪問時間	社内業務時間			
			訪問準備時間	その他業務時間	
8.0	5.0	3.0	1.5	1.5	5件

ア 0.3 　　　　イ 0.5 　　　　ウ 0.7 　　　　エ 1

要点解説

- 1日の顧客訪問件数が5件のとき，
  総業務時間：8時間
  1件当たりの顧客訪問時間：5.0時間÷5件＝1.0時間
  1件当たりの訪問準備時間：1.5時間÷5件＝0.3時間
  その他業務時間：1.5時間
- 1日の顧客訪問件数が6件のとき，
  総業務時間：8時間
  顧客訪問時間：1.0時間×6件＝6.0時間
  訪問準備期間：(0.3−0.1)時間×6件＝1.2時間
- ここで，その他業務時間をxとすると，
  6.0＋1.2＋x＝8.0
  x＝0.8時間

したがって，1.5時間−0.8＝0.7時間削減する必要があります。

解答

問題1：エ　　　問題2：エ　　　問題3：ウ　　　問題4：イ　　　問題5：ウ

第 **12** 章

科目B対策

科目Bの出題内容

😎 午後試験から科目Bへ

　2023年の4月から基本情報技術者試験の出題内容が変更されました。従来の「午後試験」は「科目B」へと変更され，出題内容も大幅に変更されています。具体的には，プログラミング言語は廃止され，プログラミング的思考力を問う擬似言語に統一されました。変更内容や公開されているサンプル問題を見てみると，従来の問題に比べて，擬似言語の問題数が多くなりますが，一つの問題の長さやプログラムの長さが短くなり，受験者にとっては取り組みやすくなっています。これは，CBT方式において，従来の長い問題を画面に向かって解いていくことは，受験者にとっては非常に負担が大きかったからではないかと思われます。

　旧制度と新制度を比較すると，次の表のようになります。

比較項目	旧制度	新制度
名称	午後試験	科目B
時間	150分	100分
出題/解答	11問中5問解答	20問中20問解答
選択/必須	選択問題あり	全問必須
形式	一つの事例につき複数の設問・解答	1問につき一つの解答
プログラミング言語	C，Java，Python，アセンブラ言語，表計算ソフトから選択	擬似言語
1問の問題文の長さ	4～8ページ	1～2ページ
出題分野	午前と同じ分野。うち情報セキュリティ、アルゴリズムは各1問必須、プログラミング1問	アルゴリズムとプログラミング分野16問，情報セキュリティ分野4問

　特に注目すべき点は，出題分野の変更です。

　旧制度の「午後試験」では，アルゴリズムとプログラミングの分野の配点が全体の50％で，情報セキュリティが20％，残りの30％はソフトウェアやハードウェア，データベース，ネットワークやプロジェクトマネジメントなどの分野からの出題となっていました。

これが，新制度の「科目B」では，アルゴリズムとプログラミング分野が80％，情報セキュリティが20％となっています。

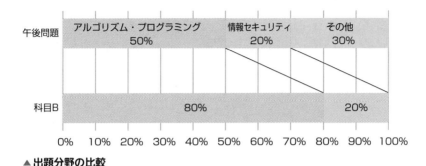

▲ 出題分野の比較

擬似言語の取り組み方

　試験時間は短くなり，従来に比べて解きやすくなった感がありますが，問題がやさしくなるとは限りません。試験内容が変更されても，擬似言語を苦手とする人が大半でしょう。しかも，「科目B」における擬似言語の比重が高くなり，合格するためには擬似言語の習得は避けて通れません。ネットワークやデータベースなど，擬似言語以外のジャンルで点数を稼ぐことができた旧制度より，ハードルは一段上がっているかもしれません。

　プログラミングの未経験者，あるいは経験の浅い方は，ぜひとも擬似言語（アルゴリズム）関連の参考書を1冊購入され，基礎知識をしっかりと身に付けることをお薦めします。または，プログラム言語を使って実際にプログラミングをしてみることも一つの手です。

　擬似言語の習得には近道はありません。未経験の場合，別途，疑似言語の対策が必要になりますが，そこで身に付けた知識は，試験だけにとどまることなく，プログラムを作成する実務においても活かすことができます。学習した時間に比例して，実力は確実に上がります。しっかりと取り組みましょう。

第12章　科目B対策

535

擬似言語攻略のポイント

🔹 最初からスラスラ解けなくてよい

自転車に乗れるようになったときのことを思い出してみましょう。なんども転び，そのうちに左右のバランスを取るコツをつかんでスイスイ乗れるようになりました。

擬似言語も同じです。最初から自転車をこげる人がいないように，いきなりスラスラ解ける人はいません。学習を重ねることでセンスやパターンが身に付き，短い時間で解けるようになっていきます。

ここでは試験センターが発表した科目Bのサンプル問題とその解説を掲載しています。本書の第4章は擬似言語問題を解く土台になるので，苦手な方は必ず復習し，内容をしっかり理解して下さい。問題の意味がわからなくても，すぐに解説を見るのではなく，**最初は時間をかけて**，じっくり考えてみましょう。

🔹 問題の仕様があってこそ，プログラム（アルゴリズム）がある

実務においては，プログラムの仕様書に基づいて，プログラムを作成していきます。試験も同じです，問題の仕様に基づいて，擬似言語のプログラム（アルゴリズム）があります。処理する内容は，必ず問題中に記述されています。まずは**問題の仕様とプログラムの記述との対応を見抜くこと**が重要です。

🔹 擬似言語のプログラムは，「森を見てから，木を見ていく」というイメージで

擬似言語のプログラム中で，一つひとつの処理の細部から見ていくと，プログラムの全体の流れが見えにくくなります。**まずは，「大きな処理のかたまり」から見ていき，「このかたまりは，問題のこの箇所を処理しているな」と確認していくこと**をお薦めします。例えば，繰返し処理の場合は，「繰返しの開始と終了」（大きな処理のかたまり）を明確にしてから，繰返しの中でどのような処理（細部）を行っているかを見ていきます。

この後の問題の解説では，繰返し部分を赤枠で囲っています。実際には試験では赤枠を引くことができないので，頭の中で囲みましょう。これは，「森を見てから，木を見ていく」というイメージです。「木を見てから，森を見ていく」と，プログラムの全体の流れが見えにくくなって，プログラム中で迷子になってしまうかもしれません。

● プログラムのトレース能力は必須！

　実務において，プログラムを作成していく過程では，プログラムが間違っていないかを確かめるために，何度もトレースしていきます。試験でも正解を得るためには，トレース能力が必須です。**具体的な値を想定して，プログラム中の変数がどのように変化していくかを確かめる**場合が多くあります。トレースは，最初のうちは時間がかかるかもしれませんが，継続していけば着実に力が付いていきます。

● 問題中の具体例は，出題者から「これを使って解きなさい」というメッセージ

　問題中に図などを入れて，具体例を示してくれる場合があります。これは，問題の出題者から「これを使って解きなさい」というメッセージです。出題者は，問題の記述だけでは解くことが難しいのではと判断して，図などを入れることで問題をわかりやすくしてくれています。もし**具体例がない問題は，問題の趣旨に沿った具体例を自分で想定してみましょう**。具体例を作ることで，イメージしやすくなり，問題がやさしくなります。自分なりに図を書いてみることも良い方法です。

● プログラム中のコメントは，問題を解く手がかり！

　実務でプログラミングをしている方は，プログラム中のコメントは大切だと職場の先輩などから教えられたはずです。プログラム中のコメントを見るだけで，その人のプログラム能力がわかるといっても過言ではありません。問題中のコメントも同じです。**コメントを見ると，その箇所が何の処理を行っているのか**を想定でき，問題を解く手がかりとなります。

● プログラム中の変数名は，問題を解く手がかり！

　実務でプログラミングをしている方は，プログラム中の変数名の付け方を，職場の先輩などから教えられたはずです。何の意味もなく，変数名を付けているのではありません。**変数名を見ると，その変数が何の処理を行うために用意しているのか**を想定でき，問題を解く手がかりとなります。

● 空欄を埋めるタイプは，選択肢をヒントにする

　プログラムを1行ずつ見ていっても，どんな処理が行われるのか見当が付かないことがよくあります。しかし，記述式ではなく選択式なので必ず解答群があります。具体的な値を使って**変数の変化を見ながら，解答群をあてはめ，「あるべき値」になるかどう**かを見極めます。

次のプログラム中の ┃ a ┃ ～ ┃ c ┃ に入れる正しい答えの組合せを，解答群の中から選べ。

　関数fizzBuzzは，引数で与えられた値が，3で割り切れて5で割り切れない場合は"3で割り切れる"を，5で割り切れて3で割り切れない場合は"5で割り切れる"を，3と5で割り切れる場合は"3と5で割り切れる"を返す。それ以外の場合は"3でも5でも割り切れない"を返す。

〔プログラム〕
○文字列型 fizzBuzz(整数型 ： num)
　文字列型 result
　if(num が ┃ a ┃ で割り切れる)
　　result ←" ┃ a ┃ で割り切れる "
　elseif (num が ┃ b ┃ で割り切れる)
　　result ←" ┃ b ┃ で割り切れる "
　elseif (num が ┃ c ┃ で割り切れる)
　　result ←" ┃ c ┃ で割り切れる "
　else
　　result ←"3でも5でも割り切れない "
　endif
　return result

解答群

	a	b	c
ア	3	3と5	5
イ	3	5	3と5
ウ	3と5	3	5
エ	5	3	3と5
オ	5	3と5	3

要点解説 分岐 (if 〜 endif) の問題です。今回は，条件に従い4パターンに分岐します。
では，プログラムを考えてみましょう。

〔プログラム〕

```
 1  ○文字列型 fizzBuzz( 整数型：num)
 2    文字列型 result
 3    if(num が [   a   ] で割り切れる)
 4      result ←" [   a   ] で割り切れる"
 5    elseif (num が [   b   ] で割り切れる)
 6      result ←" [   b   ] で割り切れる"
 7    elseif (num が [   c   ] で割り切れる)
 8      result ←" [   c   ] で割り切れる"
 9    else
10      result ←"3でも5でも割り切れない"
11    endif
12    return result
```

【ポイント】

変数名は問題を解く手がかり。何に用いられる変数かを予想する

1行目：引数numを受け取ります。numは，number (数値) の単語の略です。
2行目：変数resultを用意します。resultは，「結果」という単語です。
3行目〜11行目：条件に従い，次のいずれかの結果をresultに代入します
(このresultを，12行目で戻り値として返します)。

【問題の本文】

・3で割り切れて5で割り切れない場合は"3で割り切れる"
・5で割り切れて3で割り切れない場合は"5で割り切れる"
・3と5で割り切れる場合は"3と5で割り切れる"
・それ以外の場合は3でも"5でも割り切れない"

ここで，上から順番に (3行目→5行目→7行目→9行目の順番に)，条件に合致するかを判定し，条件に合致すればresultにいずれかの結果を代入して，分岐が終了します。

最初の判定 (3行目) である [a   ] の条件を「3で割り切れる」，または「5で割り切れる」にしてしまうと，「3と5で割り切れる」を判定することなく，分岐が終了してしまいます。[a   ] の条件は，「3と5で割り切れる」になります。

次の判定 (5行目) である [b   ] の条件は，「3で割り切れる」，または「5で割り切れる」のどちらでもよいですが，解答群から [b   ] の条件は，「3で割り切れる」になり，[c   ] の条件は「5で割り切れる」になります。

よって，ウです。

次のプログラム中の □ に入れる正しい答えを，解答群の中から選べ。

関数maximumは，異なる三つの整数を引数で受け取り，そのうちの最大値を返す。

〔プログラム〕
○整数型: maximum(整数型: x, 整数型: y, 整数型: z)
```
  if (          )
    return x
  elseif (y > z)
    return y
  else
    return z
  endif
```

解答群

ア x > y	イ x > y and x > z
ウ x > y and y > z	エ x > z
オ x > z and z > y	カ z > y

要点解説

○整数型: maximum(整数型: x, 整数型: y, 整数型: z)
```
1  if (          )
2     return x
3  elseif (y > z)
4     return y
5  else
6     return z
7  endif
```

2行目：「条件を満たしたときの処理」から，1行目：「条件」を考えます。2行目で最大値xを返しているので，1行目はxが最大値となる条件が入ります。Xが最大値となるのは，「xがyよりも大きく」，かつ「xがzよりも大きい」ときです。

よって，イです。

次のプログラム中の ┃ a ┃ と ┃ b ┃ に入れる正しい答えの組合せを，解答群の中から選べ。ここで，配列の要素番号は1から始まる。

関数findPrimeNumbersは，引数で与えられた整数以下の，全ての素数だけを格納した配列を返す関数である。ここで，引数に与える整数は2以上である。

〔プログラム〕

```
○整数型の配列: findPrimeNumbers(整数型:maxNum)
  整数型の配列: pnList ← {}// 要素数0の配列
  整数型: i, j
  論理型: divideFlag
  for (iを2から   a   まで1ずつ増やす)
    divideFlag ← true

    /* iの正の平方根の整数部分が2未満のときは，繰返し処理を実行しない */
    for (jを2からiの正の平方根の整数部分まで1ずつ増やす)// α
      if (   b   )
        divideFlag ← false
        αの行から始まる繰返し処理を終了する
      endif
    endfor
    if (divideFlagがtrueと等しい)
      pnListの末尾 にiの値 を追加する
    endif
  endfor
  return pnList
```

解答群

	a	b
ア	maxNum	i ÷ j の余りが0と等しい
イ	maxNum	i ÷ j の商 が1と等しくない
ウ	maxNum＋1	i ÷ j の余りが0と等しい
エ	maxNum＋1	i ÷ j の商が1と等しくない

【頭の準備体操】

配列 (4-02参照)
・配列は，要素番号を用いてデータを取得するデータ構造です。

配列を用いて素数を求める問題です。ただし，今回は要素番号を用いて配列を操作することは問われていません。

> ### 知っ得情報 〈 素数 〉
>
> 　　素数は，2以上の自然数のうち，1とその数自身以外のどのような自然数でも割り切れない数です。例えば，1から15までの素数は，2，3，5，7，11，13です。英語では，prime numberです。
> 　素数は，a×b（合成数という）で表すことができない数ともいえます。4＝2×2，6は2×3，8は2×4，9は3×3，10は2×5，12は2×6などと表すことができるので，素数ではありません。

では，プログラムを考えてみましょう。

〔プログラム〕

```
1   ○整数型の配列: findPrimeNumbers( 整数型 :maxNum)
2     整数型の配列: pnList ← {}// 要素数0の配列
3     整数型: i, j
4     論理型: divideFlag
5     for (iを2から   a   まで1ずつ増やす)
6       divideFlag ← true

7       /* iの正の平方根の整数部分が2未満のときは，繰返し処理を実行しない */
8       for (jを2からiの正の平方根の整数部分まで1ずつ増やす)// α
9         if (   b   )
10          divideFlag ← false
11          αの行から始まる繰返し処理を終了する
12        endif
13      endfor
14      if (divideFlag が true と等しい)
15        pnListの末尾にiの値を追加する
16      endif
17    endfor
18    return pnList
```

1行目：引数としてmaxNumを受け取ります。今回はmaxNum＝4で考えます。

2行目：配列pnListを用意します。要素数0の配列ですが，素数と判定された値を追加していきます。

3行目：変数iと変数jを用意します。

【ポイント】

空欄を埋めるタイプは，解答群をヒントにする

解答群を見ると，i ÷ jを求めています。変数iが割られる数で，変数jが割る数であると頭に準備して進めます。

4行目：変数divideFlagを用意します。論理型なので，true（真）かfalse（偽）が入ります。ここで，14行目と15行目からdivideFlagがtrueのとき，素数であると判定しています。

5行目～17行目：「iを2から ▢ a ▢ まで1ずつ増やす」とあるので，今回は2から4までの整数について素数かどうかを調べます。▢ a ▢ は「maxNum」です。

6行目：divideFlagに，初期値としてtrueを代入します（素数とみなして始めます）。

ここで，「8行目で変数jを2から変数iの正の平方根の整数部分まで1ずつ増やす」間に，9行目で素数を判定し，10行目でdivideFlagにfalseを代入して，11行目で強制的に繰返しを抜けています。10行目でfalseを代入していることから，9行目は素数でないという判定を行います。素数でないことは，i ÷ jが割り切れる，つまり，余りが0と等しいということなので，▢ b ▢ は「i ÷ jの余りが0と等しい」となり，正解はアです。

続きをトレースしてみましょう。

●iが2のとき
8行目：

i	j	divideFlag
2	2	true

2の平方根の整数部分は1

jを2からiの正の平方根の整数部分，つまり1まで繰り返しますが，今回は繰返しに入りません（7行目のコメント）。
14行目：divideFlagがtrueなので，
15行目：pnListの末尾にiの値である2を追加します。

配列 pnList
2

●iが3のとき
6行目：divideFlagに，初期値としてtrueを代入します（素数とみなして始めます）。
8行目：

i	j	divideFlag
3	2	true

3の平方根の整数部分は1

jを2からiの正の平方根の整数部分，つまり1まで繰り返しますが，今回は繰返しに入りません（7行目のコメント）。

14行目：divideFlagがtrueなので，

15行目：pnListの末尾にiの値である3を追加します。

配列 pnList

2	3

●iが4のとき

6行目：divideFlagに，初期値としてtrueを代入します（素数とみなして始めます）。

8行目：

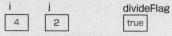

i   j   divideFlag

4		2		true

4の平方根の整数部分は2

jを2からiの正の平方根の整数部分，つまり2まで繰り返します。

9行目（1回目）：i ÷ j，つまり4 ÷ 2は割り切れる（余りが0と等しい）ので，

10行目（1回目）：divideFlagに，falseを代入します。

11行目（1回目）：強制的に8行目〜13行目の繰返しを抜けます。

14行目：divideFlagがfalseなので，

15行目：pnListの末尾に変数iの値を追加せず，5行目から17行目の繰返しを抜けます。

16行目：pnListを，戻り値として返します。

配列 pnList

2	3

> ### もっと詳しく ◀ 素数の判定
>
> 4が素数かどうかを判定する場合は，「2で割り切れるか」，「3で割り切れるか」，「4で割り切れるか」と順番に調べればよいのですが，4は2×2と表すことができるので，「2で割り切れる」時点で素数でないと判断でき，それ以降は調べる必要はありません。2からその数の正の平方根の整数部分まで調べれば，より効率よく素数を求められます。

確認問題 4　▶令和4年4月公開サンプル　問4　　**応用**

次の記述中の　a　～　c　に入れる正しい答えの組合せを，解答群の中から選べ。ここで，配列の要素番号は1から始まる。

要素の多くが0の行列を疎行列という。次のプログラムは，二次元配列に格納された行列のデータ量を削減するために，疎行列の格納に適したデータ構造に変換する。

関数transformSparseMatrixは，引数matrixで二次元配列として与えられた行列を，整数型配列の配列に変換して返す。関数transformSparseMatrixをtransformSparseMatrix({{3, 0, 0, 0, 0}, {0, 2, 2, 0, 0}, {0, 0, 0, 1, 3}, {0, 0, 0, 2, 0}, {0, 0, 0, 0, 1}})として呼び出したときの戻り値は，{{　a　},{　b　}, {　c　}}である。

〔プログラム〕
```
○整数型配列の配列: transformSparseMatrix(整数型の二次元配列: matrix)
  整数型: i, j
  整数型配列の配列: sparseMatrix
  sparseMatrix ← {{}, {}, {}} /* 要素数0の配列を三つ要素にもつ配列 */
  for (i を1からmatrixの行数まで1ずつ増やす)
    for (j を1からmatrixの列数まで1ずつ増やす)
      if (matrix[i, j]が0でない)
        sparseMatrix[1]の末尾にiの値を追加する
        sparseMatrix[2]の末尾にjの値を追加する
        sparseMatrix[3]の末尾にmatrix[i, j]の値を追加する
      endif
    endfor
  endfor
  return sparseMatrix
```

解答群

	a	b	c
ア	1, 2, 2, 3, 3, 4, 5	1, 2, 3, 4, 5, 4, 5	3, 2, 2, 1, 2, 3, 1
イ	1, 2, 2, 3, 3, 4, 5	1, 2, 3, 4, 5, 4, 5	3, 2, 2, 1, 3, 2, 1
ウ	1, 2, 3, 4, 5, 4, 5	1, 2, 2, 3, 3, 4, 5	3, 2, 2, 1, 2, 3, 1
エ	1, 2, 3, 4, 5, 4, 5	1, 2, 2, 3, 3, 4, 5	3, 2, 2, 1, 3, 2, 1

要点解説 データ量を削除するために，疎行列の0を取り除いていきます。

【配列の定義】(4-01参照)

"{"は配列の内容の始まりを，"}"は配列の内容の終わりを表す。ただし，二次元配列において，<u>内側の"{"と"}"に囲まれた部分は，1行分の内容を表す。</u>

引数matrixは，次のような二次元配列です。

3	0	0	0	0
0	2	2	0	0
0	0	0	1	3
0	0	0	2	0
0	0	0	0	1

では，プログラムを見ていきましょう。

〔プログラム〕

```
1  ○整数型配列の配列:transformSparseMatrix(整数型の二次元配列: matrix)
                                                                引数
2    整数型：i, j   1行目 2行目 ┌3行目
3    整数型配列の配列：sparseMatrix
4    sparseMatrix ← {{}, {}, {}}  /* 要素数0の配列を三つ要素にもつ配列 */
5    for (i を1から matrix の行数まで1ずつ増やす)
6      for (j を1から matrix の列数まで1ずつ増やす)
7        if (matrix[i, j] が0でない)
8          sparseMatrix[1]の末尾にiの値を追加する
9          sparseMatrix[2]の末尾にjの値を追加する
10         sparseMatrix[3]の末尾にmatrix[i, j]の値を追加する
11       endif
12     endfor
13   endfor
14   return sparseMatrix
            戻り値
```

1行目：引数としてmatrixを受け取ります。
2行目：変数iと変数jを用意します。
3行目：配列sparseMatrixを用意します。
4行目：sparseMatrixに要素数0の3行を代入します。
5行目〜13行目：for文の二重ループで処理しています。
5行目：for文の条件 (i を 1 から matrixの行数 まで 1 ずつ増やす) から，iは行を表す変数です。

6行目：for文の条件（j を 1 から matrixの列数 まで 1 ずつ増やす）から，jは列を表す変数です。
for文の二重ループで，次のような順番で処理しています。
　　iを1に固定した状態で，jを1，2，3，4，5
　　iを2に固定した状態で，jを1，2，3，4，5
　　　　　　　　　　　　　〜
　　iを5に固定した状態で，jを1，2，3，4，5

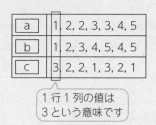

7行目：if文の条件（matrix[i, j]が0でない）から，処理の対象は赤色の値です。
8行目：iの値，つまり行の値をsparseMatrix[1]（sparseMatrixの1行目）に追加していきます。空欄aは，1，2，2，3，3，4，5です。
9行目：jの値，つまり列の値をsparseMatrix[2]（sparseMatrixの2行目）に追加していきます。空欄bは，1，2，3，4，5，4，5です。
10行目：matrix[i, j]の値をsparseMatrix[3]（sparseMatrixの3行目）に追加していきます。空欄cは，3，2，2，1，3，2，1，です。
14行目：sparseMatrixの3行を戻り値とします。

よって，イです。

a	1, 2, 2, 3, 3, 4, 5
b	1, 2, 3, 4, 5, 4, 5
c	3, 2, 2, 1, 3, 2, 1

1行1列の値は
3という意味です

　次の記述中の　　　　　　に入れる正しい答えを，解答群の中から選べ。ここで，配列の要素番号は1から始まる。

　関数searchは，引数dataで指定された配列に，引数targetで指定された値が含まれていればその要素番号を返し，含まれていなければ−1を返す。dataは昇順に整列されており，値に重複はない。

　関数searchには不具合がある。例えば，dataの　　　　　　場合は，無限ループになる。

〔プログラム〕
```
○整数型: search( 整数型の配列: data, 整数型: target)
  整数型: low, high, middle

  low ← 1
  high ← dataの要素数

  while (low ≦ high)
    middle ← (low＋high)÷2の商
    if (data[middle]＜target)
      low ← middle
    elseif (data[middle]＞target)
      high ← middle
    else
      return middle
    endif
  endwhile

  return −1
```

解答群
ア　要素数が1で，targetがその要素の値と等しい
イ　要素数が2で，targetがdataの先頭要素の値と等しい
ウ　要素数が2で，targetがdataの末尾要素の値と等しい
エ　要素に−1が含まれている

要点解説

2分探索の問題です。

【頭の準備体操】　2分探索 (4-06参照)

2分探索は，探索範囲を半分に絞りながら目的の値を探索する方法です。

2回目以降の探索では，条件に従いlowかhighのいずれかの値を更新していくことがポイントです。では，プログラムを考えてみましょう。

〔プログラム〕

```
1      ○整数型: search(整数型の配列: data, 整数型: target)
2        整数型: low, high, middle

3        low ← 1
4        high ← dataの要素数

5        while (low ≦ high)
6          middle ← (low + high) ÷ 2の商
7           if (data[middle] < target)
8             low ← middle
9           elseif (data[middle] > target)
10            high ← middle
11          else
12            return middle
13          endif
14       endwhile

15       return −1
```

【ポイント】

解答群は問題を解く手がかり。解答群から考えた方が早く解答が得らえる

解答群から例を挙げて，順にトレースしてみましょう。

●アの場合

1行目：次の配列dataや変数targetを仮定します。

配列 data
| 3 |
[1]

target
| 3 |

2行目：変数low，変数high，変数middleを用意します。

【ポイント】

変数名は問題を解くための手がかり。何に用いられる変数かを予想する

探索範囲のうち，「変数low（低い）は，最小値の値が格納されている要素番号」，「変数high（高い）は最大値の値が格納されている要素番号」，「変数middle（中間の）は，中央の位置の要素番号」と頭の中に準備して進めていきます。

3行目：変数lowへ1を代入します。

4行目：変数highへ1（dataの要素数）を代入します。

5行目から14行目：5行目の条件「low ≦ high」を満たしている間，繰り返します。

6行目（1回目）：変数middleに，(low + high) ÷ 2の商，つまり，(1 + 1) ÷ 2の商である1を代入します。

11行目（1回目）：data[1] = 3，targe = 3，つまりdata[1]=targetなので，

12行目（1回目）：middleの値である1を戻り値として返し，プログラムを終了します。無限ループにはなりません。

同じ要領で，ほかの解答群を考えてみましょう。

●イの場合

1行目：次の配列dataや変数targetを仮定します。

配列 data

3	5
[1]	[2]

target

3

2行目：変数low，変数high，変数middleを用意します。

3行目：変数lowへ1を代入します。

4行目：変数highへ2（dataの要素数）を代入します。

5行目から14行目：5行目の条件「low ≦ high」を満たしている間，繰り返します。

6行目（1回目）：変数middleに，(low + high) ÷ 2の商，つまり，(1 + 2) ÷ 2の商である1を代入します。

11行目（1回目）：data[1] = 3，targe = 3，つまりdata[1]=targetなので，

12行目（1回目）：middleの値である1を戻り値として返し，プログラムを終了します。無限ループにはなりません。

●ウの場合

1行目：次の配列dataや変数targetを仮定します。

配列 data

3	5
[1]	[2]

target

5

2行目：変数low，変数high，変数middleを用意します。

3行目：変数lowへ1を代入します。

4行目：変数highへ2（dataの要素数）を代入します。

5行目から14行目：5行目の条件「low ≦ high」を満たしている間，繰り返します。

6行目（1回目）：変数middleに，(low + high) ÷ 2の商，つまり，(1 + 2) ÷ 2の商である1を代入します。

7行目（1回目）：data[1] ＝ 3，target ＝ 5，つまり data[1] ＜ target なので，
8行目（2回目）：変数 low に，変数 middle の値 1 を代入します。
6行目（2回目）：変数 middle に，（low + high）÷ 2 の商，つまり，（1 + 2）÷ 2
の商である 1 を代入します。
7行目（2回目）：data[1] ＝ 3，target ＝ 5，つまり data[1] ＜ target なので，
8行目（2回目）：変数 low に，変数 middle の値 1 を代入します。
以降も同じ処理を繰り返し，無限ループが発生します。よって，ウです。

●**エの場合**
要素の値に－1（負数）が含まれているとしても，無限ループとは直接関係は
ありません（ア・イ・ウのいずれにもなり得ます）。

ちなみに，無限ループにさせないためには，次のように修正する必要があり
ます。詳しくは，4-06 を復習してみてください。

〔修正後プログラム〕

```
low ← 1
high ← data の要素数

while (low≦high)
  middle ← (low + high)÷2 の商
  if (data[middle] ＜ target)
    low ← middle＋1
  elseif (data[middle] ＞ target)
    high ← middle－1
  else
    return middle
  endif
endwhile
```

次のプログラム中の□□□□に入れる正しい答えを，解答群の中から選べ。

　関数convDecimalは，引数として与えられた，"0"と"1"だけから成る，1文字以上の文字列を，符号なしの2進数と解釈したときの整数値を返す。例えば，引数として"10010"を与えると18が返る。

　関数convDecimalが利用する関数intは，引数で与えられた文字が"0"なら整数値0を返し，"1"なら整数値1を返す。

〔プログラム〕
○整数型：convDecimal(文字列型：binary)
　整数型：i, length, result ← 0
　length ← binary の文字数
　for (i を1から length まで1ずつ増やす)
　　result ← □□□□
　endfor
　return result

解答群
ア　result ＋ int(binary の (length － i ＋ 1) 文字目の文字)
イ　result ＋ int(binary の i 文字目の文字)
ウ　result × 2 ＋ int(binary の (length － i ＋ 1) 文字目の文字)
エ　result × 2 ＋ int(binary の i 文字目の文字)

要点解説

1　○整数型：convDecimal(文字列型：binary)
2　　整数型：i, length, result ← 0
3　　length ← binary の文字数
4　　for(i を1から length まで1ずつ増やす)
5　　　result ← □□□□
6　　endfor
7　　return result

【ポイント】
問題中の具体例は，「これを使って解きなさい」というメッセージ

引数 binary

1	0	0	1	0
(1)	(2)	(3)	(4)	(5)

➡ 戻り値 result
| 18 |

【ポイント】

変数名は問題を解く手がかり。何に用いられる変数かを予想する

1行目：引数binaryを受け取ります。binaryは「2進数」という意味です。
2行目：変数i，length，resultを用意します。iはカウント変数（回数を数える変数），lengthは「長さ」，resultは「結果」という単語です。resultに初期値0を代入します。
3行目：lengthに引数binaryの文字数5を設定します。
4行目〜6行目：iを1から5まで，1ずつ増やしながら5回繰り返す中で，resultに代入します。
7行目：resultを，引数として返します。
では，選択肢を順にトレースしてみましょう。

ア

i	result	←result + int(binaryの(length − i + 1)文字目の文字)
1	0	←0 + 0(5番目の文字)
2	1	←0 + 1(4番目の文字)
3	1	←1 + 0(3番目の文字)
4	1	←1 + 0(2番目の文字)
5	2	←1 + 1(1番目の文字)

イ

i	result	result + int(binaryのi文字目の文字)
1	1	←0 + 1(1番目の文字)
2	1	←1 + 0(2番目の文字)
3	1	←1 + 0(3番目の文字)
4	2	←1 + 1(4番目の文字)
5	2	←2 + 0(5番目の文字)

ウ

i	result	←result × 2 + int(binaryの(length − i + 1)文字目の文字)
1	0	←0 × 2 + 0(5番目の文字)
2	1	←0 × 2 + 1(4番目の文字)
3	2	←1 × 2 + 0(3番目の文字)
4	4	←2 × 2 + 0(2番目の文字)
5	9	←4 × 2 + 1(1番目の文字)

エ

i	result	result × 2 + int(binaryのi文字目の文字)
1	1	←0 × 2 + 1(1番目の文字)
2	2	←1 × 2 + 0(2番目の文字)
3	4	←2 × 2 + 0(3番目の文字)
4	9	←4 × 2 + 1(4番目の文字)
5	18	←9 × 2 + 0(5番目の文字)

よって，エです。

次の記述中の　　　　　に入れる正しい答えを，解答群の中から選べ。ここで，配列の要素番号は1から始まる。

手続orderは，図の2分木の，引数で指定した節を根とする部分木をたどりながら，全ての節番号を出力する。大域の配列treeが図の2分木を表している。配列treeの要素は，対応する節の子の節番号を，左の子，右の子の順に格納した配列である。例えば，配列treeの要素番号1の要素は，節番号1の子の節番号から成る配列であり，左の子の節番号2，右の子の節番号3を配列 {2，3} として格納する。

手続orderをorder(1)として呼び出すと，　　　　　の順に出力される。

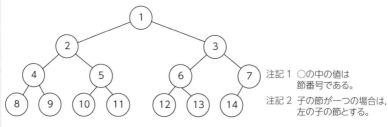

注記1　○の中の値は節番号である。

注記2　子の節が一つの場合は，左の子の節とする。

図　プログラムが扱う2分木

〔プログラム〕
大域 整数型配列の配列: tree ← {{2, 3}, {4, 5}, {6, 7}, {8, 9},
　　　　　　　　　　　　　{10, 11}, {12, 13}, {14}, {}, {}, {},
　　　　　　　　　　　　　{}, {}, {}, {}} // {}は要素数0の配列

```
○order( 整数型: n)
  if (tree[n]の要素数 が2と等しい)
      order(tree[n][1])
      n を出力
      order(tree[n][2])
  elseif (tree[n]の要素数 が1と等しい)
      order(tree[n][1])
      n を出力
  else
      n を出力
  endif
```

解答群

ア　1, 2, 3, 4, 5, 6, 7, 8, 9, 10, 11, 12, 13, 14
イ　1, 2, 4, 8, 9, 5, 10, 11, 3, 6, 12, 13, 7, 14
ウ　8, 4, 9, 2, 10, 5, 11, 1, 12, 6, 13, 3, 14, 7
エ　8, 9, 4, 10, 11, 5, 2, 12, 13, 6, 14, 7, 3, 1

 2分木 (4-05参照) と，再帰呼出し (4-09参照) との複合問題です。このような問題は，トレースするのに非常に時間を要しますが，解答群を見ると最後までトレースしなくとも正解が得られそうです。では，プログラムを考えてみましょう。

〔プログラム〕

```
1      大域 整数型配列の配列: tree ← {{2, 3}, {4, 5}, {6, 7}, {8, 9},
                                {10, 11}, {12, 13}, {14}, {}, {}, {},
                                {}, {}, {}, {}}  // {}は要素数0の配列

2      ○order( 整数型: n)
3        if(tree[n]の要素数が2と等しい)              左の子，右の子とも
4          order(tree[n][1])                        存在するとき
5          nを出力
6          order(tree[n][2])
7        elseif (tree[n]の要素数 が 1 と等しい)       左の子のみ存在する
8          order(tree[n][1])                        とき
9          nを出力
10       else                                       子が存在しないとき
11         nを出力
12       endif
```

【擬似言語の用語】

大域変数 (グローバル変数) は，プログラム中のどこからでもアクセスできる変数です。

1行目：配列treeは大域で用意しています。手続orderは再帰呼出しの性質をもち，プログラムの実行中に自分自身を複数回呼び出しますが，プログラムが終了するまで配列treeはメモリから解放されません。

配列tree (二次元配列)

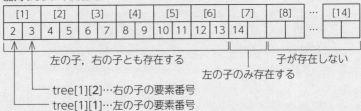

2行目：order (1) を呼び出します。

● **order (1) の呼出し**

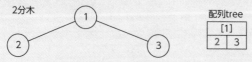

```
2    ○order(1)
3      if（tree[1]の要素数が2と等しい）
4        order(tree[1][1]) →  order(2)の呼出し
5                 :
6                 :
```

3行目：tree[1]の要素数は2です。
4行目：tree[1][1]=2なので，order (2) を呼び出します（再帰呼出し）。

● **order (2) 呼出し**

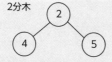

```
2    ○order(2)
3      if（tree[2]の要素数が2と等しい）
4        order(tree[2][1]) →order(4)の呼出し
5                 :
6                 :
```

3行目：tree[2]の要素数は2です。
4行目：tree[2][1]=4なので，order (4) を呼び出します（再帰呼出し）。

● **order (4) の呼出し**

```
2    ○order(4)
3      if（tree[4]の要素数が2と等しい）
4        order(tree[4][1]) →order(8)の呼出し
5                 :
6                 :
```

3行目：tree[4]の要素数は2です。
4行目：tree[4][1]=8なので，order (8) を呼び出します（再帰呼出し）。

● **order (8) の呼出し**

```
2      ○order(8)
          :
10        else
11          8を出力
12        endif
```

10行目：tree[8]の要素数は0です。
11行目：節番号8を出力します。呼び出し元のorder (4)に戻ります。

● order(4)へ戻る

2分木　　　　　　　　　　　　　　　　配列tree

4行目でorder (8)を呼び出して戻ってくるので，5行目から続きます。

```
2      ○order(4)
3        if（tree[4]の要素数 が2と等しい）
4          order(tree[4][1]) → order(8)の呼出し
5          4を出力
6          order(tree[4][2]) → order(9)の呼出し
```

5行目：節番号4を出力します。
6行目：tree[4][2]=9なので，order (9)を呼び出します（再帰呼出し）。
同じ要領で続いていきますが，8，4と出力しているので，解答群からウです。

ちなみに，このプログラムの4行目，5行目，6行目から，「左の子，節番号出力，右の子」の順に走査しています。この走査を**中間順**（後述）といいます。

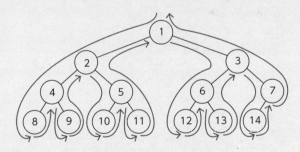

知っ得情報《 2分木の走査 》

2分木の深さ優先の走査の方法には，その順序によって次の三つがあります。
＊ **前順**は，「節点，左部分木，右部分木」の順に走査します。
＊ **中間順**は，「左部分木，節点，右部分木」の順に走査します。
＊ **後順**は，「左部分木，右部分木，節点」の順に走査します。

次の記述中の□□□□に入れる正しい答えを，解答群の中から選べ。ここで，配列の要素番号は1から始まる。

次の手続sortは，大域の整数型の配列dataの，引数firstで与えられた要素番号から引数lastで与えられた要素番号までの要素を昇順に整列する。ここで，first＜lastとする。手続sortをsort(1, 5)として呼び出すと，/*** α ***/の行を最初に実行したときの出力は"□□□□"となる。

〔プログラム〕
大域：整数型の配列：data ← {2, 1, 3, 5, 4}

```
○sort(整数型: first, 整数型: last)
  整数型: pivot, i, j
  pivot ← data[(first＋last)÷2の商]
  i ← first
  j ← last

  while (true)
    while (data[i]＜pivot)
      i ← i＋1
    endwhile
    while (pivot＜data[j])
      j ← j－1
    endwhile
    if (i≧j)
      繰返し処理を終了する
    endif
    data[i]とdata[j]の値を入れ替える
    i ← i＋1
    j ← j－1
  endwhile
  dataの全要素の値を要素番号の順に空白区切りで出力する  /*** α ***/
  if (first＜i－1)
    sort(first, i－1)
  endif
  if (j＋1＜last)
    sort(j＋1, last)
  endif
```

解答群
ア 1 2 3 4 5　　イ 1 2 3 5 4　　ウ 2 1 3 4 5　　エ 2 1 3 5 4

配列と再帰呼出しを用いた，クイックソートの問題です。

> 【頭の準備体操】
>
> **配列**（4-02参照）
> ・ 配列は，要素番号を用いてデータを取得するデータ構造です。
> **再帰的**（4-09参照）
> ・ 再帰的は，実行中に自分自身を呼び出せる性質です。
> **クイックソート**（4-07参照）
> ・ クイックソートは，適当な基準値を決めて，「基準値より小さい値」の
>   グループと，「基準値より大きい値」のグループに分ける操作を繰り返
>   していく整列法です。

クイックソートは，次のようなイメージで，網掛けは基準値（pivot）を表します。

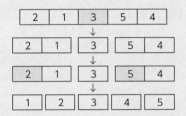

では，プログラムを考えてみましょう。

〔プログラム〕

```
 1   大域：整数型の配列：data ← {2, 1, 3, 5, 4}

 2   ○sort(整数型：first, 整数型：last)
 3     整数型：pivot, i, j
 4     pivot ← data[(first + last) ÷ 2 の商]
 5     i ← first
 6     j ← last

 7     while (true)
 8       while (data[i] < pivot)          pivotよりも小さい値の場合
 9         i ← i + 1
10       endwhile
11       while (pivot < data[j])          pivotよりも大きい値の場合
12         j ← j - 1
13       endwhile
14       if (i ≧ j)
15         繰返し処理を終了する
16       endif
17       data[i]とdata[j]の値を入れ替える
18       i ← i + 1
19       j ← j - 1
20     endwhile
```

21 　dataの全要素の値を要素番号の順に空白区切りで出力する /*** α ***/

```
22  if (first < i - 1)
23     sort(first, i - 1)          再帰呼出し
24  endif
25  if (j + 1 < last)
26     sort(j + 1, last)           再帰呼出し
27  endif
```

1行目：大域の配列dataを用意し，初期値の{2，1，3，5，4}を代入します。

配列 data

2	1	3	5	4
[1]	[2]	[3]	[4]	[5]

2行目：手続きsortをsort(1，5)と呼び出すので，引数として，firstに1，lastに5を受け取ります。

┌─【ポイント】────────────────────────────┐
│ 変数は問題を解くための手がかり。何に用いられる変数かを予想する │
└───────────────────────────────────┘

firstは「最初の」という意味，lastは「最後の」という意味なので，ソート範囲の最初の要素番号，最後の要素番号がそれぞれ入ります。

3行目：変数pivot，変数i，変数jを用意します。pivotは，「中心」という意味なので，基準値が入ります。

4行目：pivotに，data[(1 + 5) ÷ 2の商]，つまりdata[3]の値3を代入します。

5行目：iに引数firstの値である1を代入します。

6行目：jに引数lastの値である5を代入します。

pivot	i	j
3	1	5

7行目～20行目：無限に繰り返します（ただし，14行目の条件に合致すれば，15行目で強制的に繰返しを抜けます）。

8行目～10行目：data[i] < pivotを満たす間，繰り返します。この繰り返しでは，現在，「基準値より左半分にある値」のグループから，基準値よりも大きい値を探しています。

8行目（1回目）：

pivot　i　　j　　　　data[i]=data[1]=2

data[1]=2, pivot=3となり，繰返しの条件であるdata[i] < pivotは真なので，

9行目（1回目）：iに，1 + 1の計算結果である2を代入します。

8行目（2回目）：

pivot　i　　j　　　　data[i]=data[2]=1

data[2]=1, pivot=3となり，繰返しの条件であるdata[i] < pivotは真なので，

9行目（2回目）：iに，2 + 1の計算結果である3を代入します。

8行目（3回目）:

pivot	i	j
3	3	5

data[i]=data[3]=3

data[3]=**3**, pivot=**3**となり, 繰返しの条件であるdata[i]＜pivotは偽なので, 8行目～10行目の繰返しを抜けます。

11行目～13行目: pivot＜data[j]を満たす間, 繰り返します。この繰返しでは, 現在,「基準値より右半分にある値」のグループから, 基準値よりも小さい値を探しています。

11行目（1回目）:

pivot	i	j
3	3	5

data[j]=data[5]=4

pivot=**3**, data[5]=**4**となり, 繰返しの条件であるpivot＜data[j]は真なので,

12行目（1回目）: jに, 5－1の計算結果である4を代入します。

11行目（2回目）:

pivot	i	j
3	3	4

data[j]=data[4]=5

pivot=**3**, data[4]=**5**となり, 繰返しの条件であるpivot＜data[j]は真なので,

12行目（2回目）: jに, 4－1の計算結果である3を代入します。

11行目（3回目）:

pivot	i	j
3	3	3

data[j]=data[3]=3

pivot=**3**, data[3]=**3**となり, 繰返しの条件であるpivot＜data[j]は偽なので, 11行目～12行目の繰返しを抜けます。

14行目: i=3, j＝3となり, 条件i≧jは真なので,

15行目: 7行目～20行目の繰返しを（強制的に）抜けます（17行目～19行目は処理しません）。

21行目:

配列 data

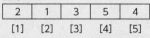

2	1	3	5	4
[1]	[2]	[3]	[4]	[5]

dataの全要素の値を要素番号の順に空白区切りで出力します。よって, 正解はエです。

最初の出力（21行目）では, プログラム実行時には, 既に「基準値より小さい値」のグループと,「基準値より大きい値」のグループに分かれていたので（1行目）, 入替え処理は行いませんでした。

以降も同じ要領で, 再帰呼出しを用いて, 22行目～24行目は「基準値より小さい値」のグループを, 25行目～27行目は「基準値より大きい値」のグループを処理します。

次の記述中の　　　　に入れる正しい答えを，解答群の中から選べ。ここで，配列の要素番号は1から始まる。

関数mergeは，昇順に整列された整数型の配列data1及びdata2を受け取り，これらを併合してできる昇順に整列された整数型の配列を返す。

関数mergeを merge({2, 3}, {1, 4}) として呼び出すと，/*** α ***/の行は　　　　。

〔プログラム〕
```
○整数型の配列: merge( 整数型の配列: data1, 整数型の配列: data2)
  整数型: n1 ← data1の要素数
  整数型: n2 ← data2の要素数
  整数型の配列: work ← {(n1 + n2)個の未定義の値 }
  整数型: i ← 1
  整数型: j ← 1
  整数型: k ← 1

  while((i≦n1) and (j≦n2))
    if(data1[i]≦data2[j])
      work[k] ← data1[i]
      i ← i+1
    else
      work[k] ← data2[j]
      j ← j+1
    endif
    k ← k+1
  endwhile

  while(i≦n1)
    work[k] ← data1[i]
    i ← i+1
    k ← k+1
  endwhile

  while(j≦n2)
    work[k] ← data2[j] /*** α ***/
    j ← j+1
    k ← k+1
  endwhile

  return work
```

解答群

ア　実行されない　　　　　　　　　イ　1回実行される

ウ　2回実行される　　　　　　　　　エ　3回実行される

 このプログラムは，三つのWhile文の繰り返しを順に行っています。

```
 1 ○整数型の配列: merge( 整数型の配列: data1, 整数型の配列: data2)
 2   整数型: n1 ← data1の要素数
 3   整数型: n2 ← data2の要素数
 4   整数型の配列: work ← {(n1＋n2)個の未定義の値}
 5   整数型: i ← 1
 6   整数型: j ← 1
 7   整数型: k ← 1
 8   while((i ≦ n1) and (j ≦ n2))
 9     if(data1[i] ≦ data2[j])
10       work[k] ← data1[i]
11       i ← i＋1
12     else
13       work[k] ← data2[j]
14       j ← j＋1
15     endif
16     k ← k＋1
17   endwhile
18   while(i ≦ n1)
19     work[k] ← data1[i]
20     i ← i＋1
21     k ← k＋1
22   endwhile
23   while(j ≦ n2)
24     work[k] ← data2[j] /*** α ***/
25     j ← j＋1
26     k ← k＋1
27   endwhile
28   return work
```

【ポイント】

問題中の具体例は，「これを使って解きなさい」というメッセージ

では，順にトレースしてみましょう。

1行目：引数data1とdata2を受け取ります。

2	3
data1 [1]	[2]

1	4
data2 [1]	[2]

n1	n2
2	
2	2

2行目：変数n1にdata1の要素数2を代入します。
3行目：変数n2にdata2の要素数2を代入します。
4行目：配列workに4(2＋2)個の未定義の値を代入します。workは「作業用」という意味です。

未定義	未定義	未定義	未定義
work [1]	[2]	[3]	[4]

i	j	k
1		
1	1	
1	1	1

5行目：変数iに1を代入します。
6行目：変数jに1を代入します。
7行目：変数kに1を代入します。
8行目〜17行目：「iが2以下」かつ「jが2以下」の間繰り返します。
8行目：iが1，jが1なので，繰り返します。
（1回目の繰り返し）
9行目：条件が偽(2＞1)なので，

2	3
data1 [1]	[2]

1	4
data2 [1]	[2]

13行目：work[1]に1を代入します。

1	未定義	未定義	未定義
work [1]	[2]	[3]	[4]

i	j	k
1	2	1
1	2	2

14行目：jに2 (1＋1)を代入します。
16行目：kに2 (1＋1)を代入します。
8行目：iが1，jが2なので，繰り返します。
（2回目の繰り返し）
9行目：条件が真(2＜4)なので，

2	3
data1 [1]	[2]

1	4
data2 [1]	[2]

10行目：work[2]に2を代入します。

1	2	未定義	未定義
work [1]	[2]	[3]	[4]

i	j	k
2	2	1
2	2	3

11行目：iに2 (1＋1)を代入します。
16行目：kに3 (2＋1)を代入します。
8行目：iが2，jが2なので，繰り返します。

（3回目の繰り返し）
9行目：条件が真（3＜4）なので，

	2	3			1	4
data1	[1]	[2]		data2	[1]	[2]

10行目：work[3]に3を代入します。

1	2	3	未定義
work [1]	[2]	[3]	[4]

i	j	k
3	2	1
3	2	4

11行目：iに3（2＋1）を代入します。
16行目：kに4（3＋1）を代入します。
8行目：iが3，jが2なので，繰り返しを抜けます。

18行目～22行目：「iが2以下」の間繰り返します。
18行目：iが3なので，繰り返しを抜けます。

23行目～27行目：「jが2以下」の間繰り返します。
23行目：jが2なので，繰り返します。
（1回目の繰り返し）
24行目：work[4]に4を代入します。/*** α ***/は1回実行されました

1	2	3	4
work [1]	[2]	[3]	[4]

i	j	k
3	3	4
3	3	5

25行目：jに3（2＋1）を代入します。
26行目：kに5（4＋1）を代入します。
23行目：jが3なので，繰り返しを抜けます。

i	j	k
3	3	5

28行目：配列workを，戻り値として返します。

1	2	3	4
work [1]	[2]	[3]	[4]

よって，イです。
このプログラムは，8行目～17行目で，n1とn2から順番に小さい方の値を
workに代入しています。さらに，18行目～22行目で，n1の残った値（今回
はありません）を，23行目～27行目でn2の残った値をworkに代入すること
でマージ（併合）しています。

第

12

章　科目B対策

次のプログラム中の□□□□に入れる正しい答えを，解答群の中から選べ。

手続delNodeは，単方向リストから，引数posで指定された位置の要素を削除する手続である。引数posは，リストの要素数以下の正の整数とする。リストの先頭の位置を1とする。

クラスListElementは，単方向リストの要素を表す。クラスListElementのメンバ変数の説明を表に示す。ListElement型の変数はクラスListElementのインスタンスの参照を格納するものとする。大域変数listHeadには，リストの先頭要素の参照があらかじめ格納されている。

表 クラスListElementのメンバ変数の説明

メンバ変数	型	説明
val	文字型	要素の値
next	ListElement	次の要素の参照 次の要素がないときの状態は未定義

〔プログラム〕
大域: ListElement: listHead // リストの先頭要素が格納されている

```
○delNode(整数型: pos) /* pos は，リストの要素数以下の正の整数 */
  ListElement prev
  整数型: i
  if (pos が1と等しい)
    listHead ← listHead.next
  else
    prev ← listHead
    /* pos が2と等しいときは繰返し処理を実行しない */
    for (i を2から pos－1まで1ずつ増やす)
      prev ← prev.next
    endfor
    prev.next ← □□□□
  endif
```

解答群

ア listHead
イ listHead.next
ウ listHead.next.next
エ prev
オ prev.next
カ prev.next.next

単方向リスト（4-03参照）とオブジェクト指向（9-03参照）の複合問題です。単方向リストの要素を削除するには，ポインタの変更（付け替え）が必要です。また，クラスListElement（ひな形）を基にしてインスタンス（実体）が生成しています。

今回は4個の要素で，3番目の要素を削除する，delNode (3)の場合を考えてみましょう。

ここで，表の「クラスListElementのメンバ変数の説明」から，valには要素の値が，nextには次の要素の格納場所が入っています。

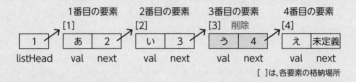

[ ]は,各要素の格納場所

〔プログラム〕

```
1   大域: ListElement: listHead // リストの先頭要素が格納されている //

2   ○delNode( 整数型: pos) /* posは, リストの要素数以下の正の整数 */
3     ListElement prev
4     整数型: i
5     if (posが1と等しい)
6       listHead ← listHead.next
7     else
8       prev ← listHead
9       /* posが2と等しいときは繰返し処理を実行しない */
10      for (iを2からpos−1まで1ずつ増やす)
11        prev ← prev.next
12      endfor
13      prev.next ← [          ]
14    endif
```

1行目：ListHeadは大域変数なので，プログラム中のどこからでもアクセスできます。

【問題の本文】

ListElement型の変数はクラスListElementのインスタンスの参照を格納するものとする。

また，「ListElement型の変数はクラスListElementのインスタンスの参照を格納するもの」とあるので，ListHeadには要素が格納されているアドレス（格納場所）が入ります。

3行目：

> 【ポイント】
>
> 変数名は，問題を解く手がかり。何に用いられる変数かを予想する

prevもListElement型なので格納場所が入ります。prevはprevious(前の)
という単語の略なので，「前の要素の格納場所」が入る？と頭に準備して進め
ます。

●1番目の要素を削除

5行目：「posが1と等しい」かどうかで分岐します。引数posが1のとき
は，1番目の要素(先頭の要素)を削除する場合です。

6行目：

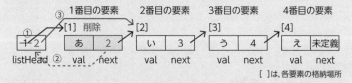

[ ]は，各要素の格納場所

引数posが1なので，①「listHead.next(listHeadが参照する要素のnext)」，
つまり，②「1番目の要素のnext」の2を，③listHeadに代入することで，
1番目の要素を削除しています。

●2番目以降の要素を削除

7行目：引数posが1以外，つまり2番目以降の要素の場合です。今回は，
3番目(pos＝3)の要素を削除する場合を想定しています。

8行目：

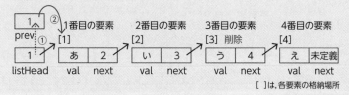

[ ]は，各要素の格納場所

①listHeadの1を，prevに代入します。これで，②prevが1番目の要素を
参照するようになります。

10行目〜12行目：変数iが2から2(pos−1＝3−1)まで，つまり1回繰り
返します。

11行目(1回目)：

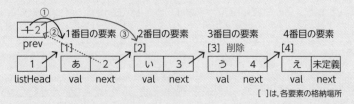

[ ]は，各要素の格納場所

① 「prev.next（prevが参照する要素のnext）」，つまり，「1番目の要素の next」の2を，②prevに代入します。これで，③prevが2番目の要素を参照するようになります。

12行目：繰返し終了後，prevには，削除したい要素（pos）の，一つ前の要素（pos − 1）の格納場所が代入されています。

13行目：

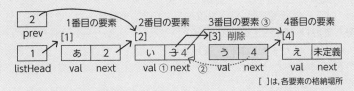

[ ]は，各要素の格納場所

3番目の要素を削除するには，「prev.next（prevが参照する要素のnext）」，つまり，「2番目の要素のnext」に，「3番目の要素のnext」を代入する必要があります。

これは，① 「prev.next（2番目の要素のnext）」に，「prev.next（2番目の要素の next）」が参照している要素のnext，つまり②「prev.next.next（3番目の要素のnext）」の4を代入することで，③3番目の要素を削除しています。非常にややこしいので，図で確認しましょう。

よって，力です。

　製造業のA社では，ECサイト（以下，A社のECサイトをAサイトという）を使用し，個人向けの製品販売を行っている。Aサイトは，A社の製品やサービスが検索可能で，ログイン機能を有しており，あらかじめAサイトに利用登録した個人（以下，会員という）の氏名やメールアドレスといった情報（以下，会員情報という）を管理している。Aサイトは，B社のPaaSで稼働しており，PaaS上のDBMSとアプリケーションサーバを利用している。

　A社は，Aサイトの開発，運用をC社に委託している。A社とC社との間の委託契約では，Webアプリケーションプログラムの脆弱性対策は，C社が実施するとしている。

　最近，A社の同業他社が運営しているWebサイトで脆弱性が悪用され，個人情報が漏えいするという事件が発生した。そこでA社は，セキュリティ診断サービスを行っているD社に，Aサイトの脆弱性診断を依頼した。脆弱性診断の結果，対策が必要なセキュリティ上の脆弱性が複数指摘された。図1にD社からの指摘事項を示す。

項番1　Aサイトで利用しているアプリケーションサーバのOS に既知の脆弱性があり，脆弱性を悪用した攻撃を受けるおそれがある。

項番2　Aサイトにクロスサイトスクリプティングの脆弱性があり，会員情報を不正に取得されるおそれがある。

項番3　Aサイトで利用しているDBMS に既知の脆弱性があり，脆弱性を悪用した攻撃を受けるおそれがある。

図1　D社からの指摘事項

設問　図1中の各項番それぞれに対処する組織の適切な組合せを，解答群の中から選べ。

解答群

	項番1	項番2	項番3
ア	A社	A社	A社
イ	A社	A社	C社
ウ	A社	B社	B社
エ	B社	B社	B社
オ	B社	B社	C社
カ	B社	C社	B社
キ	B社	C社	C社
ク	C社	B社	B社
ケ	C社	B社	C社
コ	C社	C社	B社

ECサイトにおける脆弱性対策の問題です。問題に記載されているA社～D社までの関係を図に表すと，次のようになります。

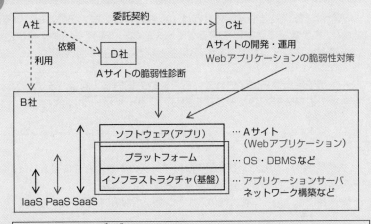

【頭の準備体操】 PaaS（バース）(11-01参照)

・ PaaSは，サービス提供事業者が，ソフトウェアの稼働に必要なOSやDBMSなどのプラットフォームを，ネットワーク経由で提供するサービスです。

では，問題を考えてみましょう。

項番1：

【問題の本文】

Aサイトは，B社のPaaSで稼働しており，PaaS上のDBMSとアプリケーションサーバを利用している。

Aサイトで利用しているアプリケーションのサーバのOSを提供しているのは，B社です。

項番2：

【問題の本文】

A社とC社との間の委託契約では，Webアプリケーションプログラムの脆弱性対策は，C社が実施するとしている。

AサイトのWebアプリケーションの脆弱性対策を実施しているのは，C社です。

項番3：

【問題の本文】

Aサイトは，B社のPaaSで稼働しており，PaaS上のDBMSとアプリケーションサーバを利用している。

Aサイトで利用しているDBMSを提供しているのは，B社です。
よって，カです。

　A社は，放送会社や運輸会社向けに広告制作ビジネスを展開している。A社は，人事業務の効率化を図るべく，人事業務の委託を検討することにした。A社が委託する業務（以下，B業務という）を図1に示す。

・採用予定者から郵送されてくる入社時の誓約書，前職の源泉徴収票などの書類をPDFファイルに変換し，ファイルサーバに格納する。
（省略）

図1　B業務

　委託先候補のC社は，B業務について，次のようにA社に提案した。
・B業務だけに従事する専任の従業員を割り当てる。
・B業務では，図2の複合機のスキャン機能を使用する。

・スキャン機能を使用する際は，従業員ごとに付与した利用者IDとパスワードをパネルに入力する。
・スキャンしたデータをPDFファイルに変換する。
・PDFファイルを従業員ごとに異なる鍵で暗号化して，電子メールに添付する。
・スキャンを実行した本人宛てに電子メールを送信する。
・PDFファイルが大きい場合は，PDFファイルを添付する代わりに，自社の社内ネットワーク上に設置したサーバ（以下，Bサーバという）[1]に自動的に保存し，保存先のURLを電子メールの本文に記載して送信する。

注[1] Bサーバにアクセスする際は，従業員ごとの利用者IDとパスワードが必要になる。

図2　複合機のスキャン機能（抜粋）

　A社は，C社と業務委託契約を締結する前に，秘密保持契約を締結した。その後，C社に質問表を送付し，回答を受けて，業務委託での情報セキュリティリスクの評価を実施した。その結果，図3の発見があった。

・複合機のスキャン機能では，電子メールの差出人アドレス，件名，本文及び添付ファイル名を初期設定[1]の状態で使用しており，誰がスキャンを実行しても同じである。
・複合機のスキャン機能の初期設定情報はベンダーのWebサイトで公開されており，誰でも閲覧できる。

注[1] 複合機の初期設定はC社の情報システム部だけが変更可能である。

図3　発見事項

　そこで，A社では，初期設定の状態のままではA社にとって情報セキュリティリスクがあり，初期設定から変更するという対策が必要であると評価した。

> 設問　対策が必要であるとA社が評価した情報セキュリティリスクはどれか。解答群のうち，最も適切なものを選べ。

解答群

ア　B業務に従事する従業員が，攻撃者からの電子メールを複合機からのものと信じて本文中にあるURLをクリックし，フィッシングサイトに誘導される。その結果，A社の採用予定者の個人情報が漏えいする。

イ　B業務に従事する従業員が，複合機から送信される電子メールをスパムメールと誤認し，電子メールを削除する。その結果，再スキャンが必要となり，B業務が遅延する。

ウ　攻撃者が，複合機から送信される電子メールを盗聴し，添付ファイルを暗号化して身代金を要求する。その結果，A社が復号鍵を受け取るために多額の身代金を支払うことになる。

エ　攻撃者が，複合機から送信される電子メールを盗聴し，本文に記載されているURLを使ってBサーバにアクセスする。その結果，A社の採用予定者の個人情報が漏えいする。

要点解説　対策が必要であると考えられる情報セキュリティリスクを問う問題です。まずは，背景を図にして考えてみましょう。

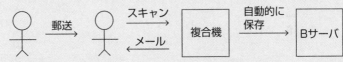

採用予定者　　C社従業員　　・PDFファイルを添付
　　　　　　　　　　　　　　・保存先のURL（PDFファイルが大きい場合）

【問題の図3　発見事項】
・複合機のスキャン機能では，電子メールの差出人アドレス，件名，本文及び添付ファイル名を初期値設定[1]の状態で使用しており，誰がスキャンしても実行しても同じである。
・複合機のスキャン機能の初期設定情報はベンダーのWebサイトで公開されており，誰でも閲覧できる。

問題点は，複合機のスキャン機能を初期設定の状態のまま使用しており，その初期設定情報は，ベンダーのWebサイトに公開されているので，誰でも閲覧できることにあります。

解答群を順番に考えていきましょう。

ア　複合機のスキャン機能を初期状態のまま使用しており，初期設定情報は外部から誰でも閲覧できるので，攻撃者はB業務に従事する従業員あてに，複合機からの電子メールになりすましたフィッシングメールを作成して送付することができてしまうので正解です。

イ　B業務に従事する従業員に対して，複合機のスキャン機能を周知しているので，スパムメールと誤認して削除することは稀であると考えられます。たとえ削除したとしてもB業務が遅延することは情報セキュリティとは関係ないので誤りです。

ウ　たとえ攻撃者に電子メールを盗聴されたとしても，「PDFファイルを従業員ごとに異なる鍵で暗号化して，電子メールに添付する。」ことから，攻撃者が添付ファイル（PDFファイル）を復元できないので誤りです。

エ　Bサーバは社内ネットワーク上に設置されているので，攻撃者は外部からアクセスできません。たとえ攻撃者にBサーバにアクセスされたとしても，「Bサーバにアクセスする際は，従業員ごとの利用者IDとパスワードが必要になる。」ことからも誤りです。

確認問題 13 ▶ 令和6年7月公開サンプル　問6　　**応用**

　A社は従業員450名の商社であり，昨年から働き方改革の一環として，在宅でのテレワークを推進している。A社のシステム環境を図1に示す。

- 従業員には，一人に1台デスクトップPC（以下，社内PCという）を貸与している。
- 従業員が利用するシステムには，自社で開発しA社に設置している業務システムのほかに，次の二つのSaaS（以下，二つのSaaSをA社利用クラウドサービスという）がある。
  1. メール機能，チャット機能及びクラウドストレージ機能をもつグループウェア（以下，A社利用グループウェアという）
  2. オンライン会議サービス
- テレワークでは，従業員の個人所有PC（以下，私有PCという）の業務利用（BYOD）を許可している。
- テレワークでは，社内PC及び私有PCのそれぞれに専用のアプリケーションソフトウェア（以下，専用アプリという）を導入し，社内PCのデスクトップから私有PCに画面転送を行うリモートデスクトップ方式を採用している。
- 専用アプリには，リモートデスクトップからPCへのファイルのダウンロード及びファイル，文字列，画像などのコピー＆ペーストを禁止する機能（以下，保存禁止機能という）があり，A社では私有PCに対して当該機能を有効にしている。
- 業務システムには，社内PCのデスクトップから利用者ID及びパスワードを入力してログインしている。
- A社利用クラウドサービスへのログインは，A社利用クラウドサービス側の設定によってA社の社内ネットワークからだけ可能になるように制限している。ログインには利用者ID及びパスワードを用いている。

図1　A社のシステム環境（抜粋）

　テレワークの定着が進むにつれて，社内PCからインターネットへの接続が極端に遅くなり，業務に支障をきたしているので改善できないかと，従業員から問合せがあった。A社の社内ネットワークとインターネットとの間の通信量を調査したところ，テレワーク導入前に比べ，業務時間帯で顕著に増加していることが判明した。そのため，情報システム部では，テレワークでA社利用クラウドサービスに接続する場合には，A社の社内ネットワークも社内PCも介さずに直接接続することを可能にするネットワークの設定変更を実施することにした。

12

第

章

科目B対策

設定変更に当たり，情報セキュリティ上の問題がないかをＡ社の情報セキュリティリーダーであるＢさんが検討したところ，幾つか問題があることが分かった。その一つは，Ａ社利用クラウドサービスへの不正アクセスのリスクが増加することである。そこでＢさんは，リスクを低減するために，情報システム部に対策を依頼することにした。

設問　次の対策のうち，情報システム部に依頼することにしたものはどれか。解答群のうち，最も適切なものを選べ。

ア　Ａ社の社内ネットワークからＡ社利用クラウドサービスへの通信を監視する。

イ　Ａ社の社内ネットワークとＡ社利用クラウドサービスとの間の通信速度を制限する。

ウ　Ａ社利用クラウドサービスにＡ社外から接続する際の認証に２要素認証を導入する。

エ　Ａ社利用クラウドサービスのうち，Ａ社利用グループウェアだけを直接接続の対象とする。

オ　専用アプリの保存禁止機能を無効にする。

要点解説 以下のような状況になります。私有ＰＣからＡ社利用クラウドサービスに直接接続するように変更した後も，既存の通信経路は残ります。

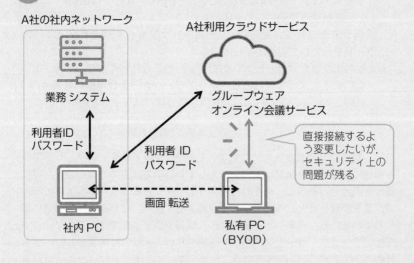

ア 「私有PCからA社利用クラウドサービスに直接接続する」ように変更に
　なるので，A社の社内ネットワークからA社利用クラウドサービスへの通
　信を監視しても意味がありません。
イ 「私有PCからA社利用クラウドサービスに直接接続する」ように変更に
　なるので，A社の社内ネットワークからA社利用クラウドサービス間の通
　信速度を制限しても意味がありません。
ウ A社利用クラウドサービスへのログインは，A社の社内ネットワークか
　らだけ可能になるように設定されていますが，外部からも直接接続できる
　ように設定を変更します。現在，利用者IDとパスワードでログインしてい
　ますが，設定の変更により外部から不正にログインされるリスクが考えら
　れます。その対策として，2要素認証を導入することでリスクを低減する
　ことができます。
エ グループウェアは直接接続の対象とするので，不正アクセスへのリスク
　は残ります。また，不正アクセスの対策ではありませんが，オンライン会
　議サービスは通信量が多く，A社の社内ネットワークを使用し続けるので，
　通信量の削減効果はあまり期待できません。
オ 社内PCのリモートデスクトップは継続して利用するので，専用アプリの
　保護禁止機能は有効にする必要があります。

解答

問題1：ウ	問題2：イ	問題3：ア	問題4：イ	問題5：ウ
問題6：エ	問題7：ウ	問題8：エ	問題9：イ	問題10：カ
問題11：カ	問題12：ア	問題13：ウ		

索引

INDEX

●著者紹介
栢木 厚 (かやのき あつし)
IT 企業の SE などに従事した後，現在は高等学校の情報の教員免許を取得して，複数の高等学校において情報の授業・共通テスト対策の夏期講習を担当。さらには，高校生・社会人向けの IT 国家試験対策の講師経験を活かし，執筆活動にあたる。
モットーは，「誰もがやっていない切り口から，"面白おかしく斬新に！"」

●装丁・本文デザイン
平塚兼右（PiDEZA）

●カバー・本文イラスト
石川ともこ

●本文レイアウト
(有)フジタ

●編集 **藤澤奈緒美**

■書籍連動Webサイト
「実体験から始める情報講座」
https://kayalab.jp
本書の節に合わせた過去問題を大量に収録

「令和07年 かやのき先生の基本情報技術者教室準拠 書き込み式ドリル」も発売中！
　本書に完全対応したサブノート＆ドリルです。書き込み式のまとめ集としても，簡単な問題集としても使える便利な1冊です。

令和07年 イメージ＆クレバー方式でよくわかる
かやのき先生の基本情報技術者教室

2006年 1月10日 初 版 第1刷発行
2024年12月 7日 第20版 第1刷発行

著 者 栢木 厚
発行者 片岡 巖
発行所 株式会社技術評論社
　　　 東京都新宿区市谷左内町 21-13
電 話 03-3513-6150 販売促進部
　　　 03-3513-6166 書籍編集部
印刷 / 製本 昭和情報プロセス株式会社

定価はカバーに表示してあります。

ISBN978-4-297-14534-7 C3055
Printed in Japan

■注意
　本書に関するご質問は，FAXや書面でお願いいたします。電話での直接のお問い合わせには一切お答えできませんので，あらかじめご了承下さい。また，以下に示す弊社のWebサイトでも質問用フォームを用意しておりますのでご利用下さい。
　ご質問の際には，書籍名と質問される該当ページ，返信先を明記して下さい。e-mailをお使いになれる方は，メールアドレスの併記をお願いいたします。

■連絡先
〒162-0846
東京都新宿区市谷左内町 21-13
(株) 技術評論社 書籍編集部
「令和07年
　かやのき先生の基本情報技術者教室」係
FAX ：03-3513-6183
Webサイト：https://gihyo.jp/book